España en Europa, 1931-1936
Del compromiso por la paz a la huida de la guerra

FRANCISCO QUINTANA NAVARRO

España en Europa, 1931-1936
Del compromiso por la paz a la huida de la guerra

NEREA

Editorial Nerea quiere expresar su agradecimiento, por su colaboración en la publicación de este libro, al Servicio de Publicaciones de la Universidad de Las Palmas de Gran Canaria y a la Dirección General de Relaciones Culturales y Científicas del Ministerio de Asuntos Exteriores.

INDICE

PROLOGO

Vida y obra de Salvador de Madariaga

El centenario del nacimiento de Madariaga que se celebró en 1986 nos permitió recuperar globalmente la vida y obra del ilustre —y discutido— intelectual español nacido en La Coruña. Y escribo vida y obra porque poseo la convicción de que en don Salvador ambas estuvieron inextricablemente unidas desde que el joven ingeniero coruñés decidió instalarse en Londres, en plena guerra mundial (1916), hasta que la «visita de la vieja dama» acabó con su figura y su quehacer en Locarno (1978), donde residía alternativamente desde hacía años.

El libro-homenaje que editó el Ayuntamiento de La Coruña en 1988 y la tesis de doctorado de Octavio Victoria Gil (*La vida y obra trilingüe de Salvador de Madariaga*, Universidad Complutense, 1982, 2 vols.) vinieron a dar sendos aldabonazos nacionales: llamando la atención, haciendo volver la vista de los españoles más jóvenes hacia un intelectual de la generación del 14 muy singular y hacia un europeísta de fuste como fue Madariaga desde un principio.

Es decir, desde principio de siglo, cuando la Gran Guerra hizo arder la vieja Europa —*Die Welt von Gestern,* como reza el título de la autobiografía del conocido escritor vienés Stephan Zweig— y cuando Madariaga inició una intensa tarea de reflexión y transmisión cultural que le convirtió en el *Kulturträger* por antonomasia en la Europa de entreguerras (1919-1930). El ya citado Zweig, Rolland, Bertrand Rusell o los hermanos Mann (Heinrich y Thomas) integrarían con Madariaga la más ilustre nómina de la intelectualidad continental, ansiosa de meditar sobre los problemas de la época y de encontrar soluciones a la crisis policéfala de aquellos decenios (magistralmente analizada por E. H. Carr en una obra clásica que llevó por título *The Twenty Years Crisis*, que apareció pocos meses antes de que estallara la segunda guerra mundial).

El diario londinense *The Times* subrayó en el obituario que consagró a Madariaga su carácter de «leader of thought in Europe and standardbearer of the cultural liberal opposition which was, at the time, exiled or persecuted everywhere in Europe» (7/XII/79).

Ese rasgo de español europeísta de cuajo que no cejó en su dilatada vida y obra de plantear al común —y de plantearse a sí mismo— los dilemas políticos de la democracia liberal amenazada desde dentro por su falseamiento o relajación, y desde el exterior por la intransigencia totalitaria, fue el que más caracterizó la bibliografía histórica y política de Madariaga. En la inteligencia que don Salvador pudo expresar el repertorio de su caudal de ideas en ensayos de prosa trilingüe (francés, castellano e inglés), rica en imágenes de extracción tanto culta como popular.

Es sabido que André Maurois veía en Madariaga al más inglés de los españoles (catedrático de literatura hispánica en la Universidad de Oxford), al más francés de los españoles (nada extraño que un emisario europeo estuviera compenetrado con París y la lengua de Racine) y al más español de los españoles (lo que, cuenta tenida del desenfado mental y expresivo de don Salvador, no era propiamente una inexactitud). Es decir, Madariaga como síntesis de la unidad del viejo mundo, asolado durante toda la primera mitad del siglo XX por los desgarros nacionalistas, la intolerancia ideológica y los quebrantos económicos.

Personalmente, poseo recuerdos que conservo atesorados en mi memoria y que me permiten recuperar la imagen viva de Madariaga tanto en el *Reform Club* del londinense Pall Mall como en el homenaje que le dispensó la Internacional Liberal en 1965, y de la que permanece como testimonio el *Liber Amicorum* que se imprimió entonces. Coincidiendo con sus ochenta años de vida y obra fecundas al servicio de la unidad de Europa, tan maltrecha entre 1914 y 1945, la Universidad de Oxford invistió a Madariaga doctor Honoris Causa en el Sheldonian Theater de la insigne ciudad inglesa. Brujas, París y Florencia —sedes pioneras de la Universidad Europea que programas como el Erasmus pretenden potenciar actualmente— celebraron en su momento la talla transfronteriza de Madariaga. La concesión del premio Carlomagno de la ciudad de Aquisgrán, en 1973, vino a culminar el reconocimiento merecido de su europeidad radical.

España en Europa durante la segunda República

Los juicios de valor, las apreciaciones humanas sobre el pasado historiable y sus protagonistas suelen ser volubles. El alejamiento del joven Madariaga de España entre 1916 y 1931; la independencia de su instalación vital y mental en Oxford y Ginebra, capital de la Sociedad de Naciones; el período al servicio de la segunda República española desde su nombramiento como Embajador ante los Estados Unidos de América (9/V/1931) hasta el estallido de la guerra civil (18/VII/1936), estos y otros factores biográficos del personaje en cuestión han contribuido a su relativo desconocimiento en España durante el franquismo y a su moderada rehabilitación intelectual e histórica desde la instauración democrática en el país a partir de 1976.

No olvidaré fácilmente al autor de la tesis que prologo, Francisco Quintana Navarro. Y ello por un doble motivo. Primero, porque junto con otros antiguos alumnos de la Universidad Autónoma de Madrid (Susana Sueiro Seona, Pedro Martínez Lillo, Adnan Mechbal, Teresa Pereira) mostró una sensibilidad notable para la investigación en el campo de la historia de las relaciones internacionales. Segundo, porque supo madurar mi propuesta de tema de tesis de doctorado con el paso de los años hasta dar a luz la obra que el lector se dispone a leer.

España en Europa, 1931-1936. Del compromiso por la paz a la huida de la guerra es una enjundiosa monografía que estudia la política internacional de una pequeña potencia durante unos años de conflictivo rejuvenecimiento interior y de simultáneo ocaso del sistema internacional pergeñado, en París-Versalles en 1918-1919, para sacar a flote la democracia bajo el amparo de la Sociedad de Naciones.

Resulta cómodo formular problemas, hacer propuestas temáticas, avanzar cuestiones y sembrar sugerencias históricas. Lo arduo reside en la empresa de plantearlas con amplitud de miras, saber documentarse, encadenar las variables en juego y trabar un discurso historiográfico que desde el principio de la redacción hasta el remate de la obra aparezca convincente, arroje luz donde hay mucha penumbra y complazca, incluso, al lector. Creo, sin caer en la *laudatio* gratuita, que la monografía de Quintana Navarro —actualmente profesor de Historia Contemporánea en la Universidad de Las Palmas de Gran Canaria— consigue materializar todos los requisitos que se dan cita en el historiador competente.

La vida y obra de don Salvador de Madariaga fue en un principio el hilo conductor del proyecto de tesis. Muchas dificultades se alzaban en el camino de su realización —«extrañamiento» de Madariaga; dificultad del período concreto acotado (siempre abordado como un período en el que con más intensidad que nunca antes, desde el 98 al menos, la sociedad española se enfrentó a los problemas internos que lastraban su funcionamiento moderno); localización de fuentes documentales en los repositorios nacionales y europeos en los que seguir las huellas tanto de Madariaga en su etapa de *scholar in politics* como los altibajos de la política europea de la España republicana...

Francisco Quintana Navarro, a mi juicio, ha contribuido a enriquecer la bibliografía española —todavía deficitaria, todavía carente de dos o tres buenos manuales de historia de las relaciones internacionales, de una colección de documentos diplomáticos y de un anuario que recoja los frutos de la investigación específica que se lleva a cabo en las universidades del país—. Esta impresión de tarea intelectual ejecutada dignamente, que he experimentado yo, se apoderará del lector cuando transcurran las páginas que llevan desde el «societarismo» a ultranza de Madariaga —y de París, Londres y muchas de las pequeñas potencias de entreguerras— hasta 1933 al menos. Páginas en las que se describe el repliegue de los actores internacionales europeos hacia el acantonamiento en la neutralidad desde que empezó a configurarse en potencia un núcleo de estados fascistas descontentos con el *Diktat* de Versalles y con la Sociedad de Naciones; y despectivos con el principio vertebrador del sistema de posguerra denominado de seguridad colectiva. Se trata de dos etapas del ideal de paz en Europa que coinciden con el bienio republicano de las reformas y con el bienio del revisionismo conservador; del período de Azaña/Prieto (1931-1933) y del bienio de Gil Robles/Lerroux (1933-1935). El primero, más afín a la gestión europea de Madariaga desde París y Ginebra; el segundo, con tendencias al escepticismo (hoy hablaríamos de euroescepticismo) en lo atinente a la regulación de los conflictos internacionales mediante arbitraje.

Dos etapas, pues, de la proyección exterior de la segunda República que desembocan en la formación de los gobiernos de corte Frente Popular en España y Francia, en el flanco occidental del viejo mundo, frente al tándem fascista italo-alemán que se irá configurando desde la Conferencia de Stressa hasta la proclamación del Eje Berlín-Roma el 2 de noviembre de 1936. Durante un año y medio de zozobra, Gran Bretaña y la Unión Soviética, situadas en la periferia del viejo mundo, observan expectantes el desarrollo de los acontecimientos en el viejo tablado.

El autor de este libro ha sabido desglosar las dos etapas de la proyección republicana en Europa captando los matices de la inflexión internacionalista de la segunda República (del societarismo al sálvese quien pueda) en función no sólo del cambio, de la novedad estremecedora que supuso el resurgimiento alemán en Centroeuropa y la afirmación mediterránea de la Italia fascista (véase la ocupación de Abisinia en octubre de 1935 por las tropas italianas), sino en referencia, también, al *primado de la política interior* en la historia de España entre 1898 y 1953. Un factor este último que el profesor Jover Zamora subrayó en su momento y que yo mismo he procurado ilustrar en algunas páginas de mis libros.

Esta monografía, junto con aquellas otras que han ido apareciendo en los últimos años, muestran el interés que despierta en España el estudio de la historia de las relaciones internacionales en un siglo de declive (1898 y «resaca» consecuente) y de recuperación (se hablará de España a partir del tardofranquismo y de los años de la transición en calidad de potencia media). Y demuestran todas ellas, en su conjunto, la capacidad de nuestros más jóvenes historiadores de la materia para enfrentarse con sensibilidad internacionalista y destreza metodológica al desafío de una tarea innovadora para la bibliografía y necesaria para el remozamiento de la cultura política de la sociedad española actual. El profesor Quintana y su obra son un destacado corolario de lo anterior.

El horizonte se aclara cada vez más en esta especialidad del contemporaneísmo español. Me inclino a pensar que en los próximos cinco años un poco de concierto en los esfuerzos, el inicio de una operación tendente a reducir el déficit bibliográfico en materia de obras de referencia y la edición de una publicación periódica permitirán que nos codeemos con las escuelas, profesionales y publicaciones de la Europa comunitaria sin la consciencia de rezago que todavía pesa, y con algún motivo, sobre los prácticos del oficio.

Víctor Morales Lezcano
Madrid, noviembre de 1993

AGRADECIMIENTOS

Afortunadamente no hay esfuerzo individual que no precise de ayudas de otras personas. En mi caso han sido tan considerables que sin ellas hubiera sido impensable este libro. Es grato recordarlas, imposible expresar en palabras todo lo que han significado y justo dar las gracias. A Víctor Morales Lezcano, director de esta investigación en su versión original de tesis doctoral, por sus acertadas orientaciones, su constante preocupación, su contagiosa tenacidad y su amistad. A los miembros del tribunal que la juzgaron concediéndole la calificación de *cum laude*, Javier Tusell Gómez, Jesús Puente Egido, Alberto Lleonart Anselem, Antonio Marquina Barrio e Hipólito de la Torre Gómez, por las valiosas observaciones que me hicieron. A Hipólito de la Torre, también por sus eficaces gestiones para que este trabajo se publicara. A los colegas del Departamento de Historia Contemporánea de la UNED, del Seminario de Estudios Históricos Canarios y del Departamento de Ciencias Históricas de la Universidad de Las Palmas de Gran Canaria, por el amparo académico y la confianza que en mí han depositado. A Isabel de Madariaga, por la atención que me prestó en Londres y por poner a mi servicio los papeles de su padre. A no pocos bibliotecarios y archiveros, cuyo gremio deseo personificar en Sven Welander, por sus indicaciones y sugerencias en la búsqueda de libros y papeles. A los que sufrieron mis entrevistas, por abrirme de par en par las puertas de sus recuerdos. Al Ministerio de Educación y Ciencia, por la concesión de una beca de Formación del Personal Investigador, y al *British Council*, por su ayuda para viajar a Londres un par de veranos. A Antonio Marrero y Juan Díaz, por haberme enseñado a compaginar la investigación con el compromiso universitario. A Marta Casares y José Antonio Alvarez, por sus consejos editoriales y su infinita paciencia a la espera de estas páginas. A los amigos que compartieron de cerca —y a veces a distancia— mis inquietudes profesionales, tanto a los de Las Palmas de Gran Canaria y Madrid, como a los de Londres, París y Ginebra, por los ánimos que siempre me infundieron. A mi familia, por sus estímulos permamentes, y a Mari, por su apoyo incondicional, decisivo para que este libro vea la luz pública. A todos, gracias.

INTRODUCCION

Durante la edad contemporánea, y más específicamente en la primera mitad del siglo XX, la relación de España con Europa ha dibujado una trayectoria de perfiles sinuosos y con tendencia a los constantes altibajos. Ello ha sido el reflejo de la presencia de dos voluntades contradictorias en la proyección exterior del Estado: de una parte, la necesidad de inserción en el complejo entramado de los intereses europeos, derivada de la estrecha vinculación de España a los destinos de Europa, cada vez más perceptible con el paso del tiempo; de la otra, la conveniencia del apartamiento de los conflictos continentales, impuesta por la situación de debilidad del país y la gravedad de la confrontación europea. Resultó imposible resolver ese permanente dilema entre la exigencia de integración y la tentación al aislamiento mientras primó el conflicto interno como elemento que absorbió las principales energías nacionales, mientras dominó la virulencia extrema en el conflicto continental y mientras interfirió la preocupación por el conflicto colonial [1]. Prueba de ello es que España ha realizado su plena inserción en Europa sólo cuando esos tres conflictos quedaron resueltos.

No se piense, sin embargo, que el dilema entre la participación y el retraimiento ha sido exclusivo de España en la Europa del siglo XX. El atraso económico, la inestabilidad política, el escaso grado de cohesión social y, en general, las limitaciones del proceso de construcción del Estado-nación heredado del siglo XIX han condicionado el despliegue de una política exterior activa y avalado la apuesta por la neutralidad al sobrevenir las dos guerras mundiales. Pero tales factores peculiares de España se han combinado con otros generales a Europa y, en particular, con los elementos asociados a las relaciones de poder internacional, que han incidido con tanta o mayor fuerza que las debilidades internas en las decisiones adoptadas por los gobiernos españoles sobre la política europea. Me

refiero a los rasgos definitorios de la condición de pequeña potencia de la
España contemporánea: a la mediatización económica, la supeditación política y la vulnerabilidad defensiva respecto de las grandes potencias europeas; es decir, al reconocimiento tácito de su incapacidad para garantizar la seguridad nacional por sus propios medios, viéndose permanente-
mente abocada a elegir entre el recurso de amparo a otros actores o factores de la política internacional para hacer frente a la situación de indefensión y el abandono de todo compromiso que pusiera en peligro la integridad territorial [2].

Esa constante impotencia, propia de toda pequeña potencia, ha llevado
a España a actuar en Europa —con mayor frecuencia de lo que a menudo
se piensa— de modo similar a como lo hicieron otros Estados de su misma
condición: participando con más o menos acierto en los asuntos continentales en tiempos de paz, pero rehuyendo toda involucración en los enfrentamientos bélicos. En suma, no sólo las debilidades internas, sino también
los imperativos externos sirven para explicarse mejor esas continuas osci-
laciones entre las políticas de «recogimiento» y de «ejecución» de finales
del siglo XIX, entre el aliancismo de la preguerra y la neutralidad de la
Gran Guerra, entre la incorporación y la retirada de la Sociedad de Naciones durante los años veinte, entre la apuesta por la seguridad colectiva
y la vuelta a la neutralidad en los años treinta, entre la proclividad pro-Eje
y la «no beligerancia» durante la II Guerra Mundial [3].

Quizás ninguna otra coyuntura fue tan propicia para poner al descubierto el dilema en que se debatía la política exterior española como la de
los años treinta. En primer lugar, porque España entró en la senda de la
democracia, y con ella también se abrieron todas las vías posibles de relación con Europa, especialmente al tratarse de un régimen que, como la
II República, nacía con el propósito deliberado de europeizar España. En
segundo lugar, porque Europa estaba jugándose su inmediato destino hacia la paz o hacia la guerra en medio de una crisis generalizada que
implicaba a todos —poderes, clases sociales y naciones—, revelando la
estrecha conexión entre realidades españolas y europeas. Y en tercer lugar,
porque las pequeñas potencias disponían de un instrumento que, pese a
sus grandes limitaciones, les proporcionaba la posibilidad de hacerse oir
en la política internacional: la Sociedad de Naciones, una institución que
pasó por ser más europea que universal, habida cuenta de que quedaron
al margen de su sistema los Estados Unidos durante todo el tiempo y la
Unión Soviética hasta 1934. Añádese a ello la incidencia de las profundas
tensiones del período de entreguerras, tanto en la sociedad española como
en la europea, e insértese todo en el cuadro general de la crisis de civilización y el declive de Europa en el mundo [4]. Una situación de incertidum-

bre vital, en suma, apta para que en la relación de España con Europa se manifestara con toda su crudeza esa permanente tirantez entre el compromiso y la huida.

Este libro quiere entrar a fondo en el estudio de ese proceso histórico. Digamos que es, básicamente, una monografía sobre la actuación de España en Europa entre abril de 1931 y julio de 1936. El análisis de esa corta pero intensa experiencia de inserción española en la política europea gira en torno a tres ejes centrales: la labor diplomática de un hombre, la praxis exterior de un Estado y el comportamiento de ese Estado en una organización internacional. El hombre es Salvador de Madariaga, un intelectual polifacético metido a político y diplomático desde su compromiso personal con el utopismo liberal de los años veinte y principios de los treinta, una concepción del mundo y de la sociedad cuyos planteamientos basados en «la armonía de intereses» se fueron al traste ante el impacto de la profunda crisis económica y la agudización de los conflictos sociales, políticos e ideológicos [5]. El Estado es la España de la II República, una democracia que despertó grandes esperanzas de cambio, pero que tropezó con fuertes resistencias internas y acabó malográndose en su propósito de resolver una vieja crisis de Estado y de sociedad y de modernizar al país de acuerdo con parámetros europeos [6]. La organización supranacional, en fin, es la Sociedad de Naciones, un instrumento de política mundial instaurado por los vencedores de la I Guerra Mundial al objeto de salvaguardar el nuevo orden internacional impuesto en Versalles a través de los frágiles e ilusorios mecanismos de la seguridad colectiva, o si se prefiere, un «gran experimento» —como se dijo de la Sociedad en su tiempo— que reveló una gran incapacidad para mantener la paz tan pronto como las potencias fascistas forzaron la revisión del *statu quo* vigente [7].

Con el propósito de realizar una lectura de la política exterior española en la crisis europea de los años treinta, el libro presta especial atención a la trama interna de las decisiones tomadas por la diplomacia republicana ante los problemas y conflictos que se plantearon en el marco de la Sociedad de Naciones. Conviene aclarar, no obstante, que no se intenta pasar revista a todas y cada una de las actividades societarias en las que España intervino —ya fueran de carácter económico, social o humanitario—, sino de centrarse en aquellas cuestiones relacionadas con la responsabilidad política fundamental de la organización con sede en Ginebra [8]. La Sociedad de Naciones, por tanto, es aquí tratada exclusivamente como un *conduit* de diplomacia multilateral, esto es, como instrumento para el mantenimiento de la seguridad y la paz internacionales, que era la razón de ser del *Covenant* o Pacto de la Sociedad. En esta dirección, se priman los acontecimientos políticos de mayor alcance, los que tuvieron una trascendencia decisiva en la política europea y en la quiebra del sistema internacional del período de entreguerras. En concreto, se examina con detenimiento la actitud de España ante el conflicto de Manchuria, la Conferencia del Desarme, el rearme de la Alemania nazi, la guerra de Abisinia, la remilitarización de Renania y el debate sobre la reforma de la Sociedad de Naciones, así como aquellos aspectos convergentes de las relaciones bilaterales que tuvieron una repercusión directa en la política europea de la República entre 1931 y 1936 [9].

Ni que decir tiene que esta perspectiva de análisis resulta forzosamente limitada. Lo es, primero, en cuanto al espacio de tiempo que abarca, pues un lustro (apenas un soplo en la trayectoria de una vida humana) constituye un período excesivamente corto para apreciar en toda su magnitud y complejidad cualquier aspecto relacionado con la acción exterior de un Estado. Y lo es, también, en cuanto a la relación que el objeto central del libro —la política exterior de España en la Europa de 1931-1936— guarda con otros fenómenos de política interior o internacional que ayudan a interpretarla, o con el contexto económico y social en que se inserta. Pero estas son las limitaciones inherentes a toda monografía especializada, que siempre requiere el recurso a otros estudios para enmarcarla en buena y debida forma. Se observará, en este sentido, que el libro no entra a considerar los intereses materiales de España en Europa y los de los países europeos en España, así como el trasfondo de profunda crisis económica y social que explica la dinámica del conflicto internacional durante los años treinta [10]. El lector, pues, deberá tener presente las «fuerzas profundas» de la historia europea y española a la hora de afrontar la lectura de estas páginas, y también, relativizar al máximo la trascendencia de los acontecimientos diplomáticos que se analizan en ellas, situándolos en el contexto de una época en la que el hambre, el paro y la miseria —los «huevos fritos» de los que hablaba Madariaga— preocupaban mucho más a los sufridos españoles y europeos de entonces que un determinado comportamiento gubernamental en la alta política internacional.

Aun reconociendo tales cortapisas, en el ámbito del renovado impulso que han conocido los estudios internacionales en las últimas décadas, este libro puede tener una doble utilidad para los lectores interesados en el conocimiento de la proyección externa de la España contemporánea. Por una parte, viene a añadirse a los trabajos que recientemente se han publicado sobre la política exterior española de la primera mitad del siglo XX, en lo que ya se dibuja como una preocupación colectiva de la historiografía por contribuir a perfilar esa visión de conjunto que todo país debe hacerse sobre la historia de sus relaciones internacionales [11]. Por la otra, de la actuación de la II República en la Europa de los años treinta se desprende una serie de consideraciones generales sobre condicionantes, hábitos, pautas de conducta, actitudes y prácticas diplomáticas que rebasan con creces la frontera temporal de los años 1931-1936 y se proyectan con fuerza como rasgos característicos de la acción exterior del Estado durante el siglo XX. Por ejemplo, no están ausentes de estas páginas fenómenos tales como el funcionamiento viciado de las burocracias ministeriales y de la diplomacia española; el pragmatismo que impone el ejercicio del poder a los dirigentes políticos por encima de sus concepciones ideológicas; las esperanzas, escepticismos y decepciones que generan las organizaciones internacionales en el entramado social; la incidencia de la opinión pública y los grupos de presión en los procesos de toma de decisiones, y en general, la valoración europea de la política exterior española, así como la percepción hispana de los conflictos europeos y de los problemas relacionados con la guerra y la paz, temas que, sin duda, preocupan a la sociedad española de nuestro tiempo.

Pero este libro ha querido llegar un poco más lejos en sus propósitos de partida, procurando interesar no sólo a los españoles, sino también al resto de los europeos. Para ello se profundiza en uno de los aspectos menos conocidos de las relaciones internacionales del período de entreguerras, prácticamente ausente en los manuales y obras generales al uso: el papel que desempeñaron los pequeños Estados demoliberales en la Sociedad de Naciones en aquella coyuntura de virajes hacia la II Guerra Mundial. Porque si hay un terreno descuidado en la producción bibliográfica existente es el del estudio comparado de la política exterior de las pequeñas potencias, pudiéndose añadir, al respecto, que estos países siguen estando tan relegados en las investigaciones actuales como lo estuvieron en la práctica de la política internacional de su tiempo. En un intento de contribuir a paliar esta carencia, esta monografía se nutre de fuentes tanto nacionales como extranjeras para abordar, no sólo la praxis exterior de un Estado, sino también los esfuerzos de conciliación emprendidos por las pequeñas potencias europeas desde instancias colectivas tales como el Grupo de los Ocho, primero, y el Grupo de los Neutrales, luego [12]. Quizás este envite de procurar hacer Historia de España e Historia de las Relaciones Internacionales al mismo tiempo haya sido la parte más dificultosa de este trabajo, pero el doble diálogo entablado con los datos del pasado español y europeo ha servido para contemplar la política exterior española desde una perspectiva internacionalista, y ello con independencia del juicio que merezcan los resultados finales cosechados.

En el terreno interpretativo, *España en Europa, 1931-1936* propone una revisión sustancial de los planteamientos que han venido haciéndose de la República como un régimen que careció de política internacional. El tópico se acuñó muy pronto, al filo de la experiencia de la Guerra Civil, cuando los republicanos reflexionaron sobre los motivos de la «no intervención», es decir, de la no ayuda de las democracias europeas a la República en guerra; o en los primeros momentos de la dictadura de Franco, cuando los vencedores de la contienda formularon las «reivindicaciones de España» en el mundo [13]. La publicística franquista añadió a tal afirmación una serie de juicios de intenciones de su cosecha particular, relacionados con el «sometimiento servil» de la República española a Francia e Inglaterra o con su «indiferencia de principio» hacia las cuestiones internacionales. Luego, la falta de un conocimiento a fondo de la política exterior republicana sirvió de fundamento para negar su propia existencia, reproduciéndose así los clichés heredados de memorias y publicística [14]. Ahora, cuando el estudio de las relaciones internacionales ha dado pasos considerables en España y cuenta con un buen repertorio de tesis doctorales, monografías y artículos, se está en condiciones de matizar o corregir ese juicio tan categórico acerca de la acción exterior de la República y, de paso, situar ésta en las coordenadas precisas en que debe insertarse: en el marco de las respuestas dadas por las pequeñas potencias democráticas a la crisis internacional de los años treinta [15].

¿Resulta coherente seguir manteniendo esa dicotomía tan grande que se le atribuye a la República entre una voluntad reformista en el interior y un comportamiento insensible, esquivo o irresponsable en el exterior? ¿Se contentó el régimen de 1931 con vivir de ilusiones y exhibir una política europea de meros principios —de vaguedades—, o también hizo pragmatismo y desplegó acciones concretas encaminadas a la consecución de unos objetivos precisos? ¿La política exterior de la República se redujo a lo poco que pudo hacer Madariaga en Ginebra —como se desprende de la lectura de sus propias memorias—, o esta concepción responde a la visión personal, y por tanto sesgada, de uno de sus protagonistas más cualificados? [16] ¿Hubo continuidad entre la política exterior de la Monarquía y la de la República y, dentro de ésta, entre la de los gobiernos de la conjunción republicano-socialista y la de los gobiernos de la mayoría radical-cedista? Dicho en pocas palabras —en las palabras en que el debate ha sido planteado hasta ahora—: ¿tuvo la República una política internacional?, y si la tuvo, ¿en qué consistió?

Aquí se intenta responder a estos interrogantes a través del análisis de las relaciones multilaterales de un Estado en el marco de un determinado sistema de poder. Conscientemente, pues, se opta por rehuir toda visión «nacionalizada» de la política exterior española y entender ésta como parte integrante de un fenómeno más amplio, el de la política internacional. De esta forma, el comportamiento de la República en el conflictivo escenario europeo de los años treinta se vincula al del resto de los actores, principales y secundarios, y se inserta en el cuadro general de la afanosa búsqueda de seguridad que caracterizó a una Europa amenazada de guerra. La atenta observación del pequeño toro ibérico moviéndose en y desde el gran ruedo de las naciones permite captar el espacio mayor de los condicionantes internacionales en que se desenvolvió la acción exterior del régimen republicano y comparar sus objetivos, sus actitudes y sus movimientos con los que se tuvieron en otros países. Se llega, así, a la conclusión de que la España republicana no fue distinta ni distante de la Europa de su tiempo y que practicó una política exterior bien definida: la propia de una pequeña potencia con tradición de neutralidad.

No quiere esto decir, ni mucho menos, que la política exterior española dejara de tener rasgos singulares, problemas añadidos y hasta un estilo peculiar —no muy edificante, por cierto— en el proceso de toma de decisiones, todo ello derivado de sus especiales circunstancias internas. Pero aquí se defiende el criterio de que el comportamiento de España en la política europea de los años treinta estuvo condicionado, no tanto por factores endógenos, como por la dinámica exógena que le imponían las fuerzas internacionales ajenas a ella y por el modesto papel que le correspondía desempeñar en el sistema internacional de in-seguridad colectiva. Ya en otro lugar hemos argumentado que España, en los aspectos fundamentales de su praxis diplomática, no constituyó un «caso aparte» en la Europa de entreguerras [17]. No lo había sido en 1919, en su modo de adherirse al Pacto de la Sociedad de Naciones; ni lo fue en 1931, cuando se comprometió decididamente con él, ni tampoco lo sería a partir de 1933, al retomar el lenguaje de la neutralidad. Ni siquiera puede decirse que lo hubiera sido durante la «batalla diplomática» que Primo de Rivera libró en 1926, salvo en las formas, pues otros países también plantearon similares exigencias de obtener un puesto permanente en el Consejo de la Sociedad [18]. España, además, durante todo ese período atravesó por las mismas coyunturas que conocieron los restantes países europeos, acomodándose a los ritmos de cada una de ellas y debatiéndose entre las opciones de política exterior que estaban planteándose en Europa.

Tal vez el acento de la peculiaridad hispana habría que ponerlo en la intensidad que alcanzó el conflicto interno, así como en las trabas que éste impuso al tratamiento de los asuntos europeos durante el período de paz. Pese a esta peculiaridad, a grandes rasgos los planteamientos conceptuales y la práctica diplomática de España entre 1919 y 1936 se ajustaron a los mismos parámetros de conducta que siguieron otros Estados europeos de sus mismas características. Al establecerse la paz de Versalles, las pequeñas potencias neutrales se incorporaron a un sistema de presunta seguridad colectiva que les imponía obligaciones de ayuda mutua y, por tanto, les hacía perder las ventajas derivadas de su neutralidad previa. Estas servidumbres, sin embargo, no se hicieron gravosas al principio, cuando quedaban pendientes de resolución problemas heredados de la guerra y la Sociedad de Naciones apenas había entrado en funcionamiento. A la par que la diplomacia de Ginebra parecía cobrar fuerza con el ingreso de Alemania en la organización internacional y la puesta en práctica del «espíritu de Locarno», España hizo un amago de rebeldía extrema, pero ello respondía más a los resabios patrióticos alimentados por la dictadura de Primo de Rivera que a un deseo de apartarse de la política europea. Tan pronto como España se hizo democrática, volvió a encontrarse inmersa en una dinámica que le identificaba de lleno con los ex-neutrales europeos, e inició con ellos un camino de propuestas conciliadoras, todas frustradas, siempre a remolque de las iniciativas franco-británicas. Progresivamente, conforme la crisis se agudizaba, Europa se bipolarizaba y el riesgo de guerra se vislumbraba, estas naciones indefensas fueron tomando conciencia de su debilidad extrema, exteriorizaron sentimientos de impotencia propia, se lamentaron de su dependencia ajena y, finalmente, terminaron por plegarse a la política de hechos consumados y replegarse sobre sí mismas, en busca de la neutralidad perdida, como quien hace méritos para huir de la quema [19]. La originalidad de España estuvo en que se quemaba no sólo por fuera, sino también por dentro, y ello determinó su postrera suerte en vísperas de la Segunda Guerra Mundial.

El lector podrá comprobar que, en medio de ese proceso, la diplomacia republicana actuó en precario, precisamente por vivir en situación de permanente contradicción. Contradicción entre los deseos de contribuir a mantener la paz y la necesidad de eludir el riesgo de la guerra; contradicción entre las obligaciones internacionales adquiridas en virtud del *Covenant* y las ventajas de practicar el retorno al neutralismo; contradicción entre las simpatías ideológicas de los gobiernos de turno y los imperativos dictados por la dinámica de los acontecimientos políticos internacionales; contradicción entre lo que convenía a la buena marcha de las relaciones bilaterales con las grandes potencias y lo que se exigía de ella en el terreno de la diplomacia multilateral; contradicción, en suma, entre la voluntad de querer y la constatación de no poder. Y se comprobará, también, la existencia de una clara evolución unidireccional en la actuación de la República en Ginebra: del idealismo al pragmatismo, del compromiso a la huida, del societarismo a ultranza a la neutralidad —estricta o benévola, pero neutralidad ante todo. Todo ello, en fin, dibujó una trayectoria de la política exterior española bastante similar, en gran medida, a la reflejada en su comportamiento interno: de la esperanza a la desilusión, y del repliegue

a la sacudida. Justamente, las mismas contradicciones, la misma evolución
y la misma trayectoria que se aprecia en el comportamiento de las restantes pequeñas potencias europeas que habían permanecido neutrales durante la Gran Guerra y que, después de probar la frustrada experiencia de la
seguridad colectiva, optaron por intentar volver a serlo en cuanto respira-
ron los primeros aires de la nueva guerra en tiempos de paz [20].

Para hilvanar la reconstrucción de este proceso histórico se ha aplicado
una metodología sencilla. Dado que éste es un libro de la historia de
superficie, la de períodos breves y cambios acelerados (por seguir el criterio
braudeliano), la secuencia cronológica ha resultado insustituible. Así, la
estructura interna del trabajo se divide en cuatro partes, coincidentes en
el tiempo, poco más o menos, con las cuatro etapas de la República: gobierno provisional, bienio reformista, bienio rectificador y Frente Popular.
Tal división no reproduce un esquema preconcebido de antemano, ni obe-
dece a criterios estrictamente relacionados con la política interior. Se trata,
más bien, de una propuesta de periodización que plantea la existencia de
cuatro fases en la evolución de la actuación republicana en la Sociedad de
Naciones. Esto no quiere decir, ni mucho menos, que cada etapa suponga
una ruptura en relación con la precedente, o que la política europea de la
República careciera de continuidad a lo largo de todo el período analizado.
Se trata tan sólo de poner el acento en los diferentes ritmos que se advierten en el tratamiento de las cuestiones internacionales, ritmos definidos
por la existencia de unas preocupaciones específicas ante las cuales se
adoptan actitudes y soluciones diferenciadas. Hay que añadir que tales
variaciones no se debieron exclusiva o fundamentalmente a los cambios de
gobierno registrados en el interior de España, aunque este factor pesara
lo suyo, sino también —y en ocasiones, sobre todo— a la propia dinámica
de los acontecimientos diplomáticos europeos y a las decisiones que se
tomaron en el exterior.

La primera parte se extiende desde la proclamación de la República,
en abril de 1931, a la celebración de la XII Asamblea de la Sociedad de
Naciones, en septiembre del mismo año. Es la fase en la que se formulan
los propósitos internacionales de la República, a través de la incorporación
de los principios del *Covenant* a la Constitución de 1931, la fijación de las
directrices generales para la actuación de la delegación española en la
Sociedad de Naciones y la presentación del programa político del nuevo
régimen en el foro ginebrino. A estos aspectos, sin duda los más «teóricos»,
se dedica el capítulo 1, «Grandes ideales y buenas intenciones». Una vez
definidos los propósitos, la República se enfrentará, ya en el terreno de las
realidades internacionales, a la prueba de los hechos. En esa dinámica de
actuación práctica, la intervención de los gobiernos del primer bienio en

Ginebra dibujará un proceso que va de las ilusiones al desencanto, de las
iniciales esperanzas de paz a la conciencia de crisis internacional. Esto es
lo que se estudia en la segunda parte, que abarca el período comprendido
entre el estallido de la crisis de Manchuria (septiembre de 1931) y la
retirada de Alemania de la Sociedad de Naciones (octubre de 1933), con
el conflicto del Lejano Oriente y el fracaso de la Conferencia del Desarme
como hitos más significativos. A esta etapa corresponden los capítulos 2,
«La primera prueba: Manchuria»; 3, «La gran decepción: el desarme», y
4, «Conciencia de crisis, tiempo de reajustes».

La tercera parte se desarrolla entre octubre de 1933 y febrero de 1936,
cuando arrecia la tormenta europea y la diplomacia española despliega el
paraguas de la neutralidad. En esa etapa, y ya sin solución de continuidad,
Alemania, en Europa Central, e Italia, en el Mediterráneo, se convirtieron
en el centro de todas las preocupaciones internacionales, a la par que las
divergencias anglo-francesas se agudizaron en el seno de la Sociedad de
Naciones. En tales condiciones, y tras varios intentos frustrados de mediación en materia de desarme, España y otras pequeñas potencias iniciaron
un proceso de repliegue hacia posiciones de neutralidad. Tal política, sin
embargo, entró en abierta contradicción con los compromisos adquiridos
en virtud del Pacto al estallar la guerra de Abisinia y aprobarse en Ginebra
la imposición de sanciones contra Italia. La política exterior española vivió, entonces, su momento más crítico. Todo ello se analiza en los capítulos
5, «Neutrales para salvar el desarme»; 6, «Neutrales ante el rearme», y 7,
«Abisinia: las contradicciones de un neutral con obligaciones».

La cuarta y última fase corresponde a la encrucijada final de la primavera y comienzos del verano de 1936, coincidiendo con el gobierno del
Frente Popular. De ella da cuenta el capítulo 8, «Adiós a la seguridad
colectiva», donde se estudia la actitud española ante la remilitarización de
Renania, que supone el fin de Locarno; el levantamiento de las sanciones
a Italia, que consuma la derrota de la Sociedad de Naciones, y finalmente,
la reforma del Pacto, que puso al descubierto el fracaso del «gran experimento» al servicio de la seguridad colectiva y, en consecuencia, la imposibilidad de seguir manteniendo la política exterior republicana de conciliación para la paz. Entre otras razones, porque tal fracaso se combinó con
el inicio de la Guerra Civil, lo que forzó a la República, en aras de lograr
su propia supervivencia, a modificar radicalmente su comportamiento internacional y los parámetros conceptuales en que había basado su reflexión
sobre los peligros que se cernían sobre Europa, desde entonces experimen-
tados en carne propia. Pero esa fue otra historia en la que no entra este
libro, aun cuando valga para entreabrir sus puertas.

PRIMERA PARTE

Los propósitos internacionales de la República

CAPITULO 1
Grandes ideales y buenas intenciones

En las fechas inmediatas al 14 de abril, al calor de las emociones provocadas por la proclamación de la República, parecía que los sentimientos iban a condicionar la actitud española en materia de política exterior. Se pensaba entonces que España, al hacer «la revolución más total, rápida, limpia y pacífica de la Historia» —como dijo Madariaga—, al dar a luz *La Niña Bonita*, había alumbrado a otros pueblos el camino a seguir para liberarse de las cadenas que les ataban. Tal fue así que el embajador francés en Madrid observó que «varios miembros del Gabinete parecen creer que el triunfo de la República tendrá una repercusión profunda en Europa y particularmente en los países sujetos a Dictadura», no disimulando sus «esperanzas de ver reanimarse el ardor de los partidos de oposición, notablemente en Portugal e Italia, y de provocar nuevos éxitos para la democracia» [1].

Sin embargo, después del embate revolucionario llegó la calma. El Gobierno adoptó pronto el lenguaje de la moderación y sus ministros pusieron especial empeño en transmitir el mensaje de que la España republicana no representaba ninguna amenaza para la estabilidad del orden internacional. Las primeras declaraciones públicas de Lerroux, el nuevo jefe de la diplomacia española, anunciaron «paz con todos [los países] y relaciones particularmente estrechas con las naciones democráticas», aclarando que «no queremos intervenir en los asuntos de Italia y Portugal, de la misma manera que no permitiremos injerencias en nuestros asuntos internos». Lo mismo hizo Largo Caballero en Ginebra en junio de 1931, al explicar que no había razón alguna para alarmarse, pues todos los partidos en el poder habían dado muestras de encarar los problemas pendientes con prudencia y la República aspiraba a mantener lazos de amistad con todos los Estados [2].

Aplacados los temores iniciales, la tarea prioritaria consistió en formular las nuevas orientaciones de la política exterior. Realmente, éste fue un proceso que duró todo el tiempo y nunca llegó a concluirse del todo. No obstante, durante el período de Cortes Constituyentes se sentaron sus más firmes pilares, al enunciarse los propósitos internacionales de la República, que quedaron incorporados a la Constitución de 1931, y al perfilarse el programa de actuación en la Sociedad de Naciones.

EL «NUEVO RUMBO» INTERNACIONAL

Apenas había transcurrido cien días de democracia republicana cuando Alcalá Zamora, en funciones de presidente del gobierno provisional, defendió ante las Cortes la idea de que el nuevo régimen había sabido tener «un rumbo propio» en política exterior. La República —dijo— era consciente de los limitados «medios materiales» de que disponía y de su reducido interés en los conflictos que agitaban Europa, pero se proponía recobrar su «fuerza moral» para actuar como un «factor de paz» en las relaciones internacionales. Esa orientación resueltamente pacifista era la novedad, el elemento de ruptura con respecto a la política de la Monarquía, aunque tampoco se debía practicar el derribo sistemático de todo lo anterior ni hacer abstracción de aquellos «factores invariables» que —como dijera Azaña en otra ocasión— se heredaban «de régimen a régimen». Nuevo rumbo internacional, pues, pero cuidando al máximo «aquella continuidad histórica, superior a las transiciones políticas de los pueblos, sin la cual la política exterior, entregada a las mudanzas de los partidos, sería la destrucción de los intereses de un país» [3].

Tal era el mensaje, de ruptura y continuidad al mismo tiempo, que se intentó hacer llegar a la opinión pública y a los gobiernos extranjeros desde las instancias oficiales. De esta forma, el planteamiento de fondo de la política exterior republicana estaba en perfecta armonía con la opción reformista que se había elegido para acometer la obra de reconstrucción nacional: ni mera continuidad ni total ruptura, sino reformas, cambios que garantizaran la continuidad del Estado, pero concibiendo éste como un instrumento para la democratización del país y la inserción de España en el mundo. Es decir, una solución de «reformismo social» que —como ya se ha dicho— aspiraba a «paliar injusticias, liquidar arcaísmos y ponerse a tono con el mundo capitalista contemporáneo» [4]. Es precisamente este último aspecto, el de «ponerse a tono» con la sociedad europea de su tiempo, el que proporciona la clave explicativa de ese nuevo rumbo que la República pretendió dar a su política exterior.

La valoración negativa del pasado

En el origen de todas las reflexiones sobre la proyección internacional de la nueva España se encontraba una valoración profundamente crítica de lo que había sido la política exterior de la Monarquía y, de modo especial, el rechazo a la diplomacia de la Dictadura. La República se presentaba así, también en el plano de las relaciones internacionales, como la respuesta nacional y democrática a un fracaso histórico.

Las críticas a la orientación tradicional de la política exterior española no eran nuevas. Ya durante la Gran Guerra, con motivo del debate sobre las filias, las fobias y la neutralidad española, los intelectuales de la generación del 14 habían coincidido en señalar que buena parte de los males nacionales tenía su razón de ser en la ausencia de una comunicación activa con el mundo exterior, particularmente con Europa. El aislamiento, como propensión natural de los españoles, y el aislacionismo, como opción de política exterior, eran considerados por los republicanos de 1931 signos inequívocos «de ensimismamiento, de decadencia, y de falta de conciencia de la situación europea», síntomas de «tibetanización» y, en cuanto responsabilidad oficial de los gobiernos, pruebas fehacientes del «abandono» de las obligaciones internacionales contraídas por parte del Estado [5].

Además de la orientación aislacionista de la Monarquía, los republicanos también criticaban los hábitos y las formas tradicionales de la diplomacia española. La desidia gubernamental por los asuntos europeos, la falta de iniciativa y de dinamismo en las relaciones con las demás naciones, el carácter anodino de la gestión diplomática, la vaguedad de los pronunciamientos públicos en cuestiones que afectaban a los intereses nacionales, la imprevisión en el manejo de los datos y otras tantas notas negativas de similar cariz fueron imputaciones que frecuentemente aparecieron asociadas a la política internacional de una España caduca y sin voluntad de desplegar una presencia activa en el mundo. No era de extrañar, entonces, que los nuevos protagonistas de la vida pública española tuvieran la impresión de que «los gobiernos de la Monarquía se iban transmitiendo unos a otros la tarea circunstancial de resolver los problemas exteriores según éstos iban llamando con urgencia a las puertas de casa. Y eran ellos, los problemas, los que sacudían la inercia política de los gobiernos, obligándoles a dar soluciones empíricas y poco meditadas para cada caso» [6].

Con especial acritud se rechazó la praxis diplomática de la Dictadura, calificada por Madariaga como «desagradable e incompetente». Todavía permanecía fresco en la mente de todos el recuerdo de la grave decisión tomada por el Directorio en 1926, cuando España anunció su retirada de la Sociedad de Naciones al no ser aceptadas sus pretensiones de disponer de un puesto permanente en el Consejo. Aquella actitud «de querer, todavía en 1920, jugar un papel de gran potencia» —analizó Pablo de Azcárate con posterioridad— «era una política inútil y estéril que no creaba sino dificultades», una política «errónea y desprovista de toda perspectiva». Y con Azcárate y Madariaga, lo consideraron así las Cortes Constituyentes, al declarar que «aquel acto violaba el derecho de la nación española que se había adherido al Pacto por ratificación expresa de sus Cortes y que, por tanto, sin mandato expreso de sus Cortes no podía tampoco considerarse como desligada de él de un modo auténtico» [7].

La consecuencia que se desprendía de tales valoraciones era obvia: la República tenía que enderezar aquel rumbo torcido por el curso de la historia y hacer que España se insertase plenamente en el mundo, particularmente en Europa. Y al igual que sucedió en el plano de la política interior, la negación de la política exterior de la Monarquía implicaba otro componente: la afirmación de la República como encarnación de los auténticos ideales internacionales de la nación:

> «Nuestro país ha sufrido de la ausencia de dos ideales: un ideal nacional bien definido (...) y un ideal internacional. Nos habíamos aislado del mundo de tal manera que nuestra situación en la Sociedad de las Naciones más parecía concesión ajena de la gracia que reconocimiento de una personalidad o de un derecho. Las desventuras de nuestra historia y las circunstancias de nuestra política nos habían dejado al margen del mapa diplomático; y allí hemos estado sesteando hasta que después de aquella enorme, inmensa cruzada que habíamos hecho por el mundo entero, con un esfuerzo espiritual y material gigantesco que nos había devuelto al hogar peninsular maltrechos y depauperados, hemos podido reaccionar levantándonos de la tumba. Pero ello es porque ya estamos en condiciones de realizar nuestro ideal nacional» [8].

De esta forma, la recuperación de la dignidad perdida por España como consecuencia de una orientación internacional errónea y de una práctica diplomática viciada se convirtió en importante factor de legitimidad para el nuevo régimen.

La estrecha relación que existía entre legitimidad nacional y proyección exterior fue expresada claramente por Azaña en varios de sus famosos discursos. La Monarquía, al desnacionalizarse, había perdido su capacidad de proyección internacional, haciendo de España un país que navegaba por los mares del mundo a la deriva, sin rumbo fijo en su política exterior. Para recuperar el rumbo y evitar las continuas zozobras, solamente cabía una solución: la República, pues ésta «no sólo es la expresión espontánea del pueblo español, cuando se ha pensado como pueblo libre, sino que es el único sistema que en la situación actual del mundo puede llevar a España con más probabilidades de acierto a través de los gravísimos, de los enormes peligros que por el mundo surgen perturbando la vida de las naciones, y, naturalmente, la de España». Idéntico planteamiento hizo Madariaga, para quien «la política de la Monarquía consistía en vivir, porque la Monarquía no era España», mientras que, por el contrario, «la República es España y puede permitirse el lujo de tener una política internacional». La proyección exterior de la República, formulada de este modo, no era otra cosa que «la prolongación de su política interior» [9].

La línea argumental del discurso republicano entroncaba así —como acertadamente ha apuntado Egido— con «la herencia regeneracionista» que habían recibida por los hombres de la generación del 14. Sólo que «lo que en el regeneracionismo había de pesimismo, de desengaño ante la pérdida de los últimos restos del imperio colonial, que se tradujo en una crítica desaforada a las instituciones y hombres que lo habían consentido, se convierte en el republicanismo liberal en una actitud positiva, que se define por oposición a la Monarquía» [10]. Esta dimensión «positiva» del republicanismo de 1931 era, sin duda, el reflejo de la proyección europea de los intelectuales del 14, cuyo pensamiento internacionalista estaba dominado por la obsesión de la plena inserción de España en Europa. A ello habría que añadir una mayor porosidad para la recepción y asimilación de las reflexiones realizadas por un puñado de eruditos y publicistas españoles que habían llegado a la conclusión de que España necesitaba, imperiosamente, un replanteamiento de su política exterior con el fin de asumir, de forma resuelta y sin complejos de ningún tipo, su vocación internacional [11].

La paz como «interés nacional»

Del análisis negativo de la experiencia del pasado se extraía una enseñanza positiva para el futuro, y sobre todo una esperanza para el régimen que acababa de nacer: la República, al ser la expresión de un «ideal nacional», estaba en condiciones de materializar el «ideal internacional» al que aspiraban los españoles. Para ello era necesario «hacerse una política exterior» diametralmente opuesta a la que había imperado hasta entonces, tanto en los fines como en los procedimientos, pues España no podía continuar

«encerrada en sus tapiales» ni seguir mirando a su alrededor «con rencor
y enojos de desposeída» [12].

España, para empezar, debía replantearse la concepción de su papel
en el mundo. Como actor del sistema internacional, el Estado tenía «una
obligación que cumplir» y «un rango que ocupar», dos premisas básicas
que —a juicio de Azaña— implicaban un radical cambio de mentalidad
con respecto a la tradicional forma de entender la política exterior. En
virtud de la primera, había que participar en los asuntos mundiales con
la actitud del que acude, no a exigir un derecho, sino a cumplir un deber,
un deber que a España le venía impuesto por su pertenencia a una comunidad de naciones con la cual había contraído unos determinados compromisos. Por la segunda, la política exterior tenía que acomodarse a la situación real del país, una situación definida, no «por lo que hemos hecho
en los siglos pasados», sino por «lo que somos capaces de hacer por nuestra
consideración natural, por nuestra posición en Europa y por nuestro número», por su condición de pequeña potencia en suma. Cumplir su obligación y ocupar su rango; en eso consistía básicamente la tarea de «hacerse
una política internacional», a la que los republicanos concedían una enorme importancia, puesto que «refluirá necesariamente en su política interior
y se notará en los resortes del Estado» [13].

La puesta en práctica de una política internacional activa no tenía por
qué significar, tal y como se había creído en el pasado, que se hubiera de
emprender una «política de aventuras». La España republicana se apartaba de la conducta de la España monárquica, «no tan sólo en aquel
espíritu de achicamiento y de encogimiento que nos caracterizaba, sino en
la contextura misma de la manera de proceder». Esa nueva manera de
proceder obligaba a trabajar activamente para hacer de España un factor
permanente de paz en las relaciones internacionales, porque «precisamente
por ser un país pacífico, tiene un papel que jugar en el concierto del mundo
y en las negociaciones de los pueblos encaminadas a la paz». De esta
forma, el compromiso por la paz se convirtió en el gran objetivo de la
política exterior republicana, y no sólo por deseo o por un ejercicio de
filantropía internacional, sino también —y sobre todo— por necesidad, por
«interés nacional»:

> «...nosotros, que no somos un país armado, que no tenemos ambiciones fuera
> del territorio nacional, que nuestro primer interés, nacional y político, está en
> conservar la paz del mundo, podemos aportar al concierto de los pueblos del
> universo una palabra con autoridad moral y un apoyo a otros pueblos que
> sienten y piensan como nosotros, y ayudar a los grandes países armados y
> metidos en los conflictos de una paz incierta e insegura, ayudarles lealmente

con nuestra cooperación, con nuestra voz y con nuestro voto a encauzar por vías políticas los turbios horizontes de la Europa actual» [14].

De igual forma que política internacional no era sinónimo de política agresiva, política de paz tampoco equivalía a política de debilidad. Predicar la paz y sostener una política pacifista —seguía argumentando Azaña— «no es un obstáculo para que España haga notar su presencia en el mundo y no sea mirada en el concierto de las naciones europeas como una entidad despreciable o en una posición inferior». España, por el contrario, con su contribución decidida a la estabilización de la paz, lograría que fuera más respetada en el extranjero, porque se valoraría su esfuerzo y su cooperación, o porque —como dijera Madariaga— se estaría en disponibilidad de «conquistar un puesto de gran potencia moral» [15].

El discurso justificativo del compromiso pacifista de la República se robusteció considerablemente con la apelación a las «singulares circunstancias» que concurrían en el caso de España. Entre ellas estaba, en primer lugar, «el prestigio de una historia dilatada, universal, gloriosa» —en expresión de Alcalá Zamora—, lo cual colocaba al país en una situación privilegiada para propiciar una política de colaboración y de entendimiento en la escena internacional. La herencia recibida del pasado contenía, pues, elementos positivos que era menester utilizar en provecho de la política exterior de la República. En esta dirección, se trataba —como expuso Azaña reiteradas veces— de arrancar «la cáscara superficial» para dejar al descubierto la «roca viva», de destruir la Monarquía para reencontrar a la auténtica España y aquel «pasado cargado de gloria y civilización» que arrastraba «todo hombre que nace en el suelo español». La utilización de ese bagaje histórico como argumento de política exterior fue también muy del gusto de Madariaga, para quien el hecho de que España fuera una «constructora de imperios retirada de los negocios» y hubiera «cerrado el ciclo de sus aventuras» coloniales, le proporcionaba una «fuerza moral» incuestionable a la hora de comprender y mediar en los conflictos europeos [16].

A su pasado de gloria, España añadía una geografía que le apartaba de las guerras políticas. Por una parte, tenía unas fronteras nacionales consolidadas, «claras y sin conflictos», y una población «homogénea», sin minorías que cuestionaran la unidad del Estado, por lo que no existía motivo alguno que llevara a desencadenar una «ofensiva diplomática». Por la otra, la «ausencia de amenazas» exteriores, de antagonismos directos con ninguna otra nación (excepción hecha de la espita de Gibraltar), era otro factor que coadyuvaba a desarrollar una permanente misión pacificadora. Ello no quería decir que España, por el hecho de ser un país pacífico,

tuviera que renunciar a «ser una nación independiente», abandonándose
a la indefensión más absoluta o eludiendo la responsabilidad de allegarse
los medios necesarios que le garantizaran su «libertad de determinación».
No obstante, cualesquiera que fueran las prevenciones defensivas a adoptar
ante eventuales contingencias, la opción pacifista de la República no tenía
por qué quedar comprometida, puesto que la «situación privilegiada» de
España era «lo bastante fuerte para permitirle una política de justicia
internacional y lo bastante libre de intereses políticos para permitirle hacer
esta política sin grandes pérdidas» [17].

Junto a la historia y la geografía, también actuaba la dinámica de la
política internacional del momento. La adopción del principio de seguridad colectiva y el intento de construir una sociedad internacional organizada bajo la égida de la Sociedad de Naciones habían puesto en marcha
un proceso de construcción de la paz europea radicalmente diferente a los
que habían tenido lugar en el pasado. Con tales tendencias renovadoras
abriéndose paso en la historia, la «actitud post-imperial» de España había
cobrado «una formidable potencia de actuación», dando un mayor grado
de oportunidad y de operatividad a la política pacifista. Al coincidir la
llegada de la República con la existencia de «un germen de República
universal» que posibilitaba la gobernación democrática del mundo al margen de directorios, diplomacias secretas y pentarquías, por primera vez en
la historia de España marchaban en paralelo la «vocación nacional» con
la «circunstancia internacional», de tal modo que no se podía desperdiciar
aquella oportunidad [18].

La consecuencia final que se desprendía de este cúmulo de factores
históricos, geoestratégicos y políticos no podía ser otra que la de considerar
a la Sociedad de Naciones como el marco idóneo para lograr la plena
inserción de España en Europa. Ginebra se convertía así en «el eje de la
política exterior» de la República. Ciertamente, no faltaron voces, como la
del mismo Azaña, que, al filo del progresivo descrédito de la institución
ginebrina como instrumento válido para la construcción de la paz, discre-
paron abiertamente de un planteamiento tan «idealista» y optaron por
imprimir a la diplomacia española mayores dosis de *realpolitik*. Pero ésta
es una cuestión que debe dejarse para el momento de estudiar el comportamiento de la política exterior republicana ante la evolución de la crisis
internacional. De momento, conviene subrayar que con la referencia a las
nuevas circunstancias del momento histórico, es decir, a la Sociedad de
Naciones, la formulación de la política pacifista de la República alcanzaba
su destino manifiesto.

La apuesta por Ginebra

Hubo unanimidad absoluta entre los republicanos españoles a la hora de
establecer el marco prioritario de actuación en el exterior: la diplomacia
multilateral en la Sociedad de Naciones. Si «el interés general y permanente de España» —razonaba Azaña— «consiste en asegurar su paz y la
de los demás, en mantener nuestra integridad territorial y la independencia
del país», y si, por otra parte, la Sociedad de Naciones tenía por objeto la
construcción de la paz y la salvaguardia de la independencia nacional de
sus miembros frente a eventuales agresiones, España —era la conclusión—
«no puede trabajar mejor en ninguna parte, para esos propósitos, que en
la Sociedad de Naciones. Es decir, no es que allí pueda trabajar mejor; es
que no puede trabajar en otra parte si no es en la Sociedad de Naciones» [19]. No había otra alternativa posible: todos los caminos de la política
exterior española conducían a Ginebra, bien partieran de los deseos más
profundos, de las legítimas aspiraciones de prestigio o de los intereses
nacionales.

Desde la perspectiva de los deseos más profundos, Ginebra era una
«esperanza». Una esperanza de paz y de organización internacional; una
esperanza, también, de unidad europea, dada la inicial defección norteamericana. La Sociedad de Naciones, en cuanto ideal, hacía referencia a
una obligación moral que la República no podía desatender: «es un deber»
—explicó Fernando de los Ríos— «el de ir al encuentro de uno de esos
anhelos que viven enroscados al espíritu, adheridos a él; ir en busca de
uno de esos afanes nacidos bajo la forma de esperanza y anidados en la
conciencia de los hombres». Cierto era que, a la altura de 1931 y con
mayor razón en los años siguientes, los acontecimientos que se iban produciendo en torno a Ginebra invitaban al escepticismo y la desesperación,
pues la Sociedad de Naciones sólo ofrecía una salida transitoria, imperfec-
ta, inmadura y de gran fragilidad y carecía de «voluntad substantiva en
sentido estrictamente jurídico» y de «poder organizado» que le invistiera
de «efectiva eficacia de mando». Pero ello no tenía por qué significar que
los portadores de sus más nobles ideales renunciaran a su utilización y
perfeccionamiento, dejándola en manos de quienes deseaban arruinar la
esperanza de su futuro. Todo lo contrario: la Sociedad de Naciones, «aun
siendo sólo lo que es, y no siendo aún lo que aspira a ser y queremos
muchos llegue a ser», constituía el principal instrumento de la política de
paz, puesto que era «el órgano incipiente de una posible organización más
vasta, cohesionada y justa» para las relaciones internacionales. La esperanza, en suma, era «ciega», y no podía abandonarse [20].

Por otra parte, Ginebra también representaba la plataforma de actuación más idónea para incrementar el prestigio de la República en el exterior. No en vano el establecimiento de la Sociedad de Naciones, con sus normas de publicidad y universalidad, había hecho que las pequeñas potencias gozaran de una importancia sin igual como actores del sistema internacional. A nivel político, los mecanismos establecidos en el *Covenant* les beneficiaba considerablemente; su voz se escuchaba en las discusiones públicas de la Asamblea y del Consejo, su concurso resultaba imprescindible en encuentros y conferencias internacionales, su mediación en negociaciones diplomáticas era requerida con mayor asiduidad y, consecuentemente, sus votos pasaron a ser decisivos para la adopción de acuerdos que afectaban a todos, por lo que las grandes potencias comenzaron a prestarles una mayor atención. Al mismo tiempo, la fuerza moral de las pequeñas potencias no había dejado de crecer desde el término de la Gran Guerra y, a través de sus alegatos en Ginebra, sus políticas exteriores encontraron un mayor eco en los medios de comunicación y contaron con la simpatía de lo que entonces se dio en llamar «opinión pública internacional» [21]. Todas estas circunstancias fueron percibidas por los republicanos de 1931, que vieron en la Sociedad de Naciones un instrumento adecuado para proyectar la imagen de la nueva España hacia el exterior.

Pero Ginebra no representaba sólo una esperanza ciega, expresión de un alto ideal, ni un foro de prestigio, producto de las circunstancias de la posguerra. Desde otra perspectiva más práctica e inmediata, desde la perspectiva de los intereses nacionales, la Sociedad de Naciones proporcionaba una «garantía de seguridad» para un Estado indefenso como era España. El artículo 10 del Pacto no ofrecía duda alguna al respecto; la Sociedad de Naciones resguardaba la seguridad de los más débiles al incorporar aquel principio wilsoniano por el cual los Estados asociados se habían comprometido «a respetar y a mantener contra toda agresión exterior la integridad territorial y la independencia política presente de todos los Miembros de la Sociedad» [22]. Este principio fue esgrimido reiteradas veces por Azaña, Madariaga, Zulueta y otros republicanos españoles con el propósito de asociar el interés nacional a la política de compromiso por la paz. El razonamiento era impecable en teoría y su formulación venía a ser, poco más o menos, la siguiente: España, sin capacidad militar con que poder repeler una agresión, y, lo que era peor, sin posibilidad material de defender su independencia nacional por sus propios medios, sólo podía garantizar su seguridad mediante el recurso a la ley internacional; así, el problema de la defensa nacional se resolvería de un modo, no sólo más fácil, sino también más barato, pues la República podía concentrar sus esfuerzos económicos en la tarea de la reconstrucción nacional sin hipotecarse con costosos programas militares. En suma, el nuevo régimen comprendió perfectamente aquella máxima de que «para los débiles, la ley no sólo es justicia para todos, sino también, particularmente, seguridad para ellos mismos», y optó por asumir la política que ya desarrollaban sus afines, las pequeñas potencias europeas; es decir, contrarrestar su situación de indefensión y su condición de inferioridad frente al poderío bélico de las grandes potencias mediante el compromiso con la seguridad colectiva, su más preciada arma de defensa nacional [23].

Así pues, eran razones no sólo morales (de alto «ideal»), sino también políticas (de prestigio y de seguridad) las que aconsejaban la adopción de ese «nuevo rumbo», eminentemente pacífista y filosocietario, de la política exterior española. «Lo que importa señalar» —escribió Zulueta— «es que esa política de la República, a la vez que responde a nuestros principios más elevados, concuerda también con nuestras conveniencias más positivas y con nuestros más prácticos intereses», lo que daba por resultado una opción, «no idealista, ni realista, sino de realidades espirituales», justamente lo que pretendía ser la República como «régimen nacional» [24].

Ahora bien, pertenecer a la Sociedad de Naciones no sólo comportaba el disfrute de derechos, sino también el cumplimiento de obligaciones. El artículo 16 del Pacto, el de las sanciones, recogía de forma bien explícita esta servidumbre al señalar que «si un Miembro de la Sociedad recurriere a la guerra (...), se le considerará *ipso facto* como si hubiese cometido un acto de guerra contra todos los demás Miembros de la Sociedad». Según esto, el *Covenant* venía a ser un pacto de ayuda mutua que implicaba una serie de compromisos nada insignificantes: económicos y financieros, en primera instancia, pero también de asistencia militar llegado el caso. En virtud del Pacto, cada uno de los miembros de la Sociedad disfrutaba de la garantía de seguridad que le proporcionaban los otros miembros, pero también era cogarante de la seguridad de los demás, comprometiéndose a adoptar sanciones colectivas contra el Estado agresor y, por lo tanto, a apoyar, *de jure* y *de facto*, al Estado agredido [25].

De este vínculo de seguridad colectiva se derivaban consecuencias particularmente relevantes para España. De una parte, la aceptación del Pacto suponía una renuncia teórica a la tradicional política de neutralidad en caso de producirse una guerra motivada por un acto de agresión condenado por la Sociedad de Naciones. De la otra —advirtió Madariaga—, aunque España estaba «desligada desde el punto de vista estrechamente político de los conflictos que separan a las naciones europeas, tiene, sin embargo, un interés directo en ellos», lo que le llevaba, necesariamente, a desplegar una política exterior «cada vez más activa y vigilante» con el fin de evitar toda posibilidad de enfrentamiento [26]. Si afrontar esto último no acarreaba, aparentemente, mayores complicaciones, no ocurría lo mismo con el cuestionamiento de la neutralidad, una actitud que estaba profundamente arraigada en la sociedad española y cuyo presunto abandono desataba no pocos temores y planteaba un enorme interrogante: ¿cómo iba la República a articular el deseo mayoritario de los españoles de permanecer neutrales ante una eventual guerra con el cumplimiento de los compromisos contraídos en virtud del Pacto?

La nueva neutralidad

El dilema Pacto *versus* neutralidad era la contradicción fundamental que debía resolver la política exterior de la República. Sin embargo, la cuestión no llegó a plantearse abiertamente hasta finales de 1933, cuando se hizo evidente el riesgo de guerra europea, y sobre todo hasta 1935, a raíz del conflicto de Abisinia y la imposición de sanciones a Italia.

El retraso era bastante significativo. Revelaba esa actitud algo escurridiza que, a nivel oficial, siempre se mantuvo a la hora de afrontar el espinoso asunto de la neutralidad. Debido en parte a esa «esperanza ciega» que se depositó en los grandes ideales, en parte a ese vicio congénito de la diplomacia española de dejar para el momento del apremio la resolución de los grandes dilemas, y en no menor medida a la dificultad de orientar una opinión pública que seguía siendo hostil a toda participación en un eventual conflicto europeo, lo cierto fue que «el toro» de la neutralidad no se cogió por «los cuernos» de sus limitaciones desde el primer momento. De esa forma, la contradicción que existía entre el abrazo entusiasta de los principios societarios y el mantenimiento de la tradicional neutralidad española quedó a la expectativa de los acontecimientos, deseando que la prueba de los hechos se decantara hacia el Pacto, pero sin excesivos pronunciamientos, por si acaso.

El tremendo «olvido» alimentó vanas ilusiones y generó no pocas tensiones. Durante algún tiempo muchos españoles alabaron las ventajas del Pacto sin reparar en sus grandes inconvenientes. Otros, en cambio, sin confiar para nada en la Sociedad de Naciones y su ilusoria utopía, siguieron aferrados a la «estricta neutralidad» con machacona insistencia, tal y como expusiera Fernando de los Ríos en 1934:

«...resulta tragicómico que, siendo el "Covenant" un pacto de mutuo apoyo, y, por tanto, mutua garantía de seguridad, se pretenda gozar del beneficio de eliminación de riesgos, sin considerarse obligado a participar en la acción conjunta que tal riesgo ahuyenta; o que, con inepcia, se hable y recomiende ser neutrales, invitando de esta suerte a la opinión a una sórdida actitud inhibitoria, que impediría de generalizarse, y dificulta sólo con singularizarse el cumplimiento del empeño histórico encomendado a la Liga» [27].

La tragicomedia, no obstante, era general a la Europa de entreguerras. En esto —como en tantas otras cosas de la política exterior— el comportamiento español no se diferenció en nada del mantenido en el resto del Continente, pues a menudo se invocaba el Pacto de la Sociedad de Naciones como garantía de seguridad propia y se obviaba el hecho de que también se era depositario de la seguridad ajena.

Eso no significó, ni mucho menos, que los republicanos españoles se despreocuparan de ir desbrozando el camino desde el primer momento, abnegando de la triste neutralidad del pasado, por un lado, y argumentando el compromiso que se derivaba de las obligaciones contraídas, por el otro. En España, el gran esfuerzo de mentalización en torno al tema de la neutralidad consistió, incluso mucho antes del advenimiento de la República, en subrayar la estrecha relación que este comportamiento guardaba con la orientación aislacionista y abstencionista de la política exterior de la Monarquía. «La neutralidad» —afirmó Madariaga— «es una forma de la indiferencia que se manifiesta en pasividad». «La neutralidad es una negación» —había argumentado Azaña en 1917—, una negación en virtud de la cual un Estado se comprometía a no intervenir «en favor o en contra de los beligerantes, guardando una actitud de espectador»; pero la neutralidad no bastaba «para definir y orientar la conducta, la política interior y exterior de un pueblo» [28].

La neutralidad española no era —como analizaba Castiella en 1960— una neutralidad «absoluta» ni constituía «una finalidad única» de la política exterior, sino «una neutralidad conscientemente impuesta en razón de unas circunstancias». Esa neutralidad circunstancial, que había mantenido al país al margen de los conflictos europeos desde las guerras napoleónicas, se debía —según él— a «la convicción de que no existía ninguna razón superior que obligara a España a tomar partido» por uno u otro de los bandos contendientes [29]. Era precisamente esta «convicción» la que cuestionaban abiertamente los republicanos españoles. Azaña, por ejemplo, había defendido sin rubor la idea de que un Estado tenía que adoptar ante la guerra una postura consecuente con la orientación que había mantenido durante la fase de preparación de la contienda. De esta concepción, que remitía en última instancia a la teoría de la guerra justa, se desprendía que cualquier presunto «neutral», llegado el caso de un enfrentamiento bélico, y pese a no estar en condiciones de intervenir militarmente en los campos de batalla, estaba obligado a decantarse y tomar

partido en favor de sus amigos, pues «sería miserable abandonar en las
horas de peligro a quien hemos prometido amistad en los tiempos de bonan-
za» [30].

La neutralidad de España durante la Gran Guerra no era por convicción —denunciaron los republicanos—, sino por debilidad y abandono.
Para empezar, no cumplía los dos requisitos imprescindibles a toda neutralidad, que debía adoptarse de forma «voluntaria» y requería de medios
materiales y morales para ser «defendida». Se trataba, por el contrario, de
una neutralidad «forzada» e «indefensa», que se apoyaba en la falsa creencia de que «la posición casi insular de España» favorecía su actitud inhibitoria. En el fondo, con la opción neutralista los gobiernos españoles no
habían hecho otra cosa que colocar una especie de máscara con el fin de
encubrir la verdadera faz de la política exterior de la Monarquía: el retraimiento, el abandono, la abstención, la suspensión del juicio. Como
señaló Alvaro de Albornoz, era «la neutralidad del sueño o de la ausencia»:

> «...la España profunda se desentendía de la guerra y sólo anhelaba paz y
> quietud. Era la neutralidad que interpretaba Dato, la neutralidad a lo avestruz,
> la neutralidad del sueño o de la ausencia, que el gran Unamuno calificaba de
> berroqueña. Más que berroqueña, era la neutralidad flaca y exangüe, fugitiva
> como una fuerza centrífuga de la Historia. Pero no sólo hecha de flaqueza, sino
> también de resentimiento por las injusticias y los agravios. Una neutralidad
> conducida por los nudosos garrotes de los administradores de la fuerza bruta
> y por los codiciosos del lucro fácil y fabuloso de la guerra» [31].

De tal análisis se desprendía una consecuencia práctica para la política
internacional del nuevo régimen: España tenía que deshacerse de ese componente negativo de su política exterior asociado al aislamiento, y redefinir
su concepción de la neutralidad, máxime cuando estaba de por medio su
solemne compromiso con la Sociedad de Naciones.

Llegado a este punto, es cuando surgen los mayores interrogantes —y
también, las mayores limitaciones— del «nuevo rumbo» internacional.
Realmente, no hubo una doctrina oficial de la neutralidad española durante la República. Más que concepciones globales, se intentó dar respuestas concretas a problemas puntuales, conforme se iban desencadenando los
acontecimientos. Sin embargo, existieron siempre algunas ideas genéricas,
a las que a menudo se acudió para engarzar la neutralidad con la orientación pacifista de la política exterior, si bien es verdad que en ningún
momento quedó del todo claro si esas ideas expresaban una «política de
Estado» o reflejaban tan sólo el criterio personal de quienes las formulaban.

Una vez más, Azaña fue uno de los políticos que más reflexionaron sobre tan espinoso tema. Su concepción abogaba por la adopción de una especie de «neutralidad defendida»: por una parte, la República se adhería lealmente a la Sociedad de Naciones, cuyo sistema de seguridad colectiva «la pondría a cubierto de agresiones, sin necesidad de comprometerse en el exterior ni de montar una gran máquina militar»; pero por la otra, como quiera que la Sociedad de Naciones, por su debilidad intrínseca, no era una garantía plena y la tensión internacional crecía a marchas forzadas, la República debía hacer un esfuerzo por incrementar sustancialmente los medios destinados a su seguridad nacional, de tal manera que, cuando sobreviniera la guerra, pudiera estar en condiciones de «defender» su neutralidad, o incluso su beligerancia, si así lo decidiera. En resumidas cuentas, tal y como escribió el propio Azaña *a posteriori*, los republicanos españoles no postulaban sino proseguir, aunque «lealmente» adheridos al Pacto, la misma política que había prevalecido en España «bajo la administración de los partidos parlamentarios dinásticos»; es decir, «la neutralidad de España, en buena inteligencia con Francia e Inglaterra, sus vecinos más poderosos y sus mejores clientes» [32]. Evidentemente, una cosa era predicar «lealtades» y otra bien distinta asumir riesgos.

Como quiera que aquellas ideas no resolvían la contradicción en la que se debatía la política exterior española, resultó imprescindible endulzarlas con una firme defensa del Pacto. Sugieron así las nociones de «neutralidad positiva» o «neutralidad activa» y la concepción de «la neutralidad como mal menor». En el primer sentido, las reflexiones de Zulueta constituyeron un esfuerzo por demostrar que la República tenía un concepto de neutralidad sustancialmente diferente al que se había tenido hasta 1931, y cuya característica básica era su disociación del abstencionismo en los asuntos exteriores. Para Zulueta la República tenía una línea de conducta bien definida, profundamente arraigada en el subconsciente del pueblo español: la neutralidad. Pero la neutralidad tenía dos caras: una cara negativa, asociada a la no beligerancia en caso de guerra; y una cara positiva, definida por la obligación de contribuir a evitar la guerra. Esa «cara positiva» era la marca singular que le había dado la República a la neutralidad española; es decir, neutralidad entendida como «esfuerzo permanente para el mantenimiento y organización de la paz en el mundo, y muy en especial en el continente europeo y en el mar Mediterráneo». La práctica de esa política implicaba, por tanto, el ejercicio de una «neutralidad activa», tal y como señaló el republicano radical Juan José Rocha a finales de 1933, cuando ocupaba la cartera de Estado, asociándola a la función de España como «gran potencia moral» en el concierto internacional [33].

Madariaga, por último, fue quizás el más explícito de todos cuantos liberales intentaron definir esa «nueva neutralidad» vinculándola a los com-

promisos internacionales contraídos por España. Para él había que partir
de dos consideraciones previas: la primera, que España, en teoría, había
dejado de ser neutral al suscribir el Pacto, cuyos textos le «obligan jurídicamente»; la segunda remitía a la realidad, siendo «evidente» —escribió—
«que no está todavía el horno internacional para estos bollos», para los
bollos de la seguridad colectiva, puesto que ni la Sociedad de Naciones
era universal, ni se había hecho realidad el Pacto en su totalidad. De estas
dos premisas se deducía, en buena lógica, que «la desaparición de la neutralidad (...) será en la práctica gradual consecuencia del progreso gradual
—hasta ahora lento pero no nulo— de la cooperación política entre las
naciones». Por ello, «el interés de España no está en encastillarse en una
neutralidad berroqueña, sino en considerar la neutralidad como un mal
necesario mientras no haya hecho mayores progresos la cooperación internacional» [34]. Es decir, la neutralidad como mal menor, que era, al fin y
a la postre, la neutralidad española por excelencia, a la que se había visto
abocada sin remedio.

En conclusión, pese a los intentos de Azaña, de Zulueta y de Madariaga, los republicanos no pudieron clarificar sus propósitos finales en esta
materia, pues la contradicción neutralidad *versus* Pacto era inherente al
propio sistema. El dilema que se le presentó a la política exterior de la
República no era exclusivo de ella; también lo tuvieron que afrontar otras
pequeñas democracias europeas que se encontraban atrapadas entre la
pérdida de su neutralidad tradicional y el riesgo evidente de guerra. Tanto
en España como en otros países se desarrolló el debate en términos similares y se intentó dar una misma respuesta: la «nueva neutralidad», aunque con matizaciones sustanciales, según se tratara de un «neutral tradicional» o de un «neutral *ad hoc*» (como era España) y según donde estuvieran localizadas las preocupaciones inmediatas: el Báltico y Alemania
para Dinamarca y los países escandinavos; el Mediterráneo e Italia, prio-
ritariamente, para España.

Por encima de los particularismos nacionales, la confusión reinó en
todas partes. Por un lado, el ideal del sistema de seguridad colectiva aconsejaba considerar «intolerable» la neutralidad. Por el otro, la miseria de
la práctica, a gran distancia del ideal, impuso una clara distinción entre
«lo que la Sociedad quería ser y lo que realmente era», y ello trajo como
resultado que la aspiración a la neutralidad se afirmara con tanta o más
fuerza que la misma idea de la Sociedad. No obstante, tanto el *Covenant*
como el Pacto Kellog habían introducido un nuevo elemento: la inconsistencia de la neutralidad tradicional, la inmoralidad de la imparcialidad
frente al «crimen» de la guerra, suscitándose entonces la cuestión de la
obligada parcialidad de los Estados neutrales en contra del infractor. Con

este telón de fondo, la revisión del concepto de neutralidad siguió tres caminos diferentes: uno, el de la vieja neutralidad, al que se aferró Suiza, «el único país que abogó oficialmente por la vieja pasividad e inviolabilidad de su territorio»; otro, el de los norteamericananos, que impusieron su «neutral cooperación» desde la confianza que les proporcionaba su fuerza económica y financiera; y, por último, el de la «nueva neutralidad», que, aun teniendo como objetivo el mantenerse al margen de un eventual conflicto armado, se proponía trabajar activamente por la paz, usando todos los medios a su alcance para evitar, restringir o, en último término, detener la guerra [35]. Esta tercera vía fue la escogida por la República española. No se trataba, pues, de renunciar a la forma de ser, a «la roca viva», es decir, a la neutralidad; sino de cambiar el modo de estar, «la cáscara superficial», esto es, el aislamiento internacional.

EL REFRENDO CONSTITUCIONAL DEL PACIFISMO

La orientación pacifista de la República no quedó circunscrita a los niveles donde podía ser fácilmente burlada por el poder ejecutivo. Su formulación llegó aún más lejos y adquirió rango de ley, y por tanto carácter de mandato imperativo, al incorporarse al articulado de la propia Constitución de la República. De esta forma, la proscripción de todo propósito belicista, de agresión o de conquista, y la imposibilidad de transgredir las normas del derecho internacional se convirtieron en preceptos constitucionales que imponían un serio condicionante a toda formulación de política exterior.

El eje sobre el que reposaba todo el andamiaje jurídico constitucional en materia de política exterior era el Pacto de la Sociedad de Naciones. Sus disposiciones fueron incorporadas a la Constitución de la República, no sólo a través de la adopción de principios generales, sino también por medio de la regulación concreta de los procedimientos para la observancia de tales principios. Así, la renuncia a la guerra como instrumento de política nacional (artículo 6.º) y el acatamiento a las normas universales del Derecho Internacional (artículo 7.º) se combinó con el reconocimiento de la primacía de los tratados internacionales sobre la ley interna (artículo 65º), la obligatoriedad de la publicidad de los tratados y la ilegitimidad de los acuerdos secretos (artículo 76.º), la subordinación de la declaración de guerra a los mecanismos del arbitraje y la conciliación (artículo 77.º), y por último, la declaración de que España no podía retirarse de la institución ginebrina sino mediante la promulgación de una ley especial votada por mayoría absoluta y después de anunciarlo con la antelación exigida por las normas de la Sociedad (artículo 78.º) (Véase Cuadro 1).

CUADRO 1
LA CONSTITUCION DE 1931 Y LOS PRINCIPIOS DEL PACTO DE LA SOCIEDAD DE NACIONES

ASPECTO	SIGNIFICACION	ARTICULADO CONSTITUCIONAL

I) ESPAÑA Y LOS TRATADOS INTERNACIONALES

ASPECTO	SIGNIFICACION	ARTICULADO CONSTITUCIONAL
	Reconocimiento de la fuerza obligatoria de los tratados	**Artículo 7** «El Estado español acatará las normas universales del derecho internacional, incorporándolas a su derecho positivo.
VALIDEZ INTERNA DE LOS TRATADOS	Primacía de los tratados sobre la ley	**Artículo 65** «Todos los Convenios internacionales ratificados por España e inscritos en la Sociedad de las Naciones, y que tengan carácter de ley internacional, se considerarán parte constitutiva de la legislación española, que habrá de acomodarse a lo que en aquéllos se disponga. Una vez ratificado un Convenio internacional que afecte a la ordenación jurídica del Estado, el Gobierno presentará, en plazo breve, al Congreso de los Diputados, los proyectos de ley necesarios para la ejecución de sus preceptos. No podrá dictarse ley alguna en contradicción con dichos Convenios, si no hubieran sido previamente denunciados conforme al procedimiento en ellos establecido. La iniciativa de la denuncia habrá de ser sancionada por las Cortes.

	Requisito obligatorio de aprobación parlamentaria	**Artículo 76** «...Los Tratados de carácter político, los de comercio, los que supongan gravamen para la Hacienda pública o individualmente para los ciudadanos españoles, y, en general, todos aquellos que exijan para su ejecución medidas de orden legislativo, sólo obligarán a la nación si han sido aprobados por las Cortes.
CONCLUSION DE TRATADOS	Incorporación de la legislación laboral internacional	Los proyectos de Convenio de la organización internacional del trabajo serán sometidos a las Cortes en el plazo de un año, y en caso de circunstancias exepcionales, de dieciocho meses, a partir de la clausura de la Conferencia en que hayan sido adoptados. Una vez aprobados por el Parlamento, el Presidente de la República suscribirá la ratificación, que será comunicada, para su registro, a la Sociedad de las Naciones.
	Requisito obligatorio de registro en la Sociedad	Los demás Tratados y Convenios internacionales ratificados por España, también deberán ser registrados en la Sociedad de las Naciones, con arreglo al artículo 18 del Pacto de la Sociedad, a los efectos que en él se previenen.
TRATADOS SECRETOS	Ilegitimidad	Los Tratados y Convenios secretos y las cláusulas secretas de cualquier Tratado o Convenio no obligarán a la nación.»

II) ESPAÑA Y LA GUERRA

RECURSO A LA GUERRA	Renuncia expresa	**Artículo 6** «España renuncia a la guerra como instrumento de política nacional».
DECLARACION DE GUERRA	Subordinación a los principios del arbitraje y la conciliación y a los procedimientos del Pacto	**Artículo 77** «El Presidente de la República no podrá firmar declaración alguna de guerra sino en las condiciones prescritas en el Pacto de la Sociedad de las Naciones, y sólo una vez agotados aquellos medios defensivos que no tengan carácter bélico y los procedimientos judiciales o de conciliación y arbitraje establecidos en los convenios internacionales de que España fuere parte, registrados en la Sociedad de Naciones. Cuando la nación estuviera ligada a otros países por tratados particulares de conciliación y arbitraje, se aplicarán éstos en todo lo que no contradigan los convenios generales.
	Requisito obligatorio de aprobación parlamentaria	Cumplidos los anteriores requisitos, el Presidente de la República habrá de estar autorizado por una ley para firmar la declaración de guerra».

III) ESPAÑA Y LA SOCIEDAD DE NACIONES

		Artículo 78
RETIRADA DE LA SOCIEDAD DE NACIONES	Subordinación a los mecanismos del Pacto y requisito obligatorio de aprobación parlamentaria	«El Presidente de la República no podrá cursar el aviso de que España se retira de la Sociedad de las Naciones sino anunciándolo con la antelación que exige el Pacto de esa Sociedad, y mediante previa autorización de las Cortes, consignada en una ley especial, votada por mayoría absoluta.

FUENTE: Elaboración propia.

Todos estos artículos tenían mayor relevancia filosófica que estrictamente política. Como dijo Alcalá Zamora, su propósito no era otro que el de la búsqueda y defensa de un «noble ideal». Para los republicanos españoles, no obstante, ese noble ideal había permanecido largo tiempo secuestrado por el autoritarismo y la arbitrariedad, y a la República le correspondía la tarea de rescatarlo de la historia y elevarlo a proyecto colectivo, tanto en la vida nacional como en la internacional. Era lógico, pues, que la Constitución reflejara tal aspiración, puesto que —como señaló Zulueta— «ha llegado el momento de incorporar a las realidades inmediatas las obligaciones morales de una nueva sociedad internacional». Concepción, en suma, de la política exterior como «prolongación» de la política interior, «ideal internacional» íntimamente ligado al «ideal nacional», cooperación supranacional y reconstrucción interna como dos aspectos de un mismo proyecto histórico: el que aspiraba a construir una nueva sociedad internacional y una nueva España [36].

Si la Constitución de 1931, a nivel de filosofía política, expresó ese noble ideal de paz y marcó el nuevo rumbo que se pretendía dar a la política exterior, desde el punto de vista jurídico significó la armonización completa de las reglas del Derecho público interno y las del Pacto de la Sociedad de Naciones. De ahí que siempre se haya dicho que la Constitución de la República fue, en materia del *ius gentium pacis*, una obra «ejemplar y modélica», convirtiéndose «en el eje de atención de los tratadistas de la época». No era para menos. Ni siquiera la Constitución de Weimar había llegado tan lejos en materia de unificación del Derecho público. «Por primera vez en la historia constitucional del mundo moderno» —escribió

Mirkine-Guetzevitch en 1932— «la Constitución española ha puesto en armonía su texto constitucional con el Pacto de la Sociedad de Naciones y con el Pacto Briand-Kellog», representando «una etapa importante en el desenvolvimiento de la *técnica de la paz*» [37]. La Constitución de 1931, en fin, representó el producto más elaborado del pacifismo jurídico internacional de los años treinta, poniendo límites a la soberanía nacional en función de las obligaciones internacionales contraídas. Con ello se dio un impulso considerable a las nuevas corrientes iusinternacionalistas que pretendían lograr el desenvolvimiento pacífico de las relaciones entre los Estados por la vía del reforzamiento de las organizaciones internacionales.

Además del deseo de proyectar en la Carta Magna el ideal internacional de paz y de cooperación, las influencias que explican tan significativo logro jurídico fueron de distinto signo. Por una parte, los parlamentarios de las Cortes Constituyentes quisieron entroncar con la tradición constitucional americana, que había hecho de la renuncia a la guerra y del arbitraje internacional preceptos básicos del ordenamiento jurídico de varias repúblicas sudamericanas. Por otra parte, se pretendió cumplir las recomendaciones realizadas por la XXII Conferencia Interparlamentaria, que había sugerido la adopción de normas específicas que aseguraran el recurso obligatorio al arbitraje y a la conciliación y la publicidad más amplia de los tratados internacionales. En tercer lugar, algún que otro artículo era una manifestación más del influjo ejercido por la Constitución alemana en la elaboración del texto constitucional español. Finalmente, no hay que desdeñar tampoco el ascendiente personal ejercido por determinadas figuras parlamentarias, como la de Madariaga, que supo aprovechar su autoridad moral como «experto en temas internacionales» para sugerir matizaciones y añadidos de consideración al texto constitucional inicialmente previsto, determinando buena parte de esa orientación tan genuinamente pacifista que tuvo el nuevo ordenamiento jurídico español [38].

Otro aspecto que conviene destacar del proceso constituyente es el escaso tono polémico que revistieron los debates parlamentarios sobre los artículos que hacían referencia a las cuestiones internacionales. La ausencia de posiciones encontradas pone de manifiesto, tanto el grado de consenso inicial en torno a los grandes líneas de la política exterior, como el desinterés o la despreocupación de la sociedad española por un tema cuyas repercusiones se consideraban más de índole jurídica y moral que política. En las discusiones de las Cortes Constituyentes, una cierta oposición a la adopción de los principios societarios sólo se produjo cuando varios diputados de la minoría agraria propusieron la supresión de los artículos 6 y 7. Un nuevo debate, esta vez sobre la guerra defensiva, se suscitó con ocasión de la aprobación de los artículos 76 y 77, aunque no se trataba de un enfrentamiento entre concepciones opuestas, sino de matices sobre la posibilidad de que España se viera obligada a embarcarse en una guerra para contener una eventual agresión exterior [39]. El debate se zanjó sin mayor polémica, pero bastó para apuntar el gran dilema al que se enfrentaría la política exterior española con posterioridad, cuando se advirtió que una cosa era el «noble ideal» y otra bien distinta la cruda realidad. Similar tendencia se detectó al definir, de un modo más concreto, la política republicana en la Sociedad de Naciones.

LA DEFINICIÓN DE LA POLÍTICA EN GINEBRA

El nuevo régimen procuró demostrar un mayor interés por las actividades de la Sociedad de Naciones desde el inicio de su andadura. El esfuerzo se realizó, en un primer momento, de forma improvisada y casi sin proponérselo, como si fuera una consecuencia lógica y natural de la llegada de la democracia, y de una manera más metódica hacia el verano de 1931, cuando Madariaga se encargó de coordinar la actuación de la delegación española en Ginebra.

Los primeros balbuceos

La primera ocasión que se le presentó a la República para expresar en los foros internacionales su compromiso pacifista tuvo lugar un mes después de su proclamación, con motivo de la celebración de la 63.ª sesión ordinaria del Consejo de la Sociedad de Naciones. En contra de lo que había sido práctica habitual durante la Monarquía, el Gobierno encargó la representación oficial al ministro de Estado en persona. La decisión fue muy oportuna, presentándose ante la opinión pública como una prueba inequívoca de que la democracia española se proponía desplegar una política de activa colaboración en las tareas de la Sociedad y que, por tanto, iba a prestar una atención especial a su participación en los órganos ginebrinos. El propio Lerroux se encargó de subrayar estos propósitos en la primera reunión del Consejo, al expresar que «el gobierno español está deseando dar prueba inmediata de su firme decisión de reforzar aún más sus relaciones cordiales con todos los países y ayudar de forma entusiasta a sostener esta organización de hermandad humana» [40].

Pese a ello, desde entonces quedaron al descubierto las limitaciones con que iba a tropezar la República en el ejercicio de la política exterior. Según la versión de Lerroux, el acuerdo gubernamental se había alcanzado «sin

discusión», lamentando que a ninguno de sus compañeros se le ocurriera
«preguntar cuál era el estado de los asuntos pendientes en Ginebra, ni
cuáles los que podían interesarle más a España, ni con qué criterio habría
de actuarse». El dirigente radical achacó tal desinterés al hecho de que
«la política interior absorbía la intención y la actividad de los ministros»,
a quienes sólo interesaba la convocatoria del Consejo por lo propicia que
resultaba para librarse de él por unos días. Es posible que esta última
impresión de Lerroux fuera cierta, sobre todo si la ponemos en relación
con el testimonio de Agramonte, subsecretario de Estado, para quien «los
compañeros de Don Alejandro habían convenido en darle la cartera de
Asuntos Exteriores con la secreta intención de que se estrellara y pudieran
desembarcarle» [41]. Al margen de ocultos designios, lo cierto fue que el
ministro de Estado realizó su primer viaje al extranjero sin que se hubiera
aprobado con antelación ninguna directriz de actuación, y que, a pesar de
ello, el gesto gubernamental de elevar la categoría de la representación
oficial en el Consejo tuvo buenos efectos propagandísticos en el exterior.
Aquella era la primera declaración de buenas intenciones que la República
hacía en la Sociedad de Naciones, casi sin habérselo propuesto, y también
la primera experiencia diplomática de Lerroux. Pero el Gobierno todavía
no había esbozado un programa de referencia, y ni siquiera discutido cuál
iba a ser su planteamiento político en los grandes temas internacionales
del momento: crisis económica, reparaciones alemanas y desarme.

La participación española en los asuntos europeos debió ser objeto de
mayor atención al regreso de Lerroux de Ginebra. Después de la celebración de una nueva reunión del Consejo de Ministros, el jefe de la diplomacia española declaró que el Gobierno se proponía prestar su máxima
cooperación en los trabajos de la Sociedad de Naciones. Aunque reconocía
que España todavía no se encontraba en condiciones de «intervenir activamente» en los asuntos internacionales, la República —dijo— tenía varios
motivos para estar «profundamente interesada» en la obra de la Sociedad,
ya que «el mero hecho de tomar parte en las discusiones» era útil, tanto
por la influencia que ese contacto podía tener para la política interior como
por la posibilidad de ejercer «una mayor influencia moral» en los asuntos
internacionales [42]. La consolidación interna del nuevo régimen y su prestigio en el exterior fueron, pues, las primeras claves argumentales para
justificar la necesidad de reforzar el compromiso español con el espíritu de
Ginebra.

A partir de entonces, no hubo mayor avance programático sobre la
política republicana en la Sociedad de Naciones hasta bien entrado el
verano de 1931, cuando la urgencia de preparar la participación española
en la XII Asamblea, convocada para comienzos de septiembre, obligó al

Ministerio de Estado a realizar un trabajo más sistemático. En ese momento Madariaga fue requerido por Madrid para encargarse de organizar la delegación española en Ginebra.

La organización de la Delegación española

La elección de Salvador de Madariaga como responsable de la Delegación estaba plenamente justificada. En su condición de ex-funcionario de la Sociedad de Naciones y publicista de la paz y el desarme, conocía en profundidad los temas ginebrinos y poseía la experiencia necesaria para cumplir la misión que se le encomendaba. La República, además, se vió obligada a recurrir desde el primer momento a los servicios de intelectuales de prestigio con el fin de suplir las carencias de un aparato diplomático bastante desafecto del nuevo régimen y, al mismo tiempo, paliar la bisoñez de los nuevos dirigentes republicanos en las lides internacionales. Se cumplía, así, el vaticinio que hiciera el periódico *La Libertad* en 1926, cuando a propósito del nombramiento de Madariaga como Director de la Sección de Desarme de la Sociedad se preguntaba si no merecía la pena pensar que «en el porvenir estos hombres —los Madariaga, los Azcárate, los Plá y los Blanco— cuando regresen a España, serán los grandes consejeros y los insustituibles colaboradores en todos los empeños de la política internacional» [43]. De hecho, tanto Pablo de Azcárate como José Plá, aunque conservaran su condición de funcionarios de la Sociedad, fueron habituales colaboradores de la delegación republicana. Ésta, además de Madariaga, contó siempre con el concurso de Julio López Oliván, un diplomático de carrera que, pese a sus convicciones monárquicas, pasó a ocupar la Dirección de Política del Ministerio de Estado con el advenimiento de la República y que luego desempeñó otros cargos con lealtad al régimen. A la postre, el tándem Madariaga-Oliván se reveló de una importancia tal que su concurso resultaba imprescindible en cualquier asunto ginebrino, alcanzándose entre ellos un alto grado de compenetración. Como dijera Lerroux a Agramonte, «uno es la ciencia y la medida exacta de las cosas; el otro es la fantasía y la amenidad. En cierto modo, se completan» [44].

El trabajo encomendado a Madariaga y Oliván dio frutos inmediatos. En poco tiempo elaboraron varios proyectos de instrucciones que, en conjunto, pueden ser considerados como los documentos programáticos más elaborados con que contó la política exterior republicana durante esta primera etapa. Aunque en principio sus tareas tenían por objeto la preparación de la agenda de trabajo de la inminente Asamblea de la Sociedad de Naciones, la ocasión fue aprovechada para diseñar un programa político más amplio y general, pergeñándose entonces las grandes líneas de actuación de la delegación republicana. Se trataba, en esencia, de dos proyectos complementarios: uno era de carácter organizativo, estableciendo una nueva estructura de los servicios diplomáticos relacionados con la Sociedad de Naciones; el otro tenía una naturaleza esencialmente política, fijando la orientación y las directrices básicas de la participación española en Ginebra.

La reorganización de los servicios diplomáticos encargados de los asuntos de la Sociedad de Naciones era una necesidad insoslayable. Hasta entonces, la participación española en la organización internacional se había desarrollado sin un plan orgánico de actuación y, por tanto, sin la necesaria coordinación entre la Delegación en Ginebra y el Ministerio de Estado. Pese a la temprana creación de la Oficina Española de la Sociedad de Naciones, ésta nunca pudo ejercer la autoridad que sobre el papel se le había asignado. La progresiva concentración de tales responsabilidades en la persona de Quiñones de León y la asunción de las tareas burocráticas por el personal de la Embajada española en París había restado protagonismo a los responsables de dicho departamento, provocado diversos conflictos de competencias en el seno del aparato diplomático y limitado la difusión de noticias y actividades societarias en el interior del país [45].

Madariaga había observado tales carencias desde su anterior etapa de funcionario internacional y pretendió que la República corrigiera los vicios heredados de la Monarquía desde el primer momento. El propósito final de la reorganización era «lograr que la participación de España se caracterice de ahora en adelante por aportaciones de iniciativas y por colaboraciones eficaces en la obra común», evitando que estuviera marcada por el sello de un excesivo protagonismo personal, como había ocurrido en tiempos de Quiñones de León. Para ello la Oficina de la Sociedad de Naciones, con *status* de sección independiente, aunque vinculada a la Subsecretaría de Estado tras su restablecimiento en 1930, pasó a depender directamente de la Sección de Política del Ministerio, cuyo jefe lo era también de toda la actividad burocrática relacionada con la Sociedad. Por otra parte, con el fin de fijar las directrices generales y coordinar las tareas políticas, se creó una Comisión de Asuntos de la Sociedad de Naciones, integrada por el Ministro de Estado como presidente, un vicepresidente que debía tener la condición de experto en cuestiones internacionales (el propio Madariaga), el jefe de la Sección de Política en funciones de secretario general (Oliván), y los representantes permanentes en los comités y comisiones técnicas de la Sociedad en calidad de vocales. El plan se completaba con la designación de la delegación española en la Asamblea, cuyo nombramiento debía recaer en reconocidos especialistas y efectuarse con la antelación necesaria para asegurar su necesaria coordinación con la Comisión [46].

La nueva estructura organizativa era racional, encajaba perfectamente en la estructura del Ministerio de Estado y no suponía un gran esfuerzo presupuestario. Sin embargo, el plan propuesto por Madariaga no tuvo continuidad alguna, volviéndose a reproducir las mismas prácticas de antaño: improvisación, desarticulación orgánica y excesivo personalismo. Las deficiencias que pronto evidenció la representación republicana en Ginebra derivaban de múltiples factores: la inestabilidad gubernamental, la falta de recursos humanos y económicos, la inadecuación del organigrama ministerial a las nuevas condiciones de la época, la existencia de una diplomacia formada a la vieja usanza y dotada de excesivo espíritu corporativista y, en general, el funcionamiento viciado de la maquinaria burocrática del Estado. A ello se sumó la provisionalidad que siempre tuvo la delegación española y los continuos cambios de personal en los órganos centrales del departamento [47]. Se puede afirmar, al respecto, que el renovado interés del nuevo régimen por los principios y la obra de la Sociedad de Naciones no se correspondió con los escasos esfuerzos realizados para articular una estructura organizativa en consonancia con tales propósitos.

Para empezar, la Comisión de Asuntos de la Sociedad de Naciones sugerida por Madariaga fue un órgano nonato, que jamás se convocó oficialmente, con lo cual las instrucciones cursadas a Ginebra pasaron a depender directamente del ministro y del subsecretario de turno. A ello se sumó la progresiva acumulación de competencias en la dirección ministerial encargada de los asuntos de la Sociedad, lo que condujo a un desbordamiento de trabajo que limitó considerablemente su capacidad operativa [48]. Otro defecto habitual consistió en la excesiva precipitación con que se efectuaban los nombramientos de delegados en las asambleas y consejos, de tal modo que en la mayor parte de los casos los encargados de representar a España en tan importantes eventos no tenían tiempo de reunirse previamente para unificar criterios de actuación. Pero quizás el aspecto más grave de todos fue la práctica habitual de pensar en Ginebra sólo cuando había alguna reunión, de lo que resultó una desatención hacia el trabajo de carácter permanente y la discontinuidad en la gestión.

En el terreno organizativo la política republicana en Ginebra no tuvo una articulación racional, continuando como siempre había estado hasta entonces: al cuidado de personas, no de órganos colegiados dependientes del Ministerio. Al margen de los ministros y subsecretarios que tomaban posesión de su cargo y poco tiempo después cesaban, esas personas eran, fundamentalmente, tres: Madariaga, en su calidad de delegado intermitente, pero casi «permanente» (un *status* que él mismo nunca llegó a entender,

sobre todo cuando dejó la Embajada en París); López Oliván, bien como
director de Política en un primer momento, o bien en su condición de
ministro de España en Berna con posterioridad, y por último, Juan Teixidor, cónsul en Ginebra,, que colaboró activamente con ellos y sirvió de
puente con el Ministerio, sobre todo en las labores burocráticas y en el
seguimiento de los asuntos que los dos primeros delegados dejaban pendientes al volver a sus respectivas obligaciones diplomáticas. En la práctica, pues, los elementos de «continuidad histórica» del Estado no se limitaron a recuperar aquel «pasado cargado de gloria y civilización», sino a
heredar, sin apenas modificar, un estado de impremeditación y desidia
que, en principio, se desdeñaba por estar asociado a la Monarquía caduca
que sólo sabía «vivir al día».

La desorganización en el funcionamiento de la delegación española motivó continuas quejas por parte de Madariaga. Ya en septiembre de 1932
señaló a Zulueta «los graves inconvenientes» que habían surgido ese año
y sugirió la preparación de un reglamento de régimen interior. También
fueron los problemas organizativos los que estuvieron en la base del fuerte
enfrentamiento que tuvo Madariaga con Sánchez Albornoz en octubre de
1933, a quien llegó a presentar su dimisión sin hacerla efectiva [49]. Un
nuevo intento de reorganización emprendió el delegado español tras las
elecciones de noviembre de 1933, cuando describió la situación por la que
atravesaba la Delegación con tintes de especial dramatismo:

> «...El secretario general y el jurista de las delegaciones españolas cambian a
> capricho en cada nueva reunión de Ginebra. No existe organización de secre-
> taría técnica de dactilografía, de distribución de documentos, de envío de des-
> pachos y telegramas. No existe verdadera continuidad en el estudio de los
> asuntos que permita referirse al estado de los mismos en reuniones anteriores,
> ni a una política marcada y continua. No existen medios de impedir que en
> un momento dado cambien decisiones y se tuerza el rumbo de una política por
> mera inspiración personal, ya del delegado en Ginebra, ya de algún funcionario
> del Ministerio,... No existe adecuada comunicación con la opinión pública, ya
> por medio de las Comisiones parlamentarias, ya por medio de la prensa... No
> existe, en una palabra, ninguno de los organismos, ni ninguna de las funciones
> que son indispensables para que un país de la importancia, no ya de España,
> sino mucho menor, pueda ejercer en Ginebra las funciones naturales de un
> Estado civilizado» [50].

Después de la experiencia vivida, Madariaga propuso un nuevo plan para
reconducir la política exterior en Ginebra por «los cauces del método y de
la organización». Recomendó, como «reformas indispensables», su nombramiento oficial como delegado permanente de España en la Sociedad de

Naciones y el de Oliván como delegado permanente adjunto, juzgando preferible su separación de la Embajada en París para especializarse en las tareas societarias y, simultáneamente, la creación en Madrid de una Comisión interministerial a semejanza de la que había propuesto en 1931, con el fin de «dar unidad y continuidad a nuestra política». El proyecto contó, en principio, con el beneplácito del nuevo gobierno, pero los continuos cambios ministeriales abortaron la tentativa racionalizadora, y la representación española en Ginebra siguió estando en el estado de interinidad y precariedad que le había caracterizado desde el primer momento [51].

Las directrices políticas

El programa de actuación diseñado por Madariaga en el verano de 1931 contemplaba, además de la reestructuración orgánica que nunca cuajó, la formulación de una serie de principios generales que orientaran la labor de la delegación española en Ginebra. Se pretendía con ello definir las líneas maestras de un programa político, establecer criterios de actuación, fijar actitudes y reacciones propias frente a las propuestas que formularan otras delegaciones y marcar las pautas de ese estilo de trabajo democrático, liberal, original e independiente —«republicano», en suma— que debía desplegar la nueva diplomacia española en Europa.

Tanto las propuestas organizativas como las políticas formaban parte de un todo inseparable inspirado en una misma filosofía: la concepción de la participación de España en la Sociedad de Naciones como columna vertebral («punto esencial y clave» —diría Madariaga—) de la política extranjera de la República. Ese proyecto político no se diseñó, como era aconsejable, a través de un proceso de reflexión y toma de decisiones en el que participaran los miembros de la Delegación, los órganos competentes del Ministerio, el Consejo de Ministros y el Parlamento. Las circunstancias del momento se impusieron a la lógica de la coherencia, de tal suerte que la intuición personal sustituyó a la planificación colectiva. De esa forma tan fácil y simple —y precaria de cara al futuro— se paliaron las carencias programáticas de una vieja diplomacia en la que pocos confiaban, de un ministro inexperto y, a juicio de muchos, hasta «incompetente», y de un ejecutivo con carácter de provisionalidad y sumamente preocupado por la estabilidad interna de un régimen que acababa de nacer.

La primacía de la diplomacia multilateral en la Sociedad de Naciones sobre otros aspectos de la política exterior obedecía, según explicó Madariaga posteriormente, a varias razones. La primera era el interés primordial, «consustancial con la existencia, no ya del régimen, sino de la nación misma», en prestar la máxima atención a la construcción de la paz europea. La segunda aludía al hecho de que la Sociedad encarnaba la continuación de los principios universales proclamados por la cultura jurídica española del siglo XVI, principios que «son profundamente sentidos, más o menos conscientemente, por todo el pueblo español, que es pacífico y no quiere que le saquen de su casa para la guerra». El tercer motivo se debía al «papel de primera fila» que España, por su condición de país independiente y ajeno a toda ambición imperialista, podía jugar en el seno de una organización internacional que representaba «un maravilloso resonador de autoridad moral, de prestigio y de propaganda» para la República. En cuarto lugar, porque el país disponía de una baraja internacional «pobre en triunfos» debido a su «forzada debilidad» para con las grandes potencias, de tal manera que «una gestión prudente pero enérgica» en la institución ginebrina «puede siempre colocar en manos de España cartas que en su día sea posible negociar». Por último, la República debía concentrar su acción en la Sociedad de Naciones como trampolín para granjearse simpatías y ampliar su influencia económica y cultural en el mundo [52]

Razones de interés nacional no faltaron, pues, en la argumentación de Madariaga a la hora de justificar esa orientación «ginebrina *tout court*» —como la ha llamado Saz— de la política exterior española. Pero quizás por encima de todas ellas actuaba el factor subjetivo, de enorme importancia en los momentos iniciales, cuando no se disponía de ese conocimiento profundo de los intereses nacionales y ataduras internacionales que luego dio el ejercicio de la praxis diplomática. Ese factor subjetivo era la propia concepción que Madariaga tenía de las relaciones internacionales y de su evolución a corto y largo plazo. Ha escrito Piñol Rull que Madariaga representaba «la autosatisfacción de la cultura burguesa occidental del siglo XIX, con la novedad de que ve y denuncia cómo ésta sufre una amenaza interna que puede destruirla: las querellas entre Estados», y que para evitar esa destrucción (el temor a «la decadencia de Occidente», que impregnó toda la época) sólo veía un único camino posible: avanzar en la idea de la «comunidad internacional organizada». Fue precisamente esa creencia en la natural evolución del Estado nacional al Estado mundial lo que llevó a Madariaga a conceder una enorme importancia a la institución de Ginebra como germen del futuro gobierno de los pueblos —«un ensayo de república universal», solía decir—, participando de esa corriente de opinión, extendida entre muchos autores de aquel período «soteriológico» del derecho internacional, que se caracterizaba por «un optimismo desmesurado en la capacidad de los Estados en superar las dificultades mundiales bajo la égida de la Sociedad de Naciones» [53]. Era lógico, por tanto, que a falta de reflexión programática colectiva se impusiera su concepción de la política exterior española y de las relaciones internacionales, «que conducía, en la práctica y en lo fundamental, a resolver la primera en la propia concepción de las segundas. Casi como si la política internacional hubiera de nacer y morir en Ginebra» [54].

Algunos contemporáneos de Madariaga, sin menospreciar sus méritos, no dejaron de señalar las grandes limitaciones de su excesivo filosocietarismo. Fue el caso, por ejemplo, de Camilo Barcia Trelles, para quien Madariaga representaba una «enaltecedora excepción» en aquella España tan dada a la improvisación en política exterior, pero con el que discrepaba abiertamente en «un punto esencial»: «ser demasiado ginebrino y considerar que sólo a través de la Sociedad de Naciones puede España realizar aquella política internacional, constructiva y pacífica, que tan bien se adapta a su estructura actual» [55]. Este descuido por las parcelas no específicamente societarias de la política exterior era la gran limitación que tuvo el proyecto de actuación diseñado por Madariaga, una limitación que se hizo obstensible con el paso del tiempo, a medida que se evidenció la ineficacia de la institución de Ginebra para resolver los conflictos internacionales.

CUADRO 2

CRITERIOS DE ACTUACION DE LA DELEGACION ESPAÑOLA EN LA SOCIEDAD DE NACIONES

	Tareas de la SDN	Colaboración activa, leal y desinteresada.
Criterios generales de actuación	Relaciones con las naciones de la SDN	Grandes potencias: imparcialidad y no alineamiento.
		Pequeñas potencias: acercamiento y unidad de acción.
		Repúblicas iberoamericanas: amistad preferencial sin actitudes paternalistas.
	Conflictos internacionales	Arreglo pacífico de las disputas por los procedimientos del arbitraje y la conciliación.

	Métodos de acción diplomática	Publicidad de tratados y rechazo de la diplomacia secreta.
Construcción de la paz	Desarme y seguridad	Prioridad absoluta a los trabajos de la Conferencia del Desarme, combinando las medidas de desarme con el reforzamiento de la seguridad y adoptando iniciativas de desarme moral de los pueblos.
	Reforzamiento de la SDN	Ingreso en la Sociedad de Naciones de los Estados Unidos, la Unión Soviética, Brasil y México.
	Unidad europea	Respaldo decidido a los proyectos de unidad política de Europa.
Organización y funcionamiento de la SDN	Competencias y recursos	Ampliación de los ámbitos de actuación políticos y económicos de la Sociedad y rechazo a la limitación presupuestaria.
	Secretaría General y Organos Técnicos	Democratización interna y defensa de su pureza internacional, sin ingerencias nacionales.
Otros organismos de cooperación internacional	Oficina Internacional del Trabajo	Reafirmación de su necesidad, colaboración activa, y estudio de los convenios no suscritos por la Monarquía para su ratificación.
	Tribunal de Justicia Internacional	Adhesión plena de España y ampliación de la lista de Estados signatarios a todas las naciones.
	Banco Internacional de Pagos	Solicitud de ingreso de España una vez estabilizada la peseta y adoptado el patrón oro.

FUENTE: Elaboración propia.

En puridad, Madariaga tampoco elaboró un programa político articulado, basado en un riguroso análisis de los factores que determinaban el rumbo internacional de España. Se trataba, más bien, de un conjunto de reflexiones e instrucciones, unas en forma de sugerencias genéricas, otras a modo de indicaciones precisas, donde no faltaron los defectos de forma y las limitaciones de fondo, pero que tuvieron la principal virtud de fijar posiciones de partida y encauzar actitudes allí donde no las había. Realizando un esfuerzo de sistematización, ese conjunto de notas se referían, básicamente, a cuatro grandes aspectos: criterios generales de actuación de la delegación española en Ginebra, tanto en las tareas de la Sociedad de Naciones, como en las relaciones particulares con las naciones de la Sociedad; postulados relacionados con la construcción de la paz y el reforzamiento de la seguridad colectiva; propuestas sobre la estructura organizativa y el funcionamiento interno de la Sociedad, y actitud con respecto a otros organismos afines de cooperación internacional (véase cuadro 2).

El principio básico que debía presidir la labor de la delegación española era el de la «colaboración leal, activa y desinteresada» en las tareas Societarias. Su trabajo habría de orientarse a apoyar de forma explícita «todas aquellas actitudes y proposiciones que tiendan a reforzar la Sociedad de Naciones como un organismo de gobierno y administración internacionales». La adhesión a este principio, muy en consonancia con las ideas de Madariaga, conducía a la «participación activa» en los debates de Ginebra, adonde se acudiría, no a «pedir favores», sino a «aportar colaboración», sugiriendo soluciones «aun en asuntos que a primera vista no parezcan interesar a nuestro país». Dicho de otro modo, la Delegación «procuraría no sólo hacer número entre las naciones miembros de la Sociedad de Naciones, sino vivificarla con un espíritu sincero de colectividad internacional». Asimismo, a la República le convenía «evitar toda intransigencia y, si el sacrificio no es intolerable, inclinarse ante el sentir general», en clara referencia a eliminar toda actitud que remedara el comportamiento de la Dictadura en 1926, cuando España se retiró de la Sociedad [56].

En lo que a las relaciones con las naciones de la Sociedad se refiere, las instrucciones distinguían tres grupos de países. De una parte, las grandes potencias, frente a las cuales había que desplegar una política imparcial, o de «internacionalidad objetiva», evitando «dar la impresión» de que la Delegación se inclinaba hacia uno u otro bando y absteniéndose de «toda palabra o actitud que pudiera provocar rozamientos», puesto que para España «es indispensable vivir en buenas relaciones con todas ellas». Por otro lado estaban las pequeñas potencias democráticas, las naciones

que constituían —como gustaba decir a Madariaga— «el ala izquierda de
la Asamblea», hacia las cuales se planteaba abiertamente una política de
acercamiento y de unidad de acción, ya que se perseguía «aprovechar la
nueva situación para atraerse las simpatías del grupo holandés-escandina-
vo, hasta ahora muy distanciado de España». Por último, no faltó la referencia a la amistad preferencial con las repúblicas sudamericanas, aunque
«evitando inmiscuirse en sus luchas interiores y asumir un papel de madre
patria o nación superior que es en extremo irritante para los hispanoame-
ricanos». En síntesis:

> «...en cuanto a táctica, España seguiría en Ginebra una política de colabora-
> ción con las naciones democráticas de segundo orden. Neutral ante la lucha
> por el poder, endémica en Europa, procuraría permanecer en estrecho contacto
> con Francia y la Gran Bretaña sin por eso enfrentarse con las demás grandes
> potencias; y si bien absteniéndose de toda pretensión o acción como país diri-
> gente de grupo alguno, seguiría con especial interés la labor de las naciones
> de su lengua y cultura en el Parlamento de las Naciones» [57].

Los criterios a defender por España en relación con los fines de la
Sociedad fueron formulados por Madariaga en un proyecto de índice de
ideas para el discurso político que se pronunciaría en la Asamblea. Postulados básicos en esta parcela eran, para la solución de los conflictos
internacionales, la defensa del recurso al arreglo pacífico de las disputas
por los procedimientos del arbitraje y la conciliación; para la acción diplomática, la afirmación del principio de la publicidad de tratados, el
sometimiento de toda negociación al espíritu de Ginebra y el rechazo de
los pactos secretos y las alianzas militares; para las cuestiones de desarme
y seguridad, la consideración de la Conferencia del Desarme como un
asunto prioritario al que España estaba dispuesta a colaborar de forma
entusiasta; para el reforzamiento de la Sociedad de Naciones, la necesidad
de hacer efectiva su universalidad, expresando la creencia de que «tarde
o temprano todas las naciones, incluso Rusia y los Estados Unidos le
aportarán su apoyo y colaboración», así como un llamamiento al rápido
ingreso de Argentina, Brasil, Ecuador y en especial México; y para la
construcción de la unidad política europea, el respaldo decidido a todo
intento que se hiciera en ese sentido, en particular a los trabajos de la
Comisión de Estudios para la Unión Europea que se había formado después de la iniciativa tomada por Briand en 1930 [58].

La estructura organizativa y el funcionamiento interno de las instituciones internacionales también recibieron tratamiento diferenciado. La consideración de la Sociedad de Naciones como un «organismo de gobierno
y administración» supranacional llevaba a la República a defender la am-

pliación de las competencias de sus órganos técnicos a todas las actividades económicas y políticas que traspasaran las fronteras nacionales, rechazando todo intento de reducir sus presupuestos. Más específicamente, la defensa de la pureza internacional de las instituciones de Ginebra y su democratización interna eran primados indispensables por los que debía velar la delegación española con el fin de liberar a la Secretaría General de toda influencia política, reduciéndola a un organismo puramente técnico. La República, por otra parte, reafirmaba «su fe en la utilidad de la Oficina Internacional del Trabajo para organizar el progreso del bienestar obrero y de la técnica de la producción sobre bases internacionales» y anunciaba su disposición a estudiar los convenios no suscritos por el régimen anterior para su ratificación. En cuanto a la justicia internacional, España acataría las resoluciones del Tribunal de La Haya y deseaba ver ampliada la lista de sus Estados signatarios a todas las naciones civilizadas. Una última consideración se refería al Banco Internacional de Pagos, cuya reciente creación saludaba la República, anunciando que solicitaría su ingreso en el nuevo organismo tan pronto como se procediera a la estabilización de la peseta y a la adopción del patrón oro [59].

El nuevo espíritu de colaboración que animaba a la Delegación se notó también a la hora de redactar las «instrucciones especiales» destinadas a asegurarse la elección de España como miembro del Consejo. Con este fin la diplomacia republicana inició pronto las gestiones, cuya idea central era hacer ver «la gravedad que implicaría una derrota de la España democrática y entusiasta de la Sociedad de Naciones frente al éxito de la España dictatorial». La novedad principal consistió en la orientación de las negociaciones, en las que debía ponerse sumo cuidado en no herir «la susceptibilidad de las pequeñas potencias», que estaban demasiado acostumbradas a ver que la delegación española solicitaba exclusivamente el apoyo de las grandes, contemplándose que «en el caso, casi imposible, de una derrota», los delegados republicanos debían recibirla «con serenidad y nobleza, inclinándose ante el voto adverso en una breve declaración» [60].

Los criterios de actuación de la delegación española en Ginebra, de un modo general, y la previsión de su eventual reacción ante una hipotética derrota en la elección al Consejo, de una forma más precisa, pueden servir para ilustrar bien a las claras el nuevo rumbo de la política exterior republicana a la altura de septiembre de 1931. Se trataba, en efecto, de una nueva orientación y, sobre todo, de una nueva actitud que, pese a sus evidentes limitaciones, marcaba diferencias con respecto a la anterior política de la Monarquía, rompiendo, sobre todo, con aquellos afanes de grandeza y gestos de orgullo nacional herido que había exhibido la Dictadura en 1926.

El debut en la Asamblea

Con tales criterios acudió España a la XII Asamblea General de la Sociedad de Naciones, cuando se produjo el «bautizo» internacional de la República en Ginebra. El momento no era propicio para mensajes optimistas.
«Ninguna Asamblea previa» —ha escrito Walters— «se había reunido en
un ambiente tan deprimente e incierto como la de septiembre de 1931».
En el primer lugar de las preocupaciones internacionales estaba la crisis
económica, cuyas repercusiones estaban alcanzando de lleno a Europa por
aquellas fechas. A los efectos inmediatos del «crack» bursátil de Wall Street,
particularmente graves en Alemania, se sumó la crisis bancaria europea
de 1931, cuya luz roja se encendió en el mes de mayo con la quiebra del
Creditanstalt, seguida de una cadena de desastres análogos que sembraron
una ola de pánico por toda Europa central y Gran Bretaña, cuyo gobierno
anunció en aquel mes de septiembre el abandono del patrón oro. A la crisis
económica, se añadieron otras preocupaciones no menos alarmantes, como
la creciente inestabilidad política de los regímenes demoliberales, el resurgimiento de los nacionalismos y el incremento de la tensión internacional,
cuyas expresiones más claras habían sido la caída de la administración
laborista y la formación de un «gobierno nacional» en Gran Bretaña, la
fuerza alcanzada por los nacionalsocialistas alemanes en el *Reichstag* y el
empeoramiento de las relaciones franco-germanas, la cuestión clave de la
política europea [61].

Pese a las preocupaciones económicas y políticas, la delegación española se convirtió en uno de los principales centros de interés de la XII
Asamblea. Contribuyó a ello, en primer lugar, la circunstancia de que
correspondiera a España ocupar la presidencia del Consejo coincidiendo
con el debut republicano en Ginebra. También influyó el destacado protagonismo de los españoles durante el transcurso de los debates generales,
dejando incluso una impresión de que se habían escuchado «demasiadas»
intervenciones de su parte: las de Lerroux, la de Clara Campoamor y la
de Madariaga. Por si fuera poco, el Gobierno republicano se aseguró el
éxito de una importante iniciativa: conseguir que se aprobara una resolución invitando a México a unirse a la Sociedad, logro que inauguró una
política de mediación entre la Sociedad y los países sudamericanos y acrecentó el protagonismo de los delegados españoles durante la Asamblea [62].
Pero la representación republicana destacó, sobre todo, en su condición de
nueva animadora del alicaído «espíritu de Ginebra». Tanto las palabras
de Lerroux como las de Madariaga resucitaron las viejas ilusiones de paz
que habían inspirado la firma del Pacto y la fundación de la Sociedad,
palabras de esperanza que, pronunciadas en medio de aquel ambiente de

zozobra, hicieron que la República fuera muy bien recibida en los círculos filosocietarios.

El momento cumbre de la participación hispana en la XII Asamblea llegó con el discurso pronunciado por Lerroux, aunque escrito por Madariaga. La intervención trató de cumplir un doble objetivo: de una parte, convencer a las distintas delegaciones de los propósitos pacifistas del nuevo régimen, y de la otra, ofrecer un contrapeso frente a los ataques de que era objeto la Sociedad de Naciones por parte de los sectores de la opinión pública europea que cuestionaban su validez y se felicitaban de sus desgracias. El ministro de Estado comenzó su alocución exponiendo que la Sociedad tenía una doble razón para felicitarse por el cambio de régimen producido en España. La primera era la «perfecta armonía» existente entre los principios de la República española y los de la organización internacional, puesto que los métodos de gobierno basados en «la fuerza y la arbitrariedad» habían sido reemplazados por «el derecho y el consentimiento mutuo». La segunda radicaba en la doble garantía de paz, moral y política, que la República proporcionaba al resto de las naciones europeas, ya que su actitud de «colaboración positiva y eficaz» en la construcción de la paz respondía, no sólo a un deseo, sino también a una necesidad: el régimen que acababa de nacer debía concentrar sus esfuerzos en «la reconstrucción interior del país», y ello no sería posible sin la existencia de una atmósfera de paz internacional. En cuanto a la inserción de España en el mundo, el discurso leído por Lerroux destacaba la renuncia expresa al aislacionismo en política exterior y el compromiso europeísta de la República, que se declaraba solidaria de los problemas que aquejaban a todos los pueblos de la tierra y, sin olvidar sus lazos con América, se sentía «profundamente europea, consciente del papel esencial que este viejo Continente desempeña y desempeñará siempre en la civilización, el pensamiento y la riqueza del mundo» [63].

La Sociedad de Naciones era el marco idóneo para desarrollar esa vocación europea y universal de España y, al mismo tiempo, conseguir la paz internacional que tanto necesitaba la República para acometer las reformas internas. «La nueva España» —declaró Lerroux— «está animada de una profunda fe en la Sociedad de las Naciones», fe en sus ideales y principios, pero también en su condición de «método de cooperación internacional». Por esta razón, la República juzgaba «errónea» toda tendencia a limitar la actividad técnica o política de la Sociedad, o a reducir sus dotaciones económicas, mostrándose decididamente partidaria de reforzar todas sus instituciones y de aumentar sus competencias. La consecuencia práctica que se desprendía de tal concepción era que España prestaría una especial atención a su participación y colaboración en las organizaciones

internacionales, tendiendo a un reforzamiento de su capacidad operativa
y política. En esta dirección, la República concedía una gran importancia
a la Conferencia del Desarme que iba a celebrarse a partir de febrero de
1932, de la cual dependía el éxito o el fracaso de la propia Sociedad. De
ahí que su gobierno —dijo Lerroux— se hubiera adelantado a ella adoptando importantes reformas en el Ejército y que propusiera a la Asamblea
una resolución encaminada al estudio de los medios destinados a asociar
a las mujeres a la causa de la paz y a colaborar con la prensa internacional
para impedir la difusión de falsas noticias que pudieran alimentar estados
de ánimo belicosos entre los pueblos [64].

Así pues, adhesión inquebrantable a los principios del Pacto, plena
confianza en la Sociedad de Naciones como instrumento válido para la
resolución de los conflictos mundiales, rotunda declaración de no aislamiento y de no alineamiento y compromiso de colaboración activa en la
construcción de la paz. Grandes ideales y buenas intenciones, en suma.
Tal fue el mensaje, optimista y esperanzador, que llevó la República a
Ginebra en su debut internacional. ¿Falta de percepción de la gravedad
del momento por parte de los políticos republicanos, preocupados sobre
todo por los asuntos internos?; ¿«confianza ingenua en sus destinos, (...)
en medio de la Europa de Mussolini y de Hitler, de Brüning y de Von
Papen, de Pilsudsky y de Dolfuss, cuando ya habían desaparecido prácticamente o estaban expirando todas las repúblicas de la posguerra»? [65].

Las respuestas definitivas a estos interrogantes habrán de dejarse para
más adelante, cuando se hayan abordado, no sólo los propósitos, sino
también las realidades. Pero conviene destacar, desde ahora, un aspecto
nada desdeñable y que frecuentemente pasa inadvertido en los análisis
sobre la política exterior española de los años treinta: el ideal internacional
al que aspiraba la República y la conducta que la delegación española se
proponía seguir en Ginebra coincidían bastante, casi con pelos y señales,
con el ideal y la conducta de los llamados países «ex-neutrales». Como
señaló el profesor William Rappard, todos los Estados débiles estaban de
acuerdo en considerar la Sociedad de Naciones «principalmente como un
instrumento para la promoción de la paz a través de la justicia», con lo
cual podían considerarse a sí mismos como «los más leales campeones de
la Sociedad». «Esto» —concluyó— «es debido menos a su superior virtud
que a su inferior poder», puesto que «sirviendo a la Sociedad, ellos no
están sólo defendiendo la justicia, también están promocionando más eficazmente sus intereses nacionales» [66].

En consecuencia, parecía que España, con el advenimiento de la República, estaba dispuesta a asumir el papel que le había sido reservado en
el sistema internacional, el papel de «pequeña potencia», y «ponerse a

tono» con la sociedad europea de su tiempo. Cierto era, no obstante, que aquel mensaje cargado de «esperanza ciega» se aferraba demasiado al original «espíritu de Ginebra» o, cuanto menos, a la vana ilusión de distensión que siguió a la firma del Pacto Kellog, como si no se quisiera reconocer que aquella etapa ya había sido fatalmente superada por otra de desconfianza y tensión permanentes, y que, al igual que sucedía en el terreno económico, el orden instituído en Versalles bajo la égida de la Sociedad de Naciones amenazaba ruina y quiebra. La primera amenaza, además, no se hizo esperar: llegó de inmediato, tan pronto como las tropas japonesas invadieron Manchuria.

SEGUNDA PARTE

De las ilusiones al desencanto

CAPITULO 2
La primera prueba: Manchuria

Madariaga ha señalado que muy pronto la República tuvo ocasión de «dar pruebas de la sinceridad» con que se proponía aplicar sus principios constitucionales en materia de política exterior [1]. Sólo ocho días después de que Lerroux pronunciara ante la XII Asamblea el discurso programático de fidelidad española a la causa del Pacto estallaba el conflicto chino-japonés sobre Manchuria, la primera prueba a la que habría de someterse la diplomacia republicana en el terreno de las realidades internacionales polarizadas en torno a Ginebra.

Todo el mundo era consciente de que las preocupaciones inmediatas de los españoles no estaban centradas en la política exterior, y menos en el Extremo Oriente. Pero a cinco meses de la proclamación de la República el conflicto de Manchuria tenía para España un carácter de ensayo con una triple finalidad. Era, en primer lugar, una experiencia en la que se podía probar la capacidad de acción de la nueva diplomacia, así como su grado de coherencia interna a la hora de afrontar dificultades serias. También representaba una buena oportunidad para acreditar ante Europa que los grandes ideales y las buenas intenciones iban a traducirse en iniciativas concretas. Se trataba, finalmente, de una magnífica ocasión para concienzar a la sociedad española de la necesidad de romper con el aislamiento frente al exterior, de hacer ver que España no podía seguir estando al margen de los problemas que ponían en peligro la paz, por muy alejados que estuvieran de sus fronteras nacionales.

El test cobró mayor importancia por la dimensión que alcanzó el conflicto. Al principio parecía que se trataba de un foco de tensión localizado, una disputa más de las varias que se habían producido desde la firma de los tratados de paz. Pero tan pronto como se hizo evidente la verdadera significación imperialista de la intervención japonesa en Manchuria, así como la ineficacia de la Sociedad de Naciones para detener la agresión, la crisis chino-japonesa se reveló con tintes de tal gravedad y tuvo tales repercusiones diplomáticas que hasta el observador más incrédulo se percató de que con él se iniciaba un cambio de rumbo en las relaciones internacionales del período de entreguerras [2]. El resultado final fue que la Sociedad de Naciones fracasó en su intento de conciliación, y fracasó también a la hora de imponer su autoridad sobre el Japón. Con ello se pudo demostrar en la práctica lo que muchos ya aventuraban sobre el papel: la inoperancia de la institución ginebrina para hacer frente a los golpes de fuerza contra el sistema de seguridad colectiva. «Por primera vez» —ha escrito Walters—, «no sólo la acción del Consejo y de la Asamblea, sino la moral fundamental y los conceptos políticos en que se basaba el Pacto, se vieron expuestos a un ataque poderoso y determinado: ataque que no fue amortiguado por las manifestaciones de buena voluntad e intenciones pacíficas de que venía acompañado» [3].

Entre esas «manifestaciones de buena voluntad» e «intenciones pacíficas» que el conflicto suscitó, cabría situar —y quizás en primera fila— las protagonizadas por la delegación española en Ginebra, y especialmente por Madariaga, que desde entonces se hizo acreedor al sobrenombre de «Don Quijote de la Manchuria». No obstante, la intervención de la República en la disputa chino-japonesa quedó sólo en eso: en manifestaciones e intenciones, en diplomacia testimonial, demostrándose así la escasa o nula capacidad de decisión de una pequeña potencia que sólo podía ofrecer buenos deseos y esfuerzos vanos de conciliación y que, además, estaba inmersa en un proceso de reconstrucción interna que limitaba en gran medida su acción internacional.

EL PROTAGONISMO DE «DON QUIJOTE DE LA MANCHURIA»

En la noche del 18 al 19 de septiembre de 1931 las tropas japonesas realizaron una incursión fuera de la zona del ferrocarril de Manchuria del Sur que estaba bajo su administración y ocuparon las ciudades de Mudken, Antung y otras localidades próximas, de soberanía china. Como el propio Madariaga escribió más tarde, el llamado «incidente de Mudken», con el que se inició oficialmente el conflicto chino-japonés, «no era mas que un pretexto evidente para poner en marcha una agresión premeditada de larga duración» [4].

El problema no era nuevo. Las pretensiones japonesas sobre Manchuria se remontaban a comienzos de siglo y las relaciones entre China y Japón habían estado dominadas por signos inequívocos de desconfianza e insatisfacción mutuas. Pero lo que hizo posible que, a la altura de 1931, un simple incidente como el de Mudken se convirtiera en una agresión, primero, y en una conquista disfrazada de independencia, después, fue la incidencia de un nuevo factor en la política exterior japonesa, el factor de la depresión, que acabó por comprometer a los hombres de negocios, a los militares y a los gobernantes del país en una política expansionista con el propósito de buscar una «tabla de salvación» a la creciente pérdida de beneficios industriales. De este modo la larga etapa de «penetración pacífica» japonesa en el continente asiático dio paso a otra de «expansión militarista» que sólo acabaría con el fin de la Segunda Guerra Mundial [5].

El «mal papel» de Lerroux

Las primeras noticias del incidente de Mudken llegaron a Europa cuando se estaba celebrando la XII Asamblea de la Sociedad de Naciones y el Consejo se disponía a celebrar su 65ª sesión ordinaria. Por entonces la República aún no había reorganizado su servicio diplomático y no tenía sino esbozadas las líneas generales de su política exterior. Pero nada más comenzar su rodaje en el «plató» de Ginebra, la delegación española tuvo que afrontar una responsabilidad seria, cual era la de ocupar la presidencia del Consejo y la Asamblea en el momento del estallido de la crisis. Esa circunstancia, casual, determinó que España tuviera un destacado protagonismo en los lances iniciales del conflicto, asumiendo funciones mediadoras desde el primer momento [6].

Durante aquella etapa en que Lerroux presidió los órganos de la Sociedad de Naciones, la actuación de ésta se limitó al inicio de gestiones encaminadas a lograr la detención inmediata de las hostilidades. En una primera iniciativa, el Consejo autorizó a su presidente a entablar conversaciones directas con los delegados de Japón y China para que procedieran a la rápida retirada de las tropas y, paralelamente, Lerroux telegrafió a los ministros de España en Nanking y Tokio encargándoles gestiones directas [7]. Posteriormente, se constituyó un comité *ad hoc*, el Comité de los Cinco, integrado por España y los cuatro miembros permanentes del Consejo (Gran Bretaña, Francia, Italia y Alemania) a fin de conducir las negociaciones. La composición de este comité suscitó críticas entre las delegaciones de las pequeñas potencias, temerosas de que el conflicto quedara en manos de un Consejo de «grandes», por lo general inoperante, críticas paliadas en parte por el consuelo de que España ocupaba la presidencia del Consejo y, por tanto, del Comité [8]. Finalmente, el delegado japonés expuso los argumentos de su gobierno; negó que su país tuviera ambiciones territoriales en China, explicó que las tropas japonesas se retirarían del territorio tan pronto como las vidas y propiedades de sus compatriotas quedaran garantizadas y pidió negociaciones directas entre las partes sin la intervención de la Sociedad. Estas declaraciones consiguieron el efecto que se proponían: los ánimos se apaciguaron y el Consejo acordó aplazar sus reuniones a la espera de que el gobierno japonés cumpliera sus promesas [9].

En aquellas dos semanas de intensas negociaciones, la delegación española desarrolló un trabajo ímprobo. A las labores habituales de la Asamblea, se añadieron las derivadas de la presidencia del Consejo. Los representantes de la República estuvieron en el centro de las conversaciones diplomáticas y su ministro de Estado ostentaba la máxima representación política de la Sociedad. Pero eso no significaba que España llevara la iniciativa, puesto que ni siquiera el Consejo mismo la tenía, ni que tales responsabilidades se desempeñaran con toda la dignidad que la ocasión requería, y ello por un motivo: Lerroux, al parecer, no daba la talla como *chairman* del Consejo.

No contamos con el testimonio del propio Lerroux sobre el «mal papel» que desempeñó en Ginebra en funciones de presidente del Consejo, ya que estos hechos no merecieron tratamiento en sus memorias. Sin embargo, el relato de Madariaga —coincidente, según Azaña, con el de Américo Castro— es bastante elocuente: «Lerroux, con su perspectiva de la Cibeles, no veía en aquello más que otra campaña en Madrid sobre sus éxitos ginebrinos. Pero el caso era que casi no sabía francés, lo hablaba muy mal, (...) pero, y esto era lo grave, no lo entendía —aparte de su total ignorancia del ambiente, procedimiento y costumbres de aquella casa». Tales circunstancias determinaron que Madariaga tuviera que hacer las funciones de guía, consejero, intérprete y hasta de presidente, y contra la habitual práctica del Consejo de admitir sólo la presencia de un miembro por delegación, Madariaga se puso a presidir «como si no estuviera él presente». La situación era incómoda para todos y un tanto insólita en Ginebra, pero Lerroux permaneció hasta el final de la sesión del Consejo. Al terminar la ronda de reuniones, el ministro de Estado confesó a su fiel escudero que «a veces, hay que hacer el ridículo por el país» [10].

En el interior del país, en cambio, la actuación de Lerroux en Ginebra no preocupaba tanto por el ridículo que él pudiera hacer como por la necesidad de su concurso para resolver cuestiones de política interior. Para Azaña, por ejemplo, «todo el mundo se da cuenta de que la prolongada ausencia de Lerroux es una habilidad para eludir compromisos políticos y mantenerse al margen de los debates parlamentarios», precisamente en un momento en que se discutían los artículos más polémicos de la Constitución y las divisiones internas en la coalición gubernamental hacían preveer una inminente crisis política. Tampoco faltó algún comentario relacionando la ausencia del Ministro con su deseo de no afrontar la situación creada en las relaciones con el Vaticano, que atravesaban su peor momento. No era de extrañar, pues, que, entre unas cosas y otras, a nadie le pareciera bien la prolongada estancia de Lerroux en Ginebra, «y menos bien que a nadie al Gobierno» [11].

A la incomprensión entre Azaña y Lerroux contribuyó el escaso conocimiento que se tenía en Madrid de la labor de la delegación española en Ginebra y de la auténtica significación del conflicto chino-japonés. La desinformación, en realidad, no era exclusiva de los españoles. Thorne ha señalado que en Europa «había poca información clara de lo que entonces estaba sucediendo en los confines de Manchuria» y que el estallido del conflicto fue recibido «con estupefacción y total incredulidad». Madariaga también se refirió a ese obstáculo serio al que se enfrentaba el Consejo, señalando que «desde aquellos primerísimos días (...) me di cuenta, viviéndola, de esta grave falla en la estructura de la Sociedad de Naciones: no tenía ni ojos ni oídos; de modo que todo lo tenía que ver y oir por personas interpuestas, casi siempre una gran potencia» [12].

En el caso español, a la desinformación general se añadió, ya no sólo el tradicional desinterés por lo que ocurría en el extranjero (particularmente en el Lejano Oriente), sino también la preocupación inmediata por la situación interna del país. El desconocimiento quedó expresamente reflejado en la prensa nacional, que se limitó a reproducir en sus páginas las noticias sobre la crisis sin concederles grandes espacios y sin acompañarlas de comentarios editoriales propios. En el Ministerio de Estado tampoco se seguía el desarrollo del conflicto con mayor detenimiento. El subsecretario de Estado y el presidente de la República tuvieron la primera referencia directa de las gestiones que se estaban llevando a cabo en Ginebra por un telegrama remitido por Lerroux cuatro días después de conocerse el incidente de Mudken en el que «confidencialmente» se daba una reseña bastante menos explícita de las que podían leerse en los periódicos de Madrid [13]. Teniendo en cuenta tal acopio de novedades, era lógico que en el Consejo de Ministros nada se discutiera sobre Manchuria hasta el regreso de Lerroux.

Finalmente, el 9 de octubre el Gobierno conoció «una somera relación» —según Azaña— de lo realizado por la delegación española en la Sociedad de Naciones. No sirvió de mucho, puesto que la reunión evidenció tanto la despreocupación gubernamental por lo que acontecía en Manchuria como el profundo foso que se había abierto entre el viejo dirigente del Partido Radical y el resto de sus coaligados. A juzgar por su testimonio, Lerroux salió del Consejo de Ministros bastante dolido, no tanto por la indiferencia general hacia las cuestiones candentes de política exterior que él había tratado en Ginebra, como por el hecho de que sus compañeros no le reconocieran su mérito y su éxito personal al frente de la representación española. Así pues, para el ministro de Estado, su experiencia como presidente del Consejo de la Sociedad de Naciones había supuesto una decepción por partida doble: en Ginebra había hecho «el ridículo por el país», y en el país resultaba un incomprendido. Para los ministros del Gobierno, Lerroux había prolongado en exceso su estancia en Suiza cuando su presencia allí no era ni mucho menos imprescindible. El único beneficiado por aquella penosa situación resultó ser Madariaga, quien apareció ante el resto de los dirigentes republicanos como «el único de la delegación española» que había sabido desempeñar su papel con dignidad y acierto [14].

Aunque la República se había presentado en Ginebra proclamando su compromiso de fidelidad absoluta con el Pacto, en el país todavía no se tenía conciencia de que el conflicto de Manchuria, al poner en peligro la credibilidad de la Sociedad de Naciones, hacía tambalear el eje sobre el que pretendía articularse la política exterior española. En cualquier caso, esta actitud no fue exclusiva de España, puesto que, de momento, ningún otro gobierno había dado muestras de excesiva preocupación por el tema. Aún se confiaba en una rápida solución de la crisis.

La irrupción de un lenguaje diferente

Si la Sociedad de Naciones no disponía de información fehaciente sobre el conflicto, era lógico que hiciera algo para tenerla. Así lo había pedido el gobierno chino, pero la resolución del Consejo del 30 de septiembre no sólo dio por buena la promesa japonesa de retirada de las tropas sino que se plegó a sus exigencias de no aceptar el envío de observadores a Manchuria. China, entonces, se dirigió a las naciones del Consejo con el ruego de que enviasen observadores oficiales al lugar de los hechos para seguir de cerca la evacuación japonesa y mantener informada a la Sociedad de Naciones.

La petición china originó una pequeña pero interesante consulta diplomática en la que se demostró que en principio España estaba dispuesta a propiciar la transparencia informativa, pero que en última instancia cedería a las decisiones de las grandes potencias. Adelantándose a los acontecimientos, el Ministerio de Estado había dado instrucciones a su legación en Peking para enviar a Manchuria al cónsul de España en Shangai en calidad de observador oficial del Gobierno. Poco después, un encuentro informal que se celebró en Peking entre los jefes de las representaciones diplomáticas y una entrevista entre Lerroux y el embajador británico en Madrid sirvieron para comprobar que los demás gobiernos se mostraban poco propensos al envío de informadores: Estados Unidos actuaba por su cuenta, Alemania se oponía, Francia e Italia se inhibían y Gran Bretaña evitaba provocar el resentimiento japonés en la medida de lo posible. Ante la perspectiva de quedarse como única valedora de los deseos chinos, España adoptó la postura de Londres: de inmediato Lerroux cursó instrucciones a sus representantes en Peking y Tokio recomendándoles que actuaran con moderación y, de acuerdo con lo que había hecho Gran Bretaña, solicitó la aprobación japonesa para el proyectado viaje del cónsul español a Manchuria [15].

Mientras se ralentizaba el envío de observadores oficiales, la situación se agravó. Lejos de proceder a la evacuación del territorio, las tropas japonesas consolidaron sus posiciones, continuaron su avance y bombardearon Chinchow, evidenciándose el inicio de un proceso de ocupación militar a gran escala. Ante la evolución de los acontecimientos, al Consejo no le quedó más remedio que «adelantar» al 13 de octubre su reunión prevista para un día después. La primera crisis ministerial de la República impidió el desplazamiento de Lerroux a Ginebra, por lo que la representación de la República en la nueva ronda de reuniones se confió a Madariaga, quien de inmediato cedió la presidencia del Consejo a Francia, que era la nación que seguía a España en el ejercicio del cargo. Según Madariaga, dos motivos le indujeron a proponer el relevo: uno era su estimación de que el Consejo necesitaba a su frente un estadista de prestigio, y además primer delegado de una gran potencia, como era el caso de Briand, para acometer la ardua tarea de arbitrar en un conflicto en el que estaba en juego el prestigio de la Sociedad; el otro era que no estaba dispuesto a «volver a pasar por los sofocones de antaño» y exponerse a tener que hacer las veces de intérprete y guía de Don Alejandro en el caso de que el Ministro volviera a Ginebra [16]. En cualquier caso, la decisión de Madariaga de ceder la presidencia a Francia permitió que la delegación española se liberara de las servidumbres de la moderación y el comedimiento que el ejercicio del cargo imponía a la nación que lo ostentaba, gozando así de una mayor libertad de movimientos para hacer valer sus criterios en las reuniones del Consejo y del Comité de los Cinco.

La primera intervención de Madariaga no se hizo esperar. En la reunión del 15 de octubre dirigió sus primeras críticas, no sólo al gobierno

japonés, sino también al propio Consejo, por el precioso tiempo que estaba
perdiendo con cuestiones de mero procedimiento sin entrar a debatir el
fondo del problema. A Madariaga comenzaba a no gustarle la forma en
que estaba conduciéndose el conflicto en los salones de Ginebra. Pese a
ser miembro de pleno derecho del Comité de los Cinco, el delegado español
estaba siendo progresivamente marginado de las negociaciones que, entre
bastidores, emprendían las grandes potencias con el fin de arbitrar soluciones que no disgustaran a Tokio, aunque para ello tuvieran que saltarse
los mecanismos establecidos en el Pacto. Esta situación provocó la indignación de Madariaga, que le llevó a ponerse en guardia frente al resto de
los miembros del Consejo y a buscarse aliados en los círculos filosocietarios. A mediados de octubre habló de todo ello con William Martin, director del *Journal de Genève* y, por tanto, hombre influyente en el seno de
las distintas delegaciones. Las críticas de Madariaga y de otros delegados
de pequeñas potencias exigiendo una mayor celeridad en la actuación de
la Sociedad se unió, así, a la presión ejercida por algunos periódicos de
Ginebra, y sirvió para que el Consejo se decidiera a tomar cartas en el
asunto [17].

Al fin el Consejo invitó a Estados Unidos para que colaborara con la
Sociedad de Naciones en los esfuerzos de conciliación. El 16 de octubre
Gilbert tomaba asiento en el Consejo, y con ello parecía abrirse una puerta
a la esperanza, no sólo para la crisis de Manchuria, sino también por el
hecho, más que simbólico, de que por vez primera un representante de
Estados Unidos participaba en el foro ginebrino. Ya con la presencia norteamericana, y ante la gravedad de la situación en Manchuria, donde las
tropas japonesas proseguían su avance y se sucedían bombardeos casi a
diario, el Consejo resolvió que sus miembros dirigieran un nuevo llamamiento a las partes al tiempo que inició reuniones secretas para examinar
las medidas a tomar. El 18 de octubre se celebró un encuentro informal
entre el británico Cecil, el francés Massigli, el noruego Colban y Madariaga con el fin de elaborar un informe sobre las medidas que la Sociedad
de Naciones podía adoptar en caso de persistir la actitud japonesa, pero
—como Thorne ha señalado— la posibilidad de ejercer acciones colectivas
sobre el Japón era valorada por todos como problemática y hasta inútil,
dada la ausencia de los Estados Unidos de la Sociedad de Naciones y su
voluntad de adoptar una postura abstencionista en el conflicto [18]. El nuevo
ciclo de negociaciones se caracterizó, pues, por la presión del Consejo sobre
el delegado japonés, cuyo gobierno seguía haciendo declaraciones generales
sin concretar los plazos y las condiciones de la prometida evacuación del
territorio.

A la par que crecía el malestar ginebrino hacia Japón, los propósitos de Tokio comenzaron a revelarse con claridad. Todo parecía indicar que el incidente de Mudken había sido el punto de partida de una política más amplia que aspiraba al control efectivo de toda la región de Manchuria. Esta opinión comenzó a generalizarse entre la opinión pública europea de tendencia liberal y socialista, cuyos portavoces pedían una acción decidida por parte del Consejo. Otros sectores menos proclives a la reafirmación de la autoridad societaria solicitaban moderación a la hora de intervenir en el conflicto, apelando al desconocimiento que Europa tenía de los problemas del Lejano Oriente y al respeto que merecía una potencia «civilizadora» como era Japón. Similares planteamientos comenzaron a dibujarse en la sociedad española, aunque con el condicionante impuesto por la urgencia que revestían los problemas domésticos [19].

En tal coyuntura fue cuando la delegación española, impulsada por Madariaga, tomó partido en favor de una política de firme defensa del Pacto, aunque sin plantear abiertamente la adopción de medidas de fuerza contra Japón. El momento clave se produjo durante la sesión pública celebrada por el Consejo el 24 de octubre, al someterse a votación un proyecto de resolución que pedía, una vez más, la retirada de las tropas japonesas. Madariaga comenzó su intervención recordando que allí se debatía algo más que la solución de un conflicto localizado entre China y Japón; se debatía el propio futuro de la Sociedad de Naciones y la validez del *Covenant* como instrumento de paz. Por encima de los argumentos japoneses, el hecho cierto —continuó exponiendo Madariaga ante un Yoshizawa perplejo— era que en Manchuria la seguridad había sido comprometida seriamente por la presencia de las tropas japonesas, las cuales habían invadido un territorio sobre el que legítimamente no tenían ningún derecho. En tales condiciones, resultaba paradójico que Japón se escudara en la seguridad de sus ciudadanos para no proceder a la retirada inmediata de sus tropas, como si un gobierno fuera responsable de la seguridad de los suyos en un país extranjero. A España, en definitiva, no le satisfacían las explicaciones de Tokio y, además, no aceptaba que las negociaciones directas entre las partes precedieran a la evacuación de las tropas japonesas «porque esto sería bastante incompatible con la responsabilidad del Consejo en este asunto» [20].

El discurso de Madariaga causó sensación en el selecto auditorio. Era la primera vez que un delegado del Consejo, neutral en el conflicto, pronunciaba la palabra «invasión» para referirse a la eufemísticamente llamada «presencia» de las tropas japonesas en Manchuria. A partir de ese momento Madariaga comenzó a granjearse las simpatías de los partidarios más firmes de la causa de la Sociedad, sumamente descontentos —como él mismo— de la política contemplativa que estaban siguiendo las grandes potencias hacia el agresor. A la forja de ese prestigio de Madariaga como defensor del Pacto contribuyó bastante William Martin, quien al día siguiente de la sesión del Consejo, en su habitual comentario en las páginas del *Journal de Genève*, alabó la franqueza demostrada por el delegado español en los siguientes términos:

«Con M. de Madariaga ha entrado en el Consejo un elemento que no paraliza ninguno de los *entanglements* de la antigua diplomacia, que no tiene otro interés que el de la Sociedad de Naciones, ni otra preocupación que su éxito. En el Consejo de la Sociedad de Naciones había un sillón vacío, el del representante de la opinión pública. El delegado de España lo ha ocupado, y lo ocupa con una distinción que todo el mundo se complace en reconocer... [Madariaga] ha hablado de «la invasión» de Manchuria. La palabra ha caído en la sala como una cuchilla. Es un lenguaje revolucionario y refrescante» [21].

Pero ni el «lenguaje revolucionario y refrescante» de Madariaga ni el más moderado del resto de los miembros del Consejo consiguieron que Japón aceptara el proyecto de resolución presentado por Briand. El nuevo llamamiento a la retirada de las tropas japonesas carecía de fuerza resolutiva al no contar con el voto japonés y, por tanto, con la unanimidad requerida para la adopción de acuerdos. El conflicto seguía sin entrar en vías de solución cuando el Consejo decidió aplazar sus reuniones hasta mediados de noviembre.

La política de firmeza verbal

Cuando el Consejo reaunudó sus sesiones en París la situación en Manchuria se había deteriorado considerablememte. En Tokio y otras ciudades japonesas crecían las manifestaciones ultranacionalistas que aclamaban a los militares patriotas y arremetían contra la Sociedad de Naciones. En China se reproducían las reacciones antijaponesas al tiempo que comenzaba a desconfiarse de la capacidad pacificadora de Ginebra. Y en Europa, la opinión pública contemplaba alarmada la intensificación de las operaciones militares en el Lejano Oriente, aunque con sentimientos divididos entre aquellos que acentuaban los «valores civilizadores» japoneses frente al «caos» chino y los que veían, ante todo, una agresión de una gran potencia a una nación débil que hacía peligrar el sistema de seguridad colectiva. El Consejo se encontraba en una posición difícil. Su intervención en el conflicto no había servido para detener las hostilidades y sus resoluciones habían sido burladas. Por si faltaba algún ingrediente, el Departamento de Estado norteamericano anunció que no iba a participar en la nueva fase de reuniones, insistiendo en su actitud de «estricta neutralidad» en el conflicto [22].

Las reuniones de París se caracterizaron por el secretismo. Entre el 16 de noviembre y el 10 de diciembre se celebraron 25 reuniones, de las que sólo cuatro fueron públicas. Los debates se centraron en la elección del mecanismo societario a adoptar para la resolución del conflicto: o seguir adelante con las escasas vías que proporcionaba el artículo 11, o someter la disputa a la Asamblea bajo el artículo 15 del Pacto, que contemplaba la posibilidad de aplicar sanciones económicas y militares al agresor. Cuando las discusiones estaban en un punto muerto, el delegado japonés propuso algo que hasta entonces había rechazado sistemáticamente: el envío de una comisión de encuesta a Manchuria, tema que acaparó la atención de los debates hasta que el Consejo adoptó una resolución unánime sobre la cuestión [23].

Lerroux volvió a estar presente en París en alguna ocasión, pero el peso de la delegación española siguió recayendo en Madariaga. Durante las reuniones secretas se hizo evidente la enorme distancia que separaba al delegado republicano de las posiciones basadas en la *realpolitik* que se imponían a marchas forzadas en las principales cancillerías europeas. Como la mayor parte de los liberales «idealistas» de la época, Madariaga creía que había llegado la hora de que el Consejo tomara cartas en el asunto imponiendo su autoridad y haciendo ver que los principios del Pacto eran de obligado cumplimiento para todos sus firmantes, ya fueran grandes o pequeñas potencias. Tal planteamiento se argumentaba como el único medio de garantizar la propia supervivencia de la Sociedad de Naciones, cuya única razón de ser era ofrecer una garantía de seguridad a las naciones incapaces de defenderse por sí mismas, entre las cuales se podría encontrar España algún día. William Martin, que sintonizaba plenamente con los postulados defendidos por Madariaga en el Consejo, escribía por entonces que «la seguridad de los Estados, y en particular de los pequeños países, es la función esencial, más aún, la razón de ser de la Sociedad de Naciones». Idéntico planteamiento encontramos en Sean Lester, el delegado irlandés en Ginebra, para quien «la organización de la paz no es una cuestión de sentimentalismo ni de justicia en abstracto, sino de interés vital, quizás de vida o muerte, para los Estados que no son fuertes militarmente» [24].

Sin embargo, en aquella coyuntura la Sociedad de Naciones no estaba en condiciones de aplicar el Pacto, entre otras razones porque las grandes potencias no estaban dispuestas a comprometer sus intereses para liderar un movimiento en defensa de la seguridad de las pequeñas potencias. Como Thorne ha señalado, durante esta fase del conflicto «las percepciones mutuas de rechazo y hasta de hostilidad hacia las medidas de fuerza fueron las únicas características comunes que pueden encontrarse entre los diversos Estados dirigentes de Occidente» [25]. Al asumir la defensa de las posiciones maximalistas en el Consejo frente al realismo imperante en Londres, Washington, París y Berlín, Madariaga estaba labrándose su prestigio de luchador impenitente contra los «molinos de viento» de la política internacional. Después de su intervención pública en Ginebra el 24 de octubre, los sectores más proclives a la condena explícita del Japón comenzaron a ver en Madariaga «el representante de la opinión pública en el Consejo» y el único delegado de quien se podía esperar «un gesto digno» en la espinosa cuestión de Manchuria. El propio delegado chino en el Consejo, Sze, consideraba a España como el país que representaba «la conciencia de la Sociedad», por lo que se dirigió confidencialmente a Madariaga para exponerle las esperanzas que él y su gobierno tenían depositadas en la actitud que tomaría la delegación de la República en las inminentes reuniones de París [26]. A la altura de noviembre de 1931, en fin, Madariaga se había ganado a pulso el apelativo —tan afectuoso como irónico— de «Don Quijote de la Manchuria».

Espoleado por estos comentarios, consciente de su prestigio como defensor del Pacto y favorecido por la ausencia de instrucciones concretas de Madrid, Madariaga defendió en París una política de societarismo a ultranza. Las notas más significativas de tal política fueron la oposición a toda pretensión japonesa de limitar el arbitraje del Consejo y los poderes de la comisión investigadora que se iba a enviar a Manchuria; la crítica a la actitud contemplativa y claudicante de las grandes potencias para con el agresor, y el intento de arrastre de los miembros no permanentes del Consejo hacia posiciones de resistencia para que se adoptara una política de firmeza verbal frente al Japón.

Fue en las reuniones de París cuando Madariaga sugirió a Simon, titular del *Foreign Office*, un cambio radical en la política que estaba siguiendo el Consejo hacia Japón. En vez de condenas y amenazas en público acompañadas de halagos y demostraciones de simpatía en privado, propuso «respetar y no humillar al Japón en público y mandar una persona, sólo una, al Japón como embajador común, con instrucciones para hacer comprender al Gobierno que si no se había resuelto el problema con arreglo al Pacto en treinta días, la Sociedad de Naciones pasaría a la acción». Durante el transcurso de la conversación Madariaga fue aún más lejos y llegó a ofrecer a Simon el concurso de la escuadra española al lado de la *Royal Navy* en caso de que Londres se decidiera a enviar a su flota al Lejano Oriente para defender los principios del Pacto, referencia que provocó el comentario irónico de un alto funcionario británico sobre la capacidad militar de la «quincalla» española [27]. La sugerencia del delegado español, interpretada al pié de la letra, no dejaba de ser un «peregrino ofrecimiento» —como se ha indicado en alguna ocasión— o una «ocurrencia» más de Madariaga, de las muchas que protagonizó en el desempeño de su labor diplomática. Pero sirve para ilustrar su posición durante las reuniones de París: si una gran potencia (en este caso Gran Bretaña) estaba dispuesta a asumir el liderazgo de la Sociedad, encontraría el respaldo moral de las pequeñas potencias y de la opinión pública internacional, lo que —según él— hubiera bastado para hacer retroceder al gobierno japonés sin necesidad de aplicar medidas de fuerza [28]. Es decir, política de firmeza moral, de amenaza verbal, como medio para contener una agresión militar.

Una cosa, de todas formas, quedó clara en París, y era que si el delegado del gobierno español tomaba iniciativas por su propia cuenta, se debía tanto al personalismo de Madariaga como al desentendimiento de Madrid. Lerroux estaba demasiado absorto en la evolución de los acontecimientos internos de España como para preocuparse por las cosas del Consejo, en las que ya había demostrado su incompetencia. También era evidente el desinterés de Azaña por el asunto «de los chinos» —como le llamaba— y las prolongadas reuniones de París, en las que veía, sobre todo, una oportunidad para liberarse de la presencia de Lerroux por unos días [29]. Ante la falta de preocupación gubernamental y la carencia de instrucciones precisas, hasta cierto punto era lógico el protagonismo personal de Madariaga.

Lo que resultaba menos lógico era la falta de sintonía entre los postulados defendidos por Madariaga en París y las escasas iniciativas que adoptaba el Ministerio de Estado. Porque la diplomacia española, en el fondo, también estaba poniendo en práctica aquella política contemplativa hacia el Japón, de condenas en público y expresiones de simpatía en privado, que Madariaga tanto había criticado ante Simon. Poco después de la intervención del delegado español en la sesión del Consejo del 24 de octubre, Lerroux cursó instrucciones a su ministro en Tokio para que no desaprovechara ninguna ocasión de transmitir a las autoridades japonesas «el desinterés, la imparcialidad y los amistosos sentimientos» que animaban la actuación española en la Sociedad de Naciones. De esa forma España pretendía separar las relaciones bilaterales con Japón de la diplomacia multilateral ginebrina, sin conseguirlo, porque Tokio veía una lógica relación de sentido entre ambas cuestiones y demandaba de Madrid mayor moderación en el·Consejo [30].

En cualquier caso, la oposición de Madariaga tampoco iba más allá de las palabras. En las reuniones de París· se produjo una clara división de opiniones entre los miembros permanentes y los no permanentes del Consejo a cuenta del envío de observadores a la zona del conflicto. La resolución final, adoptada el 10 de diciembre, respondía más a las condiciones impuestas por Japón que a los derechos que presumiblemente debía tener China; la comisión de investigación quedaba facultada para estudiar las circunstancias del conflicto, pero no para arbitrar en la disputa, con lo que salió fortalecida la tesis japonesa de no reconocer la autoridad del Consejo. Además, el representante japonés anunció el mismo día de la votación que su gobierno se reservaba el derecho a operar militarmente contra los bandidos y «elementos sin ley», lo que dejaba una puerta abierta a la extensión de la ocupación militar. Madariaga reprobaba la reserva japonesa y, en su fuero interno, rechazaba la resolución en su conjunto, pero la votó favorablemente. La política de firmeza verbal valía como declaración de intenciones, pero a la hora de tomar decisiones concretas se imponía la correlación de fuerzas imperante, so pena de ser acusado de obstruir la adopción de acuerdos. Madariaga escribió posteriormente que con aquella resolución, en la que tanto él como otros delegados tuvieron que inclinarse ante la unanimidad de las grandes potencias, se había iniciado «el principio del fin de la fe en la Sociedad de Naciones» [31].

Aprobada la resolución, se entró en el debate sobre la composición de la comisión investigadora. Este asunto se convirtió en un nuevo caballo de batalla de las pequeñas potencias, que demandaron insistentemente un puesto que los representara en la comisión. En vano, porque las grandes potencias, y sobre todo Gran Bretaña y Estados Unidos, rechazaron la propuesta alegando que Japón no aceptaría a representantes de países que carecieran de derechos extraterritoriales en China, un argumento que exacerbó aún más los ánimos de Madariaga y de las delegaciones más radicalizadas. José Plá, uno de los pocos españoles funcionarios de la Sociedad y estrecho colaborador de Madariaga, calificó la decisión como «irritante nuevo acto de caciquismo imperialista» y espoleó al delegado español a protestar enérgicamente, ya que no era posible «hacerse cómplices del cinismo con que las grandes potencias olvidan, cada vez que les conviene, sus compromisos internacionales». Para Plá, las ventajas que otros podían obtener del silencio «España puede sacarlas de dar un grito subversivo en la mesa del Consejo» [32].

Tampoco en aquella ocasión sirvió para nada el radicalismo verbal de Madariaga, excepto para canalizar la indignación que muchos sentían ante la nueva conquista de los deseos japoneses. La Comisión Lytton —como se llamaría en adelante— se constituyó exclusivamente por miembros de las grandes potencias y su aspecto más novedoso era la participación, por primera vez, de un representante de Estados Unidos en una comisión establecida por la Sociedad. Ni siquiera ese componente sirvió de consuelo. La composición de la comisión investigadora fue ampliamente criticada en la prensa española y motivó la primera nota de protesta oficial que el gobierno republicano dirigió al Secretario de la Sociedad de Naciones. Zulueta, nuevo Ministro de Estado, telegrafió a Drummond deplorando el hecho, al igual que también lo hizo su homólogo polaco, pero no tuvo efecto ninguno [33]. Con el nombramiento de la Comisión Lytton, China perdió definitivamente la batalla librada en el Consejo, cuya intervención en el conflicto había estado caracterizada por la claudicación permanente. A partir de entonces, sólo quedó la alternativa de hacer intervenir a la Asamblea.

LA REBELIÓN DE LAS PEQUEÑAS POTENCIAS

A comienzos de 1932 el conflicto del Lejano Oriente entró en una nueva fase, tanto en el terreno diplomático como en el militar. A la vista de la incapacidad demostrada por el Consejo, el gobierno chino decidió invocar el artículo 15 del Pacto, que permitía adoptar recomendaciones sin el consentimiento de las partes y transferir el arbitraje de la disputa a la Asamblea. Por otra parte, el ejército japonés, consciente de su superioridad en el campo de batalla, consumó su agresión con el inicio de la guerra en Shanghai. Como había ocurrido con el incidente de Mudken, los hechos se produjeron simultáneamente a las reuniones del Consejo de la Sociedad de Naciones, que el 25 de enero inauguró su 66 sesión ordinaria en medio de un ambiente de descrédito ante la opinión pública y de pesimismo entre los delegados. Pero en Shanghai residía una numerosa colonia extranjera que pudo presenciar el asalto a la ciudad, el episodio «no sólo más bárbaro, sino también el más siniestro» de cuantos había protagonizado las tropas japonesas desde septiembre de 1931 [34]. Esta circunstancia determinó que en Occidente, tanto en la opinión pública como en las cancillerías, se produjera una reacción mucho más enérgica de la que se había producido con anterioridad. El Consejo se vió obligado a remitir una nota enérgica al Japón recordándole el deber de respetar la integridad territorial de China y, pese a la resistencia de algunas delegaciones, el 19 de febrero transfirió el conflicto a la Asamblea.

La intervención de la Asamblea

La delegación española, ahora presidida por Zulueta, apoyó sin reservas la intervención de la Asamblea, de la que se esperaba una acción más en armonía con los principios del Pacto. En consonancia con la actitud que la República había defendido hasta entonces, el ministro de Estado insistió en la necesidad de recabar con urgencia informes directos en el lugar de los hechos y de aplicar los tratados internacionales a la resolución de la disputa. Esta vez los representantes españoles incluso se permitieron obtener alguna pequeña victoria. Cuando el 30 de enero se sometió la propuesta de constituir en Shanghai una comisión integrada por los cónsules de Gran Bretaña, Francia, Alemania, Italia y Estados Unidos, tanto Zulueta como Madariaga opusieron tal resistencia que el Consejo acabó por aceptar la incorporación de los representantes de España y Noruega en representación de los pequeñas potencias [35].

La presencia de Zulueta en Ginebra contribuyó a atemperar el tono de las declaraciones españolas sobre el conflicto. En aquel momento, cuando los representantes de las grandes potencias se miraban «de soslayo» —como analizaba *El Sol*—, «y se diría que cada uno de ellos espera a conocer las iniciativas ajenas para no arriesgar nada por cuenta propia», España intentaba situarse «en el centro de las negociaciones», intentando sostener «el equilibrio entre las ansias eminentes de los chinos y los deseos, no ocultos, de los japoneses» [36]. Pero cuando Zulueta comenzó a llevar las riendas de la representación española en Ginebra ya estaba en marcha la rebelión de los débiles. Las críticas que recibían las grandes potencias (y con ellas el Consejo) por su actuación en la crisis se habían extendido a una treintena de delegaciones, de tal modo que la indignación ya no era protagonizada por una voz aislada en el Consejo, como la de Madariaga en octubre de 1931, sino que empezaba a ser canalizada a través de un amplio movimiento colectivo. En tales circunstancias, la Asamblea extraordinaria que se inauguró el 3 de marzo «atestiguó, de forma dramática, el comienzo de la revuelta de muchos pequeños Estados» [37]. España, con su ministro de Estado al frente, secundó la revuelta, aunque no se situó en la primera fila del movimiento de protesta, ni actuó con el radicalismo verbal exhibido por Madariaga en las sesiones del Consejo, entre otras cosas porque en la Asamblea no cabían los protagonismos individuales, sino las acciones colectivas.

La sesión plenaria comenzó con sendas exposiciones de los representantes de las partes en conflicto: Yen por China y Matsudaira por Japón. Mientras el delegado chino pidió que la Asamblea actuara a partir del reconocimiento de que se había producido una ruptura flagrante del Pacto, el japonés intentó limitar las discusiones a la cuestión de Shanghai. La nueva tentativa de dispersión no prosperó. Esta vez el debate estuvo caracterizado por el tono más radical que imprimieron las delegaciones de las pequeñas potencias, muchas de las cuales todavía no habían tenido ocasión de exponer sus puntos de vista. Sin intereses ni responsabilidades en el Lejano Oriente, su actitud estaba determinada, no tanto por las circunstancias del conflicto, como por las consecuencias que éste podía tener para la seguridad colectiva y para la Conferencia de Desarme que se había inaugurado hacía apenas un mes. En consecuencia, no cuestionaron los derechos japoneses en Manchuria ni la naturaleza de la disputa, sino el hecho cierto de que Japón había violado el Pacto y los tratados internacionales existentes, invadido un territorio que no le pertenecía, consumado un acto de agresión contra otro miembro de la Sociedad y rechazado sistemáticamente el arbitraje y los métodos pacíficos. Sus discursos entroncaron, así, con las posiciones que Madariaga había defendido en solitario en el Consejo [38].

El conservador Motta, primer delegado suizo, fue quien asumió el liderazgo en aquella ocasión. De él vinieron las palabras más duras hacia la agresión japonesa y, sobre todo, las apelaciones a las grandes potencias para que actuaran de acuerdo con el espíritu y la letra del *Covenant*. Las palabras de Motta fueron suscritas por la mayoría de los delegados, entre ellos por Zulueta, que expuso la posición española ante el conflicto sobre la base de tres principios «irrenunciables»: el primero, el deber de la Asamblea de proclamar que la evacuación de las tropas precedía a toda negociación; segundo, que los miembros de la Sociedad no podían reconocer ningún cambio político o administrativo que hubiera sido establecido por la fuerza (en clara alusión al reconocimiento del Estado del Manchukuo creado por Japón), y por último, la reserva española con respecto al argumento japonés de que las obligaciones del Pacto no podían ser aplicadas al caso de países que, como China, estaban «inadecuadamente organizados», en cuyo caso no cabría nunca el recurso a la fuerza sino al arreglo pacífico en el marco de la Sociedad de Naciones [39].

Los tres principios formulados por la delegación española fueron aceptados por la Asamblea el 11 de marzo, que rechazó de plano la tesis japonesa de que China no era un «pueblo organizado». La resolución consideraba que el Pacto era «enteramente aplicable» al conflicto y confirmaba que la evacuación de las tropas japonesas debía preceder a toda negociación. La Asamblea también estableció otro comité especial, el llamado Comité de los Diecinueve, con la misión de seguir el cumplimiento de las resoluciones adoptadas, lograr la detención de las hostilidades e intentar llegar a un arreglo pacífico de la disputa en sustitución del Consejo. El nuevo Comité quedó integrado por el presidente de la Asamblea, que era el holandés Hymans; los miembros del Consejo a excepción de las partes en litigio, y otros seis miembros más, cuya elección recayó en Suiza, Checoslovaquia, Colombia, Portugal, Hungría y Suecia. Con ello la Asamblea confirmó las expectativas que había despertado inicialmente, pues las pequeñas potencias se aseguraron una mayor representación en el seguimiento del conflicto [40].

A pesar de la «rebelión» de las pequeñas potencias, la Asamblea de marzo de 1932 sólo pudo «movilizar las fuerzas morales» —tal como el delegado chino había pedido en su intervención— o «restaurar el honor de la Sociedad de Naciones —como señaló William Martin [41]. Eso representaba más que todo lo que el Consejo había hecho desde septiembre de 1931, pero no bastaba para detener las aspiraciones imperialistas del gobierno japonés, que ganó más tiempo para consolidar su dominio militar y fundar el Estado de Manchukuo, ni para variar sustancialmente la política de las grandes potencias en el conflicto, que siguió siendo contemplativa hacia Japón y reacia a la adopción de medidas de fuerza. Además, la Asamblea, de acuerdo con lo establecido en el artículo 15 del Pacto, estaba en fase de investigación, por lo que todavía no podía emitir veredicto condenatorio alguno. En tales circunstancias había que esperar el informe de la Comisión Lytton.

Quijotadas y cautelas

Durante la celebración de la Asamblea, a buen seguro que Madariaga hubiera deseado asumir mayores cotas de responsabilidad para intervenir en un tono más enérgico que el utilizado por Zulueta. Desde el estallido de la guerra en Shanghai el delegado español comenzó a considerar la posibilidad de aplicar sanciones a Japón, y si no llegó a proponerlo explícitamente fue por la actitud nortemericana, cuya participación le parecía esencial para que tales medidas pudieran tener efecto. El propio Madariaga señaló sus diferencias con la valoración realizada por la mayor parte de las delegaciones durante el transcurso del debate general: «la Asamblea» —escribió— «todavía consideraba el caso como un conflicto entre la China y el Japón, y no, como lo era aún más, entre el Japón y la Sociedad de Naciones. Sin dogmatizar sobre ello, sobre todo a causa de la actitud de los Estados Unidos, yo era de los que consideraban más importante el duelo Ginebra-Toquio que el Toquio-Pequín» [42].

El ministro de Estado español, en cambio, no era del mismo criterio. Teniendo en cuenta las actitudes del Departamento de Estado norteame-

ricano, del *Foreign Office* y del *Quai d'Orsay*, Zulueta era partidario de
propiciar una solución que no supusiera el enfrentamiento directo entre
Japón y la Sociedad de Naciones y se mostraba bastante más cauto en
cuanto al protagonismo que debía asumir España. Según el testimonio de
Azaña, el Ministro creía que «Madariaga, que está enteradísimo de los
asuntos de Ginebra, ve demasiado a España como una pieza de la Sociedad, y hay que frenarlo, mirando al interés de España, para no lanzarse
a quijotadas». Después de la Asamblea de marzo, Zulueta volvió a comentar con el presidente del Gobierno las actitudes quijotescas de Madariaga,
que a veces se olvidaba de que representaba a un país y se comportaba
en Ginebra como si fuera un «intelectual»: «Tardieu» —escribió Azaña—
«le ha dicho que a Madariaga «se le habla del desarme y contesta Japón».
Zulueta estima que España no puede hacer una política demasiado idealista, y combatir con Inglaterra en la Asamblea por defender a China» [43].
   Al igual que Zulueta, Alcalá Zamora también veía la necesidad de
frenar los ímpetus antijaponeses de Madariaga. Sin embargo, a juzgar por
el relato de sus memorias, no parece que el Jefe del Estado tuviera muy
clara cuál era la posición que Madariaga estaba defendiendo en Ginebra,
en la que, si alguna característica merecía ser resaltada, no era, precisamente, la de ser «el portavoz de las grandes potencias» —como señaló—
«en problema que para nosotros no ofrecía directo interés» [44]. Esto último,
el hecho de que el conflicto no fuera del «directo interés» de España era
el componente esencial de las críticas de Alcalá Zamora, mientras que en
Zulueta es evidente que dominaba una valoración de las escasas posibilidades de aplicar una política de defensa a ultranza del Pacto cuando las
grandes potencias no parecían resueltas a secundarla.
   Similares planteamientos estuvieron presentas en la opinión publica
española por aquellas fechas. Incluso la prensa monárquica veía la necesidad de condenar al Japón por sus actos de agresión, pero también las
escasas posibilidades de conseguirlo y, en especial, las dificultades de someter a la Sociedad de Naciones a una dura prueba de sanciones cuando
Washington, Londres y París practicaban una política que marchaba en
dirección opuesta:

   «...En el mejor de los casos, su papel se limita a ejercer una influencia pacificadora, influencia de orden moral. La Sociedad de Naciones no es un «super-Es-
tado» y no dispone de más fuerza que la que quieran conferirle las grandes potencias. Éstas sí que disponen de ejércitos, armamentos y dinero, y, a pesar de ello,
han permitido que los japoneses se apoderaran de la mitad más importante de
Manchuria y que desembarcaran fuerzas en Shanghai. ¿Cómo puédese exigir de
la Liga de Naciones lo que no han podido, sabido o querido hacer las grandes
potencias?» [45].

Además de una diferente valoración de la política ideal en relación a la política posible, la diferencia de criterios entre Zulueta y Madariaga respondía a una distinta percepción de las consecuencias que la actitud española en Ginebra podía acarrear para los intereses de la República en Japón. Prueba de ello fue que las discrepancias alcanzaran su punto culminante un mes después de la celebración de la Asamblea, cuando el gobierno japonés retiró a su representante en Madrid y redujo al mínimo su presencia diplomática en España. El ministro de Estado ya estaba sobre aviso de la animosidad nipona por las informaciones de la Legación en Tokio, que constantemente remitía comentarios de prensa en los que dominaba un tono de indignación nada disimulada. El tema llegó a preocupar tanto a Zulueta que incluso lo llevó al Consejo de Ministros del 18 de abril como un asunto «urgente y delicado». Aunque Azaña no estimaba que el tema fuera tan grave como lo pintaba Zulueta, el Gobierno resolvió en el sentido indicado por éste, puesto se decidió dar órdenes expresas de que no se enviaran más armas a China y recomendar «prudencia» a Madariaga [46].

La disparidad de criterios entre un ministro de Asuntos Exteriores y su representante en Ginebra no era, ni mucho menos, un caso exclusivo de la política exterior española. Divergencias similares afloraron en casi todas las cancillerías occidentales, como ocurrió entre Cecil y el *Foreign Office*, entre Briand y el *Quai d'Orsay* y entre Stimson y Castle en el Departamento de Estado norteamericano. El propio William Martin se refirió en una ocasión al «divorcio» que se produjo entre estadistas y diplomáticos, entre jefes de delegaciones y jefes de cancillerías a propósito del conflicto chino-japonés, y este divorcio se mostraba tanto en el terreno de las valoraciones que se hacían de la disputa como en el de los comportamientos que se adoptaban durante su tramitación ante el Consejo y la Asamblea [47]. Unos, más apegados a los ideales de Ginebra, veían en el conflicto el futuro de la Sociedad de Naciones y la suerte de la Conferencia del Desarme; otros, más preocupados por los intereses nacionales, procuraban no arriesgar demasiado esperando que el curso de los acontecimientos dictara el camino a seguir.

En el caso de Zulueta y Madariaga, tampoco las diferencias eran demasiado acusadas. No era una cuestión de principios lo que les separaba, sino un asunto de grados —grado de aplicación de los principios y, sobre todo, grado de protagonismo de la delegación española—, por lo que la divergencia, de momento, quedó en una llamada a la prudencia. Madariaga, como prueba de la imparcialidad que presidía la actuación de la República en el conflicto, sugirió la posibilidad de dar publicidad a la negativa del gobierno Azaña de vender armas a China, con lo cual se apaciguaron los ánimos japoneses en contra de España y no se volvieron a producir incidentes de consideración [48]. Él y Zulueta tuvieron pronto que aplicarse a otra tarea más inmediata: las cuestiones del desarme; y el Gobierno, por su parte, no se vió obligado a ocuparse más del tema hasta después del verano. Así, el «conflicto de grados» entre Madariaga y Zulueta quedó a la espera.

Lo mismo sucedió con el conflicto de Manchuria. A partir de mayo, después de que el Comité de los Diecinueve estableciera las bases del armisticio de Shanghai, la mediación de la Sociedad entró en una fase de «calma chicha». Para que la Asamblea pudiera emitir un «veredicto», era preceptivo disponer del informe final que realizara la comisión investigadora. Ello permitió concentrar la atención en otras tareas, por entonces apremiantes, como las conclusiones de la primera fase de la Conferencia del Desarme o los acuerdos de Lausanne sobre las reparaciones alemanas. En lo que concernía a Manchuria, el verano en Ginebra transcurrió «esperando a Lytton».

CONDENA MORAL Y ACEPTACIÓN DE HECHOS CONSUMADOS

El conflicto chino-japonés entró en su fase decisiva a partir de septiembre de 1932, desde que el informe Lytton llegó a Ginebra, y más claramente a comienzos de octubre, cuando se hizo público su contenido. Por fin la Sociedad de Naciones tenía en su poder un estudio completo sobre los orígenes y naturaleza de la disputa, los acontecimientos que se habían producido en Manchuria y Shanghai, los intereses económicos en la región y el establecimiento del Estado de Manchukuo, así como una serie de principios y condiciones que habrían de tenerse en cuenta para alcanzar una solución satisfactoria. A pesar de todas las precauciones guardadas en aras de la objetividad, el informe constituyó —como ha escrito Walters— «una reivindicación sustancial de la posición china en todos sus aspectos fundamentales». Salvo los japoneses, que volvieron a poner en práctica tácticas dilatorias a fin de retrasar su discusión, todo el mundo lo acogió favorablemente, reconociéndose que por vez primera se disponía de unas bases sólidas para alcanzar un arreglo pacífico de la disputa [49].

Para la diplomacia republicana se entraba así en la fase «más interesante» del conflicto, en la fase de las resoluciones. Ni aún entonces se perfiló con claridad la estrategia española en el nuevo período de intensa actividad diplomática que se avecinaba en Ginebra. Todo lo más que el Ministerio de Estado llegó a plantearse fue una nueva declaración de principios. «¿Cuál será la actitud de España?» —se preguntaba un informe oficial en noviembre de 1932. La respuesta era obvia, pero imprecisa y poco elaborada: «Pues como siempre, (...) procuraremos mantenernos dentro de la más reserva objetividad y sumar nuestros esfuerzos para que el conflicto tenga una solución y el Pacto y los principios de la Sociedad de Naciones no puedan salir debilitados de la prueba» [50]. ¿Y la táctica a seguir?, ¿y las propuestas concretas de España para el estudio del informe Lytton en el Consejo, la Asamblea y el Comité de los Diecinueve?, ¿y las instrucciones a dar a Madariaga? Pues como siempre, también, según las circunstancias que se impusieran en Ginebra y el criterio que estimara oportuno la delegación española.

El frente unido de las pequeñas potencias

Hasta cierto punto era razonable que Madrid prescindiera de análisis más detallados. A la altura del último trimestre de 1932, el comportamiento de la delegación española en la Sociedad de Naciones estaba determinado, en gran medida, por la acción conjunta de las pequeñas potencias, concertada sobre la marcha en las reuniones de las vísperas. Esta dinámica, que obligaba a adoptar las decisiones concretas no tanto en Madrid como en Ginebra, se había venido imponiendo desde la constitución del Grupo de los Ocho a partir de los trabajos de la Conferencia del Desarme. Las delegaciones de España, Checoslovaquia, Bélgica, Holanda, Suecia, Noruega, Dinamarca y Suiza, que hasta entonces habían estado reuniéndose con asiduidad, encontraron en el conflicto de Manchuria un motivo añadido para desarrollar una política conjunta, puesto que habían defendido el mismo punto de vista durante la tramitación de la disputa: la estricta aplicación de los principios del *Covenant*. A estos países se unió, además, Irlanda, cuyo primer delegado, Sean Lester, desempeñó un destacado papel durante esta fase del conflicto.

El fundamento teórico que impulsaba esta estrecha colaboración era el interés común en la defensa de la seguridad colectiva. Según Lester, los pequeños Estados tenían que aprovechar la oportunidad que les brindaba la Sociedad de Naciones para «tomar parte activa» en la resolución de los conflictos mundiales, «en los cuales, en otras circunstancias, su intervención hubiera sido considerada como una impertinente interferencia en los asuntos de sus superiores». A su juicio, la intervención de la Sociedad como «tercera parte» en la resolución de las disputas bilaterales confería al conflicto chino-japonés un valor extraordinario para probar la capacidad de asunción de esa «nueva responsabilidad» histórica [51]. Con esa filosofía las delegaciones de las pequeñas potencias habían afrontado su intervención en la crisis, pero el bloqueo del Consejo, primero, y la espera de la investigación solicitada por la Sociedad, después, habían impedido que pudieran pasar a la ofensiva. Además, en el otoño de 1932 sus posiciones se vieron reforzadas con los resultados alcanzados por la Comisión Lytton, cuyo informe final clarificaba el camino a seguir: la condena de la agresión japonesa.

Madariaga, pues, ya no estaba solo en su papel de «Don Quijote de la Manchuria». Durante los meses de noviembre y diciembre, el jefe de la delegación española actuó en estrecho contacto con otros delegados, en particular con el checo Benes, el sueco Undén y el irlandés Lester. Los cuatro formaban, por así decirlo, la vanguardia de la rebelión de los débiles, cuyo objetivo era conseguir que la Asamblea inculpara al Japón por la violación del Pacto. Ya el 22 de noviembre, en una larga conversación entre Benes y Madariaga, se perfiló la estrategia de actuación a desarrollar conjuntamente en las reuniones del Consejo, la Asamblea y el Comité de los Diecinueve. La iniciativa partió del checo, pero sus puntos de vista fueron compartidos plenamente por Madariaga, que a los ojos del *Quai d'Orsay* aparecía como el instigador de una política dirigida a la adopción de medidas radicales contra Japón, tales como la retirada de embajadores o su expulsión de la Sociedad de Naciones [52].

Benes propuso a Madariaga la celebración de un debate general en la Asamblea antes de que el informe Lytton pasara a estudio del Comité de los Diecinueve. La fórmula tenía el objetivo de provocar «un movimiento de opinión» previo al trabajo del Comité, con lo que éste podía afrontar su tarea «con más vigor». Para que este procedimiento diera frutos, había que completarlo con la presentación de «cierto número de proyectos de resolución, que nos permitan buscar después una resolución media». El acuerdo final de la Asamblea debía contemplar dos cuestiones fundamentales: una valoración de los hechos del pasado, centrada en una declaración inequívoca de que el conflicto no era una guerra defensiva y en la ilegitimidad del nuevo Estado de Manchukuo, y una orientación de futuro, condicionada por la aceptación o el rechazo japonés de la negociación, etapa en la que era «necesario» asegurarse la colaboración de los Estados Unidos y la Unión Soviética. Por último, si Japón se negaba a negociar, debía adoptarse «una serie de resoluciones de tipo bastante vigoroso y que incluyan la necesidad de evacuar la Manchuria e indemnizar a China, además de declarar todas las naciones que negarían al Japón armas y municiones y que estarían dispuestas a ayudar a la China por todos los medios a su alcance» [53].

El procedimiento sugerido por Benes y suscrito por Madariaga fue aceptado en sus líneas generales por el Consejo. Sin embargo, era muy difícil hacer prosperar los contenidos de la propuesta de resolución. Durante el transcurso del debate general en la Asamblea, que tuvo lugar entre el 6 y el 8 de diciembre, se agudizaron las diferencias que separaban a grandes y pequeñas potencias. La desconfianza y el desacuerdo con respecto a la política de contemporización fueron las notas características de los discursos pronunciados por Madariaga, Benes, Undén, Motta y otros delegados, como el irlandés Connolly, el noruego Langue, el griego Politis, el guatemalteco Matos y el uruguayo Buero, a los que se asociaron el holandés Moresco y el danés Borberg. La exasperación de estos delegados, y particularmente de Benes, Undén y Madariaga, alcanzó un punto crítico después de los discursos pronunciados por Paul-Boncour y Simon, máximos responsables de las diplomacias francesa y británica respectivamente, puesto que ambos dirigentes se detuvieron en exceso en los pecados del «caos chino» y enfatizaron las ventajas de la conciliación entre las partes en vez de la condena de la violación del Pacto [54].

El discurso de Madariaga —calificado por un consejero del *Quai d'Orsay* como «un discours terrible» y por el italiano Aloisi como «un très beau morceau de littérature politique»— fue una buena muestra de las posiciones más radicales que se defendieron en la Asamblea. El delegado español insistió en que el aspecto fundamental a considerar era el conflicto que se había producido entre la Sociedad de Naciones y el gobierno japonés. Desde septiembre de 1931, Ginebra había procedido con prudencia y paciencia, aún a sabiendas de que «el tiempo sería injusto, que se inclinaría del lado de la fuerza inmediata, que permitiría sembrar, madurar y recoger el hecho consumado». Durante ese tiempo —confesó Madariaga—, él se había resignado a esa política dilatoria por el deseo de ser «conciliante y comprensivo» con el Japón, pero de nada había servido, pues Tokio había burlado todas las resoluciones de la Sociedad de Naciones. Ésta tenía ahora no sólo que dar una solución a la disputa chino-japonesa, sino también «restablecer la autoridad». España —concluyó— no se prestaría a una política de «pasar la esponja» sobre el problema de fondo ni quería verse involucrada en la dinámica del «borrón y cuenta nueva»:

«...A esta locura la delegación española contesta claramente: no. A buen seguro que nuestro deber es intentar la conciliación con el espíritu abierto, desde luego, a todas las soluciones —cualesquiera que sean— que permitan satisfacer a los dos países interesados... Pero antes de intentar la conciliación, la Sociedad de Naciones debe juzgar los acontecimientos pasados...

...porque la Sociedad de Naciones vería marchitarse su Pacto y perecer de enfermedad mortal si dejásemos establecerse en el ánimo de las gentes la idea de que el artículo 10 permite que la Mandchuria china se transforma en Mandchuria japonesa, que el artículo 12 permite una invasión permanente y que los principios del Pacto deben plegarse a los casos excepcionales, siendo así que todos los casos sin excepción son y serán siempre excepcionales. (...) El mundo necesita orden; pero el orden no está en los uniformes y los soldados. El orden está en la regla. El orden está en el derecho» [55].

De acuerdo con la estrategia diseñada por Benes, las delegaciones de Suecia, España y Checoslovaquia, a las que se añadió Irlanda a petición propia, presentaron un proyecto de resolución a la Asamblea. El documento había sido redactado por Undén recogiendo los puntos de vista sugeridos por Benes con anterioridad, aunque durante su proceso de elaboración se produjo una división de opiniones en el seno del Grupo de los Ocho que alineó a Benes («que en este asunto ocupa la extrema izquierda»), Undén y Madariaga, por una parte, y el resto de las delegaciones, por la otra, particularmente la de Holanda, que «es un país tan colonial y asiático» —argumentaba Madariaga— «que se encuentra a la extrema derecha» del Grupo. En cuanto a sus contenidos, el proyecto de resolución del 7 de diciembre proponía solicitar la colaboración de los Estados Unidos y la Unión Soviética en las negociaciones de paz, que debían entablarse sobre la base de tres principios: negación del argumento de «legítima defensa» en la actuación del Japón, declaración de violación del Pacto por acto de agresión y no reconocimiento del nuevo Estado del Manchukuo [56].

Evidentemente, la diplomacia japonesa no estaba dispuesta a admitir la aprobación de tales puntos de partida. Al día siguiente, su delegado declaró que el proyecto de resolución era inaceptable para su gobierno y que si no era retirado de inmediato sería Japón quien se retiraba de Ginebra. El tono amenazador de Matsuoka provocó nuevas reacciones desfavorables hacia el Japón en el seno de la Asamblea, pero en las altas esferas se impuso el espíritu de conciliación y apaciguamiento. El secretario general de la Sociedad, Drummond, que enfilaba la recta final de su mandato, se reunió urgentemente con los cuatro representantes de las naciones firmantes del proyecto a fin de llegar a una solución intermedia. Las discrepancias entre Drummond, por un lado, y Benes y Madariaga, por otro, habían sido ostensibles desde que se plantearon las cuestiones de procedimiento, y lo fueron aún más en aquellas fechas. Para Drummond la intransigencia de los delegados checo y español era contraproducente para flexibilizar las posiciones japonesas, mientras que para estos últimos el Secretario había demostrado su complicidad con la política contemplativa de las grandes potencias. La propuesta de Drummond «equivalía a una retirada» del proyecto de resolución, por lo que no fue aceptada por Benes, Undén, Madariaga y Lester [57].

Finalmente se acordó, y así fue aceptado por los japoneses, que la propuesta de las cuatro delegaciones, aunque sin las palabras «proyecto de resolución», pasara a la consideración del Comité de los Diecinueve junto al resto de las propuestas presentadas en la Asamblea. Era una muestra más de las típicas «soluciones ginebrinas» en las que no había ni vencedores ni vencidos. Con ello se daba luz verde a la continuación del procedimiento fijado —Asamblea, Comité, Asamblea— para que la Sociedad de Naciones pudiera emitir su «veredicto» sobre el conflicto de Manchuria.

Firmeza *versus* prudencia

En Ginebra el delegado español se había alineado con un grupo minoritario de Estados que adoptaban una actitud de firmeza ante el Japón, al menos en cuanto a declaraciones, pues tampoco plantearon abiertamente la adopción de sanciones económicas contra el agresor. Sin embargo, esa no era la política de prudencia que le hubiera gustado impulsar al gobierno republicano, y particularmente a su ministro de Estado. Fue entonces cuando la diferencia de criterios entre Madariaga y Zulueta se manifestó más claramente, o al menos cuando esas diferencias llegaron a oídos del primero, que intentó salir al paso de las críticas que se le hacían desde Madrid.

La disparidad surgió de forma paralela a la celebración de la Asamblea extraordinaria. Ante el cariz que estaba tomando la discusión sobre el proyecto de resolución, Zulueta transmitió a Madariaga la preocupación del Gobierno por el excesivo protagonismo que había asumido en Ginebra y recomendó de forma expresa la adopción de una política de moderación y prudencia en el desarrollo del conflicto. El delegado español replicó de inmediato que «si bien es decir que hay que tener moderación, también es indispensable la firmeza», justificando esta actitud en la propia «orientación republicana» que debía inspirar la actuación española en la Sociedad de Naciones:

«Somos el Gobierno más avanzado de Europa, después de Rusia, y es natural que apliquemos en Ginebra nuestras ideas interiores. Nos acompañan en este proyecto de resolución las naciones gobernadas por socialistas (...) Que vamos en vanguardia es evidente y que vamos en minoría también. Pero ¿es que la República española va a renunciar a ir en vanguardia y en minoría cuando se trata de establecer en Ginebra unos principios internacionales de carácter republicano que nos permitan desarmar?... En resumen, creo que con moderación y prudencia la actitud de España debe ser de vanguardia, de energía y de minoría. Creo que así seguimos los ideales que necesitamos para alimentar el patriotismo siempre débil, aunque fogoso, de los españoles, y que, al mismo tiempo, no malgastamos intereses materiales de España, sino que por el contrario le garantizamos un desarrollo pacífico a la República dentro del respeto universal» [58].

Madariaga atribuyó el disentimiento de Madrid a una suerte de «envidia», muy del gusto hispano, ante sus imparables «éxitos ginebrinos», y de ahí su interpretación de la disparidad de criterios recurriendo al refranero: «Ladran..., es que cabalgamos». La explicación, sin embargo, no era tan simple. El Ministro compartía con el Embajador la defensa de la intangibilidad de los tratados y la aplicación de los principios del Pacto a la disputa chino-japonesa, pero era consciente de que los tratados no podían ser aplicados de acuerdo a los deseos, puesto que todavía imperaba el primado de la fuerza sobre el derecho en las relaciones internacionales. Al igual que Madariaga, Zulueta también estaba preocupado por la pérdida de prestigio que podía sufrir la Sociedad de Naciones y el posible fracaso de la Conferencia del Desarme, pero estimaba que defender el principio de la integridad territorial de China era una quimera en aquellos momentos, por lo que se mostraba partidario de buscar, por la vía de la negociación, una solución de compromiso, «una fórmula que sin situarse en contradicción flagrante con los hechos, permita mientras tanto conservarlos en un estado que no sea una violación flagrante del derecho» [59].

Por encima de todo planteamiento de principio en cuanto a la solución de la disputa, la diferencia esencial estaba centrada en las cotas de protagonismo que estaba asumiendo la delegación española en Ginebra y en la percepción de las repercusiones diplomáticas que podían derivarse del mismo. Zulueta seguía sin comprender del todo el empeño del delegado español en encabezar una política de firmeza que comprometía seriamente las relaciones de la República con Japón. No en vano la Legación de España en Tokio había recibido reiteradas amenazas y su jefe se había visto obligado a aceptar protección policial para evitar males mayores. Madariaga, en cambio, minimizaba las relaciones bilaterales hispano-japonesas («comercialmente, no significa nada; militarmente, tampoco para nosotros») y aún recurría a argumentos de contrapeso, como el de los intereses españoles en China y Filipinas, para justificar la irrelevancia de las consecuencias negativas que su actitud podía tener para la proyección exterior española en el Lejano Oriente [60].

El Ministerio de Estado, por si acaso, no cejaba en su esfuerzo de atemperar los ánimos japoneses hacia la República. A raíz de la intervención de Madariaga en la Asamblea, nuevamente se cursaron instrucciones al representante español en Tokio para que disipara cualquier sentimiento de hostilidad, insistiendo en que la actuación de España en el conflicto estaba inspirada en el respeto al derecho y la justicia internacionales, en la igualdad de todos los pueblos, grandes y pequeños, sin otra finalidad que la de practicar una política de «objetividad». El gobierno japonés agradeció los sentimientos de amistad transmitidos por Zulueta, aunque advirtió que le era muy difícil armonizarlos con la «apasionada locuacidad» que mostraba el delegado español en la Sociedad de Naciones [61]. La incomprensión «made in Geneva» siguió condicionando, pues, las relaciones bilaterales entre España y la gran potencia asiática, a pesar de que estos problemas nunca fueron planteados abiertamente ante la opinión pública española.

La animadversión japonesa hacia España contrastaba con las muestras de simpatía recibidas desde China, donde se reconocía la «valentía» con que había actuado la representación republicana [62]. Pero ni aún el contrapunto chino disipaba del todo los temores de Zulueta ante el futuro de las relaciones hispano-japonesas, que por otra parte no eran lo suficientemente intensas como para inquietar en exceso al Gobierno. En la dirección opuesta, tampoco el Ministerio de Estado se planteaba un eventual relanzamiento del comercio español en China, como sugería Madariaga, aprovechando las favorables condiciones que había creado su actitud en Ginebra. A efectos prácticos, tanto las protestas de unos como las alabanzas de otros tuvieron escasas repercusiones en las débiles relaciones que España mantenía con los países del Lejano Oriente.

En cualquier caso, Zulueta no echó más leña al fuego de sus desavenencias con Madariaga y optó por seguir más de cerca el curso de los acontecimientos. Para ello acudió más frecuentemente a Ginebra o se mantuvo en estrecho contacto telefónico con la delegación española. Incluso el Ministro no tuvo reparos en salir en defensa de su delegado en varios momentos, como ocurrió en las Cortes, cuando Madariaga fue acusado por algunas voces disidentes de desarrollar una política «personalista» en Ginebra caracterizada —o mejor, caricaturizada— por su empecinamiento en «dar coces» a diestro y siniestro y propiciar una política de ser «cabeza de ratón» antes que «cola de león» [63]. En cuanto a Madariaga, también desde entonces comenzó a actuar «con pies de plomo», haciéndose cada vez más normal la redacción de informes detallados sobre la labor realizada o la petición de instrucciones precisas a Madrid antes de adoptar una decisión definitiva. Ni Madariaga ni Zulueta estaban interesados en generar una polémica de unas diferencias que eran más de forma que de fondo, que eran más una cuestión de protagonismo que un problema de contenido. Al fin y al cabo, tampoco la República había actuado en Ginebra en solitario, y su posición había sido idéntica a la de Checoslovaquia y

Suecia, dos democracias que gozaban de gran estima entre los dirigentes españoles.

Además, la tormenta que había originado el proyecto de resolución cesó de inmediato. Después de la Asamblea, el conflicto pasó a manos del Comité de los Diecinueve, que necesitó dos largos meses de negociaciones con el gobierno japonés para reconocer la imposibilidad de llegar a un acuerdo sobre las bases establecidas en el informe Lytton. En aquella coyuntura, el intento de incorporar al Japón a la mesa de negociaciones era la principal tarea a acometer y todas las delegaciones se mostraron partidarias de agotar esa vía, con lo que las voces de Madariaga y de otros partidarios de la firmeza no tuvieron tanta resonancia pública y las preocupaciones de Zulueta se mitigaron. Cuando el 9 de febrero de 1933 el Comité hizo un último esfuerzo para evaluar las propuestas japonesas, todos sus miembros subrayaron la imposibilidad de llegar a acuerdos si Tokio persistía en su intransigencia. Madariaga intervino entonces para pedir que se exigiera al gobierno nipón una respuesta clara sobre la cuestión de la soberanía china en Manchuria y una garantía de detener el avance militar hacia Jehol. Las propuestas de Madariaga fueron aceptadas por el Comité, pero cinco días después se consumó la decepción: Japón replicó que «el mantenimiento y el reconocimiento de la independencia de Manchukuo era la única garantía de paz en el Lejano Oriente» [64]. Todo quedaba visto para sentencia.

El veredicto y sus secuelas

Tras dos meses de intensas negociaciones, el Comité de los Diecinueve decidió elaborar un proyecto de informe final para someterlo a la Asamblea, que lo aprobó por unanimidad el 24 de febrero. La resolución declaraba que Japón había violado el Pacto y cometido un acto de agresión al ocupar militarmente un territorio que no era de su soberanía y fundar allí ilegalmente un Estado que no había sido expresión de un sentimiento de independencia nacional, por lo cual ese nuevo Estado no podía ser reconocido, ni *de jure* ni *de facto*, por los miembros de la comunidad internacional. El informe concluía con una recomendación a ambas partes para abrir negociaciones que condujeran a un arreglo, para lo cual se creó un nuevo comité, esta vez llamado Comité de Conciliación, que fue una continuación del anterior y cuya actuación fue irrelevante [65].

El veredicto de Ginebra provocó la retirada inmediata de Japón de la Sociedad de Naciones, comprometiendo el desarrollo de los trabajos de la Conferencia del Desarme y sentando un funesto precedente para la organización de la paz. Pero lo que resultó más grave fue el descrédito de la institución ginebrina como instrumento válido para el mantenimiento del orden internacional. Espoleada por las delegaciones de las pequeñas potencias, la Sociedad había intentado salvar la cara a última hora mediante la condena moral del agresor, pero no pudo disimular su histórico fracaso. En primera instancia había sido incapaz de detener la agresión; luego, tampoco consiguió restablecer la legalidad, y finalmente acabó aceptando la política de hechos consumados. Con ello perdió prestigio entre sus defensores y fortaleció los argumentos de sus detractores.

En España comenzaron a resonar con fuerza las voces que, desde la oposición, pedían la matización del compromiso pacifista de la República. Si ya *El Debate* se había convertido en portavoz de la «neutralidad estricta», otros diarios españoles empezaron a dar cobijo a planteamientos similares en sus páginas. «La peor de las diplomacias» —escribía Pérez Caballero en *ABC*— «es aquella que se contenta con salvar los principios sin lograr resultados, embrollando aún más las relaciones exteriores, porque la diplomacia es, ante todo y sobre todo, función de realidades». La Sociedad de Naciones, al dar la razón a China apelando a los sagrados principios del Pacto, pero sin imponer sanciones a Japón y sin hacer cumplir los principios declarados, sólo había demostrado su ineficacia. La consecuencia que se desprendía de tal análisis no era otra que la necesidad de una reformulación de la política exterior republicana, que debía tener más en cuenta sus limitaciones y no comprometerse tan decididamente en la defensa del Pacto [66].

No eran éstas, sin embargo, las conclusiones a las que llegaba la prensa republicana, ya fuera de tendencia liberal o socialista. Para estos sectores de opinión, el veredicto de Ginebra había dado la razón a España, que «puede envanecerse, sin petulancias, del triunfo de sus ideales en la Sociedad de las Naciones», puesto que «triunfó, al fin, la tesis española de mantener a toda costa los principios del Pacto frente la actitud del Japón». En este tipo de análisis no estuvo ausente el encendido elogio a la posición de firmeza mantenida por la delegación española durante la tramitación del conflicto, de igual forma que tampoco faltó la interpretación de esta actitud como «la quinta esencia misma de la nueva política y del nuevo estilo» de la República, muy en la línea de las argumentaciones de Madariaga [67].

En el Ministerio de Estado se prefería considerar las cosas «con sangre fría» —según dijo Zulueta al embajador francés— y albergar vanas esperanzas de que Japón no consumara su anunciada retirada de la Sociedad de Naciones. Ante la eventualidad de que China pudiera exigir la aplicación de sanciones contra el agresor, no se contemplaba la posibilidad de ejercer una presión efectiva a corto plazo, dada la actitud que mantenían las grandes potencias. Todo lo más que el gobierno republicano se planteaba era participar en el Comité de Conciliación «siempre que otros países en análoga situación así lo soliciten» (en clara referencia al mantenimiento de la unidad de acción con las pequeñas potencias) y a sumarse a la propuesta del embargo unilateral de armas al Japón, «a condición de que hubiera un número suficiente de Estados que respaldaran là medida y las circunstancias así lo aconsejasen», dejando a criterio de Madariaga la valoración de tales circunstancias de acuerdo con el curso que tomaran las negociaciones de Ginebra [68].

No hizo falta. La intervención de Ginebra en el conflicto había quedado zanjada con el veredicto moralmente condenatorio del agresor. Las nuevas medidas que se barajaron en contra de Japón fueron el canto del cisne de la fracasada mediación ginebrina, cuando no intentos desesperados de sobreponerse al mortal golpe recibido. En el Lejano Oriente, las tropas japonesas completaron la ocupación de Jehol y se dirigieron hacia la Gran Muralla china, lo que forzó al gobierno de Chiang Kai a firmar el armisticio de Tangku. De esta forma el conflicto chino-japonés entró en fase de letargo pacífico hasta que fue reanudado en 1937, ya a las puertas de la Segunda Guerra Mundial.

Mientras el fantasma del fracaso del arbitraje sobre Manchuria reaparecía cada vez que la Sociedad de Naciones se encontraba en apuros (y fueron muchos a partir de 1933), las «nuevas realidades» se abrían camino en el Extremo Oriente a marchas forzadas. A la creación del Estado de Manchukuo siguió la reconstrucción de la vida económica y social de Manchuria, lo que abrió un nuevo mercado a la industria y comercio internacionales. Reconocido *de jure* por el Japón y *de facto* por la Unión Soviética, la consolidación definitiva de Manchukuo como Estado de la comunidad internacional era sólo cuestión de tiempo. Ya en 1934 varios países europeos iniciaron el proceso de su reconocimiento oficial u oficioso con el propósito de conseguir una situación comercial preferente. Los intereses económicos primaban sobre làs consideraciones morales y jurídicas derivadas de la resolución condenatoria de la Sociedad de Naciones y los tratados internacionales en vigor. España no fue una excepción a la regla y en abril de 1934 el Ministerio de Estado se planteó el interés de «conocer las condiciones de aquel mercado en relación con nuestros productos de exportación, y en ese sentido parece justificado el viaje de algún funcionario que llevase a cabo el estudio adecuado», aunque ello significara una «rectificación» de la política exterior que la República había mantenido en el conflicto [69]. En el futuro inmediato, no hubo ocasión para poner en marcha tal iniciativa, pero sobre el papel quedó planteada la aceptación de las nuevas realidades que se habían impuesto en el Lejano Oriente.

La diplomacia republicana, en suma, había superado su primera prueba internacional acumulando aciertos y errores. Acierto, sobre todo, en cuestión de imagen. A los ojos del mundo, y particularmente a los ojos de la opinión democrática y de los gobiernos de las democracias «menores» europeas, la España republicana se había comportado como una leal mantenedora de la causa del Pacto y del sistema de seguridad colectiva, confirmando que los «grandes ideales» reflejadas en su Constitución y las «buenas intenciones» anunciadas en Ginebra se iban a traducir en iniciativas concretas en favor del arbitraje y la conciliación. En este sentido, la asunción de un papel activo durante el desarrollo del conflicto y la actitud crítica hacia las posiciones claudicantes contrastaban con la tradicional inhibición española en asuntos que no fueran de su exclusivo interés o la tendencia a secundar exclusivamente las iniciativas de los poderosos. Resultaba evidente que la República estaba dispuesta, al menos en Ginebra, a colaborar en todo esfuerzo encaminado a la construcción de la paz, y ello favorecía aparentemente la imagen del nuevo régimen en el extranjero. También se benefició Madariaga, cuyo prestigio personal como defensor de la Sociedad salió fortalecido a raíz de sus intervenciones en el Consejo y la Asamblea.

Sin embargo, también se reprodujeron viejos vicios y se cometieron errores. La crisis de Manchuria había puesto de manifiesto las limitaciones internas de la diplomacia republicana, cuyo mayor activo parecía consistir en dar rienda suelta a la inspiración personal de Madariaga en Ginebra. Sin un proyecto definido de política exterior que articulara «lo ideal» y «lo posible», la estrategia y la táctica, la tónica dominante había sido la improvisación y el personalismo al filo de los acontecimientos. La actuación española también había revelado el escaso grado de cohesión de su equipo dirigente a la hora de defender posiciones comprometidas en el exterior. Algunas ineptitudes (como la de Lerroux), no pocas indiferencias (como las de Azaña y Alcalá Zamora) y más de una discrepancia (como la habida entre Zulueta y Madariaga) pesaban negativamente en el balance final de la experiencia. La primera prueba, en fin, tampoco fue aprovechada para intentar crear una fuerte corriente de opinión interesada en los asuntos internacionales al amparo de la reacción provocada por la flagrante agresión japonesa. Entre que «el asunto de los chinos» —como decía Azaña— tenía lugar en el Lejano Oriente y que las preocupaciones internas eran acuciantes, los españoles pasaron por el conflicto casi sin apercibirse de su existencia, y mucho menos de su trascendencia.

De todas formas, las mayores limitaciones procedieron del exterior. En su primer intento serio de intervención en la arena internacional, la Re-

pública española había constatado su incapacidad para influir decididamente en los asuntos mundiales y, lo que era peor, había tenido que aceptar un estado de cosas que hacía tambalear los fundamentos en los que
basaba su política exterior: la defensa del Pacto y del sistema de seguridad
colectiva. De cara al inmediato futuro, esta sensación de impotencia tuvo
evidentes repercusiones, pues obligó a ser más prudentes y anteponer las
realidades a los ideales. Además, nada siguió siendo igual en Ginebra a
partir de entonces. La Sociedad de Naciones había fallado como instrumento eficaz para el mantenimiento del orden internacional y, por tanto,
había desilusionado profundamente a las pequeñas potencias. Manchuria,
en este sentido, había abierto una brecha importante, brecha que se agran-
dó aún más durante el desarrollo de la Conferencia del Desarme.

CAPITULO 3
La gran decepción: el desarme

«El mantenimiento de la paz» —decía el artículo 8 del Pacto— «exige la reducción de los armamentos nacionales al mínimo compatible con la seguridad nacional y la ejecución de las obligaciones internacionales». Realmente, era difícil poner límites a la seguridad nacional de los Estados cuando dominaba la inseguridad en las relaciones internacionales. Pero aún reconociéndose que la «utopía hueca» del desarme —en expresión de Madariaga— era inalcanzable en los años treinta, la consecución de un acuerdo concreto para reducir o limitar los armamentos se presentó como la prueba de fuego del sistema de Versalles, el hilo del que pendía el éxito o el fracaso de la Sociedad de Naciones como instrumento de paz [1].

Consciente de lo que estaba en juego, la Sociedad se había puesto a trabajar en las cuestiones de desarme desde el primer momento. Su labor, plagada de obstáculos y canalizada a través de un complejo entramado de comités y comisiones, había servido para esclarecer algunas cuestiones técnicas, disponer de unos instrumentos jurídicos nuevos y crear, por momentos, un cierto clima de distensión, aunque de forma paralela los estados mayores de los ejércitos, las grandes empresas de armamentos y los planes de defensa nacionales caminaban, en dirección opuesta, hacia el perfeccionamiento de la maquinaria de guerra y el incremento del potencial ofensivo de los Estados. Al fin, después de varios aplazamientos y una vez que la Comisión Preparatoria hubo ultimado el Proyecto de Convenio, se decidió convocar la «Conferencia para la Reducción y Limitación de los Armamentos» para febrero de 1932 [2].

El momento no era el más propicio. La crisis económica internacional, el auge de los nacionalismos, la guerra en el Lejano Oriente y la desconfianza hacia la institución de Ginebra eran motivos suficientes para alentar el más profundo de los escepticismos. Pese a todo ello, la convocatoria de la Conferencia del Desarme se convirtió en «la gran ilusión» del año 32, una especie de «símbolo» en el que convergieron todas las esperanzas, pues existía una remota posibilidad de hacer realidad el «sueño» o, al menos, de intentarlo. Puro espejismo, porque en tan sólo nueve meses de reuniones estériles y falsos debates se consumó la gran decepción, pasándose rápidamente del «sueño» a la «impotencia», siendo una «ironía de la Historia» —como ha indicado Vaïsse— que «los esfuerzos para reducir o limitar los armamentos hayan conducido al rearme general y al segundo conflicto mundial» [3].

En este contexto, el análisis de la participación española en la Conferencia del Desarme, de su programa y propuestas, de sus esfuerzos vanos de conciliación, constituye uno de los aspectos más interesantes de la política exterior republicana en la Europa de entreguerras. España, una pequeña potencia que necesitaba mantener una situación de paz internacional para acometer su proceso de reconstrucción interna, tenía mucho que aprender del fracaso de la Conferencia del Desarme. Como señaló Toynbee en su momento, a medida que Japón consumaba su agresión sobre China, que Alemania caminaba hacia el rearme y que Gran Bretaña, Francia, Italia y Estados Unidos se negaban a reducir sus arsenales bélicos, los gobiernos y los pueblos de los pequeños Estados europeos «tenían el más completo derecho a ver el recrudecimiento de la idea de «Gran Potencia» con alarma e indignación». En España, donde la Primera Guerra Mundial había originado no pocos beneficios al socaire de la neutralidad, la reacción última ante tanta inseguridad no podía ser otra que la recuperación del viejo caparazón, con lo que finalmente se impuso la idea de permanecer neutrales ante toda contingencia exterior. No obstante, antes de producirse esa reacción, que no se apreció claramente hasta el otoño del 33, se intentó afanosamente la búsqueda de un acuerdo general de desarme en Ginebra, y ello llevó a la República española a unir sus escasas fuerzas con los Estados que estaban en su misma condición: las pequeñas potencias.

EL PROGRAMA DE DESARME DE LA REPÚBLICA

Entre la XII Asamblea de la Sociedad de Naciones (septiembre de 1931) y la apertura de la Conferencia (febrero de 1932) se perfiló el programa de desarme de la República. En su proceso de elaboración, se tuvieron en cuenta los criterios que había defendido la delegación española en Ginebra con anterioridad a la proclamación de la República, pero su forma definitiva la tomó con las aportaciones de Salvador de Madariaga, cuyo conocimiento y experiencia en los temas del desarme eran de sobra conocidos, sobre todo en el extranjero. Junto a él, también desempeñó un papel de relieve Luis de Zulueta y, desde otra esfera de actuación, Manuel Azaña, cuya contribución no se plasmó tanto en el programa concreto que se presentó a la Conferencia como en la relación de sentido que guardaba el desarme internacional con la defensa nacional.

Los fundamentos

España no estaba preparada para defenderse de una eventual agresión exterior. Así lo repitió Azaña en cuantas ocasiones tuvo de referirse a la situación en que se encontraba la defensa nacional en 1931, y así se evidenció durante el transcurso de la Guerra Civil. La causa fundamental de tal indefensión era la situación en la que se encontraba el ejército español, que para Madariaga «era quizá la rama más anárquica del Estado» a la proclamación de la República. En efecto, marginado de las contiendas europeas, desacreditado ante la opinión nacional por sus humillantes fracasos en las guerras coloniales, convertido en un instrumento de política interior a lo largo del siglo XIX y primer tercio del XX, estructurado sobre la base de una macrocefalia inoperativa y escasamente dotado de medios adecuados a las exigencias armamentistas de los años treinta, el Ejército no era, ni mucho menos, una garantía para la salvaguardia del territorio nacional en caso de guerra contra un potencial enemigo exterior [4].

La situación de las fuerzas de tierra era altamente preocupante. Según la exposición detallada que Azaña hizo en las Cortes, la carencia de material de guerra y la inoperatividad de su estructura organizativa revestían tintes dramáticos: había muy poca artillería de grueso calibre, y la disponible no contaba con municiones ni proyectiles para ponerla en acción; las existencias de balas para fusiles apenas daban para contrarrestar el fuego enemigo durante veinticuatro horas; subsistían acuartelamientos sin soldados y soldados sin acuartelamientos, lo mismo que regimientos de caballería sin caballos y caballos sin dotación de caballería; tampoco se poseían campos de tiro, ni material suficiente para el uso diario de la milicia. Es decir, que España no sólo carecía de potencial armamentista con el que poder hacer frente a una guerra, sino que incluso su ejército ofrecía una infraestructura deficitaria y una organización inapropiada para desempeñar las tareas de la preparación militar en épocas de paz [5].

El estado de la Armada no era más alentador. Teniendo en cuenta que España contaba con una línea de costa considerable, dominaba un estre-

cho de vital importancia para el control de las comunicaciones en el Mediterráneo, disponía de dos archipiélagos de gran interés estratégico y poseía territorios coloniales en Marruecos, Sáhara Occidental y Golfo de
Guinea, no era de extañar que el problema naval se diagnosticara oficialmente como «insoluble» para España. En 1931 la flota de la marina de
guerra española no llegaba a sumar 90.000 toneladas de registro total, por
mucho que las estadísticas oficiales inflaran esta cifra con el propósito de
que el límite que se le asignara a España en virtud del futuro Convenio
de Desarme no bajara de las 200.000 toneladas, cota muy inferior al tonelaje de las flotas francesa e italiana. «Es absolutamente necesario» —sentenciaba un informe militar— «que en caso de un conflicto entre fuerzas
navales que no disten demasiado del equilibrio, tengamos nosotros las
suficientes para garantizar nuestra neutralidad, y las actuales están muy
sensiblemente por debajo de esta posibilidad» [6].

En cuanto a la Aviación, el panorama era aterrador, y no precisamente
por su capacidad de destrucción. Sin eufemismos de ninún tipo, Azaña
expuso en las Cortes que la fuerza aérea española era «un proyecto para
el porvenir, mantenido con ilusión y con entusiasmo por el cuerpo de
aviadores, pero que, realmente, no tiene sobre qué trabajar». En otra de
sus intervenciones, el ministro de la Guerra reconoció que el problema de
la aviación militar era «el que más quebraderos de cabeza» le había pro-
porcionado al frente de su departamento y, lo que era más preocupante,
que no había forma de resolverlo, porque poner en práctica cualquier
programa de aviación, por mínimo que éste fuera, exigía un presupuesto
tan considerable que era inaccesible para la República en las condiciones
de precariedad económica en que se encontraba. España carecía de aviación militar propiamente dicha, y «sin aviación militar» —sentenció Azaña— «estamos en absoluta indefensión». Idéntica preocupación tenían los
técnicos militares encargados de evaluar las necesidades de la defensa nacional, los cuales consideraban «primordial» resolver el «problema aéreo»,
al ser la aviación militar el elemento «más valioso que España puede
aportar a los países con que estuviésemos aliados»; «el más apropiado para
abreviar la guerra, que podría ser el único interés directo de España en
una contienda», y «el que más contribuiría para hacer respetar nuestra
independencia» [7].

La República, en suma, con un ejército escasamente dotado de armas
ofensivas, una armada ridícula y una aviación militar de juguete, se encontraba en situación de manifiesta indefensión militar, y eso era un grave
problema de Estado. La cuestión de la defensa nacional, según Azaña,
podía ser afrontada de dos maneras distintas. Una era la aplicación de
una política pacifista radical, que implicaba el desarme inmediato y total.

En virtud de ella, «cabría el recurso de desarmar totalmente al país, de ir a colgar una guirnalda en el pórtico de la Sociedad de Naciones y decir al mundo: aquí hay un país noblemente, sinceramente pacífico, que suprime hasta la última peseta de los gastos militares y se entrega a la protección de la conciencia universal del mundo civilizado». Pero la adopción de esta política implicaba asumir un riesgo muy elevado en caso de una conflagración europea, riesgo que el Gobierno no estaba dispuesto a correr. La otra política posible, según Azaña, consistía en estimar que «el país está obligado, mejor dicho, que a un país *le interesa* —es más exacto decir le interesa que está obligado— tomar las precauciones necesarias para asegurar en cualquier momento su libertad interior y exterior en el mundo», opción por la que apostaba decididamente el Gobierno dadas las circunstancias internacionales vigentes:

> «...España no puede permanecer indefensa: España es un país pacífico, no sólo porque lo hemos dicho en la Constitución, sino porque lo somos, que tiene más valor aún que lo que dice la Constitución; pero nadie es dueño de su paz, ni siquiera la Sociedad de Naciones puede sernos a nosotros una garantía de la paz —la experiencia lo prueba—, y España tiene que estar en condiciones tales, que, en caso de conflicto, que no está en el horizonte, pero que es posible, en caso de conflicto pueda, al menos, hacer respetar su propia paz...
> La dignidad de la República y la dignidad de España requieren que estemos prevenidos para esta ocasión; en una política de paz, mientras el mundo no esté pacificado o no se haya encontrado un modo de resolver, sin compromiso del débil o del neutral, los conflictos de los poderosos —que éste es un serio peligro para los débiles—, necesitamos estar prevenidos para hacernos respetar» [8].

La paz del mundo como máximo «interés nacional», pero adoptando las debidas precauciones defensivas ante el riesgo de guerra. Éste era el sentido de la «política positiva de defensa nacional» que Azaña intentó poner en práctica al frente del Ministerio, orientada a «asegurar, dentro de nuestros recursos, la libertad de determinación de España». El embajador francés en Madrid, Jean Herbette, captó lúcidamente la esencia de la política azañista de defensa nacional al escribir que «consiste en organizar metódicamente la potencia militar de España apelando a los principales recursos materiales del país y a su principal fuerza moral: la pasión por la independencia» [9]. En ese marco general se insertó el famoso «Decreto de Retiros», así como las posteriores medidas legislativas que intentaron reorganizar y modernizar el ejército español. Y también en ese marco cabía insertar, según Azaña, la participación española en la Sociedad de Naciones, donde la República debía colaborar al máximo de sus posibili-

dades y guardándose en todo momento de «sembrar en el ánimo del pueblo español un escepticismo desolador» respecto de sus fines y métodos [10].

En consonancia con tales planteamientos, España tenía poco que desarmar cuando se hizo pública la convocatoria de la Conferencia del Desarme. Más bien todo lo contrario; en los próximos años el Gobierno necesitaba hacer un esfuerzo económico considerable si quería convertir el
Ejército en un instrumento eficaz de defensa nacional. Pero el Estado español, en medio de una crisis económica generalizada y con otros graves
problemas estructurales que afrontar, no estaba en condiciones de dotar a
sus ejércitos de los materiales y armamentos necesarios para superar su
inferioridad militar. A España le interesaba también que las demás naciones, sobre todo las grandes potencias, se comprometieran a reducir su
potencial agresivo y sus presupuestos militares hasta el límite más bajo
posible. De esta forma, modernización del ejército español y consecución
del desarme internacional eran las dos caras de una misma moneda, la
que apostaba por una política de defensa nacional orientada a superar la
situación de absoluta indefensión en que se encontraba España frente a
un eventual ataque exterior.

La República, en definitiva, tenía que impulsar una doble política: una
política positiva de defensa nacional, para estar prevenidos ante un eventual conflicto en Europa, y al mismo tiempo, una política de cooperación
activa en la Conferencia del Desarme, a fin de conseguir una reducción de
los armamentos que atenuara el riesgo de guerra. Con ello se actuaba en
los dos frentes posibles, en el militar y el diplomático, ambos encaminados
al reforzamiento de la seguridad nacional. Eran los dos polos de una misma política que intentaba poner en estrecha relación la política exterior
con la política de defensa y la política militar.

Los preparativos

Si el problema de la defensa nacional y la necesidad del desarme internacional eran dos cuestiones que parecían estar bien articuladas en el terreno
de los principios, no ocurrió lo mismo en el ejercicio de la práctica política.
Esto se puso de manifiesto con motivo de los trabajos preparatorios de la
Conferencia del Desarme, donde no siempre hubo la necesaria trabazón
entre política de defensa y política de desarme. Ya desde los inicios del
proceso se notó claramente que la primera estaba a cargo del ministro de
la Guerra y la segunda iba a dejarse en manos de Madariaga, echándose
en falta también una coordinación entre los ministerios de la Guerra y
Marina, por un lado, y el Ministerio de Estado, por el otro. Éste último

recabó datos e informes de los otros dos y contó con el asesoramiento de expertos militares, pero el Gobierno no adoptó una estructura interdepartamental que permitiera hacer un seguimiento conjunto de los trabajos de la Conferencia.

Para empezar, la administración republicana preparó la Conferencia del Desarme con poco tiempo de antelación. A principios de noviembre de 1931 se planteó la necesidad de constituir una Comisión Preparatoria en el seno del Ministerio de Estado con el propósito de estudiar el Proyecto de Convenio elaborado por la Sociedad, preparar las directrices de la actuación española y elaborar un informe final que debía hallarse terminado un mes antes de la celebración de la Conferencia al objeto de que fuera examinado «con todo detenimiento» por el Gobierno y los delegados españoles. Sin embargo, la Comisión no se nombró hasta el 30 de diciembre, por lo que ni los comisionados dispusieron de tiempo suficiente para el estudio de los numerosos problemas técnicos que se planteaban en el documento base, ni el Consejo de Ministros pudo examinar a fondo la política de desarme antes de que ésta se expusiera públicamente en Ginebra. La premura de tiempo fue tanta que no se pudo improvisar un equipo técnico renovado, de tal forma que Lerroux recurrió a los mismos expertos militares que, bajo el régimen de Primo de Rivera, habían asesorado a la antigua representación española en los trabajos preparatorios de la Conferencia, aunque esta vez tenían que desempeñar su cometido bajo la batuta de Madariaga y López Oliván [11].

El mismo criterio se adoptó inicialmente en cuanto a la composición de la delegación española en la Conferencia, cuyo núcleo fundamental lo constituía la Comisión Preparatoria, de la que formaban parte diez asesores militares. Esto parecía en principio contradictorio con los postulados que la República iba a defender en Ginebra, entre los cuales se encontraba la preeminencia de civiles en las comisiones de trabajo que se formaran, «con asesores técnicos estrictamente limitados a un papel consultivo». Las críticas al predominio del elemento militar sobre el civil en la composición de la delegación no se hicieron esperar. *El Socialista* apuntó que la presencia de tantos técnicos militares y de tan pocos representantes parlamentarios eran motivos suficientes para dudar de que el nuevo régimen ocupara sin vacilaciones el puesto que le correspondía desempeñar como paladín del pacifismo internacional. Aquellos comentarios debieron influir bastante en el ánimo del Gobierno, puesto que el Ministerio de Estado comunicó a la Secretaría de la Sociedad una nueva composición de la delegación española en la que se reducía a tres el número de asesores y se añadía el nombre del diputado socialista Luis Araquistain a la relación que ya había sido facilitada [12]. También fue significativa la ausencia de Azaña como máximo responsable de la Delegación, cuya inclusión en la lista inicialmente prevista se debió a la insistencia de Madariaga, para quien era necesaria su presencia en la Conferencia por razones de prestigio. Finalmente, el Presidente no pudo desplazarse debido a la gravedad de la situación política interna tras los sucesos de Arnedo y la insurrección anarquista en el Alto Llobregat, por lo que la jefatura de la Delegación recayó en el ministro de Estado, Luis de Zulueta, a quien acompañaron José Giral (ministro de Marina) y Américo Castro, Luis Araquistain y Gabriel Franco López (diputados de la mayoría de gobierno), además de Madariaga y López Oliván [13].

En cualquier caso, poco importó la composición de la Delegación así como la escasa labor que pudo llevar a cabo la Comisión Preparatoria. Madariaga fue quien llevó el peso de la representación española en la Conferencia, siendo también el autor del programa de desarme de la República. Además de ser el hombre de confianza para los asuntos de Ginebra, donde habitualmente suplía las deficiencias de la falta de previsión ministerial, Madariaga era un experto en los temas del desarme. No en vano había sido jefe de la Sección de Desarme de la Sociedad de Naciones entre 1922 y 1927, circunstancia que le había permitido seguir de cerca el trabajo de los diversos comités y comisiones que prepararon el camino a la Conferencia de 1932 y conocer al dedillo, no sólo los múltiples problemas técnicos derivados de las diferentes clases de armamentos, sino también las personas, propuestas y filosofías de las distintas delegaciones nacionales. A su experiencia práctica, Madariaga sumaba un amplio *curriculum* de publicaciones dedicadas al desarme durante el período 1926-1930, con varias participaciones en los seminarios estivales organizados por el prestigioso *The Geneva Institute of International Relations*, diversos artículos en *The Times* y *The New York Times* y, en fin, su libro *Disarmament*, publicado en Londres en 1929 [14]. Teniendo en cuenta tales antecedentes, no era de extrañar que Zulueta, recién llegado al Ministerio, depositara en Madariaga toda su confianza para conducir los trabajos de la delegación española.

De hecho, Madariaga ya había adelantado las líneas maestras del programa de desarme de la República mucho antes de que el Ministerio de Estado comenzara a preparar la Conferencia. Fue durante el transcurso de la XII Asamblea General de la Sociedad de Naciones, en septiembre de 1931, cuando intervino para dar su opinión sobre las cuestiones de desarme «desde un punto de vista no meramente español, sino internacional y objetivo». Para la República —dijo Madariaga— el Proyecto de Convenio que se sometía a la Conferencia, aunque no se ajustaba a sus deseos y había que perfeccionarlo, constituía «un primer paso del mayor interés que nos permite abrigar las mayores esperanzas». La ocasión fue aprovechada para denunciar la continuación de los programas armamentistas y la «antinomia» que se estaba produciendo «entre los actos de los ministerios de Defensa Nacional y los de los ministerios de Negocios Extranjeros, como si los Estados (...) se contentasen con venir a la misa anual de Ginebra en septiembre y reservasen los once meses restantes del año para el libre ejercicio de su individualidad nacional». Tal contradicción se debía al debilitamiento del Pacto como consecuencia de las diversas interpretaciones que se habían hecho de sus artículos, por lo que era indispensable concebirlo como una unidad esencial y, a partir de él, afrontar las cuestiones del desarme. En cuanto a las medidas concretas, España proponía la reducción lo más fuerte posible de los pertrechos y materiales bélicos; la disminución considerable de los gastos nacionales en cuestión de armamentos; la elaboración del Convenio de Desarme sobre la base del artículo 8º del Pacto; la redacción de otro convenio sobre internacionalización de la aviación civil, y la limitación directa del material de guerra sobre la base de un triple sistema de control: inventario de depósitos, inspección del tráfico internacional de armas y municiones y regulación de la fabricación privada y nacional de armamentos [15].

Además de nuevas declaraciones solemnes —y el discurso de Madariaga fue un buen ejemplo de ello—, de «la misa anual de Ginebra» en 1931 sólo salió el compromiso de una tregua de armamentos por un año a contar desde el 1 de noviembre de 1931. El acuerdo alcanzado fue una solución de compromiso entre la propuesta de la delegación italiana, que aspiraba a definir el alcance de la tregua mediante métodos de aplicación concretos y que contaba con el apoyo británico y estadounidense, y la posición francesa de que toda tregua de armamentos debía supeditarse al futuro trabajo de la Conferencia. Durante el transcurso de las discusiones, España propuso métodos intermedios, como la limitación de los presupuestos de defensa en un 10% durante 1932, medida que se adecuaba mejor al plan previsto por el gobierno republicano de empezar a construir 12 submarinos y 27 aviones durante ese año. Finalmente, la delegación española aceptó la tregua de armamentos acordada por la Asamblea, menos restrictiva, de acuerdo con el proyecto de resolución presentado por las delegaciones de los países escandinavos, Holanda y Suiza, aunque reservándose el derecho a rectificar su decisión si no era aceptada por los miembros del Consejo [16].

La tregua de armamentos acordada en Ginebra aspiraba a crear una atmósfera de confianza con vistas a la inmediata celebración de la Conferencia del Desarme. Era el momento en que colectivos pacifistas, organizaciones de cooperación internacional y partidos políticos de izquierda se esforzaban en llamar la atención de la opinión pública europea sobre la importancia de que la Conferencia alcanzara resultados concretos. Con-

gresos internacionales, campañas de prensa y manifestaciones multitudi-
narias expresaron estos deseos de que se pusieran, de una vez por todas,
los medios adecuados para evitar el riesgo de una nueva guerra. Sin embargo, otras fuerzas actuaban en sentido opuesto. Además del aumento del
potencial bélico de los Estados que había denunciado Madariaga en la
tribuna de Ginebra, en el Lejano Oriente Japón proseguía, y aún intensificaba, su agresión sobre China; el auge del movimiento nazi en Alemania
se cernía como un mal presagio sobre el futuro de la Conferencia; y por
si fuera poco, el nacionalismo intolerante estaba abriéndose paso hasta en
los países de mayor abolengo democrático, como en Francia, donde grupos
fascistas consiguieron reventar la sesión pública del *Congrès International du
Désarmement* celebrada en París en noviembre de 1931 a pesar de la arenga
que les dirigiera Madariaga [17].

Mientras esto ocurría en Europa, en España se seguían los acontecimientos con expectación, pero sin la inmediatez con que se vivieron más
allá de los Pirineos. La escasa implantación de colectivos pacifistas y organizaciones de cooperación internacional en España contribuyó a reducir
la resonancia de las campañas de prensa y de las masivas concentraciones
que se desarrollaron en las grandes capitales europeas en favor del desarme
y la paz. Además, Castilblanco, Arnedo, la sublevación de los anarquistas
en Cataluña, la disolución de la Compañía de Jesús, la secularización de
los cementerios; los problemas de orden público y las cuestiones religiosas,
en fin, acaparaban la atención de los españoles en las vísperas de la Conferencia. Aún con todo, hubo hueco para el tratamiento de los problemas
del desarme en la prensa española, y ésta —al igual que sucedió en Europa— se debatió entre la esperanza y el escepticismo, entre el deseo de
que se llegara a una reducción de los arsenales y presupuestos militares y
las escasas posibilidades de conseguirlo. La práctica totalidad de los comentarios editoriales de la prensa de Madrid señalaron «la insoluble contradicción» entre los intereses armamentistas y los deseos de paz en que
se iba a desarrollar el trabajo de la Conferencia. Pese a ello, prácticamente
todos los artículos albergaban alguna vana ilusión, e incluso desde las
páginas del *ABC* se señalaba que «nada se opone ya a la limitación de los
armamentos generales, ni tampoco a su reducción razonable y proporcio-
nal», vaticinando que, si la Conferencia de Ginebra no conseguía ni siquiera eso, «un profundo desencanto se apoderará de los pueblos» [18].

Los españoles —o al menos los españoles que escribían o leían las
páginas de internacional de la época— afrontaron la inauguración de la
Conferencia del Desarme, no con grandes esperanzas, pero sí al menos con
«una media fe», como señalaba Zugazagoitia:

«...Es con una media fe, con una confianza vacilante y dudosa, como nos aproximamos a diario a las informaciones de la Conferencia del Desarme... El escepticismo encuentra muchas apoyaturas, pero el escoyo principal es el nacionalismo... ¿Y qué nacionalismo piensa en desarmarse? España, donde el nacionalismo, ni belicoso ni pacífico, no existe, puede, ya que no otra cosa, aportar la mayor suma de fórmulas conciliatorias» [19].

En medio de aquel ambiente de luces y sombras, a caballo entre la ilusión y la desconfianza, y con ese propósito de «aportar la mayor suma de fórmulas conciliatorias» se presentó la delegación española en Ginebra, dispuesta a intentarlo.

La presentación pública

El punto de partida había sido expuesto por Madariaga en la Asamblea de 1931. España no quería el mantenimiento del *statu quo* en materia de armamentos; aspiraba, por el contrario, a una reducción de los arsenales militares al nivel más bajo posible. Pero al encontrarse en situación de indefensión frente al potencial bélico de las grandes potencias y subsistir aún el riesgo de guerra, el gobierno republicano no estaba dispuesto a prolongar por más tiempo la debilidad extrema de su ejército, ni a consentir que el futuro Convenio de Desarme la perpetuara o aumentara.

Esta doble reflexión, que articulaba las necesidades de la defensa nacional y las exigencias del desarme internacional, sirvió para fijar la directriz básica a la que debía atenerse la actuación española en la Conferencia. Madariaga la expresó del siguiente modo:

«...Convendría señalar claramente la disyuntiva entre un Estado internacional basado en la «organización de la paz», a base del Pacto, es decir, la colaboración política internacional, y una anarquía internacional basada en la rivalidad que hoy, bajo las apariencias del Pacto, continúa como antes. La Delegación española debería subrayar que si en la primera hipótesis está resuelta a desarmar como la que más, en la segunda viene obligada a prepararse como lo permitan sus medios» [20].

A partir de ese fundamento, se formularon cinco principios generales: afirmación del Pacto, posición contraria a confundir el desarme con la humanización de la guerra, supresión de los armamentos de carácter francamente agresivo, publicidad completa y máximo control del desarme adoptado.

Sobre tal esqueleto programático se basó la intervención de Zulueta

durante el transcurso de la discusión general con la que se inauguró la
Conferencia en febrero de 1932. Por cuestión de principios —empezó argumentando el Ministro—, el gobierno de la República lamentaba que
«razones de alta prudencia» hubieran obligado a fijar los objetivos de la
Conferencia en «la reducción y limitación de armamentos» en vez del
«desarme integral y completo», que era el objetivo máximo a alcanzar. A
continuación Zulueta criticó abiertamente la idea expuesta por algunas
delegaciones (entre ellas la del Reino Unido) tendente a la «humanización
de la guerra», lo cual desviaba la atención de la Conferencia hacia falsos
objetivos, pues «no es la guerra química, aérea o submarina lo que nosotros deseamos abolir, sino la guerra misma». Frente al debate de și el
desarme precedía a la seguridad, o la seguridad al desarme, España era
del criterio de que «ambas avanzaran, *pari passu*, con el progreso en la
organización de la paz sobre unas bases universales», organización inima-
ginable sin la presencia de Estados Unidos y la Unión Soviética en Ginebra. Al mismo tiempo, la República pedía un esfuerzo sincero para crear
y mantener «un clima de confianza mutua» que permitiera atacar directamente las causas de las guerras, tanto las psicológicas, propiciando el
desarme moral de los pueblos con la ayuda y colaboración de la prensa,
como las causas económicas, cuyo problema radicaba en «el contraste existente entre la interdependencia económica de las naciones y el caos que
origina el libre juego de sus derechos soberanos». Zulueta, en definitiva,
insistía en lo que Madariaga había expuesto en la Asamblea cinco meses
antes; estimaba necesario concentrar los esfuerzos en el período que pre-
cede a la guerra, y para ello, «más que los nuevos textos, España prefiere
ver los antiguos menos olvidados, más acatados, menos interpretados» [21].

De tales criterios generales se desprendía que el desarme tenía que
acometerse mediante una vía que combinara «audacia» y «prudencia». La
audacia, «cuyos riesgos no son, ni con mucho, tan graves como la política
de armamentos», llevaba a la República a aspirar a un *programa máximo* o
ideal cuyo objetivo era el desarme integral y que comprendía:

«*En tierra*, reducción de armamentos, efectivos y material de guerra a
los límites estrictamente necesarios para el mantenimiento del orden nacional, el cumplimiento de las obligaciones internacionales y el servicio a
la Sociedad de Naciones.

En el mar, reducción de las marinas de guerra hasta el mínimo necesario
para la vigilancia de las costas, la neutralización de los estrechos y la
contribución de cada país a la flota de policía internacional.

En el aire, prohibición absoluta de toda aviación militar combinada con
la internacionalización de la aviación civil».

La prudencia, por otra parte, aconsejaba la adopción de pasos concretos y decididos en el terreno del Convenio propuesto por la Comisión Preparatoria. Y en este sentido, el *programa mínimo* o posible propuesto por la República española era el siguiente:

1. *Supresión de las armas agresivas,* tales como la artillería de largo alcance y gran movilidad, los carros de combate, los buques de gran tonelaje, la artillería naval de largo alcance, y toda clase de aeroplanos militares.
2. *Publicidad,* lo más completa posible, con respecto a los armamentos y a los establecimientos militares capaces de fabricarlos.
3. *Establecimiento del Convenio de desarme sobre la base del artículo 8 del Pacto,* condición que permitiría someter los armamentos nacionales a un régimen jurídico internacional e impediría la denuncia del Convenio qué . resultase de los trabajos de la Conferencia.
4. *En cuanto al Convenio en sí mismo,* aceptación de la limitación indirecta presupuestaria que se proponía con respecto al material de guerra, pero reforzándola a través de un triple sistema de control que combinara:
    a) la limitación directa de los depósitos de armas por medio de inventarios que habrían de ser verificados;
    b) la aceptación, por parte de todos los países, del Tratado sobre Comercio Internacional de Armas de 1925, y
    c) la adopción de un nuevo tratado para regular, de la forma más estricta y efectiva posible, la fabricación privada y gubernamental de armas y municiones de guerra [22].

Pese a que algún periódico de Madrid comentara que las propuestas de Zulueta «estaban inspiradas en un criterio posibilista muy acorde con su significación personal y con el matiz o estilo de su pensamiento político», el programa de desarme de la República tenía el sello inconfundible de Madariaga. Como escribió William Martin, el discurso de Zulueta «lleva la marca de las fuerzas intelectuales y de las competencias técnicas que tiene en su delegación», siendo aún más explícito al descubrir que «se siente allí, por partes, el pensamiento de un hombre para el que el desarme no tiene ningún secreto» [23]. La declaración, hábilmente redactada, combinaba lo ideal y lo posible, lo moral y lo político, utilizando, al mismo tiempo, dos tipos de lenguajes: uno, el de los grandes principios, el del desarme integral y completo, el de «la audacia», dirigido a la opinión pública europea que ansiaba la paz; el otro, el de las pequeñas realizaciones, el de la reducción de armamentos, el lenguaje de «la prudencia», dirigido a los representantes de los gobiernos, algunos de ellos bastante comprometidos en programas armamentistas. Era, en suma, la expresión del espíritu conciliador que animaba a la delegación española, y, al mismo tiempo, una oportuna operación de prestigio ante la opinión pública internacional por parte de la República.

La intervención española fue bien acogida en Ginebra. En particular, causó una magnífica impresión entre los grupos pacifistas y asociaciones internacionales, los partidos de la izquierda liberal y socialista, las delegaciones de las pequeñas potencias y entre los círculos de opinión más próximos a la Sociedad, como lo demostró el amplio eco que tuvo en los periódicos *Journal de Genéve* y *La Tribune de Genéve*, que destacaron «el puente» tendido por los españoles entre las propuestas antagónicas de británicos y franceses. Como era de esperar, menos éxito alcanzó entre los sectores conservadores y ultranacionalistas de la opinión pública europea, que enfatizaron sus propósitos de «romanticismo» y «demagogia», así como la «avalancha de sofismas» que contenía. En las principales capitales europeas las reacciones variaron desde el «carácter positivo» y los «términos simpáticos» con que fue comentado por la prensa de Berlín, por el supuesto reconocimiento que daba a la reivindicación alemana de la «igualdad de derechos», hasta la casi total indiferencia, sin hacer comentario alguno, de la prensa británica. En Roma, los periódicos de Mussolini se limitaron a exponer las principales líneas del discurso, y en París fue ampliamente divulgado y, a excepción de *L'Humanité*, por la izquierda, y *Le Fígaro* y *L'Action Française*, por la derecha, también aplaudido, en algunos casos con la intención de destacar los puntos convergentes con el plan presentado por Tardieu, pero sin subrayar las diferencias entre el principio francés de «la seguridad primero» y el español de «desarme y seguridad al mismo tiempo» [24].

El discurso de Zulueta obtuvo la aprobación unánime de la prensa española. *El Sol* calificó de «sensacional» el programa español de desarme, destacando que «dos voces españolas han resonado con autoridad: la de Zulueta y la de Madariaga». El diario *Luz* resaltaba el hecho de que la República había recobrado la «dignidad nacional» perdida durante la Monarquía. Para *El Socialista*, el ministro de Estado había interpretado fielmente la «lealtad pacifista» de la joven República española, lo que colocaba a España «a gran altura» en la política internacional. *El Debate* no tuvo oportunidad de expresar su opinión, ya que estaba suspendido, pero *ABC* aprobó la línea de actuación expuesta por Zulueta, destacando el hecho de que se intentara hacer «obra constructiva» por encima del enfrentamiento entre las grandes potencias, si bien algún articulista advertía que «la solución de los grandes problemas resulta siempre más complicada de lo que aparece en el primer momento, vistos a través de un sentimentalismo generoso» [25]. Desde luego, las complicaciones llegaron de inmediato, tan pronto como comenzaron las discusiones sobre el Proyecto de Convenio.

EL DESCUBRIMIENTO DE LAS IMPOTENCIAS

La Conferencia del Desarme inició su penosa andadura dotándose de su estructura de funcionamiento. Para canalizar los trabajos, se constituyó una Comisión General y una Mesa o *Bureau*, así como diversas comisiones especializadas. A la delegación española se le reservó la presidencia de una comisión técnica y una de las catorce vicepresidencias, por lo que pasó a formar parte del *Bureau* [26]. De esta forma, España ocupó un *status* intermedio, por debajo de las grandes potencias, pero con un protagonismo superior al de la mayor parte de los 64 Estados participantes. Una vez establecido el organigrama, se desató la primera batalla: la cuestión del procedimiento, que se debatió del 8 al 28 de febrero. Los comienzos no pudieron ser más desalentadores, porque ni siquiera en las formas se llegaba a un acuerdo. Todavía en el mes de marzo se seguía discutiendo el cauce para debatir el Proyecto de Convenio, desatándose un «tuya-mía» entre la Comisión General y las comisiones técnicas («un *match* de tenis», lo llamó Tardieu), sin resultado positivo alguno. Cuando la Comisión General decidió aplazar sus sesiones hasta abril, lo único que había quedado claro era que la Conferencia del Desarme no terminaba de arrancar, y ésta fue la tónica dominante durante 1932. En medio de tantas adversidades, la actuación de la delegación española sirvió, sobre todo, para descubrir las «impotencias» de las pequeñas potencias.

El debate sobre la cuestión de los métodos

El mes de abril fue pródigo en conversaciones diplomáticas al más alto nivel. Entre el día 11, fecha prevista para el inicio de una nueva ronda de sesiones de la Comisión General, y el 29, tres días después de que se dejara en manos de los técnicos el trabajo de la Conferencia, se sucedió un peregrinar constante de primeros ministros y ministros de Asuntos Exteriores a Ginebra en busca de la ocasión propicia para imponer sus respectivas tesis sobre el desarme. Fue el período en que, después de aceptarse el principio del desarme cualitativo, se produjo el fracaso de las propuestas de Brüning sobre el estatuto militar alemán, lo que condujo a la formación del gobierno reaccionario de Von Papen, un golpe mortal para la democracia alemana [27].

Durante aquel mes de «mëlée diplomatique» —como bien lo definió
Vaïsse—, el debate en el seno de la Conferencia se centró en los métodos
del desarme a aplicar: si desarme cuantitativo o cualitativo, y dentro de
cada uno de ellos, si reducción automática o progresiva y controlada de
los arsenales militares, por un lado, y si supresión o internacionalización
de las armas más agresivas, por el otro. En estas cuestiones el espíritu
conciliador caracterizó la actuación de la delegación española, que intentó
tender puentes de contacto entre las diferentes propuestas; en vano, porque
Madariaga y López Oliván poco podían hacer para activar una conferencia que desde sus inicios se había convertido en «la prueba de fuerza
franco-alemana» [28]. Con independencia de ese espíritu conciliador que
siempre estuvo presente en las intervenciones españolas, las propuestas de
Madariaga tuvieron otro denominador común: la defensa de los intereses
militares de las pequeñas potencias y, en particular, la apuesta por aquellos métodos que mejor sirvieran para superar la situación de indefensión
en que la República se encontraba.

De entrada, Madariaga se opuso terminantemente a la adopción del
principio de reducción automática de armamentos y efectivos militares.
Para la delegación republicana resultaba inaceptable que se aplicaran los
mismos baremos a los armamentos de una gran potencia «armada hasta
los dientes» que a un país en situación de indefensión, como era España,
que poco antes del inicio de la Conferencia había reducido el número de
sus divisiones a la mitad y el de sus oficiales a las dos terceras partes en
aplicación de los decretos de la reforma militar de Azaña. Como alternativa, Madariaga propuso «buscar una progresiva reducción de armamentos
a través del trabajo continuo de una comisión permanente de desarme»,
lo que significaba poner el acento en la cuestión del control, aspecto que
preocupaba sobremanera a las delegaciones de las pequeñas potencias.
Con ello la República no hacía otra cosa que seguir sosteniendo los criterios ya expuestos por los representantes de la Monarquía en los trabajos
preparatorios de la Conferencia, los cuales habían rechazado tanto la «limitación» como la «reducción» automática y absoluta de armamentos,
impuesta con carácter general a todos los países, y abogado por una solución de «equilibrio», de acuerdo a las circunstancias y condiciones particulares de cada Estado [29].

Para conseguir ese objetivo, la delegación española tenía previsto «buscar la alianza de las naciones a quienes interesa defender nuestro punto
de vista». Así lo hizo Madariaga en abril de 1932 con buen resultado. El
debate sobre el criterio general a aplicar para la reducción o limitación de
los armamentos fue zanjado con una proposición presentada por las delegaciones de Checoslovaquia, Noruega, Suecia y España según la cual se

establecían los límites impuestos por el artículo 8.º del *Covenant* (hasta el mínimo compatible con la seguridad nacional y el cumplimiento de las obligaciones internacionales), pero teniendo en cuenta la situación geográfica y las circunstancias particulares de cada Estado, criterio que tenía que ser examinado y controlado colectivamente después de ser fijado por cada país [30]. Era la primera ocasión en que estas cuatro delegaciones se unían en torno a una propuesta común destinada a hacer valer los puntos de vista de las pequeñas potencias en las discusiones sobre el desarme, y no sería la única, porque en adelante los contactos entre estas delegaciones se intensificaron hasta convertirse en regulares en el seno de la Conferencia.

Aceptado este principio, se entró a debatir el desarme cualitativo. La discusión quedó planteada en términos contradictorios entre la propuesta norteamericana, que preveía la abolición de las armas más agresivas, y la francesa, que preconizaba, no la supresión, sino la internacionalización de este tipo de armamento a través de la constitución de una fuerza armada internacional al servicio de la Sociedad de Naciones [31]. España ya se había pronunciado a favor de la adopción del desarme cualitativo durante el transcurso de la discusión general, formulando propuestas concretas de supresión de la artillería pesada, buques de gran tonelaje y aeroplanos militares. Además, un principio guiaba la actuación de la delegación española: todo lo que fuera encaminado a mermar la potencialidad de los medios de agresión de los grandes ejércitos era positivo para España y para la seguridad europea, por lo que la propuesta norteamericana, apoyada con ahínco por Italia, fue suscrita también por la República. Ahora bien, el plan francés de constitución de una fuerza armada internacional al servicio de la institución ginebrina resultaba sumamente atractiva para una pequeña potencia como España, que entendía toda medida tendente a fortalecer el sistema de seguridad colectiva como un reforzamiento de su propia seguridad nacional y que ya había expresado hasta la saciedad su deseo de que se intensificara la cooperación por la vía de las organizaciones internacionales. En consecuencia, la postura española fue, una vez más, de carácter conciliador, intentando armonizar la prohibición de los armamentos más agresivos y la formación de una fuerza armada internacional.

Madariaga expuso que España no veía contradicción alguna entre la tesis americana e italiana de adoptar el desarme cualitativo y la proposición francesa de internacionalización de armamentos y reforzamiento de la seguridad colectiva. En su opinión, para conciliar ambas propuestas había que partir de la distinción entre cuatro categorías diferentes de armamentos: armas que deberían ser abolidas completamente; armas reservadas al uso exclusivo de la Sociedad de Naciones; armas que permanecerían en poder de las naciones, aunque sujetas al uso de la Sociedad de

Naciones en tiempos de crisis, y por último, armas reservadas exclusivamente a cada Estado. Adoptando esos criterios, las dos propuestas eran perfectamente armonizables, añadiendo a todo ello la necesidad del control permanente de los arsenales nacionales, pues el único medio para prevenir el inadecuado uso de las armas en poder de cada Estado era la creación de una organización internacional encargada de controlarlos tanto en cantidad como en calidad [32].

El intento conciliador de Madariaga sirvió de poco. El debate sobre la cuestión de los métodos se resolvió mediante una solución de compromiso entre las grandes potencias que dejaba la solución concreta del problema para más adelante, un modo que habría de ser común desde entonces en la Conferencia. Las delegaciones de Francia, Gran Bretaña y Estados Unidos llegaron a un acuerdo que daba satisfacción a los franceses: se mantenía el principio del desarme cualitativo, pero añadiendo la posibilidad de internacionalización de ciertos armamentos, aunque la elección de las armas susceptibles de ser suprimidas o internacionalizadas se aplazó hasta que los expertos emitieran sus correspondientes informes. Con ello la Comisión General pudo suspender sus reuniones el 26 de abril, dejando el peso de la Conferencia en manos de unos comités técnicos que carecían de una «guía clara y autorizada» con la que poder trabajar con eficacia [33].

Nada más ser aplazados los trabajos de la Comisión General saltó al primer plano de actualidad el tema de los armamentos alemanes. Durante el transcurso de una importante conversación anglo-germano-norteamericana que tuvo lugar en Bessinges, el canciller alemán, Brüning, expuso su plan para resolver la cuestión del estatuto militar de Alemania: reducción del tiempo de servicio en la *Reichswehr*, libertad para la fortificación de las fronteras nacionales alemanas, renuncia a las armas ofensivas si las otras potencias tomaban la misma decisión, derecho a poseer las armas defensivas permitidas e internacionalización de la aviación militar; es decir, derogación de las cláusulas onerosas del tratado de Versalles y reconocimiento de la *Gleichberechtigund* (igualdad de derechos) para Alemania en cuestión de armamentos. El plan alemán, aceptado en principio por Gran Bretaña, los Estados Unidos e Italia, se truncó al no acudir Tardieu a Ginebra para discutirlo, con lo que Bruning regresó a Berlín con las manos vacías y poco después fue destituído por Hindenburg, preludio de la subida de Hitler al poder [34].

Al margen de sus repercusiones en Alemania, el episodio de Bessinges tuvo consecuencias negativas inmediatas para la marcha de los debates sobre desarme. Para muchos representaba un nuevo intento, frustrado, de negociación secreta entre las grandes potencias al margen de los trabajos de la Conferencia. A partir de entonces, una nueva sensación de marginación se fue apoderando de los delegados de las naciones más débiles, quienes contemplaban con estupor que cualquier decisión fundamental para el futuro de la paz escapaba de sus manos, de la misma forma que a la Sociedad de Naciones se le escapaba de sus manos la contención de la agresión japonesa a China. Los comentarios de Madariaga ilustran con precisión el descubrimiento de las «impotencias» de las pequeñas potencias:

> «...La coyuntura política no era favorable y los grandes personajes que mandaban en las grandes potencias eran pequeños. La ley inexorable de toda conferencia del desarme, que automáticamente se vuelve conferencia del rearme, dominó la nuestra. Las potencias menores, o impotencias, se tuvieron que contentar con seguir como coro griego, a veces inactivo y mudo, mientras las sedicentes grandes tejían sus conciliábulos, textos e intrigas sobre cañones, aviones y navíos. Estos conciliábulos no daban la impresión de inspirarse en nada semejante a la alta política» [35].

Pese a la indignación, de momento contenida, de los delegados de las pequeñas potencias, los conciliábulos siguieron siendo la práctica habitual de la diplomacia multilateral de Ginebra, al igual que continuaron los estériles debates en el seno de la Conferencia del Desarme, ahora protagonizados por sus comisiones técnicas.

La insistencia en el desarme aéreo

Cuando se configuraron las diversas comisiones técnicas de la Conferencia, Madariaga se negó a aceptar la presidencia de la Comisión de Presupuestos, alegando que, de presidir alguna, sólo accedería a ocupar la de la Comisión Aérea. Luego justificó su actitud en el hecho de que «las batallas del porvenir se darían en el aire, mientras yo no me sentía a gusto entre presupuestos que, además, eran todos mentira» [36]. Con su actitud Madariaga logró lo que se proponía y finalmente le fue concedida la presidencia de la Comisión Aérea, en la que centró su trabajo al aplazarse los debates de la Comisión General.

Las inquietudes de Madariaga por el desarme aéreo eran conocidas desde los años veinte. En su libro *Disarmament* había reivindicado la adopción de «un convenio para organizar las comunicaciones aéreas mundiales sobre una base internacional, no solamente para asegurar la eficacia comercial de las líneas aéreas de la mejor forma posible, sino particularmente para evitar todo peligro del mal uso de las líneas aéreas para ataques militares». Su preocupación por el tema se puso de manifiesto nuevamente con ocasión del debate público a que dio lugar el Memorándum Briand sobre unidad europea, momento que aprovechó para proponer que la construcción de los Estados Unidos de Europa comenzara por el aire. La importancia que Madariaga concedía a estas cuestiones partía de su consideración de la «línea aérea única universal» como instrumento de cooperación internacional; su idea era que «si ibamos poco a poco creando un equipo de 40 a 50.000 pilotos y mecánicos de aviación de todas las naciones, todos laborando para la misma línea mundial al servicio sólo de todo el mundo pero de ninguna nación, la confraternidad de nuestro personal volante bastaría para impedir que ni un solo avión se desviara de su función pacífica a una aventura criminal» [37]. Estas concepciones fueron incorporadas al programa español de desarme con las propuestas concretas de total abolición de la aviación militar e internacionalización de la aviación civil.

En España no era sólo Madariaga quien concedía a las cuestiones aéreas un interés especial. Desde otra perspectiva, menos ideal y más inmediata, desde la perspectiva de la defensa nacional, el desarme aéreo era un asunto de vital importancia para la República. Además de Azaña, los técnicos que asesoraban a la delegación española en la Conferencia del Desarme estimaban que los escasos medios de que disponía la aviación militar era uno de los problemas más graves de la defensa nacional. El desarrollo experimentado por la aviación desde la Gran Guerra había alterado la propia concepción estratégica de la política militar española, de forma que en los años treinta empezó a considerarse «esencial» la libertad de acción que proporcionaba el aeroplano, no sólo para asegurar la defensa de las islas (Baleares y Canarias), sino también para responder a un eventual ataque contra el territorio peninsular. La razón era obvia: para los estrategas de la defensa nacional, la aviación era «el único elemento marcial que, aún siendo inferior en potencia a la de sus enemigos, puede, sin necesidad de vencer, actuar sobre el país enemigo produciendo tales daños (...) que constituye un medio coactivo eficacísimo para contener los propósitos agresores de una nación» [38].

Aparte las consideraciones teóricas, en la práctica España carecía de aviación militar y se encontraba completamente supeditada a las empresas francesas y alemanas a la hora de impulsar sus programas civiles de comunicaciones aéreas. A corto plazo, ambos problemas se diagnosticaron como «insolubles», por lo que la República estaba especialmente interesada en lograr el desarme en el aire. Su consecución mereció el carácter de · tarea «prioritaria» en las instrucciones redactadas para orientar el trabajo de los delegados españoles en la Conferencia, y ya no sólo por lo que significaba en cuanto instrumento de cooperación internacional —en palabras de Madariaga—, sino también por su interés como medio de defensa nacional —en versión de la Jefatura Superior de Aeronáutica. Era lógico, pues, que la delegación republicana dedicara sus mayores esfuerzos a la Comisión Aérea, y también que los puntos de vista defendidos por España 'fueran fácilmente compartidos por las delegaciones de otras pequeñas potencias, cuyas modestas fuerzas aéreas estaban en condiciones similares a la española. Se fue constatando, así, la existencia de una unidad de criterios entre las delegaciones de los Estados europeos débiles que llevó a la presentación de propuestas conjuntas.

El debate en el seno de la Comisión Aérea se centró en el estudio de la relación entre aviación militar y aviación civil. Con respecto a la primera, se manifestaron varias posiciones durante el transcurso de las discusiones: unas preconizaron la abolición total de la aviación de bombardeo; otras pretendían internacionalizarla, poniéndola a disposición de la Sociedad de Naciones, y una última tendencia abogaba por su limitación a los campos de batalla, prohibiendo el bombardeo sobre las poblaciones civiles. En cuanto a la aviación civil, las discusiones revelaron claramente otras tres soluciones: la adopción del sistema de reglamentación, tal y como lo preveía el Proyecto de Convenio de Desarme sometido a la Conferencia; el sistema de control internacional por medio de un organismo establecido al efecto, y finalmente, el sistema de la internacionalización. Las tesis más avanzadas en ambas direcciones fueron presentadas o apoyadas por Madariaga; en unión de la delegación de Suecia y de otras pequeñas potencias, intentó hacer valer los principios de la completa abolición de toda aviación militar, y no sólo de los aviones de bombardeo, y la internacionalización de la aviación civil o, cuando menos, la adopción de un riguroso control [39].

La insistencia de Madariaga en incorporar a las discusiones el principio de la internacionalización de la aviación civil dio resultado positivo en un primer momento, puesto que se encargó la elaboración de un exhaustivo informe técnico sobre la cuestión. En este tema el delegado español encontró la fuerte oposición británica, reacia a cualquier recorte de sus fuerzas aéreas o navales, pero contó con el apoyo de Francia, que defendía las tesis del completo desarme aéreo de la misma forma que trataba de impedir el desarme por tierra, que era donde radicaba su poderío militar. No obstante, el informe sobre la internacionalización de la aviación civil, como sucedió con tantos otros, quedó en mero proyecto y ni siquiera llegó a ser sometido a la Comisión General. En cuanto a la aviación militar, la delegación española sostuvo el criterio de que todas las armas pertenecientes a las fuerzas aéreas debían ser consideradas como «armas que tienen un carácter específicamente ofensivo, que tienen la máxima eficacia contra la defensa nacional y que son las más amenazantes para la población civil». Pero con la esperanza de que se alcanzara, al menos, un acuerdo mínimo de supresión de las armas más agresivas, España propuso que se consideraran como tales los aviones de bombardeo y los grandes dirigibles, al tiempo que pidió se incluyeran las aeronaves civiles capaces de ser utilizadas para fines de guerra como material susceptible de limitación [40].

A pesar de los esfuerzos de algunas delegaciones por llegar a resultados concretos, aunque fuesen modestos, todas aquellas reuniones resultaron improductivas. Si hasta entonces no se había producido ningún avance significativo a nivel político, mucho menos se iba a conseguir a través de las discusiones técnicas, donde se debatía puerilmente sobre las diversas clases de armas y su artificial división entre «defensivas» y «ofensivas». Las comisiones, además, estaban plagadas de elementos de los estados mayores que acudían a Ginebra con el propósito de reducir al máximo los arsenales bélicos de los ejércitos rivales, pero manteniendo intactos los propios. Mientras todo esto ocurría en el seno de la Conferencia, los partidarios del rearme estaban imponiéndose en Alemania a marchas forzadas, y en el resto de los países, particularmente en Francia, crecía la sensación de inseguridad y el temor a desarmarse. Madariaga y las delegaciones de las pequeñas potencias siguieron insistiendo en la urgencia de llegar a unas bases mínimas de partida con las que poder seguir trabajando, pero cada día que pasaba el acuerdo era más improbable y la sensación de impotencia mayor.

LA UNIDAD DE ACCIÓN DE LOS DÉBILES

Hacia mediados de junio, tras cinco meses de infructuosos trabajos y sometida al dominio de los técnicos, la Conferencia del Desarme se encontraba en un callejón sin salida. Su principal problema político era el desacuerdo franco-germano, cuya superación parecía más improbable que nunca tras la formación del gobierno Von Papen en Berlín. A ello había que sumar las ambigüedades de la diplomacia británica y su continua negativa a ofrecer garantías de seguridad frente al rearme alemán; la obstinación de Estados Unidos en el tratamiento del desarme naval y su posición aislacionista con respecto a los problemas europeos, así como la actitud pesimista de Italia. El panorama no era nada halagüeño ante el previsto aplazamiento de las sesiones de trabajo durante el verano. Además, las grandes potencias habían impuesto el hábito de intentar negociar las cuestiones del desarme al margen de la Conferencia, a través de encuentros privados entre sus delegados, como los que tuvieron lugar durante

junio y julio en Morges, coincidiendo con la celebración de la Conferencia
de Lausanne sobre las reparaciones de guerra alemanas. Aunque las entrevistas entre los representantes de Estados Unidos, Gran Bretaña, Francia y Alemania se sucedían casi a diario, los acuerdos no llegaban [41]. En
este contexto, y como reacción frente a la vuelta a los métodos de la
diplomacia secreta, se fraguó el frente común de las pequeñas potencias.

La formación del Grupo de los Ocho

La praxis de la impotencia había caracterizado la actuación de los pequeños Estados durante los primeros cinco meses de Conferencia sin desarme.
A la preocupación por la esterilidad de los debates se añadió la indignación
por la marginación de que eran objeto de forma sistemática por parte de
las grandes potencias. Ante tanta circunstancia adversa y exhibición de
prepotencia, tenía que producirse la respuesta de los débiles, y ésta llegó
por la vía de la unidad. Una vez constatada la coincidencia de criterios a
la hora de abordar los problemas de la reducción y limitación de armamentos, en junio de 1932 los delegados de las pequeñas potencias decidieron dar un paso más y establecer un cauce coordinado para hacer llegar
sus propuestas a la Conferencia. Surgió, de este modo, el Grupo de los
Ocho, integrado por Bélgica, Checoslovaquia, Dinamarca, España, Noruega, Países Bajos, Suecia y Suiza, países de características muy dispares,
pero que —a juicio de Madariaga— compartían dos rasgos esenciales para
establecer una acción concertada en Ginebra: en el interior, la existencia
de regímenes similares de democracia avanzada, y en el exterior, la defensa
de los principios del Pacto como norma fundamental de conducta [42].

Los pocos autores que han hecho referencia a la formación del Grupo
de los Ocho coinciden en atribuir su origen y fundamento a la espiral de
diplomacia secreta que se impuso durante esta fase de conversaciones sobre desarme. Para Toynbee, las pequeñas potencias se unieron «con el
expreso propósito de combatir la tendencia de las grandes potencias a
sacar fuera de las manos de la Conferencia los asuntos de la Conferencia
misma». Igual interpretación le ha dado Walters, para quien el Grupo se
basó «en el convencimiento común de que la Conferencia podía solamente
tener éxito manteniendo el asunto al alcance de todos, y que sería fatal
dejar el desarme una vez más para ser discutido en conversaciones secretas
entre las grandes potencias». Vaïsse también ha señalado que el motivo
fundamental que unía a los Ocho era «el resentimiento con respecto a la
diplomacia de las grandes potencias, las cuales, tanto en Laussane como
en Ginebra, habían confiscado las discusiones en su propio beneficio». Los

comentarios más jocosos al respecto se encuentran en Bendimer, para quien «la diplomacia de trastienda» de Morges provocó «la furia de las pequeñas potencias, cuyos delegados fueron abandonados a pasar el tiempo en Ginebra como si fueran niños esperando a que sus indecisos mayores aplicaran la ley» [43].

La revuelta de los débiles, en cualquier caso, no se produjo repentinamente. La formación del Grupo de los Ocho a principios del verano del 32 culminaba un proceso que se había venido gestando desde hacía varios meses. En marzo, la rebelión de las pequeñas potencias en la Asamblea había conseguido «restaurar el honor» de la Sociedad de Naciones en el conflicto de Manchuria. En abril, durante el transcurso de las sesiones plenarias de la Conferencia del Desarme, algunos delegados (entre ellos Madariaga) habían manifestado claras actitudes de rechazo hacia lo que consideraban «componendas» de los grandes al margen del espíritu de Ginebra. En mayo, con motivo de las discusiones que tuvieron lugar en las diferentes comisiones técnicas, se recrudecieron las críticas hacia las grandes potencias y sus tácticas obstruccionistas. Y en junio, el sentimiento de indignación se generalizó a todas las delegaciones coincidiendo con el desarrollo de las conversaciones de Morges. Es decir, que el resentimiento de las pequeñas potencias fue *in crescendo* a medida que las negociaciones secretas se revelaron cada vez más inoperantes y alcanzó su climax cuando la perspectiva del aplazamiento de los trabajos de la Conferencia impuso la urgencia de dar una respuesta inmediata.

La iniciativa de constituir el Grupo de los Ocho partió de Madariaga. Aprovechando sus continuos viajes a Ginebra para presidir las reuniones de la Comisión Aérea, el delegado español había establecido una estrecha relación con las delegaciones de las pequeñas potencias, percatándose de la afinidad de planteamientos existente entre ellas, por lo que propuso al Ministerio de Estado iniciar contactos a fin de explorar las posibilidades de desplegar una acción concertada. Zulueta, si bien había mantenido cierto desacuerdo con Madariaga en cuanto al conflicto chino-japonés, compartía plenamente el criterio de aunar esfuerzos para contrarrestar la tendencia a aparcar los temas del desarme y dejarlos exclusivamente en manos de las grandes potencias, por lo que dio su aprobación al inicio de tales conversaciones. Madariaga puso manos a la obra rápidamente, planteando la iniciativa como un paso más en la dinámica de colaboración espontánea que había surgido entre las ocho delegaciones y subrayando la idea de que los pequeños Estados, sobre todo aquellos que se ligaban a unas concepciones democráticas sensiblemente análogas, debían hacerse escuchar en las cuestiones de desarme con la fuerza que podía proporcionarles su unidad frente a la desunión existente entre las grandes potencias [44].

El planteamiento inicial no era, pues, institucionalizar el Grupo de los Ocho como si fuera una «alianza» de pequeñas potencias de carácter estable y permanente, sino de articular un cauce de colaboración, más o menos circunstancial, determinado por una coyuntura muy particular: el fracaso persistente de las conversaciones secretas entre las grandes potencias y la necesidad de hacer salir a la Conferencia del Desarme del *impasse* en que se encontraba. De hecho, la constitución del Grupo no fue producto de intensas gestiones diplomáticas o de «largas meditaciones» —como reconocía un informe suizo—, sino el resultado de una cooperación «puramente ocasional en el sentido de perseguir un propósito determinado en unas circunstancias claramente determinadas» [45]. Posteriormente, Zulueta insistió en las Cortes en este mismo razonamiento, intentando salir al paso de las críticas formuladas por algunos diputados que veían con inquietud la apuesta que la República estaba haciendo por una política de «pequeña potencia», un término que levantaba no pocas suspicacias al siempre latente orgullo hispano:

«...Sin hacer una política de grandes potencias, nosotros hemos coincidido muchas veces en los votos, en las opiniones, con las principales naciones de Europa, que tienen un puesto permanente en el Consejo de la Sociedad, y sin hacer una política de pequeñas potencias, nosotros hemos colaborado activamente con otras siete naciones que no pueden ser llamadas pequeñas, porque si bien no son de las de más población en Europa, sin embargo, por su alta cultura, por sus progresos sociales, figuran a la cabeza de la civilización; nosotros hemos colaborado con esas siete potencias habiendo tenido el honor de reunirlas alguna vez, sin alcance político, sin compromiso alguno; coincidiendo en algunos puntos relativos al desarme, para preparar la labor que más adelante puede presentarse a la Conferencia a fin de lograr una reducción efectiva de los armamentos y una organización jurídica de la vida internacional» [46].

Las gestiones emprendidas por Madariaga dieron resultado positivo. Después de varios contactos individuales y alguna reunión colectiva, el 20 de junio el delegado español confirmaba a Zulueta que las pequeñas potencias «estarían dispuestas y aún deseosas» de tomar una iniciativa que permitiera superar el estado de estancamiento en que se encontraba la Conferencia, dar una sensación pública de avance real después de cinco meses de reuniones y ofrecer un punto de partida para la continuación de los trabajos una vez superado el paréntesis veraniego. De los contactos iniciales había salido, además, la aceptación de principio a un programa de desarme concreto y el acuerdo de que fuera la delegación española quien asumiera su defensa a título colectivo. Tal programa no difería mucho del presentado por Zulueta durante el transcurso del debate general, aunque se incorporaban al mismo los resultados de los debates que se habían producido en las diferentes comisiones técnicas. El principio general que lo presidía era el establecimiento del Convenio de Desarme sobre la base del artículo 8.° del Pacto y los puntos concretos que contenía eran los siguientes:

Materiales de guerra: adopción del desarme cualitativo, con cifras a discutir, pero con la propuesta concreta de reducción de los navíos de línea a 10.000 toneladas, los submarinos a 1.000 toneladas y los aeroplanos a 1.000 kilogramos, así como la abolición de las minas en alta mar, los barcos portaaeronaves, la maquinaria de guerra química, la artillería de grueso calibre y los tanques.

Efectivos: reducción de un 10% sobre el promedio de 1927-32.

Desarme aéreo: internacionalización de la aviación civil.

Presupuestos militares: reducción de un 10% el primer año y de otro 10% a distribuir en los cuatro años siguientes sobre el promedio presupuestado en el período 1927-1932.

Control de armamentos: adopción del tríptico propuesto por España (inventario de depósitos, convenio de comercio de armas y municiones de guerra y convenio de fabricación privada y estatal de armamentos).

Control del desarme: establecimiento de una Comisión Permanente del Desarme análoga a la proyectada en el Proyecto de Convenio elaborado por la Comisión Preparatoria de la Conferencia [47].

Sin embargo, la primera propuesta de desarme del Grupo de los Ocho no pasó el estadio de la mera formulación. Cuando este programa todavía estaba en fase de estudio, los acontecimientos se precipitaron en su contra y ni siquiera hubo lugar para su presentación como proyecto de resolución. De forma inesperada, la Comisión General fue convocada a petición de los Estados Unidos para el día 22 de junio, después de haber transcurrido un mes y medio sin reunirse. El motivo no era otro que el anuncio del nuevo plan de desarme que el presidente Hoover proponía a la Conferencia.

La búsqueda infructuosa del consenso

El plan Hoover contemplaba la abolición de las armas agresivas, con prohibición absoluta del bombardeo aéreo y la guerra química, y la reducción a una tercera parte del resto de las fuerzas militares. La proposición tenía un claro componente propagandístico en vísperas de las elecciones presidenciales norteamericanas y sólo contribuyó a aumentar el confusionismo reinante en las conversaciones de Ginebra. Japón rechazó de plano la iniciativa. Para Francia, las nuevas propuestas seguían careciendo de medidas concretas que garantizaran la seguridad. Gran Bretaña aprobaba el proyecto para las fuerzas de tierra, pero no estaba dispuesta a similar reducción en sus fuerzas navales. Entre las grandes potencias, sólo Alemania, Italia y la Unión Soviética apoyaban el proyecto norteamericano. Cuando las pequeñas potencias se pronunciaron oficialmente sobre el tema, el Plan Hoover estaba prácticamente muerto [48].

En general, los pequeños Estados mostraron su adhesión de principio al plan Hoover, aunque expresaron ciertas reservas sobre algunos puntos, en la línea del programa de desarme que estaba debatiendo el Grupo de los Ocho. El 7 de julio Madariaga dio a conocer la posición oficial del gobierno republicano, que era favorable a la aprobación del plan norteamericano, aunque sujeto a discusiones de detalles. No obstante, el delegado español insistió en la abolición total de la aviación militar, la internacionalización de la aviación civil (al menos en Europa), la reducción de los presupuestos militares y el control sobre fabricación y comercio de armas y municiones de guerra como aspectos fundamentales que no debían ser descuidados, y compartió el criterio francés de que el desarme sólo podía ser efectivo en tanto se crearan instituciones destinadas a asegurar la organización de la paz, lo cual significaba romper una lanza en favor de las medidas de seguridad reclamadas por Francia. No era de extrañar que Madariaga concluyera su intervención con esta observación, puesto que él, por encima de aquella nueva declaración de principios, consideraba que el plan Hoover carecía de voluntad conciliadora y era «de lo más primitivo e irrealizable» en aquellas circunstancias, porque «a lo que había que ir entonces no era a desarmar físicamente a los franceses, sino a desarmar moralmente a los alemanes» [49].

El plan Hoover dio lugar a intensas negociaciones entre las delegaciones de las grandes potencias, que no acababan de ponerse de acuerdo para adoptar una resolución concreta. El sentimiento de indignación ante el secretismo de las conversaciones volvió a canalizarse a través del Grupo de los Ocho, que se puso a trabajar con la intención de buscar una fórmula de consenso que evitara el fracaso de la Conferencia. Ante el cúmulo de dificultades existentes, esta vez el Grupo decidió aparcar varios aspectos de su programa de desarme y proponer que fuera en las cuestiones relativas al desarme aéreo (de nuevo la influencia de Madariaga) donde se concentraran los esfuerzos para llegar a un principio de acuerdo. La propuesta, presentada por el noruego Langue en forma de memorándum, contenía los siguientes puntos: prohibición de todo bombardeo aéreo y de la fabricación y uso de dispositivos especialmente destinados a bombardeos

aéreos, como lanzabombas; supresión de los aviones militares de más de
1.600 kg., los hidroaviones militares de 2.000 kg. y los globos dirigibles, a
excepción de aquellos sólo útiles para la observación; eliminación de toda
medida de instrucción militar que tuviera por objeto el entrenamiento de
hombres en el lanzamiento de proyectiles desde el aire, y adopción de
medidas destinadas a impedir la utilización militar de la aviación civil [50].

El proyecto de resolución de los Ocho tenía un carácter transaccional.
Madariaga y el resto de los delegados habían renunciado al programa
maximalista de desarme aéreo que habían defendido hasta entonces, como
la supresión de toda aviación militar y la internacionalización de la aviación civil, en aras de conseguir el máximo apoyo y, en particular, el respaldo de las grandes potencias anglosajonas, que siempre se habían mostrado reacias a asumir medidas que fueran más allá de la mera restricción
de los bombardeos aéreos. Con la iniciativa, el Grupo de los Ocho consiguió hacerse oir, pero no alterar el rumbo de una Conferencia que seguía
pendiente del curso que tomaran las conversaciones secretas. Además, como
ha señalado Walters, las pequeñas potencias «no tenían intención de crear
una crisis llevando sus propuestas demasiado lejos», una visión que compartía plenamente el *Foreign Office* en aquellos momentos y que le llevó a
mantener una actitud de cierta indiferencia ante la nueva proposición.
Tampoco el *Quai d'Orsay*, que suscribía en principio las propuestas de
desarme aéreo, concedía al Grupo de los Ocho mucha más capacidad de
juego que los británicos; los delegados franceses reconocían el apoyo que
esas delegaciones prestaban a sus tesis de seguridad, pero se trataba de un
apoyo cuya importancia, de momento, no podía ser constatada [51].

Finalmente, las intensas negociaciones que se desarrollaron para llegar
a un acuerdo sólo produjeron un pobre resultado, la llamada «Resolución
Benes», una mera declaración que dejaba las cosas tal como estaban. El
documento propuesto como «Conclusiones de la Primera Fase y Preparación de la Segunda Fase de la Conferencia» comprendía cinco partes. La
primera recordaba las resoluciones previas de la Conferencia y proclamaba
la voluntad de llegar a «una reducción sustancial de los armamentos sobre
la base del artículo 8.º del Pacto de la Sociedad de Naciones». La segunda
resumía los resultados obtenidos hasta ese momento: prohibición de los
ataques aéreos contra las poblaciones civiles; abolición de los bombardeos
aéreos con ciertas reservas (único avance significativo, debido, sin duda, a
la insistencia de los Ocho), y reglamentación de la aeronáutica civil; limitación de la artillería terrestre a un máximo de calibre, que no se fijaba;
prohibición de la guerra química, bacteriológica e incendiaria, y formación
de una comisión permanente encargada del control de armamentos. La
tercera parte de la resolución recomendaba al *Bureau* la continuación de

los trabajos pendientes durante el período de aplazamiento de la Conferencia. Las dos últimas partes incorporaba una mera disposición general y la recomendación de prorrogar la tregua de armamentos que expiraba en noviembre de ese mismo año durante cuatro meses más [52].

Como ha señalado Vaïsse, la resolución Benes era «un compromiso imperfecto entre tesis irreconciliables», e inaceptable tanto para Francia, que había perdido terreno, como para Alemania, que seguía sin tener reconocida la igualdad de derechos. A la firme oposición alemana, se añadió la de la Unión Soviética, de acuerdo con las tesis de completo desarme que Litvinov había estado manteniendo desde el inicio de las sesiones. Mayor impacto tuvo la abstención de Italia, que en adelante caminaría de la mano de Alemania en las cuestiones del desarme. Gran Bretaña y Francia, en fin, tampoco acogieron la propuesta con satisfacción, aunque por motivos diferentes: mientras que para los británicos no se solucionaba la cuestión de la igualdad de derechos a Alemania, a la que no renunciaban, para los franceses ningún paso concreto se había adoptado en previsión del rearme alemán [53].

Si la resolución no era del agrado de las grandes potencias, menos satisfizo al Grupo de los Ocho. Sus delegados votaron la resolución «de pésimo humor», denunciando su pobreza de contenidos, pero aceptándola como un mal menor para no «obstaculizar» un acuerdo mínimo ante el aplazamiento de la Conferencia. Madariaga calificó posteriormente aquella resolución de «*ridiculus mus*» y tanto él como el suizo Motta, el sueco Sandler y el holandés Rutgers se emplearon a fondo para hacer prevalecer la prohibición de los bombardeos aéreos y la guerra química, así como el control de la fabricación de armas y municiones de guerra, pero no obtuvieron ningún éxito en su intento. En realidad, las pequeñas potencias sólo consiguieron introducir una modificación al proyecto de resolución, la que propuso Madariaga pidiendo que la comisión encargada de estudiar el problema de la reglamentación privada de armas se encargara también de la cuestión relativa a la fabricación estatal [54]. Un pequeño «logro» de los pequeños, al tiempo que Nadolny anunciaba que Alemania no podía dar la seguridad de participar en los trabajos de la segunda fase de la Conferencia si la cuestión de la igualdad de derechos no era reconsiderada, declaración que daba la estocada definitiva a la propia resolución en el mismo momento de ser aprobada.

En realidad, el Grupo de los Ocho no parecía dispuesto a ir más allá de la mera protesta verbal ante la dinámica impuesta por las grandes potencias, a quienes consideraban, en última instancia, «responsables» del fracaso del desarme. Los débiles de Europa, ahora agrupados en el *Straight Eight*, habían ejercido su influencia en la Conferencia, contribuyendo a la redacción de un documento que afectaba a todos; pero —como admitía un informe suizo— «el resultado obtenido fue desproporcionado al esfuerzo realizado», o —como ha escrito Bendimer— «la igualdad de voto rebotó en la cara de una manifiesta desigualdad de poder». Por lasitud o por impotencia, o por ambas cosas a la vez, lo cierto fue que en Ginebra quedó constancia, una vez más, de la diferencia tan profunda que existía entre la grandilocuencia de las palabras y la debilidad de las fuerzas. Las declaraciones de los Ocho habían sido profundamente críticas, pero, a fin de cuentas, sus votos dijeron sí a la aceptación de la resolución del 23 de julio, que puso punto final a la primera fase de la Conferencia del Desarme de una forma tan decepcionante que había «marchitado las ilusiones» de 1932 [55].

Del desencanto a la resignación

Después de la Resolución Benes, y hasta finales de 1932, la cuestión de la igualdad de derechos pasó a ocupar el primer lugar de las preocupaciones internacionales del momento. En un contexto dominado por la inestabilidad política en Alemania, la sensación de inseguridad y aislamiento en Francia, el decidido respaldo de la Italia fascista a las tesis alemanas, la progresiva inclinación de Gran Bretaña y los Estados Unidos a aceptar el rearme alemán como un hecho irreversible y la marginación de las pequeñas potencias, desde el mes de agosto se intensificaron los contactos entre las principales cancillerías con el propósito de lograr algún acuerdo que hiciera posible el regreso de la delegación alemana a los trabajos de la Conferencia. Éste se produjo como consecuencia de las intensas negociaciones que tuvieron lugar en Ginebra del 3 al 12 de diciembre, cuando los representantes de Estados Unidos, Gran Bretaña, Francia, Italia y Alemania decidieron que la labor de la Conferencia debía ser la elaboración de un convenio de desarme en el que Alemania gozara de igualdad de derechos dentro de un sistema que proporcionara seguridad a todas las naciones [56].

Mientras tanto, la Conferencia del Desarme hizo —en expresión de Madariaga— «lo que el Guadiana, ponerse a correr bajo tierra». El *Bureau* fue convocado hacia finales de septiembre, coincidiendo con la celebración de las nuevas sesiones del Consejo y la Asamblea de la Sociedad de Naciones, pero las reuniones no tuvieron ninguna importancia, excepto la de conocer la voluntad de la mayoría de las delegaciones, y particularmente la de Epaña, de proseguir los trabajos pendientes pese a la ausencia del delegado alemán. De acuerdo con este criterio, el *Bureau* se reunió un par de ocasiones más para preparar la agenda de trabajo de la Comisión General, e incluso algunas comisiones técnicas continuaron su labor [57]. Pura rutina, porque la atención estaba centrada en los encuentros de pasillo al margen de las reuniones de la Conferencia y en los hoteles donde residían los delegados de las grandes potencias, a la espera de que se alcanzara algún acuerdo por estas vías.

En medio de todo este proceso, poca actividad tuvo que desarrollar la delegación española en el terreno del desarme por aquellas fechas. Su labor se limitó a asistir a las reuniones oficiales y seguir con atención, a esperar, el desarrollo de las conversaciones y, cuando pudo, a reiterar sus deseos de que todo lo que afectara al futuro de la Conferencia se tratara en su seno y dentro del espíritu del Pacto. No obstante, de forma paralela a las reuniones de septiembre, el Grupo de los Ocho volvió a tener una nueva toma de contacto y dos de sus miembros, el belga Hymans y el checo Benes, estuvieron particularmente activos en la búsqueda de alternativas concretas al futuro de la Conferencia, pequeños escarceos diplomáticos que nos sitúan, sobre todo, ante el intento de la diplomacia francesa de buscar el apoyo de las pequeñas potencias —España incluida— para la defensa de sus exigencias de mayores garantías de seguridad y de su nuevo plan de desarme, el *plan constructif*, presentado públicamente por Herriot a mediados de noviembre.

La opinión pública española siguió aquel proceso con relativa indiferencia, puesto que ya nadie albergaba demasiadas esperanzas con respecto al desenlace final de la Conferencia. El desencanto y la desilusión fueron la tónica dominante en la prensa de Madrid, cuyos comentarios reflejaron un completo escepticismo ante cada anuncio de nuevas conversaciones sobre desarme. Ya en agosto, cuando se conoció la posibilidad de negociaciones directas entre Francia y Alemania, *El Sol*, nada sospechoso de practicar una política de oposición a los organismos internacionales, expresó el «sin sentido» de todo aquel palabrerío, destacando que «el panorama político de Ginebra va siendo inhabitable, e ilusiona y hasta distrae cada vez a menos gente» [58]. En efecto, el desencanto parecía haberse apoderado de todos los republicanos por aquellas fechas, incluso de un optimista histórico como Madariaga, quien, pese a mostrarse cauto en sus declaraciones públicas, no tenía reparos en confesar en privado que «la Sociedad de Naciones está en su más bajo nivel y casi para reirse», puesto que «todos desconfían de todos» y las grandes potencias habían conseguido volver a imponer los hábitos de la *Old Diplomacy*: «sus ministerios de Exteriores, y más aún sus departamentos de Guerra» —dijo a unos amigos—, «son hostiles a la Sociedad y se inclinan a hacer del desarme una farsa», por lo que el panorama de futuro era francamente pesimista [59].

Esta sensación de frustración se fue apoderando de todas las delegaciones de las pequeñas potencias a medida que avanzaban los meses. Ya en septiembre, durante las reuniones informales mantenidas por el Grupo de los Ocho en Ginebra, se detectó la enorme preocupación de Benes, Motta, Munch y otros delegados ante la comedia que se estaba representando en la Conferencia y el previsible fracaso del desarme. Esta preocupación se acrecentó durante la tensa espera del mes de diciembre, cuando Francia, por fin, se avino a aceptar la dinámica impuesta por la diplomacia británica de decidir el futuro de la Conferencia marginando de las conversaciones, no sólo a las pequeñas potencias, sino incluso a Henderson, su presidente. Fue entonces cuando las pequeñas potencias constataron más claramente una tendencia general hacia el establecimiento de una especie de «directorio» de grandes potencias que imponía sus decisiones fuera de los cauces institucionales de la Sociedad; cuando se quejaron de los procedimientos descorteses empleados por los dirigentes occidentales, y particularmente por los ingleses, hacia el resto de las delegaciones, y cuando se dieron cuenta, en suma, de que todo aquello significaba la confirmación definitiva de que se había vuelto al sistema de la diplomacia secreta, que restringía considerablemente el ya de por sí escaso protagonismo que sus pequeños países tenían en la Sociedad de Naciones [60].

En cualquier caso lo que siguió a la frustración no fue la contestación, sino la resignación. En la reunión de la Comisión general del 14 de diciembre, Madariaga expresó el deseo de la delegación española de que la «igualdad» se consiguiera «reduciendo los armamamentos de las potencias más fuertemente armadas, y no incrementando los armamentos de las menos fuertemente armadas, porque sería paradójico que una Conferencia del desarme se transformara en Conferencia del rearme»; pero, al mismo tiempo, reconocía la evidencia de los hechos: el desarme era un «asunto de grandes potencias»:

«La experiencia de casi un año puede bastar para demostrar que hay un número de problemas sobre los que no es posible avanzar sin el entendimiento entre las grandes potencias. En otras palabras, debe admitirse que el desarme es sobre todo el desarme de las grandes potencias. La diferencia en cualquier esfera de armamentos —tierra, mar o aire— entre el nivel medio de una gran potencia y el de cualquier otra, aunque estuviera fuertemente armada, es tan grande que el desarme actual es, principalmente, un asunto de grandes potencias» [61].

El reconocimiento de esta realidad, lejos de expresarse en términos de rechazo a la solución pactada, no significó otra cosa que la aceptación del hecho consumado, la resignación ante la evidente impotencia de las pequeñas potencias. Al reconocer que no había otro camino posible que el acuerdo entre los Estados fuertemente armados, Madariaga no estaba cuestionando el fondo de la propuesta suscrita por los cinco grandes, de la que se felicitaba, puesto que suponía la vuelta de Alemania a los trabajos de la Conferencia; lo que estaba poniendo en tela de juicio el delegado español era solamente la forma, el procedimiento utilizado para llegar a un acuerdo a hurtadillas de la Conferencia: «¿no sería mejor» —se preguntaba Madariaga entonces—, «en vez de alcanzar un acuerdo de una manera más o menos caótica mediante encuentros en hoteles, actuar más sistemáticamente y que las grandes potencias dieran la impresión de que los otros Estados estaban esperando su acuerdo?». A esos niveles, puramente formales, se expresaron las protestas de las pequeñas potencias en Ginebra [62].

Al margen de las formas, el acuerdo alcanzado por las grandes potencias en Ginebra el 11 de diciembre había sido un duro golpe, no sólo para la diplomacia francesa, sino también para las pequeñas potencias y la Sociedad de Naciones. Francia se había visto forzada a aceptar el reconocimiento de la igualdad de derechos de Alemania, lo cual implicaba una alteración sustancial de toda la política que había mantenido hasta entonces. Las pequeñas potencias se sintieron más pequeñas todavía y, por tanto, más indefensas ante los peligros de eventuales agresiones, puesto que los acuerdos se presentaron ante ellas como un hecho consumado y ante el cual nada podían hacer, de la misma forma que se les estaba presentando como un hecho consumado la agresión japonesa a China. La Sociedad de Naciones, por su parte, se tuvo que enfrentar ante una nueva realidad: la derivada de la legalización del principio de revisión de los tratados, unos tratados que eran el fundamento mismo de su existencia. Se presentó, de esta forma, la posibilidad de que se produjera una relación más estrecha entre los tres grandes derrotados del acuerdo del 11 de diciembre: Francia y las pequeñas potencias a través de la Sociedad de Naciones [63]. Esa fue, en principio, la vía que se abrió con la nueva propuesta francesa de desarme que comenzó a debatirse en la Conferencia a partir de febrero de 1933 y que nos sitúan ante las tentativas de París de ganarse el apoyo español durante la segunda mitad de 1932.

CAPITULO 4
Conciencia de crisis, tiempo de reajustes

1933 supuso una inflexión clara en el curso de las relaciones internacionales del período de entreguerras. Durante aquel año fatídico, se produjo la subida de Hitler al poder, la culminación de la agresión japonesa a China, el agravamiento de los conflictos localizados en América del Sur, el fracaso de la Conferencia del Desarme y la agudización del enfrentamiento franco-germano. Estos acontecimientos acabaron por poner el punto final a la etapa de las ilusiones pacifistas y anunciaron el inicio de otra nueva, caracterizada por el rearme generalizado y el viraje hacia la guerra. Todos los europeos, con mayor o menor intensidad según los casos, fueron tomando conciencia de la gravedad de la situación internacional, reapareciendo los temores sobre el futuro de la paz. Como escribiera Carr, «el retorno a la política de fuerza, la cual se había inaugurado en el Lejano Oriente en 1931, se extendió por todo el mundo en 1933» [1].

La crisis repercutió intensamente en la Sociedad de Naciones, cuya credibilidad se fue deteriorando a medida que confirmaba su ineficacia como instrumento de seguridad colectiva. En el ámbito estrictamente ginebrino, 1933 estuvo dominado por el fracaso de la Conferencia del Desarme. Si los primeros seis meses de reuniones, entre febrero y julio de 1932, habían sido de aproximación a las diversas cuestiones relacionadas con la seguridad y el desarme, la segunda fase tenía por objeto profundizar y llegar a resoluciones concretas en cada una de ellas. A finales de 1932 parecía que el principio de acuerdo alcanzado por las grandes potencias reconociendo la igualdad de derechos de Alemania iba a ser el punto de partida para llegar a un convenio. Nada más lejos de la realidad, porque las diferencias de criterios se agudizaron en el año crítico de 1933 y la Conferencia perdió toda posibilidad de éxito.

Al analizar el desarrollo de la Conferencia durante esta segunda fase se advierten dos importantes circunstancias: la supeditación absoluta de sus sesiones a los avatares de las políticas nacionales, particularmente la alemana, y el hecho de que todas sus discusiones tuvieron como punto de referencia iniciativas tomadas por las grandes potencias. Primero fue el debate sobre el plan constructivo francés, que tropezó con la negativa de Berlín y los recelos de Londres y Roma. Una vez que éste hubo fracasado, los británicos tomaron la delantera con la presentación de un nuevo proyecto, el plan MacDonald de marzo de 1933, cuyo estudio hubo de ser interrumpido por el anuncio de otra iniciativa. Esta vez partió de Mussolini, quien propuso la constitución de un directorio formado por las cuatro grandes potencias para la resolución de los problemas de Europa. Reducido a su mínima expresión el Pacto de los Cuatro y estancadas las discusiones, fueron nuevamente los franceses los que retomaron la cuestión al proponer una serie de modificaciones al plan británico, que fueron aceptadas por Gran Bretaña, Estados Unidos e Italia y dieron lugar a la formación del frente común contra el rearme alemán. Por último, no se hizo esperar la inmediata reacción alemana, que dio el golpe de gracia definitivo a la Conferencia con el anuncio de su retirada de Ginebra [2].

Cuatro momentos, pues, bien delimitados, que contribuyeron a ahondar la fosa existente entre grandes y pequeñas potencias y fueron sumamente interesantes para probar la capacidad de adaptación de la República a las nuevas realidades de la escena europea. Porque si algo merece ser resaltado al hilo del análisis del segundo año de la Conferencia del Desarme fue que durante 1933 la diplomacia española no permaneció inactiva, maniobrando al ritmo de los acontecimientos. Con la perspectiva inicial del *rapprochement* hispano-francés que se había consumado con la visita de Herriot a Madrid en noviembre de 1932, la República española apoyó, primero, el plan constructivo presentado por Francia en Ginebra; reaccionó después —como nunca lo había hecho hasta entonces— contra el anuncio de directorio europeo propuesto por Mussolini en marzo de 1933; enmendó posteriormente el proyecto de convención británico para hacerlo más asequible a sus intereses nacionales, y por último, se desmarcó de Francia y sus aliados cuando Alemania se retiró de la Sociedad de Naciones y reapareció el riesgo de una nueva guerra. 1933, en fin, también fue un año clave para la política europea de la República; en él se tomó conciencia de la gravedad de la crisis del sistema internacional y se practicaron los oportunos reajustes en la política exterior.

El peso del factor París

París siempre había sido un factor de obligada referencia para orientar el rumbo de los asuntos europeos y africanos de España. Con la proclamación de la República ese factor cobraba mayor importancia, pues dos «buenos vecinos» y «viejos amigos» se habían convertido, de la noche a la mañana, en «repúblicas hermanas» —como tanto gustaba decir a los partidarios del acercamiento franco-español a ambos lados de los Pirineos. Junto a los argumentos tradicionales del peso de la historia, los intereses nacionales y las relaciones de vecindad, la España republicana tenía otra poderosa razón para desear la amistad gala: la indispensable inserción del nuevo régimen en el sistema internacional, en el que Francia, a pesar de ser una nación venida a menos, seguía desempeñando un papel de gran potencia. La analogía de regímenes políticos y la gran influencia que la tradición democrática francesa había ejercido en los planteamientos programáticos de los liberales españoles eran, en principio, ingredientes añadidos para impulsar un diálogo más fluído, unas relaciones más cordiales y unos nuevos cauces para el entendimiento entre ambos gobiernos [3]. Todos estos componentes fueron hábilmente aprovechados por París para granjearse las simpatías hispanas y contar con su apoyo en el complicado escenario europeo.

Los precedentes: el *rapprochement* franco-español

Pronto se hizo notar la existencia de un «nuevo clima» en las relaciones hispano-francesas. A ello contribuyó el rápido reconocimiento oficial de la República por parte de Francia, el nombramiento de Herbette como nuevo embajador francés en Madrid y la primera entrevista al más alto nivel entre las diplomacias española y gala, protagonizada por Briand y Lerroux en Ginebra en septiembre de 1931 [4]. Aprovechando ese clima de cordialidad existente entre Madrid y París, el *rapprochement* hispano-francés se insinuó levemente poco tiempo después del nombramiento de Madariaga como embajador en París, se hizo más perceptible a medida que avanzaban los meses y alcanzó su punto álgido en el otoño de 1932 con motivo de la estancia del presidente francés Edouard Herriot en España. Se entró, así, en una fase caracterizada por las tentativas de entendimiento en el plano bilateral y de colaboración mutua en la política europea.

Desde la óptica de París, una de las razones políticas fundamentales para desear un mayor nivel de acuerdo con España guardaba estrecha relación con el desarrollo de la Conferencia del Desarme. La prioridad que

se estaba concediendo en Ginebra al tratamiento de temas tan vitales para
la defensa nacional obligaba a la diplomacia francesa a redoblar sus esfuerzos al objeto de captar apoyos internacionales sólidos para hacer valer
el principio de «securité d'abord», máxime en un momento de aislamiento
internacional de Francia y de ascenso del movimiento nazi en Alemania.
Con este telón de fondo, no era de extrañar que los responsables del *Quai
d'Orsay* dirigieran sus miradas hacia Madrid, particularmente durante el
verano y otoño de 1932, cuando Alemania lanzó su ofensiva en torno a la
Gleichberechtigung como principio irrenunciable para alcanzar un eventual
acuerdo sobre desarme [5].

Por otra parte, desde la perspectiva española se estaba comenzando a
tomar conciencia de que, una vez normalizado el nuevo régimen con la
aprobación de la Constitución, el Gobierno debía prestar una mayor atención a los problemas exteriores. En esta dirección, los dirigentes republicanos estimaban que la amistad con Francia, no sólo favorecería la inserción de España en Europa, sino que también redundaría en beneficio de
la propia República, puesto que el apoyo francés —como Azaña dijo a
Herbette en una ocasión— «era útil para el afianzamiento del régimen» [6].
A la confluencia de intereses de política interior o exterior, pronto se sumó
un nuevo elemento, de carácter ideológico, que ayudó a aumentar el grado
de confianza entre los dos gobiernos: el triunfo electoral del *Cartel des Gau-
ches* y la formación del Ministerio Herriot en Francia. En adelante, la
identificación entre las dos «repúblicas hermanas» quedaría reforzada por
los lazos derivados de la existencia de dos gabinetes ministeriales de composición política similar.

Además, los esfuerzos que estaba realizando Herbette en Madrid para
eliminar los recelos recíprocos y tender puentes entre ambos gobiernos se
vieron correspondidos, desde enero de 1932, por la actuación similar que
Madariaga desplegó al otro lado de la frontera. El nuevo embajador español en París se había formado académicamente en Francia, poseía un conocimiento directo de la cultura y la política francesas y mantenía excelentes relaciones con políticos y diplomáticos galos. Estas circunstancias
emocionales y subjetivas, así como su creencia de que en aquella coyuntura
Francia debía asumir el liderazgo mundial en defensa del Pacto, habida
cuenta de que los dos países anglosajones no parecían dispuestos a hacerlo,
convirtieron a Madariaga en un hombre idóneo para propiciar el acercamiento hispano-francés, y no sólo de cara a la intensificación de las relaciones bilaterales, por su cargo de embajador, sino también en la perspectiva de incrementar la colaboración mutua en la política europea, en su
condición de jefe de la delegación española en Ginebra [7].

En realidad, el nombramiento de Madariaga como embajador en París no obedeció a ninguna estrategia política premeditada, sino a la necesidad de resolver una situación anómala desde el punto de vista organizativo. Su designación fue el último decreto firmado por Lerroux antes de abandonar el Ministerio de Estado y se debió a las recomendaciones de López Oliván, quien convenció al Ministro con el argumento de que Madariaga no podía atender al mismo tiempo la Embajada en Washington y sus responsabilidades en la Sociedad de Naciones, incompatibilidad que no se daba en el caso de París por su proximidad a Ginebra [8]. Con ello se puso fin a una situación de interinidad al frente de las máximas representaciones diplomáticas en Francia y Estados Unidos, los dos puntos más afectados por la improvisación con que se había procedido a la provisión de vacantes tras la proclamación de la República. Sin embargo, la elección de Madariaga para hacerse cargo de la Embajada de París significó una vuelta a los esquemas organizativos del pasado, puesto que con ello la República reprodujo la práctica habitual de la Monarquía de hacer coincidir en la misma persona las responsabilidades de embajador en Francia y primer delegado en la Sociedad de Naciones, obligando a un desdoblamiento de funciones que, a la postre, hizo un flaco servicio a la causa de ambas misiones diplomáticas [9].

Al margen de estas limitaciones, la embajada de Madariaga en París marcó una nueva etapa en el curso de las relaciones hispano-francesas. Los comienzos fueron ciertamente difíciles, pues los recelos de la derecha francesa respecto de la orientación política que se estaba consolidando en España se incrementaron con la llegada del nuevo embajador. A ello se añadió el empeoramiento de las relaciones comerciales bilaterales y, como consecuencia, el aumento de las suspicacias españolas hacia París. Pese a prodigarse en declaraciones públicas de simpatía hacia la República española, el gobierno Tardieu, amenazado por la recesión económica y presionado por poderosos grupos de presión, no estaba dispuesto a ceder en sus pretensiones de enjugar el déficit de su balanza comercial con los países que, como España, mantenían un elevado superávit en sus intercambios comerciales con la República francesa. Esta situación hizo peligrar las exportaciones españolas a Francia, amenazando con alterar las previsiones realizadas hasta entonces y obligando a una redefinición de la política económica del gobierno de Madrid [10].

El *affaire* comercial alimentó toda clase de incomprensiones mutuas, convirtiéndose en un obstáculo permanente para el estrechamiento de la amistad hispano-francesa. El gobierno español concedió una gran importancia al tema de sus intercambios con Francia; descubrió la flagrante contradicción que existía entre las declaraciones francesas de apoyo moral a la «república hermana» y la práctica de zancadillas económicas, e interpretó esa política como una muestra de su escasa disposición a articular una relación bilateral que beneficiaria por igual a ambas partes. Tal valoración era un reflejo más del cambio que se había operado en Madrid en la percepción de la política internacional, puesto que progresivamente se fue asistiendo a la preeminencia de consideraciones más pragmáticas, lo cual se tradujo, en el caso de las relaciones con Francia, en el convencimiento de que éstas debían ser interpretadas y conducidas «à la française», esto es, dejando para la galería los principios de la fraternidad republicana y atendiendo, ante todo, a la defensa de los sagrados intereses nacionales.

El tema llegó a preocupar tanto en Madrid que Zulueta no perdió la primera ocasión que tuvo para intentar negociar directamente una solución a las diferencias comerciales y, de paso, plantear el estado general de las relaciones bilaterales. De esta forma, marzo de 1932 estuvo marcado por la celebración del segundo encuentro entre los máximos responsables de ambas diplomacias desde la proclamación de la República, encuentro que fue interpretado por la prensa de París como «el primer paso hacia un *rapprochement* franco-español». El escenario fue nuevamente Ginebra, donde el 17 de marzo, después de cuatro entrevistas entre Zulueta y Madariaga, por un lado, y Tàrdieu, por el otro, se hizo público un comunicado conjunto por el que ambos ministros reafirmaron «su deseo común de encontrar, a la mayor brevedad posible, una solución a las controversias de tipo comercial», así como «su completo acuerdo a la hora de afrontar y tratar las cuestiones políticas y económicas de interés a las dos Repúblicas dentro de un espíritu de cordial amistad» [11].

La vaguedad de los términos del comunicado oficial no puede ocultar la relevancia que las entrevistas tuvieron para el futuro inmediato de las relaciones hispano-francesas. Si Zulueta pensaba entonces —como Azaña consignó en su diario— que la actitud negativa del gobierno francés tenía mucho que ver con el disgusto ocasionado por el hecho de que los delegados españoles hubieran «dejado de ser humildes servidores de Francia en la Sociedad de Naciones», era lógico pensar que utilizara el presunto apoyo español en Ginebra como arma de presión política para obtener concesiones de Tardieu. El alcance político del encuentro parece confirmado por los términos de una conversación que Zulueta mantuvo con Herbette a su regreso a Madrid, primera ocasión en la que el Ministro habló directamente con el Embajador de colaboración franco-española en la política europea, llegando a concretar la posibilidad de tal «concierto» a través de dos vías distintas. Una era la elaboración de un eventual acuerdo sobre el Mediterráneo que garantizara el mantenimiento del *statu quo*; la otra podría producirse en el marco de la Conferencia del Desarme, ideas ambas que eran del agrado de Francia [12].

El cambio cualitativo en las relaciones hispano-francesas fue percibido de forma inmediata por la diplomacia británica, cuyo embajador en Madrid ya había alertado sobre la posibilidad de que las dos repúblicas estrecharan sus relaciones. Grahame veía «ciertas ventajas» en la intensificación del diálogo entre Madrid y París, especialmente en Marruecos, «donde la *bonne volonté* francesa contribuiría a la tranquilidad y estabilidad en la zona española», pero se preguntaba si los franceses no estarían dispuestos a «ir más lejos e intentar añadir a la República española a la lista de «Estados satélites»». Francia —razonaba el Embajador— podía ofrecer a España muchos favores, tanto materiales como morales, pero lo que más convenía a París era que su hermana menor «girara por sí misma hacia un discreto y dócil auxilio en Ginebra, un *rôle* no infrecuentemente jugado en el pasado por Quiñones de León». De la misma opinión era Leeper, alto funcionario del *Foreign Office*, quien apuntó que el gobierno español y especialmente Madariaga eran «partidarios entusiastas de la Sociedad», por lo que Tardieu procuraría «mantenerlos en línea» con la política francesa a través de ese medio. De todo ello Londres extrajo conclusiones: había que contrarrestar la influencia francesa cerca del gabinete Azaña, para lo cual era necesario desprenderse de la imagen de Gran Bretaña como país «dinástico» y evitar todo malentendido sobre su presunta «actitud parcial o antipática» hacia la República española [13].

Pese a las preocupaciones británicas, nada concreto había salido del encuentro hispano-francés de marzo. Se había hablado de colaboración en la política europea, pero en abstracto; se había salido momentáneamente del atasco en las cuestiones comerciales, pero los problemas de fondo seguían latentes. Todo parecía indicar, sin embargo, que se seguiría avanzando por la senda del entendimiento mutuo, y así fue. Al primer paso siguió el segundo, hecho efectivo sin tanta publicidad, pero también indicativo del deseo de alcanzar un mayor nivel de acuerdo: la ratificación por las Cortes del Tratado de Arbitraje del 10 de julio de 1929, que entró en vigor dos meses después. Y más importante que la superación de dicho trámite parlamentario fue el resurgimiento de una corriente de opinión favorable a la amistad con Francia en el seno de la sociedad española, claramente perceptible después del triunfo de las izquierdas en las elecciones francesas de mayo de 1932, circunstancia que sirvió para reforzar los lazos de solidaridad moral y política entre ambas repúblicas [14].

Con el cambio de mayoría parlamentaria en París, Madariaga incrementó su protagonismo como aladid de la colaboración franco-española. La primera entrevista que mantuvo con Herriot fue bastante significativa. Según la versión de Madariaga, el dirigente francés le citó antes de la formación del nuevo gobierno para pedirle su opinión sobre la política exterior francesa, petición que guardaba estrecha relación con el activo papel que el Embajador estaba desempeñando en Ginebra en aquellos momentos. Madariaga indicó a Herriot «la necesidad de que Francia asuma la dirección de un movimiento de orden y de reconstrucción mundiales, vista la carencia de las dos grandes naciones anglo-sajonas», cuestión que dio pié a que el presidente francés preguntara explícitamente lo que más le interesaba: si Francia, auspiciando una política de desarme y de organización de la paz como la propuesta por Madariaga, podría contar con el firme apoyo de España. La respuesta del embajador español fue inequívoca, asegurando que tanto Azaña como Zulueta «estaban de completo acuerdo conmigo en apoyar la política francesa de izquierda internacional» [15].

Pero no era sólo Madariaga quien se había contagiado de los nuevos aires que se respiraban en París; sus embates llegaron al propio Ministerio de Estado, receptor de los informes de Madariaga y punto de mira de la labor pertinaz de Herbette en Madrid. Zulueta pareció entusiasmarse a finales de junio con la sugerencia apuntada por el embajador francés sobre la necesidad de que «Francia y España desarmasen sus fronteras y retirasen sus tropas a bastantes kilómetros en el interior». Azaña, con una visión más pragmática, se opuso a la medida aduciendo que la política de gestos ejemplares ni siquiera valía la pena tomarla en consideración [16]. Pero el planteamiento de tal posibilidad y su aceptación por parte del Ministro eran pruebas inequívocas de que las relaciones hispano-francesas habían conocido una notable mejoría en los últimos tiempos, sobre todo si se tiene en cuenta el estado en que se encontraban cuando Madariaga se hizo cargo de la Embajada en París y Zulueta del Ministerio en Madrid. En pocos meses se había evolucionado desde las reservas iniciales y el enfrentamiento comercial hacia el diálogo fluido y las posibilidades de llegar a acuerdos concretos.

En tal contexto se anunció la visita de Herriot a Madrid, que apareció ante la opinión pública y las cancillerías europeas como la culminación del *rapprochement* hispano-francés y el punto de partida de una estrecha colaboración interrepublicana en la escena europea. Fue ésta una coyuntura sumamente propicia para que se planteara una duda crucial: tras el descubrimiento de sus impotencias en la escena internacional y la constatación de la debilidad de la Sociedad de Naciones como garantía efectiva de seguridad colectiva, ¿se encaminaba España a entrar de lleno en la órbita francesa?

El «momento clave»: ¿España bajo la órbita francesa?

La visita de Herriot a Madrid constituyó el acontecimiento estelar de la política exterior republicana durante el primer bienio, su «momento clave», y no sólo por la resonancia que tuvo en su tiempo, sino también por las interpretaciones que del mismo se han hecho con posterioridad. Y es que, entre las muchas reflexiones que los republicanos españoles se hicieron tras la Guerra Civil, asomó una especie de complejo de culpabilidad por el «grave error» que la República de 1931 había cometido al «no haber adoptado a tiempo una política internacional». Una interpretación que ha llevado a considerar la breve estancia del presidente francés en España como la gran oportunidad histórica que el gobierno Azaña desaprovechó para dar «cobertura diplomática» al nuevo régimen mediante la firma de una alianza bilateral con Francia, lo cual hubiera impedido la agresión extranjera posterior o, al menos, evitado «aquella abstención» internacional que había sido «el germen del famoso Comité de no intervención» [17].

A esta visión contrafactual de la historia ha contribuído en gran medida el análisis hecho por Madariaga. Según su versión, a él se debió la propuesta de que Herriot viájara a España, formulada —como aclara en sus *Memorias*— «en una de esas erupciones de espontaneidad que la reserva diplomática no consiguió nunca reprimir en mi ser», si bien antes «había visto aquel viaje en mi imaginación, pero no lo había planteado ni hablado de él ni en París ni en Madrid». No obstante, a juzgar por el relato del propio Madariaga en su libro *España*, tal «erupción de espontaneidad» no fue tan espontánea: se trataba, en última instancia, de poner en marcha unos «planes secretos» que estaban rondando por su cabeza entonces, referidos a «explorar las posibilidades de una alianza entre las dos repúblicas», accediendo a algún deseo francés, «en particular en cuanto al permiso para el paso de tropas a través de nuestro país», como contrapartida de «una política verdaderamente amistosa y generosa sobre Marruecos y Tánger», y todo ello con la intención de «reforzar» la obligación teórica que, en virtud del artículo 16 del Pacto, España tenía contraída de «acudir en auxilio de Francia si Francia viniera a ser atacada» [18].

Es cuestionable que todos los pormenores relatados *a posteriori* por Madariaga estuvieran en su mente en el momento de proponer la visita. No deja de sorprender la claridad de planteamientos que el Embajador tenía sobre una presunta alianza hispano-francesa cuando por las mismas fechas había remitido a Madrid un extenso informe en el que argumentaba que España era «adversaria actual o presunta de todas las grandes potencias», en particular de Francia, lo cual le llevaba a concluir que la República debía «hacer una política original, suya y fuerte», «una política independiente», que «no puede inclinarse ni a una ni a otra» de las grandes potencias [19]. Además de sus informes, el resto de la documentación consultada y el desarrollo de los acontecimientos confirman que Madariaga obró sin el menor asomo aparente de que tuviera un deseo encubierto de llegar a un pacto con París, que por otra parte hubiera supuesto una contradicción con lo que él venía postulando en Ginebra. En fin, hay indicios que apuntan a la hipótesis de que Madariaga, en el momento de redactar sus *Memorias* o actualizar su libro *España*, también estuviera algo imbuído de ese complejo de culpabilidad republicano y, en función de ello, pusiera el acento en una argumentación tendente a hacer recaer toda la responsabilidad del presunto «gran error» de la política exterior española sobre «un único culpable»: Azaña.

Si bien la versión de Madariaga sobre sus «planes secretos» resulta excesiva, también es cierto que él albergaba algunas ideas que iban más lejos de las sostenidas por el gobierno Azaña. De hecho, reflexiones sueltas sobre un mayor apoyo español a las tesis francesas de seguridad (entendidas exclusivamente en su dimensión política, nunca militar) estuvieron presentes en su ánimo después de la formación del gobierno Herriot. En concreto, Madariaga aspiraba a que España desarrollara una política «de colaboración» con Francia en los temas del desarme y la construcción de la paz, pero manteniendo intacta su condición de pequeña potencia no alineada y guardando siempre las apariencias formales de una «objetividad internacional» [20]. Factores a tener en cuenta en esta progresiva identificación de Madariaga con las tesis de París fueron la dejación de las responsabilidades anglo-norteamericanas en Manchuria, su amistad con los nuevos dirigentes franceses, su confianza en el renovado discurso pacifista de la diplomacia gala y, en fin, su creencia de que Francia (con Herriot como su más cualificado exponente) estaba en inmejorables condiciones para asumir el liderazgo moral en defensa de la Sociedad de Naciones.

Después de la sugerencia de Madariaga, el tema de la visita quedó en suspenso hasta que el propio Herriot la retomó a mediados de agosto. No era casual que el interés francés se expresara en ese preciso momento; tras el impresionante ascenso electoral de los nazis en Alemania (el 31 de julio habían pasado de 107 a 230 escaños en el *Reichstag*), un estado de ansiedad se apoderó del gobierno de París, que debía abordar el problema del estatuto alemán en medio de una situación de aislamiento diplomático. La mejor prueba de que tales preocupaciones estaban en el ánimo de Herriot fueron los términos empleados por éste en su conversación con Madariaga. El presidente francés deseaba llegar a una «profunda colaboración» con España para poner en marcha una política de «solidaridad democrática», o —como interpretó Madariaga— «una especie de coalición de naciones democráticas, a base de las tres naciones del extremo occidente europeo, Inglaterra, Francia y España, y Estados Unidos para hacer frente a la coalición italo-alemana en favor de un rearme y quizá de una guerra». En cualquier caso, Herriot precisó que no pretendía «alianza de ninguna clase y menos que nada militar», sino la disposición a colaborar en una política común basada en la extensión de los principios republicanos a Europa, algo en lo que profundizó posteriormente Alexis Léger, subsecretario del *Quai d'Orsay*, concretando los propósitos franceses en «dos puntos, ambos de puro carácter psicológico: primero, la afirmación de la cordialidad especial entre los dos países con el mismo régimen; segundo, la afirmación de que este régimen implica, en lo internacional, un modo análogo de comprender los problemas, que consiste en la aplicación al mundo internacional de los principios republicanos de publicidad, orden y paz» [21].

Así pues, según los informes de Madariaga, los franceses perseguían efectos morales con la visita de su presidente, lo que, por otra parte, venía muy bien a la consolidación del régimen republicano en España, que saldría reforzado con la bendición internacional que recibiría de manos de la «gran democracia vecina». Pese a esta perspectiva de objetivos limitados, Madariaga introduce en sus análisis posteriores componentes añadidos al revelar que «Francia entonces abrigaba planes a largo plazo sobre España, de modo que su relativa modestia en cuanto a la primera visita no pasaba de prudencia táctica a fin de no asustar a la opinión de un país aleccionado por la experiencia contra toda aventura europea» [22]. Al margen de toda referencia explícita a «alianza», «paso de tropas» o cualquier otro tipo de «planes secretos» de análoga naturaleza, era cierto que Francia deseaba llegar a un cierto nivel de acuerdo con España en la política europea, y no precisamente «a largo plazo», sino con la perspectiva inmediata de buscar una salida a la Conferencia del Desarme a través de propuestas tales como la del apoyo colectivo a las «víctimas eventuales» de una agresión o los «pactos regionales de seguridad», proyectos para los que el *Quai d'Orsay* estaba buscando valedores en el seno del Grupo de los Ocho.

Ya Vaïsse ha señalado que en los orígenes del plan francés de desarme estuvieron presentes las reflexiones realizadas por el Grupo de los Ocho durante sus reuniones de septiembre, cuando la Conferencia se encontraba paralizada a la espera de un acuerdo entre las grandes potencias. Según expuso el belga Hymans al embajador francés en Bruselas, Madariaga, Benes, Motta, Munch y otros delegados habían coincidido en señalar la necesidad de poner en marcha un plan que combinara medidas concretas de desarme con el reforzamiento de la seguridad. Simultáneamente a estos encuentros entre los Ocho, el gobierno de París estaba actuando en la misma dirección: aceptación del desarme y de la igualdad de derechos de

Alemania, pero exigiendo garantías precisas de seguridad. A tal fin, Herriot y Paul Boncour mantuvieron conversaciones con Benes, Hymans y el griego Politis en las que convinieron «marchar unidos, aceptar el desarme e imponer la seguridad». A estos contactos se sumaron varios representantes de la *Petite Entente* y en ellos se discutieron dos planes: uno más sencillo, propuesto por Hymans, basado en «la inviolabilidad de las fronteras», y otro más complejo, obra de Benes, el «plan de las víctimas eventuales», que combinaba un convenio general de desarme con otros tipos de acuerdos en los que se incluía un pacto general consultivo, la constitución de una fuerza internacional y pactos regionales de seguridad. Al final no se llegó a un acuerdo debido a la negativa belga a secundar el Plan Benes, al que Hymans consideraba de difícil aceptación por Londres, lo cual supuso un serio revés para la diplomacia francesa [23].

Sin embargo, tanto las reuniones de los Ocho como las conversaciones de Francia con sus aliados arrojaron alguna luz sobre el futuro plan de desarme francés y descubrieron las intenciones de París de jugar la baza de las pequeñas potencias al objeto de hacer valer sus propuestas en los futuros debates de la Conferencia. El protagonista central de estos intentos fue Benes, quien poco antes de la visita de Herriot a Madrid se entrevistó con Madariaga en París para conseguir el apoyo de España a su proyecto e involucrar al delegado español en su defensa ante el Grupo de los Ocho. Pero las propuestas del ministro checo comprendían una serie de pactos de seguridad sobre los que no había reflexionado la diplomacia española; tropezaba con serios obstáculos para salir airoso en el seno del Grupo, y significaba comprometerse de lleno con las tesis francesas en un momento en que había que extremar las precauciones españolas ante la campaña de prensa que se estaba desatando en el extranjero con motivo del viaje del presidente galo a Madrid. Madariaga, en consecuencia, obró con extrema prudencia en este caso y, consciente de lo que pedía Benes, respondió que «el dilema no es participar o no participar en la vida continental de solidaridad y de interdependencia», sino «participar de una forma pasiva, como objeto pasivo que otras manos desplazan, o participar de una forma activa, como un ser inteligente y fuerte que colabora con las circunstancias de su propio destino» [24].

Es curioso advertir como estos escarceos diplomáticos destinados a conseguir el apoyo del Grupo de los Ocho a las medidas propuestas por Francia se produjeron en vísperas de la visita del presidente francés a Madrid. Todo esto, puesto en relación con el contenido de las entrevistas entre Madariaga y Herriot, induce a pensar que, en el fondo, lo que había de «oculto» en los propósitos de París de cara al viaje de Herriot era un deseo de que la República española adquiriera un mayor grado de compromiso en la defensa de sus tesis de seguridad y apoyara su inmediato plan de desarme, el *plan constructif*, el cual, para más coincidencias en el espacio y el tiempo, fue adoptado por el Gobierno francés dos días antes del desplazamiento de su presidente a Madrid. De todas formas, la visita quedó planteada ante el Ministerio de Estado como una expresión más de la voluntad francesa de apoyar al nuevo régimen español y, en su dimensión internacional, sus objetivos se limitaron a la búsqueda de un efecto meramente psicológico y moral: la reafirmación de esa «cordialidad especial» entre las dos «repúblicas hermanas», así como de ese «modo análogo de entender los problemas del mundo».

La diplomacia francesa pronto advirtió que no podía hacerse demasiadas ilusiones con respecto al proyectado viaje de Herriot. Nada más hacerse pública la noticia, las principales cancillerías europeas mostraron su preocupación por las repercusiones de la visita y una intensa campaña de prensa se desató en su contra. Planes galos para una alianza defensiva con España; túneles y ferrocarriles para garantizar el paso por suelo español de las tropas francesas estacionadas en Argelia y Marruecos; cesiones o intercambios de territorios coloniales en Africa; establecimiento de un depósito internacional de armas y municiones de guerra en España; proyectos para la utilización por Francia de las bases navales de Baleares, Cartagena y Cádiz en caso de guerra en el Mediterráneo, y otras especulaciones similares aparecieron glosadas en los periódicos sensacionalistas de Londres y comentadas con todo lujo de detalles por la prensa ultranacionalista de Roma, Berlín y París. A nivel oficial, la misma inquietud que los embajadores inglés, alemán o italiano habían mostrado con respecto al incremento de la influencia francesa en España desde 1931 se reprodujo hacia finales de septiembre y durante octubre del 32, aunque ahora incluso se hicieron cábalas sobre la «nueva dimensión» que tomarían las relaciones hispano-francesas [25].

A pesar de que todos los periódicos alemanes dieron «la voz de alarma» sobre las pretensiones aliancistas de París, la reacción de Berlín fue comedida. Viñas ya ha señado que a Welczeck, embajador alemán en Madrid, no le preocupaba mucho la natural disposición francófila de los dirigentes republicanos, puesto que «los españoles son pacifistas natos» y, «dados los beneficios que les proporcionó la actitud mantenida durante la última guerra, los españoles defenderían su neutralidad hasta el fin y, llegado el caso, ignorarían los compromisos que pudieran ponerla en peligro como, por ejemplo, el traslado por el territorio español de tropas coloniales francesas» [26]. Por tanto, suspicacias por parte alemana (sobre todo hacia París), pero también plena confianza en el arraigo del sentimiento de neutralidad en el pueblo español y en la actitud equilibrada que mantendría el gobierno Azaña en el caso de que Francia intentara romper su política de no alineamiento internacional.

Era de esperar que la reacción más fuerte viniera de Roma. Además de la ostensible hostilidad fascista hacia la República y de su constante preocupación por la hegemonía francesa en el Mediterráneo, el anuncio de la visita se produjo poco después del fracaso de la intentona golpista protagonizada por Sanjurjo (que había contado con el apoyo de Mussolini) y coincidiendo con un momento de fuerte tensión en las relaciones entre París y Roma. En medio de tal combinación de factores, el viaje de Herriot no hizo sino incrementar los recelos del gobierno fascista, que activó al máximo sus aparatos diplomático y propagandístico en el mes de octubre. Así, mientras la prensa italiana destapó la caja de los truenos sobre la presunta alianza militar, Guariglia era nombrado nuevo embajador en Madrid al objeto de propiciar un mayor diálogo con el gobierno Azaña y hacer todo lo posible para frustrar la política de buen entendimiento con Francia. Pero la reacción italiana —como ha apuntado Saz— no pasó de ahí, de la intensificación de la propaganda, siendo el propio Guariglia el encargado de «tranquilizar a su gobierno acerca del alcance de los contactos hispano-franceses», interpretados como un reforzamiento «sin más» de la tradicional amistad entre Madrid y París [27].

El *Foreign Office*, por su parte, en ningún momento dio crédito a las informaciones sobre un eventual pacto militar o una alteración del *statu quo* colonial, pero su primera reacción fue considerar que la visita de Herriot y la concesión de la Legión de Honor a Alcalá Zamora presagiaban «algo más que una mera cortesía». Grahame confirmó este extremo poco después, al señalar que el lenguaje empleado por Zulueta para desmentir los rumores de una alianza «no excluye el deseo francés de llegar a una todavía más estrecha *entente* moral, que podría dirigirse hacia una cooperación más clara con Francia en asuntos tales como los planes de desarme y seguridad o un pacto que afecte a la actitud de España en alguna futura guerra». Esta eventualidad, sin embargo, estaba lejos de ser preocupante para Gran Bretaña, pues «la ansiedad de los franceses por abrazar a los españoles en su seno» —concluyó Grahame— «no es probable que, de momento, evoque mucha más respuesta por parte de los últimos que demostraciones platónicas de afecto». Londres, en suma, siempre distinguió entre «deseos» y «realidades» y, pese a seguir con atención cualquier maniobra francesa de involucrar a la República en su política europea, nunca llegó a inquietarse seriamente por la visita de Herriot, quizás porque pronto advirtió una actitud pasiva por parte de la diplomacia española [28].

El tema, no obstante, adquirió pronto una nueva dimensión, puesto que la campaña de prensa desatada en el extranjero contribuyó decididamente a que en España se desencadenara un movimiento de oposición interna a la realización de la visita, con aportes de distinta naturaleza. Los sectores más activos en la condena del viaje fueron la derecha (monárquicos y católicos) y la extrema derecha (tradicionalistas y fascistas). Las razones de fondo que explicaban tal actitud hay que buscarlas, no tanto en la existencia de una preocupación por los destinos de la política exterior española, como en el deseo de impedir un reforzamiento del régimen en el interior y un incremento de los lazos demoliberales de la República en el exterior. Con una perspectiva diamentralmente opuesta, los incipientes sectores comunistas de España, así como sus homólogos franceses a través de *L'Humanité*, también añadieron sus voces en contra de la visita de Herriot. Desde este horizonte ideológico, su presencia en Madrid era interpretada como un proyecto de «uncir el destino de España al capitalismo francés» para preparar «una guerra del capitalismo europeo, para más o menos largo plazo, contra la revolución rusa» [29]. Aunque respondieran a visiones antagónicas, una y otra oposición difundieron la misma argumentación: el propósito del viaje era firmar un acuerdo secreto con implicaciones políticas y militares de largo alcance, lo cual sometía a España a los designios franceses.

Campaña periodística en el extranjero, suspicacias de cancillerías, oposición interna; la polémica, pues, estaba servida. Por primera vez desde la proclamación de la República, la política exterior acaparaba titulares en la prensa nacional y podía convertirse en germen de movilizaciones de protesta en la calle, como así ocurrió luego. El tema preocupó hasta el punto de que tanto Zulueta en Madrid como Herriot en París tuvieron que salir al paso de los rumores y aclarar el significado del viaje. Herriot lo hizo a nivel de declaraciones en prensa, limitándose a comentar que «se han propagado muchos errores e imaginado muchas novelas» cuando sólo se trataba «de llevar a la joven República española el afectuoso saludo de su hermana mayor». Zulueta, en cambio, quiso ser más explícito y, al margen de tranquilizar a los embajadores inglés, italiano y alemán, utilizó un medio más solemne, la tribuna de las Cortes, para afirmar con rotundidad que «jamás el gobierno de la República llevará al pueblo español por caminos obscuros, (ni) concertaría acuerdos secretos, que serían opuestos a su criterio propio y contrarios a la letra y al espíritu de la Constitución», precisando que la visita obedecía a una necesidad de impulsar las relaciones hispano-francesas, puesto que ambas repúblicas debían entenderse «abiertamente, públicamente», no sólo «como naciones amigas y vecinas», sino también «para colaborar con los otros Estados a aquella obra de paz y de Derecho (...) bajo los auspicios de la Sociedad de las Naciones» [30]

Pese a los esfuerzos de Zulueta y Herriot, así como de la prensa liberal a uno y otro lado de la frontera, la campaña había surtido sus efectos, y no sólo a nivel de opinión pública sino también en los medios oficiales. El resultado final fue que el gobierno español extremó las precauciones de contenido y de protocolo a fin de evitar falsas interpretaciones. La mejor prueba de ello la dio el Ministerio de Estado al elaborar un programa de la visita repleto de recepciones oficiales y recorridos turísticos, pero falto de encuentros privados para las conversaciones políticas. Aún más importante que el programa, era la predisposición al diálogo de los dirigentes españoles, y ésta no parece que fuera mucha a la hora de tratar con Herriot las cuestiones europeas, especialmente por parte de Azaña. El criterio gubernamental ante la visita de Herriot fue el de subrayar el importante respaldo que Francia daba al régimen republicano con la presencia de su presidente en Madrid, pero evitando cualquier referencia a una posible acción concertada en la política internacional [31].

Flotaba en el ambiente, desde luego, los rumores de pacto secreto y los recelos de las cancillerías europeas, por lo que la prudencia oficial obedecía a una necesidad formal de disipar los temores, tanto en el interior como en el extranjero. En el fondo de este planteamiento también estaban presente dos concepciones diferentes de la política exterior española que convergían en un mismo comportamiento. La primera era un deseo de evitarse complicaciones en la escena internacional, consecuencia de la tradicional política de aislamiento, a la que a duras penas conseguía sustraerse parte de la diplomacia republicana. Un claro exponente de ello lo encontramos en Alcalá-Zamora, quien subrayó ante Herbette que «ese apartamiento español de los conflictos de Europa es precisamente la prenda y base de la buena amistad hispano-francesa». La segunda obedecía a la convicción de que España debía desarrollar una política propia con el fin de asegurarse su «libre determinación» ante los problemas y conflictos del mundo, y para ello nada mejor que romper con toda imagen de supeditación a la política francesa. Ésta era la visión de Azaña, que —según Rivas Cherif— afrontó la visita «resuelto a mantenerse en la dignidad de su cargo y su representación, sin adelantarse poco ni mucho a presuponer la mayor aquiescencia a los avances de una política que el embajador francés se proponía, por lo visto, sin contrapartida» [32].

Todo aquel «clima de electricidad» —como bien lo definiera Tuñón— alcanzó niveles de alta tensión durante las jornadas de la visita, particularmente el primer día, cuando la calle adquirió un protagonismo inusual en asuntos internacionales. En la mañana del 31 de octubre, un extraño «maridaje extremista» —así le llamó El Socialista— entre estudiantes comunistas y fascistas decidió la convocatoria de una huelga en la Universidad para protestar «contra la amenaza de guerra y contra el imperialismo francés». Según el embajador inglés, lo que contribuyó a dar una mayor relevancia a aquellas pequeñas escaramuzas fue la inmediata contestación que provocaron en los medios oficiales, así como los comentarios condenatorios de la prensa liberal y socialista con el objetivo de cerrar filas en torno a la República y la visita del presidente francés. En cualquier caso, los acontecimientos del primer día no impidieron que el programa se desarrollara según lo previsto: muchas visitas de cortesía o de turismo en un clima de progresiva distención, pero de escasas expectativas en cuanto a los resultados políticos del viaje. Finalmente, la visita pudo salvarse gracias a una apoteósica manifestación de despedida a los compases de *La Marsellesa* y en medio de un gran entusiasmo popular. Aquella «compensación ruidosa» —como la difinió Herriot— alejó en parte el mal sabor de boca provocado por los acontecimientos de jornadas precedentes y sirvió para que los periódicos españoles y franceses proclives a ambos gobiernos comentaran el éxito con que concluyó la visita del Presidente [33].

Por encima de incidentes y declaraciones, ¿cuales fueron los resultados concretos de aquella visita? Madariaga se mostró tajante al respecto: como quiera que a Herriot se le dio «una acogida cordial pero en sordina» y que Azaña se negó a «un diálogo a solas con su huesped», el presidente francés «se volvió a su país frustrado y humillado —lo que no cabe considerar como inevitable—. Salió perdiendo España y aún más la República». Cierto que no se puede dudar de ese sentimiento de frustración en el ánimo de Herriot, pero tal desencanto —a juzgar por su propio testimonio— no se debía tanto a la actitud del gobierno Azaña como a «las complicaciones» a que daba lugar su presencia en Madrid, derivada de la incidencia de la propaganda antifrancesa «venida de fuera» [34]. Dejando a un lado las valoraciones de los protagonistas, si bien no hay motivos para considerar el viaje como un éxito, tampoco puede ser interpretado como un fiasco.

En primer lugar, el viaje de Herriot contribuyó en cierta medida a mejorar la imagen de la República en el exterior y, sobre todo, a acrecentar el prestigio del gobierno español. Los comentaristas políticos y observadores diplomáticos así lo pusieron de manifiesto al considerar que «el principal beneficiario de la visita» había sido el gabinete Azaña, que había salido fortalecido de la prueba. Algún corresponsal eufórico llegó incluso a decir que la República había recibido «una *reclame* formidable», puesto que su nombre había sido propagado «en el mundo entero», su régimen había recibido un reconocimiento «sin ninguna clase de reservas» y su «papel espiritual» había crecido como la espuma en Francia [35]. Sin duda, la autoridad moral del régimen, tanto en España como en el extranjero, había subido muchos enteros después de sofocar la intentona golpista de Sanjurjo en el mes de agosto y recibir la bendición de Herriot dos meses y medio después. Pero ni fue tan rotundo el éxito, parcialmente oscurecido con incidentes y rumores, ni hubo lugar para euforias duraderas, reprimidas muy pronto al calor de nuevas complicaciones internas —Casas Viejas, sin ir más lejos, tan sólo dos meses después.

En segundo lugar, la estancia del presidente francés confirmó el clima de entendimiento existente en las relaciones bilaterales. Esto se notó de forma inmediata en el inicio de nuevas conversaciones comerciales y en el trato más rígido que recibieron los refugiados antirrepublicanos en territorio francés. Además, al poco tiempo se constituyó la sociedad *Les Amis de l'Espagne*, dedicada a la promoción de la cultura española en Francia y de la francesa en España, en la que se integraron destacadas personalidades del mundo político y cultural de París bajo la presidencia honoraria del propio Herriot. Pero tampoco hubo lugar para la alegría desmedida en las relaciones hispano-francesas. La «inteligencia cordial» que parecía reafirmarse con fuerza en el otoño del 32 todavía seguía sin traducirse en un «entendimiento efectivo»; se trataba más de una «correspondencia sentimental», apoyada en un «internacionalismo ideal», que de una superación real de los problemas mutuos sobre bases sólidas y duraderas. Tras el viaje de Herriot, los recelos de la derecha francesa hacia el régimen republicano no se disiparon; las suspicacias sobre las pretensiones francesas de «satelizar» la acción diplomática de la «república hermana» persistieron en importantes núcleos de la opinión pública española, y la propaganda francesa en España no acababa de dar sus frutos, mientras se incrementaba la influencia periodística de italianos y alemanes, amén de que las cuestiones comerciales jamás se resolverían [36]. En suma, la visita proporcionó un balón de oxígeno a las relaciones bilaterales, pero se trataba de un balón que podía desinflarse fácilmente. Esto último fue lo que sucedió más pronto que tarde: bastó un cambio de coyuntura, tanto nacional (cambio de gobierno en España) como internacional (radicalización del enfrentamiento franco-germano con Hitler en el poder), para que de la cordialidad se pasara al enfriamiento, cuando no al latente enfrentamiento.

En cuanto a la *entente* franco-española en política europea, la visita de Herriot demostró que ni Francia pretendía ni España consentiría que se llegara a compromisos de largo alcance, tipo acuerdos militares. A pesar de que se siguiera hablando de estos temas con posterioridad, sobre todo en Italia y en la prensa española de derechas, en las cancillerías europeas se daba por seguro que la colaboración franco-española no andaría por caminos tan siniestros y escabrosos, sino por otros más públicos y asequibles: los de la diplomacia multilateral en Ginebra. En efecto, aunque Herriot no hablara de ello con Azaña, sí lo hizo con Zulueta, con quien trató las cuestiones relacionadas con el desarme y el peligro de guerra en Europa. Según la documentación francesa, el ministro español se mostró receptivo a las tesis de París y reconoció a Herbette, en privado, que el viaje no sólo había servido para expresar una mera «cuestión de sentimiento», sino que tenía una profunda «significación política», mostrándose dispuesto a «trabajar paso a paso, discreta y eficazmente, para poner en armonía los intereses de los dos países en todos los dominios». El embajador británico, por su parte, tuvo conocimiento de que una de las cuestiones tratadas durante el transcurso de las entrevistas entre Herriot y Zulueta, con la intervención de Madariaga, había sido la posibilidad de que España, bajo la batuta del delegado español en Ginebra, liderara el Grupo de los Ocho con la perspectiva de prestar su apoyo al nuevo plan de desarme francés [37]. Con ello Grahame daba en el *quid* de la cuestión.

Era evidente que Herriot, además de brindar «apoyo fraternal» a la República española, deseaba obtener algo más concreto de su viaje a Madrid y, también, que su principal preocupación estaba centrada en las conversaciones sobre desarme. No era de extrañar, pues, que el presidente francés —como apuntó el *Foreign Office*— realizara «un gran esfuerzo para movilizar el apoyo español a su nuevo plan de desarme» y que tal apoyo se intentara canalizar a través del Grupo de los Ocho, en el que Madariaga desempeñaba un importante papel de «autoridad moral» y había dos firmes aliados de los franceses: Checoslovaquia y Bélgica [38]. El grupo de pequeñas potencias era la vía idónea para concretar la tan ansiada colaboración franco-española en la política europea. Con ello Francia no sólo se aseguraba el apoyo español, sino también el respaldo de una plataforma colectiva que basaba su discurso político en la «objetividad» internacional, muy al gusto de Herriot y de su *plan constructif*. La República española, por su parte, arropada en el *camouflage* del Grupo de los Ocho, podía corresponder a la «solidaridad moral» que le prestaba su hermana mayor sin que su postura fuera interpretada en términos de satelitización con respecto a la política francesa, sino como una expresión más de su compromiso en la defensa de la seguridad colectiva que tanto interesaba a las pequeñas potencias europeas.

El resultado: el apoyo español al *plan constructif*

El peso del factor París se hizo notar desde la reanudación de las sesiones de la Conferencia del Desarme, cuando la diplomacia española mostró una mayor disposición a la comprensión de los problemas de la seguridad fran-

cesa. Tal actitud se mantuvo mientras duró la posibilidad de que se llegara
a algún acuerdo concreto sobre la base de las proposiciones del gobierno
francés y coincidiendo con las primeras reacciones de preocupación que se
desencadenaron en España y en el resto de las pequeñas democracias europeas inmediatamente después de la subida de Hitler al poder.

A comienzos de febrero de 1933 la Conferencia abordó el examen del
proyecto francés de desarme. Se trataba del llamado *plan constructif* que
había presentado Herriot a mediados de noviembre de 1932 y cuyo debate
había sido aplazado tras la decisión alemana de no acudir a Ginebra en
tanto no se reconociera el principio de la igualdad de derechos. Las discusiones duraron seis semanas, hasta mediados de marzo, y desde el primer momento se advirtió que el nuevo período de sesiones estaría dominado por el enfrentamiento franco-germano. El desacuerdo se inició con el
primer debate en la Comisión General, se prolongó en el seno del *Bureau*
por cuestiones de procedimiento, se extendió a las diversas comisiones de
trabajo y se agudizó a medida que se entraba en el tratamiento de un
nuevo tema hasta llegar a paralizar, casi por entero, los trabajos de la
Conferencia. Las diferencias entre las tesis francesas y alemanas obligaron
a recurrir al aparcamiento de los «temas calientes» mediante el nombramiento de subcomités especiales, que no hicieron sino agrandar la sensación de fracaso.

Las primeras impresiones de pesimismo se confirmaron tan pronto como
se tomó el pulso a la situación real en que se encontraba la Conferencia.
Esto sucedió entre el 2 y el 8 de febrero, durante el debate sobre el plan
francés en la Comisión General. El nuevo proyecto de los franceses establecía un sistema de seguridad flexible según criterios territoriales, agru-
pando a los Estados en tres círculos concéntricos y fijando diferentes obligaciones de seguridad para cada uno de ellos. Así, el círculo exterior, en
el que se integraban todas las naciones representadas en la Conferencia
del Desarme, contraía ciertos compromisos generales con arreglo al Pacto
Briand-Kellog; el círculo intermedio, formado por todos los miembros de
la Sociedad de Naciones, estaba sujeto a las obligaciones de asistencia
colectiva establecidas en el *Covenant*, contemplándose la posibilidad de crear
una fuerza aérea de carácter internacional; y por último, para el círculo
interno, en el que estarían integradas todas las naciones del continente
europeo, se proponía la adopción de un pacto de asistencia mutua que
comprendía tanto disposiciones políticas como militares, y entre las cuales
destacaba la homogeneización de todos los ejércitos continentales, con establecimiento de un número de efectivos limitados y adopción de un sistema de reclutamiento basado en el servicio militar obligatorio de corta
duración [39].

Las grandes potencias no parecieron dispuestas a aceptar las propuestas francesas en su conjunto. Gran Bretaña rechazó asociarse a nuevos compromisos de seguridad y al pacto de asistencia mutua europea. Italia rehusó tomar en consideración la idea de una fuerza internacional y la uniformidad de los ejércitos. Alemania echaba en falta proposiciones de desarme cualitativo que hicieran posible la igualdad de derechos, al tiempo que Hitler concentraba sus esfuerzos en la preparación de la *Reichswehr*. Y Estados Unidos prefería que los europeos se entendieran primero entre ellos antes de que recurrieran a su cooperación. La existencia de estas resistencias, concretadas en el «doble juego» alemán, la complicidad revisionista de los italianos, las reservas británicas y la orientación neutralista de los americanos, reducía al mínimo las posibilidades de éxito de la diplomacia francesa. Tampoco entre las pequeñas potencias existía un criterio unánime sobre el *plan constructif*. Los apoyos incondicionales a París vinieron de los países de la *Petite Entente* y de Grecia, y en parte, también de Bélgica. El resto de las delegaciones mantuvo diferentes criterios. Resultó muy significativo, en este sentido, los diversos caminos tomados por el Grupo de los Ocho, que iban desde el apoyo incondicional de Checoslovaquia y casi incondicional de Bélgica hasta el rechazo de los países escandinavos —siempre hostiles a todo pacto de asistencia mutua que obligara a mayores compromisos— y de Holanda —disconforme con el criterio de que Gran Bretaña quedara excluída del pacto continental—, pasando por la solución intermedia, aunque ligeramente inclinada del lado de París, de la delegación española, cuya actitud fue de «apoyo matizado» al plan francés [40].

La posición española fue defendida por Zulueta en la sesión del 6 de febrero. Para el ministro español había confluencias evidentes entre algunos aspectos sustanciales del plan francés y las propuestas de desarme que España había estado defendiendo en Ginebra, si bien dejó constancia de que la República deseaba medidas más radicales de desarme cualitativo y aéreo. Zulueta señaló hasta seis coincidencias programáticas para argumentar el apoyo español a las tesis de París. La primera era que el plan francés combinaba la seguridad con el desarme. En segundo lugar, las proposiciones francesas tendían a reforzar la autoridad del Consejo de la Sociedad de Naciones al renunciar a la regla de la unanimidad en la toma de decisiones, una cuestión que España valoraba muy positivamente al estimar dicha norma contraria al espíritu democrático. Una tercera se debía a que el gobierno republicano simpatizaba con la idea de un pacto continental ligado al *Covenant*, al tiempo que se declaraba dispuesto a adherirse a toda iniciativa tendente a asegurar la paz en el Mediterráneo por la vía de acuerdos regionales. En cuarto lugar, el plan francés suponía un avance en el desarme cualitativo, a pesar de que España creía que se debía «ir más lejos» en las limitaciones propuestas. Otra coincidencia se refería al reconocimiento de la necesidad de establecer un sistema de control de la fabricación de armas y municiones de guerra. Por último, la idea de crear una fuerza aérea internacional era «particularmente seductora» para la República, y ello a pesar de los escollos que habían que superarse para ponerla en práctica [41].

Después de la discusión plenaria en la Comisión General, la elaboración del programa de trabajo de la Conferencia centró la atención del *Bureau*. Cuestiones de procedimiento volvieron a enfrentar entonces a franceses y alemanes, que no se ponían de acuerdo en el orden en que debían debatirse los temas de la limitación de los efectivos y la reducción de los materiales, divergencia nada baladí dado que en el fondo se trataba de impulsar o impedir el tratamiento de la propuesta francesa sobre la uniformidad de los ejércitos europeos. Ante la disyuntiva planteada, España apoyó sin reservas el punto de vista francés, y no sin razones, puesto que su apoyo al *plan constructif* no se debía sólo a coincidencias programáticas. Junto a ellas, también existía un argumento de fondo que justificaba el respaldo español al capítulo de seguridad. España compartía con Francia el mismo modelo de organización militar: un ejército defensivo reclutado a través de un servicio militar obligatorio de corta duración, sistema sobre el que reposaba la pretendida homogeneización de los ejércitos continentales. No hay que olvidar, al respecto, que el modelo de ejército francés estaba en la base de las reformas militares emprendidas por Azaña desde el Ministerio de la Guerra, y que su generalización a todo el continente europeo implicaba una disminución del potencial agresivo de los ejércitos [42]. En consecuencia, el 23 de febrero España votó favorablemente la transformación de los ejércitos europeos en ejércitos de milicias de corto tiempo de duración y efectivos reducidos, propuesta que contó con el respaldo de la mayoría de las delegaciones.

El acuerdo alcanzado sobre efectivos era más aparente que real. La oposición sistemática de Alemania, la existencia de numerosas abstenciones y los votos negativos de Italia y la Unión Soviética para ciertas cuestiones específicas demostraban que cualquier acuerdo que se tomara en la Comisión General sería difícilmente aceptado por varias de las grandes potencias. La suerte de la Conferencia parecía echada mientras el enfrentamiento franco-alemán siguiera dominando sus trabajos, y ahora resultaba más improbable que París y Berlín llegaran a un acuerdo sobre desarme, puesto que la presencia del nazismo en el poder había alterado sustancialmente la correlación de fuerzas a nivel internacional y alarmado profundamente a la opinión pública democrática y, por supuesto, al gobierno francés.

La consideración de la nueva coyuntura política europea también estaba influyendo en la decisión española de prestar su apoyo al *plan constructif*. Junto a las coincidencias programáticas y el interés común en el modelo organizativo de la defensa nacional, el principio de «solidaridad democrática» —tan demandado por Herriot en el verano del 32— imponía la obligación moral de ser comprensivos con Francia en su enfrentamiento con Alemania. Si antes del 30 de enero de 1933 parecía claro que las condiciones de desarme impuestas al *Reich* por el tratado de Versalles no podían ser mantenidas por más tiempo y que un cierto rearme alemán era necesario -y aún imprescindible- desde el punto de vista de la justicia internacional, tras la subida de Hitler al poder resultaba sumamente peligroso afrontar las consecuencias finales de un rearme alemán bajo control nazi. La «amenaza alemana» comenzó a planear en el ánimo de la diplomacia europea y condicionó la actitud de las delegaciones presentes en la Conferencia [43].

La percepción de esta nueva realidad por parte del gobierno de Madrid también fue un elemento clave en el apoyo español a las medidas de seguridad propuestas por Francia. De hecho, la «actitud amistosa» que venía manteniendo la prensa republicana hacia Alemania cambió radicalmente en 1933, año en que también tuvo lugar más de una manifestación de protesta ante las sedes de la representación alemana en España. «Si bien las relaciones hispano-alemanas, al nivel oficial» —ha precisado Viñas—, «no se resentirían por la convulsión», otra cosa distinta era la práctica de la diplomacia multilateral en el marco de la Sociedad de Naciones, donde intervenían consideraciones más globales de política internacional [44]. Y fue precisamente en este ámbito, y más especialmente en la Conferencia del Desarme, donde se hizo notar una mayor influencia de esa hostilidad latente en la opinión pública republicana hacia el régimen nazi, llevando a la delegación española a mantener posiciones más firmes frente a las pretensiones del gobierno de Berlín, aunque sólo fuera a través de un reforzamiento de las prevenciones a adoptar con respecto al rearme alemán.

Tal actitud fue común a las delegaciones integradas en el Grupo de los Ocho. La preocupación ante el nuevo rumbo que tomaba la situación europea con el nazismo en el poder fue subiendo de tono a medida que las votaciones de Ginebra ponían de manifiesto la imposibilidad de acuerdo, como bien se puso de manifiesto en las reuniones celebradas por los Ocho durante este período. En una de ellas, la que tuvo lugar el 21 de febrero, la inquietud se expresó de forma taxativa cuando sus delegados analizaron la política de desarme atribuyendo a Alemania e Italia propósitos de «sabotear la Conferencia» a la vez que valoraron positivamente la prudencia de Francia. El representante suizo, por ejemplo, salió de aquella reunión con la impresión de que «la posición francesa es infinitamente mejor comprendida y que los debates de estos últimos días le han dado mucha fuerza a los ojos de estas delegaciones», puesto que «todos comprenden el peligro de dejar que Alemania cree una milicia conservando su *Reichswehr*». Poco después, el propio Motta comentó con Massigli, el delegado francés, que los neutrales no dudaban de que Alemania estaba decidida a rearmarse «hacia y contra todos» y que, en ese caso, la Sociedad de Naciones iba a encontrarse ante una crisis muy grave. Percepción de la amenaza del rearme alemán bajo control nazi y comprensión de la posición francesa eran, pues, elementos a considerar en el apoyo prestado al plan francés por el Grupo de los Ocho, cuya principal preocupación seguía siendo el temor al fracaso de la Conferencia [45].

El pesimismo de las pequeñas potencias estaba plenamente justificado. Si en la Comisión General no se llegaba a un acuerdo unánime sobre la cuestión de los efectivos, tampoco se avanzaba mucho más en las otras comisiones que trabajaron intensamente por las mismas fechas: el Comité Aéreo y la Comisión Política. El primero, bajo la presidencia de Madariaga, tenía que examinar la posibilidad de abolir la aviación militar y naval y los bombardeos desde el aire en combinación con un sistema efectivo de control de la aviación civil. Fue allí donde se hizo más visible la identificación de criterios entre Francia y el Grupo de los Ocho, que formaron un bloque unido frente al resto de las grandes potencias con el objetivo de defender las propuestas francesas de internacionalización de la aviación civil a través del establecimiento de una compañía que se encargara de las grandes líneas del transporte aéreo bajo los auspicios de la Sociedad de Naciones y la creación de una policía aérea internacional.

Las diferentes posiciones adoptadas en el Comité eran el reflejo de los dispares intereses nacionales que se enfrentaban en el aire. Francia, al concentrar todos sus esfuerzos en la defensa terrestre, estaba dispuesta a llegar todo lo lejos que se pudiera en las cuestiones aéreas. Alemania, de acuerdo con el doble juego que practicaba en el terreno del desarme para lograr inmunidad para su rearme, pretendía la abolición de la aviación militar y creía suficiente establecer un control de la aviación civil. Italia, cuya política de defensa concedía una gran importancia a las fuerzas aéreas, no estaba dispuesta a aceptar la abolición de la aviación militar y defendía una limitación de la aviación civil, oponiéndose a su supervisión, y mucho más a su internacionalización. Gran Bretaña, dada su condición insular, era partidaria del mantenimiento de las aviaciones militares, considerando suficiente la supresión de los bombardeos aéreos, y propugnaba el control de la aviación civil. Las pequeñas potencias, además de su completa inferioridad en todos los terrenos y sobre todo en el aire, confiaban en el desarme aéreo como medio para llegar a un acuerdo concreto sobre el futuro convenio [46].

Durante el transcurso de las discusiones en el Comité Aéreo, Madariaga intentó jugar la baza que le proporcionaba su presidencia, apoyando con insistencia las principales líneas de la propuesta francesa. Contó para ello con el apoyo de las delegaciones del Grupo de los Ocho, que estimaban que si los británicos adoptaban una posición clara sobre la supresión de la aviación militar ligada a la creación de una policía aérea y a la internacionalización de la aeronáutica civil, tanto Alemania como Italia cederían en su actitud. Pero Gran Bretaña no se mostraba dispuesta a aceptar ni una ni otra propuesta, decidiéndose finalmente que ambas fueran sometidas al estudio previo de dos nuevos subcomités técnicos antes de tomar una resolución concreta. De nuevo, un aspecto importante del Convenio de Desarme, el desarme aéreo, quedaba relegado a un segundo plano, en manos de comités que se perdían en discusiones técnicas sin posibilidad de éxito [47].

La Comisión Política, por su parte, discutió la propuesta británica de que los Estados europeos debían hacer una declaración solemne contra el recurso a la fuerza como instrumento de política internacional. La resolución se adoptó el 2 de marzo sin aparente oposición, aunque con numerosas abstenciones. A continuación, la Comisión centró sus discusiones en la proposición francesa de un pacto europeo de asistencia mutua, que fue aceptada el 7 de marzo, aunque de forma pírrica, porque tanto Alemania como Italia votaron en contra, además de Austria, Hungría y Holanda, ésta última porque el acuerdo excluía a Gran Bretaña, que se cuidó en garantizar el carácter exclusivamente «continental» del mismo. En cualquier caso, finalmente se decidió que el texto de ese futuro pacto europeo debía ser pospuesto hasta que se tomara una decisión sobre la definición del agresor, cuestión para la que se decidió establecer un nuevo subcomité [48].

A comienzos de marzo la Conferencia del Desarme volvía a encontrarse como al principio: en un punto muerto y sin posibilidades de éxito. La esterilidad de los debates cansaba a una opinión pública cada vez más escéptica con respecto a los resultados concretos que se podían alcanzar en Ginebra. En España, hasta los sectores más proclives a la Sociedad de Naciones comenzaron a cuestionar la eficacia de la Conferencia, que fue valorada como una «inutilidad» [49]. Además, la quiebra del sistema de seguridad colectiva en el Lejano Oriente y en América del Sur constituían claros indicios de que no iba a alcanzarse acuerdo alguno sobre reducción de armamentos. La situación de parálisis volvió a evidenciarse cuando la Comisión General comenzó a debatir la reducción cualitativa de los armamentos terrestres, que supuso un nuevo enfrentamiento, ahora más agudo que nunca, entre las tesis defendidas por Francia y Alemania. De nuevo la Conferencia recurrió al método tradicional de evasión y nombró otro subcomité para estudiar el problema planteado.

El plan francés, inaceptable para los alemanes e italianos, impracticable para los británicos y cuestionado por los propios aliados de Francia, había fracasado irremisiblemente al no haberse aceptado la idea de la asistencia mutua, que era el eje sobre el que se articulaba todo el andamiaje de la seguridad. Cuando parecía del todo improbable que Francia modificara su firme defensa de la «seguridad primero», el Gabinete Daladier decidió imprimir un nuevo giro a su política de desarme con el fin de procurarse el apoyo británico. A partir de entonces, la diplomacia francesa dejó de insistir tanto en la idea de seguridad para centrar su atención en la cuestión del control, lo que era —según Vaïsse— «una tímida readaptación» de su política exterior a las nuevas condiciones de la política europea [50]. No obstante, fracasado el *plan constructif*, Francia perdió la iniciativa diplomática. Ante el cambio de actitud de París, la Conferencia entró en un compás de espera, al tiempo que crecía la tensión política en Europa con las nuevas medidas tomadas por Hitler para asegurarse el control del aparato político y militar en Alemania. En esa situación de *impasse*, el *Foreign Office* reaccionó anunciando oficialmente que MacDonald y Simon acudirían a Ginebra para presentar una nueva propuesta de desarme, iniciativa que de inmediato se cruzó con otra, esta vez procedente de Roma: el Pacto de los Cuatro.

LA INCIDENCIA DEL FACTOR ROMA

El 16 de marzo MacDonald presentaba en Ginebra las líneas generales del proyecto de convención británico sobre desarme. Dos días después, el *premier* británico y John Simon, titular del *Foreign Office*, viajaban a Roma invitados por Mussolini, quien, preocupado por el éxito de Hitler y la posibilidad de que éste quisiera poner en práctica el *Anschluss*, estaba preparando una nueva iniciativa diplomática: la resurrección del viejo concierto europeo. La idea del *Duce* era llegar a un pacto cuatripartito entre Gran Bretaña, Francia, Alemania e Italia para la resolución conjunta de los principales problemas europeos. Nacía, de esta forma, el Pacto de los Cuatro, con la finalidad de constituir una especie de directorio de grandes potencias que impusieran una política de paz en Europa. El proyecto original de Mussolini contemplaba la adopción de acuerdos en dos direcciones concretas: por una parte, la revisión de las cláusulas territoriales de los tratados de paz que fueran objeto de controversias y, por tanto, susceptibles de originar conflictos; por la otra, el reconocimiento del rearme de Alemania a través de la aplicación del principio de la igualdad de derechos, con independencia de lo que se decidiera en el marco de la Conferencia del Desarme, la cual se limitaría a ratificar las soluciones concertadas previamente por británicos, franceses, alemanes e italianos [51].

España en la «tormenta diplomática» contra el Directorio

El anuncio del Pacto de los Cuatro provocó la inmediata reacción de las pequeñas potencias, desencadenándose una auténtica «tormenta diplomática» en toda Europa. Como era de esperar, Polonia y la *Petite Entente* rechazaron de plano el proyecto italiano, que interpretaron dirigido contra sus propios intereses nacionales. De igual forma, en Bruselas, Copenhague, Estocolmo, La Haya, Berna, Oslo y Madrid también se reaccionó en un sentido negativo, cundiendo la alarma ante el riesgo evidente de que se instituyera un sistema de diplomacia secreta que marginaba a las pequeñas potencias de las decisiones importantes sobre política europea.

La protesta comenzó en el seno de la Conferencia del Desarme, cuya Comisión General decidió en principio no acceder a la suspensión de sus sesiones e iniciar inmediatamente las discusiones del plan MacDonald. La actitud adoptada por la Comisión indicaba —como bien señaló Madariaga— «la reacción contraria de las potencias secundarias, y, a la vez, la manifestación del antagonismo tácito entre el primer ministro británico y el presidente de la Conferencia», el también británico Henderson, que veía en la propuesta de Mussolini el principio del fin de la Conferencia del Desarme. Pese a aquel «golpe teatral» dado por las pequeñas potencias en Ginebra, la tormenta diplomática que siguió a la propuesta de Mussolini hacía insostenible la prolongación de las reuniones, que sólo duraron tres días más. El 27 de marzo la Comisión General aplazó sus sesiones hasta el 25 de abril, no sin antes decidir que se tomaría el proyecto de convención británico como base de las discusiones [52]. El primer efecto del anuncio del Pacto de los Cuatro fue, por tanto, la paralización inmediata de la Conferencia. Por espacio de un mes, Ginebra perdió su habitual protagonismo en la actividad diplomática europea, que pasó a desarrollarse exclusivamente a través de las negociaciones entre cancillerías.

La diplomacia española se mostró particularmente activa durante el interregno ginebrino. Las declaraciones públicas, las intervenciones oficiales y los comentarios de prensa sobre la situación internacional alcanzaron un ritmo inusual en la vida de la joven república española, que se mantuvo a la expectativa de los acontecimientos diplomáticos, alarmada ante la naturaleza y consecuencias del Pacto de los Cuatro. El primer comentario público sobre el tema fue realizado por Madariaga en la reunión de la Comisión General del 27 de marzo, después de haberse puesto en contacto telefónico con Zulueta. El delegado español declaró que la iniciativa dificultaba las tareas de la Conferencia, añadiendo que si sus propósitos eran —como informaba la prensa— realizar ajustes territoriales en Europa y proceder a una revisión de los tratados, la República tenía que hacer tres observaciones concretas. La primera, que cualquier esfuerzo que se hiciera en ese sentido «debía y solamente podía» llevarse a cabo en medio de una atmósfera de paz consolidada; la segunda, que cuando existiera esa atmósfera, «sería altamente deseable que todos conocieran el alcance de sus propósitos», y por último, que si el problema planteado consistía en corregir los defectos observados en los tratados, «quizás fuera prudente abstenerse de seguir aquellos métodos que habían causado el mal que se pretendía remediar», ya que los tratados que se intentaban revisar habían sido elaborados, precisamente, por un reducido grupo de potencias, siendo esta circunstancia una de las causas de su fracaso [53].

Pero en esta ocasión la diplomacia republicana no se limitó a hacer declaraciones solemnes en la tribuna de Ginebra. Cumpliendo instrucciones recibidas de Madrid, el propio Madariaga había desplegado una intensa actividad diplomática en París, antes de desplazarse a Ginebra. Allí mantuvo entrevistas con el embajador británico en París, Lord Tyrrell; con el secretario general del *Quai d'Orsay*, Alexis Léger, y con el ministro del Aire francés, Pierre Cot. En estos encuentros, el embajador español puso especial interés en llamar la atención de sus interlocutores sobre las consecuencias negativas que se podían derivar, no sólo para los pequeños Estados, sino especialmente para Francia y Gran Bretaña en el caso de que decidieran acceder a la petición de Mussolini. En concreto, Madariaga advirtió a Léger sobre la posibilidad de que la opinión pública española y el gobierno de la República consideraran la constitución de un directorio «como una razón imperiosa para cambiar diametralmente su política de Ginebra, de la posición actual favorable a aumentar y precisar las obligaciones cooperativas del Pacto, a una política consistente en hacerlas, por lo que a España concierne, más vagas y elásticas». Léger intentó tranquilizar al Embajador con el argumento de que las enmiendas francesas eliminarían del acuerdo «todo lo que no sea general», restándole contenido concreto en cuanto a la igualdad de armamentos y la revisión de los tratados e insertándolo en el marco de una Unión Europea. Pese a este alegato, Madariaga no se mostró del todo satisfecho con la respuesta y, en un intento de abortar desde el principio la idea del proyectado directorio, propuso finalmente que el pacto no se limitase a británicos, franceses, alemanes e italianos, sino que comprendiese «todos los miembros europeos del Consejo» [54].

Como consecuencia de sus entrevistas con Léger, Cot y Tyrrell, Madariaga sugirió al Ministerio de Estado un plan de actuación para que la actitud de España ante el Pacto de los Cuatro se hiciera oir en Europa de un modo firme. El plan contemplaba examinar la conveniencia de invocar el acuerdo de confianza europeo para solicitar el texto exacto de la proposición italiana; obtener información fidedigna sobre las reacciones y actuaciones de las diferentes cancillerías, y por último, fijar la posición española «de un modo auténtico» por medio de un procedimiento que le diera gran publicidad, tanto en España como en Europa. La posición española podría estar basada, según Madariaga, en admitir toda toma de contacto más o menos continua entre las grandes potencias a modo de consultas; señalar los peligros serios que acarrearía para el sistema de la Sociedad de Naciones la creación de una institución cerrada de grandes potencias; admitir como concesión el establecimiento de un comité formado por los miembros europeos del Consejo de la Sociedad para tratar los asuntos de Europa, aunque no como forma deseable, y llegar incluso a apuntar que de prosperar la iniciativa España tendría que rectificar su política internacional. Es decir, lo que había propuesto a Léger, aunque dándole una difusión pública notoria que hiciera aparecer a España como defensora de las ideas de democracia, publicidad y universalidad en que reposaba el *Covenant*.

Si Madariaga multiplicó sus contactos diplomáticos en París, Zulueta hizo lo mismo en Madrid. Durante la última semana de marzo, los encuentros entre el jefe de la diplomacia española y el embajador de Francia en Madrid se sucedieron casi a diario. Atendiendo a los requerimientos del Ministro, el gobierno francés facilitó al español información confidencial sobre el contenido de las propuestas de Mussolini, al tiempo que intentó tranquilizarle sobre las consecuencias finales del acuerdo con el argumento de que París se proponía insertar el Pacto de los Cuatro en el «cuadro general» más amplio de la cooperación internacional, vinculándolo a la Sociedad de Naciones. Fue entonces cuando Zulueta sugirió a Herbette que, ante la iniciativa italiana, sería «altamente deseable» que España y Francia coincidieran en sus puntos de vista y llegaran a una especie de «*entente* espontánea», sin necesidad de que existiera acuerdo concertado alguno, argumentando para ello las coincidencias franco-españolas en materia de política exterior: «permaneciendo siempre en una neutralidad de la que actualmente no debe salir» —matizó Zulueta—, «la República española estaría dispuesta siempre, en la modesta medida de sus posibilidades, a ayudar a Francia desde que encuentre la ocasión de prestarle un servicio» [55].

Tanto las conversaciones de Madariaga en París como las de Zulueta en Madrid perseguían los mismos objetivos: en primera instancia, obtener información sobre las conversaciones secretas, y simultáneamente, hacer presión diplomática en contra de un directorio europeo. Ambas gestiones, además, se orientaron en la misma dirección: hacia el gobierno francés, lo cual era una prueba más de que París, por una parte, seguía siendo un factor decisivo para determinar el curso de la política exterior española, y de que Madrid, de la otra, y como consecuencia de lo primero, pretendía rentabilizar de algún modo las buenas relaciones existentes entre las dos «repúblicas hermanas». Se debió pensar entonces —no sin motivos— que ésta era una ocasión inmejorable para comprobar si la diplomacia francesa, después de la visita de Herriot y el apoyo dado por la delegación española al *plan constructif*, perseguía objetivos de ayuda mutua en sus relaciones con sus Estados amigos, bien fueran «aliados» o simplemente «hermanos», o si, por el contrario, sólo deseaba tenerles a su lado en momentos de apuros para luego olvidarse de ellos a la hora de tomar decisiones que afectaban a los destinos de todos. No era ésta, desde luego, una reflexión carente de importancia, pues —como se comprobará más adelante— influyó poderosamente en los reajustes de política exterior practicados por la diplomacia española con posterioridad.

Una vez establecidos los primeros contactos, esta vez la diplomacia española procuró dar los siguientes pasos de forma coordinada, consciente de que la gravedad de la situación exigía una respuesta, no sólo meditada, sino también unificada. Madariaga fue llamado urgentemente a Madrid con el fin de informar detalladamente a Azaña y Zulueta sobre sus gestiones en París y estudiar la política a seguir en Ginebra. El Consejo de Ministros, por su parte, examinó la cuestión detenidamente y decidió no precipitarse en dar una réplica inmediata. En un comunicado hecho público tras una reunión celebrada en Palacio el 29 de marzo, el Gobierno se limitó a declarar que seguía «con atención vigilante» los acontecimientos internacionales y que, frente a las negociaciones diplomáticas que se avecinaban, reafirmaba su tradicional «política de paz», basada en «la defensa inquebrantable de los derechos y de los legítimos intereses de España» y «la adhesión sincera al Pacto de la Sociedad de Naciones» [56].

De la preocupación a la vigilancia

Mientras la diplomacia republicana se reactivaba, el debate sobre el significado y el alcance de la iniciativa de Mussolini se extendió a la sociedad española a través de la prensa. Por primera vez desde hacía varios meses, las cuestiones internacionales volvieron a ocupar las portadas y los editoriales de los principales periódicos de Madrid, multiplicándose los comentarios sobre las repercusiones que el Pacto de los Cuatro podía tener para el futuro de Europa y la política europea de la República.

La prensa de derechas, por lo general bastante propensa a dar por buena toda iniciativa procedente de Italia por simple cuestión de afinidades ideológicas, no condenó taxativamente la idea de constituir un directorio de grandes potencias, aunque tampoco la aprobó de forma entusiasta. Pese a las reservas, los diarios conservadores mostraron su evidente satisfacción con la idea de proceder a ajustes territoriales en favor de los países vencidos, subrayando que era el momento idóneo para hacerlo, pues la Conferencia del Desarme había fracasado irremisiblemente. En cualquier caso, tampoco estos sectores de opinión se hacían demasiadas ilusiones respecto al éxito final de la propuesta, achacando a Francia los previsibles obstáculos que se interpondrían en el camino de revisar el sistema de Versalles. La prensa liberal y socialista, por el contrario, vio en el Pacto de los Cuatro una amenaza directa a la mecánica democrática fijada en el *Covenant* para la resolución de los conflictos europeos. Su actitud evolucionó desde un primer momento en que sus comentarios parecían dar «una impresión de espera más o menos indecisa» hasta la condena sin paliativos en las fechas posteriores, cuando los propósitos de Mussolini se conocieron de un modo explícito. De esta forma, la opinión republicana, no sólo arreció en sus críticas contra el pretendido directorio, sino que exigió del gobierno español una respuesta sin ambages donde se reflejara el firme rechazo español a todo proyecto tendente a someter los asuntos europeos al designio exclusivo de las grandes potencias. *El Sol*, por ejemplo, valoró la iniciativa italiana como una resurrección del «espíritu de Metternich» y conminó al Gabinete Azaña a que le dispensara «las reservas más glaciales» [57].

La reflexiones realizadas por los diarios republicanos sintonizaban con la sugerencia apuntada por Madariaga desde París: plantear una posible rectificación de la orientación de la política española con respecto a las obligaciones del Pacto en el caso de que Francia e Inglaterra aceptaran el plan de Mussolini. No era de extrañar tal coincidencia de criterios; se trataba, en esencia, de una manifestación de descontento que reflejaba la profunda decepción que había causado en importantes sectores de la opinión pública europea el hecho de que tanto Gran Bretaña como Francia se mostraran dispuestas a entablar conversaciones secretas con Italia y Alemania al margen de las instituciones de Ginebra. Sin duda, éste fue el momento en que la política exterior de la República alcanzó sus mayores cotas de publicidad y de aprobación en los sectores liberales nacionales.

El «veredicto de Ginebra» sobre el conflicto de Manchuria había supuesto un reforzamiento moral de las posiciones mantenidas por la delegación española en la Sociedad de Naciones. Los grupos que sostenían al gobierno Azaña comprendieron rápidamente que ese efecto psicológico y esa política podían venirse abajo con el establecimiento de un directorio de grandes potencias, por lo que ejercieron presión sobre el Ejecutivo, en la medida de sus posibilidades, para que rechazara firmemente la iniciativa italiana.

El debate sobre política internacional en la sociedad española llegó a las Cortes. En la primera semana de abril Zulueta compareció ante la Comisión de Estado para exponer la actuación española en la Sociedad de Naciones y su política ante la crisis internacional, hecho poco frecuente en la dinámica parlamentaria. Las discusiones se celebraron a puerta cerrada y duraron tres días, sirviendo para que los grupos políticos aprobaran por unanimidad las líneas generales de la política española en la Conferencia del Desarme y en los conflictos de Manchuria, Chaco y Leticia y analizaran la nueva situación provocada tras el anuncio del Pacto de los Cuatro. La nota oficiosa elaborada el 7 de abril volvía a reproducir los temores españoles ante la formalización de un directorio de grandes potencias y proponía dar un giro sustancial a la iniciativa italiana: «lo que daría un valor decisivo para la paz universal al Pacto de los Cuatro» —exponía la nota de la Comisión parlamentaria— «sería el compromiso formal de llevar a la resolución definitiva de la Sociedad de las Naciones, y con sujeción a sus normas, los arreglos particulares que para su normal convivencia estableciesen entre ellas» [58].

La resolución parlamentaria puede ser considerada como la respuesta oficial dada por España a la idea del directorio europeo. Sus líneas generales coincidían con las sugerencias realizadas por Madariaga desde París, aunque sin mencionar la posible rectificación de la política exterior de la República con respecto a las obligaciones internacionales contraídas en virtud del Pacto de la Sociedad de Naciones. Es de suponer que la indecisión de que estaba haciendo gala el *Quai d'Orsay* por aquellas fechas, sin querer pronunciarse de una manera clara sobre el Pacto de los Cuatro, así como las seguridades dadas por París al gobierno español, en el sentido de que las pretensiones italianas serían finalmente suavizadas, debieron influir en el carácter moderado de la nota del 7 de abril. Al fin y al cabo, después de la «tormenta diplomática» había llegado la calma y el tiempo en que las cancillerías esbozaban líneas de actuación y hacían cábalas, pero sin mostrar abiertamente sus respectivas bazas, por lo que la diplomacia española no juzgó oportuno amenazar con un cambio de rumbo en su política ginebrina, máxime cuando ya la *Petite Entente* y Polonia se estaban encargando de ejercer una fuerte presión sobre Francia a fin de que no aceptara la iniciativa tal y como había sido formulada [59].

En cualquier caso, al Ministerio de Estado le preocupaba seriamente las consecuencias que se podían derivar de las conversaciones entre las grandes potencias. Para Zulueta, después de la propuesta de Mussolini la situación europea se había complicado aún más, puesto que este hecho era «el punto de partida de un posible cambio fundamental en la orientación de la política internacional», y ello planteaba a España «cuestiones delicadas» que era preciso afrontar de cara a clarificar su futura posición en Ginebra. La primera consecuencia que se desprendía de estas reflexiones era que se debía estar vigilantes y preparados ante un eventual cambio de rumbo en la política europea, y para ello era necesario intensificar los contactos diplomáticos, comenzando por los países afines, los ex-neutrales europeos [60].

Las consultas practicadas por la diplomacia española confirmaron plenamente las valoraciones que se habían realizado previamente. Los gobiernos de Dinamarca, Suecia, Noruega, Suiza, Bélgica y Holanda compartían el criterio español de dar la bienvenida a todo acuerdo al que pudieran llegar las grandes potencias en el marco de la Sociedad de Naciones, pero rechazaban terminantemente una especie de dictadura de los grandes que sólo podía significar una merma de la capacidad de decisión de las pequeñas potencias en Ginebra. En cuanto al problema concreto de la revisión de los tratados vigentes, reconocían que éstos no eran «eternos ni inmutables», aunque tampoco estaban dispuestos a aceptar una reforma arbitraria impuesta en virtud de acuerdos entre los más poderosos, estimando que cualquier decisión sobre esta materia debía tomarse a partir de lo estipulado en el artículo 19 del Pacto. Se puso de manifiesto, de igual forma, un deseo de no adoptar iniciativas concretas, dejando que fueran las grandes potencias las que tomaran posiciones claras al respecto, reafirmándose también la necesidad de proseguir los intercambios de información y puntos de vista entre las delegaciones de las pequeñas potencias para actuar de forma coordinada [61]. Todo parecía indicar que España no quería despegarse en ningún momento de la línea de conducta que siguieran los países de similar condición a la suya, reafirmando, por tanto, una línea de no alineamiento internacional.

Momentáneamente, lo único que había conseguido Mussolini con su iniciativa había sido el fortalecimiento de las alianzas de los Estados con intereses limitados. Este hecho resultó evidente en el caso de la *Petite Entente*, que cerró filas en abierta oposición contra el Directorio. Algunos comentaristas también observaron esta circunstancia en los países integrados en el Grupo de los Ocho, aunque en este caso habría que hablar más de una intensificación de contactos informales que de una consolidación como tal grupo, que seguía siendo bastante heterogéneo pese a la unidad de criterio demostrada en el rechazo al concierto de grandes potencias. De todas formas, la alarma suscitada por la naturaleza esencialmente restrictiva de la propuesta italiana había servido para probar la capacidad de reacción de las diplomacias menores, entre ellas la de la República española, que se inquietó, maniobró y actuó como pocas veces había hecho hasta entonces, iniciándose un proceso de reconsideración de la política internacional a la luz de las nuevas circunstancias que se estaban produciendo en la escena europea.

Cuando el 8 de junio de 1933, después de largas y difíciles negociaciones, se firmó en Roma el Pacto de los Cuatro una sensación de alivio se produjo en los gobiernos de las pequeñas potencias. Como ha señalado Duroselle, durante los dos meses anteriores se asistió «a una suerte de movimiento pendular entre el proyecto italiano que disgustaba a los aliados de Francia y el proyecto francés que disgustaba a Italia». El resultado final no podía ser otro que una solución de compromiso: las propuestas de Mussolini habían sido recortadas hasta tal punto que el pacto cuatripartito se convirtió en una caricatura del proyecto original, apareciendo como una nueva declaración de buenas intenciones con el fin de restablecer la confianza en las posibilidades de que las grandes potencias llegaran a un acuerdo sobre el modo de aplicar el *Covenant* y el tratado de Locarno [62].

Aunque el resultado final estaba lejos de satisfacer sus deseos, Mussolini eludió el fracaso diplomático declarándose satisfecho con el texto final del acuerdo. La diplomacia francesa, no sin grandes diferencias internas, había conseguido su propósito de iniciar un acercamiento a Italia, siempre con la mirada puesta en la amenaza alemana. Los británicos centraban todos sus esfuerzos en la reconsideración de su política de desarme. La *Petite Entente* había salido fortalecida internamente, aunque sus relaciones con Francia, su gran potencia protectora, se resintieron de la prueba. Más profunda fue la brecha que se abrió entre París y Varsovia; el gobierno de Pilsudski incrementó sus recelos al no quedar incluído en el club de las grandes potencias. Para España y los restantes miembros no alineados del Grupo de los Ocho (es decir, todos, a excepción de Bélgica y Checoslovaquia), el Pacto de los Cuatro era, no sólo superfluo, sino también contraproducente. En general, todas las pequeñas potencias valoraron que aquel episodio se había saldado con un rotundo fracaso, ya que en vez de ejercer una influencia tranquilizadora sobre la tensa situación internacional lo único que había conseguido era aumentar la confusión y la desconfianza entre los grandes y los pequeños Estados europeos. Pronto se demostraría, además, que el Pacto de los Cuatro no serviría ni para solucionar el tema del rearme alemán ni para mejorar la suerte de la Conferencia del Desarme. Ante el incremento de estas desconfianzas mutuas y la falta de liderazgo moral en la escena internacional, la diplomacia española comenzó a apercibirse de que no le convenía aparecer a los ojos de las potencias europeas como un país que prestaba un apoyo incondicional a los planes de seguridad franceses. Poco a poco, procedió a un reajuste en la orientación de su política exterior. Esto le llevó a acariciar, de una parte, los beneficios que podían derivarse de un mayor acercamiento a la política de Londres, con el fin de propiciar la unidad de acción de las democracias; y a tener en cuenta, de la otra, que las nuevas circunstancias de la política internacional imponían la moderación como premisa en las relaciones bilaterales, sobre todo con Italia, debido a la importancia que había adquirido el factor Roma como contrapunto a la irreductibilidad de los planteamientos alemanes.

La conveniencia del factor Londres

En la primavera de 1933 se produjo un desplazamiento del centro de gravedad de la política europea, que pasó a situarse en Londres. Factor decisivo en este proceso fue la evolución de la situación política en Alemania tras la completa destrucción del parlamentarismo y el inicio de las atrocidades antisemitas de los nazis, que aumentó los temores de los países democráticos, repercutiendo en la orientación de sus políticas exteriores. Los efectos fueron notorios en el caso de Gran Bretaña, donde el gabinete MacDonald, conmovido por la «reacción moral» de una opinión pública en continua ebullición, abandonó su anterior actitud de querer «forzar cambios en contra del interés francés y en favor del alemán» para centrar su atención en la prevención del rearme del *III Reich*. La diplomacia francesa, por su parte, presa de «la contemporización, la veleidad y la inclinación por las soluciones intermedias», no tuvo más remedio que «alinearse sobre una política británica que le era menos desfavorable a causa de los excesos alemanes» [63]. Este doble fenómeno, de pérdida de la iniciativa francesa, de una parte, y de adopción de una política más resuelta por parte de los británicos, de la otra, provocó un cambio de papeles en Ginebra, cuyo liderazgo pasó a manos de Gran Bretaña, punto de mira hacia el que se dirigieron las esperanzas de preservación de la paz.

La mano tendida al arbitraje británico

El cambio de dirección en la política europea no podía pasar desapercibido para nadie, ni siquiera para una diplomacia tan inexperta como la española. Ya en los primeros días de mayo, el gobierno de Madrid daba una muestra de su percepción de las nuevas realidades al expresar confidencialmente al embajador inglés «su deseo de llegar a un paralelismo más estrecho entre las políticas británica y española en un sentido general». Grahame atribuyó el nuevo interés español de sintonizar con Londres a las mismas prevenciones que se estaban adoptando en el resto de las democracias: «como el gobierno republicano contempla con tan marcada repugnancia las numerosas dictaduras existentes en los países europeos, por no mencionar las de Iberoamérica» —explicó—, «ellos están dispuestos a inclinarse hacia Francia e Inglaterra, donde los regímenes democráticos y parlamentarios imperantes les proporcionan una sensación de amistad» [64].

Lo novedoso, no obstante, no era esa inclinación española a la amistad preferencial con las democracias, tendencia que siempre había existido desde el establecimiento de la República, sino el interés declarado en propiciar una mayor coincidencia con la política británica. Con la diplomacia francesa a la deriva, dando golpes de timón en una y otra dirección, era lógico que el factor París como punto de referencia para determinar la actuación española en Ginebra acabara siendo relativizado por Madrid, que comenzó a prestar una mayor atención al factor Londres como árbitro de la política europea. Como señaló un alto funcionario del *Foreign Office*, «por mucho que Francia quiera sostener en sus brazos a España, el régimen actual, tanto como cualquier otro anterior, debe darse cuenta de que algo más que un flirteo sería peligroso para la independencia española» [65]. Fue entonces, en medio de la nueva coyuntura que anunciaba la primavera de 1933, cuando se pudo comprobar que los dirigentes republicanos no iban a cuestionar aquella máxima de la política exterior española —tan socorrida por los políticos de la Monarquía— que aconsejaba marchar siempre al compás unísono de Francia e Inglaterra a fin de evitarse complicaciones externas.

La diplomacia británica acogió muy favorablemente el deseo español de llegar a una mayor afinidad de planteamientos en política internacional. Haciendo gala del típico pragmatismo anglosajón, el *Foreign Office* consideró que existían «razones claras y materiales» para aceptar con sumo gusto la amistad que el gobierno republicano parecía dispuesto a ofrecerle. Aunque España, tanto política como económicamente, no era una potencia europea «de primera clase», se reconocía que «su talla e historia le dan una cierta cantidad de prestigio», amén de que «su posición estratégica» constituía un «factor de gran interés potencial». Junto a ello, también se valoró positivamente el estado de las relaciones bilaterales, que no impedían el acercamiento pese al contencioso de Gibraltar y las dificultades de orden comercial. Por encima de estas consideraciones, en Londres se tuvo en cuenta muy especialmente el concurso de España en la política europea, estimándose que «podría ser de algún valor tenerla de nuestro lado en las conferencias internacionales» y, con ello, evitar que fuera llevada «dentro del círculo de los satélites de Francia». Ésta había sido la auténtica preocupación británica con respecto a la política exterior republicana, dada su propensión francófila, ya que la eventualidad de que se consumara una alianza hispano-francesa era algo «altamente indeseable», no sólo porque «incrementaría el poder de Francia para mover palancas en Ginebra», sino también por «la estratégica posición que Francia ganaría en el Mediterráneo occidental», lo que «alarmaría» a Italia y «no sería bien recibido» por Gran Bretaña [66].

De hecho, toda la actividad diplomática y propagandística —discreta, pero perseverante— que el embajador británico había estado desplegando en Madrid desde hacía varios meses se orientaba en la misma dirección: procurar que los republicanos españoles no cayeran en la tentación de refugiarse en los «brazos extendidos» de los franceses. Ahora, con la espontánea declaración de Zulueta, era el gobierno Azaña quien tendía la mano a Londres, por lo que Grahame pudo respirar más tranquilo, porque al fin advertía una sintonía con los propósitos de su misión, mientras que el *Foreign Office* disipó las pocas dudas que aún mantenía respecto de la imprevisible «satelitización» francesa de la política exterior española. Si hasta entonces Madrid no se había dejado arrastrar hacia ese «abrazo ceñido» al que le invitaba París, con menor razón iba a dejarse inmolar en la primavera y el verano de 1933, cuando los británicos habían tomado la delantera en Europa y se eregían en portadores de una nueva propuesta para mantener la esperanza —ya bajo mínimos— de que se llegara a un acuerdo general en materia de desarme.

Esto se puso claramente de manifiesto en los contactos que Madariaga estaba manteniendo con británicos, franceses y los delegados del Grupo de los Ocho por las mismas fechas con el desarme como centro de atención. Adquirió particular relieve, en este sentido, una entrevista que tuvo en París con el ministro de exteriores francés, en el contexto de las exploraciones que estaba emprendiendo el *Quai d'Orsay* para salir de su aislamiento diplomático. Paul-Boncour expuso entonces la idea de «ir a un convenio muy limitado, que comprendería únicamente la limitación actual, quizá con alguna baja en las cifras, y la Comisión de Control», cuestión que a Madariaga le pareció «bastante razonable» dado que la Conferencia debía clausurar sus sesiones con la sensación de haber alcanzado un acuerdo en algún punto concreto. Pero lo fundamental de aquella entrevista no estaba tanto en comprobar la modificación de los criterios de París, como en descubrir el intento de instrumentalización política de España por parte del jefe de la diplomacia francesa, quien «parecía inclinado a pensar que la gestión de presentar a la Conferencia la necesidad de concluir del modo arriba expresado podría hacerse por el Grupo de las Ocho Potencias». Ante la pretensión de Paul-Boncour, Madariaga reaccionó de inmediato argumentando lo incorrecto de dicho procedimiento al no ser las ocho pequeñas potencias, «o a lo menos seis de ellas», las más implicadas en los conflictos que estaban impidiendo el acuerdo sobre desarme. Aun reconociendo que los excesos nazis estaban «causando estragos a la popularidad alemana en países tan favorables a ella antaño como Suecia», a Madariaga no le parecía «oportuno» ni «posible» llevar al Grupo de los Ocho hasta el terreno que pretendía Francia [67].

Con la actitud de Madariaga, la diplomacia republicana daba una muestra más de querer poner un techo a las relaciones de amistad entre las dos «repúblicas hermanas», sobre todo cuando éstas alcanzaban un punto que pudiera dar a entender una cierta supeditación de la política exterior española con respecto a la francesa. Frente a la posición de París, Madariaga creía necesario «hacer tocar a la Conferencia las causas del fracaso», que a su juicio se debían a la convergencia de dos conflictos: el enfrentamiento franco-germano, que se concretaba en el terreno de los efectivos; y la crisis del Lejano Oriente, que obligaba a Gran Bretaña y Estados Unidos a dar por imposible el desarme aéreo mientras se mantuviera la negativa completa del Japón en esta materia. España y el Grupo de los Ocho nada tenían que ver con estos dos conflictos, por lo que las propuestas debían partir de los Estados interesados. Una vez que éstos tomaran conciencia de las razones del fracaso de la Conferencia, Madariaga creía que sería fácil orientar sus trabajos hacia una solución modesta, siempre que se diera «una unidad de fondo entre los países anglosajones y Francia», que habría de prepararse a fin de contrarrestar la oposición de Alemania e Italia [68].

En el fondo, el criterio de Madariaga partía de la consideración de que cualquier resultado positivo en materia de desarme dependía del acuerdo al que llegaran las grandes potencias sobre el rearme de Alemania. A falta de éste, parecía aconsejable que las pequeñas potencias adoptaran una actitud de espera, sin tomar iniciativas en cuanto a los planes concretos de las grandes potencias, aunque ejerciendo una presión diplomática para que se llegara a una convergencia de criterios entre Francia, Gran Bretaña y Estados Unidos. Sólo entonces, cuando se produjera el entendimiento entre las grandes democracias, las pequeñas potencias estarían en condiciones de apoyar iniciativas conjuntas, pero mientras tanto no era conveniente asumir las responsabilidades de un fracaso. El acuerdo, sin embargo, era difícil de conseguir, tal y como se demostró de inmediato.

Las enmiendas españolas al proyecto británico de desarme

A finales de abril se reanudaron las sesiones de trabajo de la Conferencia del Desarme con el fin de estudiar el plan MacDonald, cuyas discusiones habían quedado paralizadas tras la iniciativa de Mussolini. La primera lectura del proyecto de convención británico, que se saldó con un nuevo fracaso, duró hasta comienzos de junio, período que estuvo caracterizado por el aumento de la tensión en el seno de la Conferencia como consecuencia de la táctica obstruccionista que siguió desplegando la delegación alemana. En esta coyuntura, la actitud española fue aceptar el proyecto presentado por Gran Bretaña como base del definitivo convenio de desarme, pero formulando varias enmiendas a capítulos concretos del plan al objeto de incorporar algunas reivindicaciones parciales del programa español de desarme y procurar que el acuerdo final no lesionara los intereses de las pequeñas potencias en materia de desarme naval y aéreo.

El proyecto británico respondía a «una voluntad política de arbitraje» ante la agudización del enfrentamiento franco-germano. La iniciativa anunciada por MacDonald se concretó en un documento imponente dividido en cinco partes. La parte dedicada a la seguridad se basaba en la existencia del Pacto Briand-Kellog y preveía un mecanismo de consulta entre las partes contratantes por medio de una conferencia que, en caso de ruptura o de amenaza de ruptura del Pacto, determinaría las medidas a tomar contra el agresor. La parte dedicada al desarme era la más novedosa por cuanto por primera vez se proponían cifras concretas para la reducción de efectivos militares y materiales de guerra. Las dos últimas partes se dedicaban a la prohibición de la guerra química, incendiaria y bacteriológica y al establecimiento de la Comisión Permanente del Desarme encargada de vigilar el cumplimiento del Convenio y de convocar una nueva conferencia de desarme antes de que expirara el tiempo de duración del convenio, que se fijaba en cinco años. En definitiva, el pragmatismo inglés intentaba conciliar a franceses y alemanes aceptando la transformación de los ejércitos continentales propuesta por Francia, pero doblando la capacidad militar de Alemania, tanto en efectivos como en armamentos [69].

El plan MacDonald fue valorado en España como una contribución realista destinada a superar el estado de estancamiento en que se encontraba la Conferencia. Se era consciente de sus limitaciones, sobre todo si se le comparaba con el *plan constructif*, más adecuado a los intereses españoles; pero los sectores de la opinión pública más proclives al realismo político lo vieron como el único posible en aquellas circunstancias. La actitud oficial del Gobierno ya había sido adelantada en sus líneas generales por Madariaga en el mes de marzo, cuando en la Comisión General se refirió al «gran servicio» que el proyecto británico podía prestar a los trabajos de la Conferencia, resaltando que por primera vez se presentaba un plan que contenía, no sólo artículos específicos, sino sobre todo cifras de materiales y efectivos de guerra, lo que resultaba necesario para hacer avanzar las discusiones. Partiendo de esta aceptación de principio, la delegación española hizo entonces importantes matizaciones de contenido, centradas especialmente en el desarme naval y aéreo y en la cuestión del control de los armamentos, que debía ser «automático y periódico» en vez de «solicitado y esporádico», y al mismo tiempo, echó en falta medidas para reducir los presupuestos militares y controlar la producción y el comercio de armas y municiones de guerra [70].

En cualquier caso, la posición española ante el plan MacDonald no pudo concretarse de un modo explícito hasta el mes de mayo, pues tan pronto como la Conferencia reanudó sus trabajos surgieron las primeras dificultades. La delegación norteamericana pidió que se aplazara la discusión sobre la primera parte del proyecto de convención británico, el capítulo relativo a la seguridad, debido a que todavía no podía pronunciarse sobre su contenido. A la vista de ello, la Mesa de la Conferencia decidió comenzar las discusiones por el capítulo relativo al desarme, pero entonces comenzó el obstruccionismo alemán, que solicitó el aplazamiento de la decisión sobre la uniformidad de los ejércitos continentales y propuso incluir las reservas instruidas y la limitación de las fuerzas coloniales en el debate sobre efectivos, al tiempo que exigía autorización para que Alemania poseyera las mismas armas que las otras potencias. En tales condiciones, el debate no pudo continuar, entrándose en una fase de conversaciones oficiales bajo dirección británica que se prolongó hasta mediados de mayo, cuando se produjeron dos hechos significativos que volvieron a reactivar las discusiones [71].

El primero fue el solemne llamamiento que el presidente norteamericano dirigió a los jefes de Estado representados en la Conferencia el 16 de mayo. El Mensaje Roosevelt defendía el cumplimiento del proyecto británico de desarme acompañado de nuevos acuerdos hasta completar la total abolición de las armas ofensivas, e implicaba la asunción de un mayor compromiso norteamericano en la política europea, pues el gobierno de

Estados Unidos se obligaba a renunciar a la neutralidad aplicando medidas selectivas contra los países agresores. El segundo acontecimiento, no menos importante, fue el «discurso de paz» pronunciado por Hitler el día siguiente de la declaración realizada por Roosevelt. Se trataba de una «pieza magistral» del engaño político que consiguió los efectos pretendidos: presentar a la Alemania nazi ante los gobiernos demoliberales como una nación amante y deseosa de la paz. Hitler anunció al mundo sus intenciones de retirar las enmiendas alemanas en la Conferencia y aceptar el proyecto de convención británico como base de las futuras discusiones, lo que daba a entender que de ese modo ponía fin a su política obstruccionista en Ginebra [72].

Los dos acontecimientos fueron seguidos con expectación, aunque con ciertas dosis de desconfianza, por parte de la diplomacia española. Por una parte, la decisión alemana de aceptar el proyecto británico sorprendió al gobierno español, que a primera vista interpretó el nuevo giro imprimido por Hitler a la política exterior alemana más como el resultado de una presión ejercida por Inglaterra y Estados Unidos que como una consecuencia de la voluntad pacifista de Berlín. Por la otra, si bien la respuesta oficial de Alcalá Zamora al Mensaje Roosevelt fue que la República española valoraba las sugerencias americanas «con el máximo interés», y hasta el propio Madariaga declaró en Ginebra que su gobierno compartía plenamente los sentimientos expresados por el presidente americano, lo cierto era que en Madrid se sentía «un cierto pesar» por el hecho de que se estuviera poniendo tanto énfasis en las cuestiones de desarme sin aludir a un reforzamiento de las garantías de seguridad, un tema que preocupaba seriamente a España dado el deterioro progresivo de la situación europea [73].

Pese a la atmósfera de mayor serenidad que se respiraba en Ginebra tras las declaraciones norteamericana y alemana, el gobierno español seguía sin hacerse demasiadas ilusiones sobre los resultados a que pudiera llegar la Conferencia del Desarme. De igual modo, coincidiendo con la vuelta al sistema de conversaciones secretas entre las cinco grandes potencias al margen de las discusiones oficiales, parecía que la diplomacia española pretendía desmarcarse de compromisos definitivos que le pudieran llevar a verse implicado en un eventual conflicto europeo, prefiriendo, de momento, mantener una actitud de cierta reserva ante las diferentes propuestas de desarme que estaban sujetas a discusión. Al menos esa fue la impresión que Zulueta dejó en el ánimo de Herbette cuando le comentó que, llegado el caso de guerra en Europa, tanto España como Holanda y los países escandinavos no se sentían obligados a tomar posiciones o medidas discriminatorias contra los agresores si las grandes potencias, particularmente las anglosajonas, no daban ejemplo, lo que por otra parte era expresión de la prevención española frente a cualquier pretensión francesa de contar con la República española en caso de crisis [74].

Los debates en el seno de la Comisión General se aceleraron a partir del 19 de mayo. La necesidad de llegar a algún acuerdo concreto que distendiera la atmósfera internacional antes de la inauguración de la Conferencia Económica Mundial incidió en el ánimo de las delegaciones, que se apresuraron a ultimar las negociaciones en curso. Sin embargo, no iba a ser fácil adoptar una decisión rápida sobre el proyecto de convención británico, puesto que la negativa norteamericana a aceptar el capítulo de seguridad, las reticencias francesas a aprobar las condiciones de la limitación de materiales y las profundas diferencias en materia de desarme naval y aéreo entre las distintas delegaciones siguieron planeando sobre el horizonte incierto de la Conferencia.

La discusión sobre el capítulo naval del plan MacDonald dio la oportunidad de que los pequeños Estados expresaran por primera vez sus criterios en este punto. Madariaga expuso que «la principal dificultad» española para aprobar el proyecto de convención británico era precisamente el desarme naval, al ser «bastante inadecuado» para todos los países que no se encontraban entre las primeras potencias marítimas. No obstante, en un intento de llegar a acuerdos concretos sobre el plan en su conjunto, el gobierno español lo aceptaría a condición de que se acordara que la parte naval del documento fuera válida solamente por un corto período de tiempo. Para España —argumentó Madariaga— era «inaceptable» que el proyecto británico barajara el criterio de la conveniencia nacional, subjetivamente considerada, para los equilibrios de poder entre las grandes armadas y, en cambio, empleara «la *tabula rasa* del *statu quo*» para las pequeñas potencias navales, sin tener en cuenta las necesidades nacionales que esas naciones tenían en mente, de tal modo que mientras las grandes potencias quedaban autorizadas a añadir tonelaje, las pequeñas no gozaban del mismo privilegio [75]. La intervención de Madariaga encontró el rápido apoyo de las pequeñas potencias navales, que se unieron para presentar una enmienda conjunta al capítulo naval del proyecto británico. En este sentido, la sesión del día 26 de mayo de la Comisión General constituyó un auténtico «plebiscito» de las proposiciones españolas en materia de desarme naval, como así se encargó de enfatizar la prensa de Madrid. La enmienda inspirada por la delegación española fue suscrita por Finlandia, Polonia, Rumanía, Suecia y Yugoslavia, que compartían con España la condición de potencias navales no signatarias de los tratados de Washington y Londres. Todas estas naciones reclamaban para sí el derecho a transferir tonelaje entre las diferentes categorías de buques, con lo cual se conseguía una mayor elasticidad en la distribución del tonelaje global que se les asignara en el Convenio. Ante el frente común formado espontáneamente por los pequeños Estados, el delegado británico prometió que se tendría en cuenta estas demandas durante el transcurso de la Conferencia naval que se celebraría en 1935 y que estaba dispuesto a aceptar desde entonces la transferencia de tonelaje en lo que se refería a los pequeños destructores. En cualquier caso, las pequeñas potencias siguieron manteniendo su enmienda naval con objeto de hacerla valer durante la segunda lectura del proyecto de convención británico [76].

En cuanto a las cuestiones aéreas, la delegación española consideraba que era «esencial» ir más lejos de las meras medidas «inoperativas», «humanitarias» y «teóricas» propuestas por el gobierno británico. En esta línea, Madariaga apoyó el punto de vista de las delegaciones de Alemania, Austria y Hungría, aunque insistiendo en la inoperatividad de esta medida si no iba acompañada de la internacionalización de la aviación civil y, de forma eventual, la creación de una fuerza aérea de policía internacional. La representación española concretó su propuesta en una enmienda que contemplaba la creación de un Directorio Internacional de Aviación que, partiendo de la aceptación del principio de que el material aéreo no podía ser utilizado para fines militares, se encargaría de controlar, tanto la supresión de la aviación militar, como la no utilización de la aviación civil para fines militares. Ninguna decisión definitiva fue adoptada sobre el desarme aéreo, pero durante el transcurso del debate se dejaron entrever las posiciones encontradas de las grandes potencias sobre el tema. Presionado por Madariaga, Nadolni dijo que Alemania estaba dispuesta a ir tan lejos como fuera posible para evitar que la aviación se empleara con fines militares, pero se reservó el carácter de tales medidas, por lo que no apoyó la iniciativa española. Italia y Estados Unidos no se pronunciaron, expresando con esa indiferencia su clara oposición a la propuesta de Madariaga. Gran Bretaña, por su parte, no estaba dispuesta a aceptar la enmienda española, mientras que Francia, que defendió la tesis de la internacionalización de la aviación civil, se contentaba con un control eficaz a falta de una solución mejor [77].

En un intento de hacer avanzar la posición británica, el 1 de junio Madariaga presentó en privado una solución de compromiso. Su idea era que en el Convenio de Desarme figurase una «aceptación de principio» de la total abolición de la aviación militar en combinación con medidas de cooperación internacional con respecto a la aviación civil, dejando para más adelante la aplicación de las medidas concretas a adoptar, para lo cual se facultaba a la Comisión Permanente de Desarme a convocar, no después de 1936, una conferencia internacional con el fin de elaborar un Convenio Aéreo. La propuesta, de la que se hizo valedor ante el *Foreign*

Office el noruego Lange, contó con la decidida oposición del gobierno de Londres, y muy particularmente de su ministro del Aire, Lord Londonderry, así como del primer ministro, MacDonald, para quienes la proposición española «alteraba el énfasis del proyecto británico», y ello a pesar de que tanto los franceses como varios miembros de la delegación británica se mostraron partidarios de aceptar la solución propuesta por Madariaga que, a fin de cuentas, no representaba más que una mera declaración de intenciones [78].

Al margen de las enmiendas a los capítulos naval y aéreo, la delegación española intervino en el debate de otras cuestiones, como la definición de agresor y la limitación de efectivos. En el primer tema, España mantuvo una posición intermedia entre los partidarios de la flexibilidad (Gran Bretaña e Italia) y los defensores de una rígida definición de las circunstancias y motivos a considerar para declarar agresor a un Estado (Francia, Grecia y países de la *Petite Entente*). En cuanto a los efectivos, la República apoyó la tesis francesa de no incluir en ellos las fuerzas armadas a los jóvenes en período de instrucción premilitar. Por último, Madariaga insistió también en la necesidad de llegar a un tratado sobre control de la fabricación y comercio de armas y municiones de guerra, una propuesta que siempre había estado presente en la agenda republicana como objetivo «irrenunciable» [79].

En otra dirección menos técnica, durante aquellos días de mayo la delegación española intentó dar un nuevo impulso al Grupo de los Ocho, vinculándolo a la enmienda naval o a las proposiciones en materia de desarme aéreo. Sin embargo, las diferencias eran notorias en algunos temas y tanto Checoslovaquia como Bélgica se mostraban excesivamente ligadas a sus alianzas con París, dando la impresión de que el Grupo en su conjunto caía bajo la influencia francesa, una cuestión de la que España pretendía desmarcarse a medida que se consumaba la división de Europa y aumentaba el riesgo de una nueva guerra. La decadencia del Grupo de los Ocho se advirtió en el Ministerio de Estado por estas fechas, cuando comenzó a plantearse la necesidad de constituir un grupo de países auténticamente «neutrales». Con motivo de la preparación de las reuniones del Consejo de la Sociedad de Naciones, la diplomacia española «llegó rápidamente a la idea de que, en decadencia el Grupo de los Ocho, era necesario aprovecharse del tacto de codos por él creado para ir a una reagrupación de naciones que, dejando un poco de lado los problemas particulares que plantearan Checoslovaquia y Bélgica, tuviera por misión estudiar y, eventualmente, resolver los múltiples problemas de política internacional que son comunes a los neutrales». Se constató, en definitiva, que si, por un lado, el Grupo de los Ocho agonizaba; por el otro, «existía un germen de vida al que había que crear las condiciones de ambiente y terreno necesarios para que pudiera desarrollarse» [80]. Pero de momento no era cuestión de precipitar decisiones tomando iniciativas en este terreno, sino de preparar el camino, manteniéndose a la espera de posteriores acontecimientos, entre otras razones porque la Conferencia del Desarme entraba nuevamente en fase muerta.

En efecto, la mayor parte de las delegaciones abandonaron Ginebra después de que la Comisión General hubiera adoptado el 8 de junio una recomendación para que el proyecto de convención británico fuera aceptado como base de la futura Convención de Desarme. En ese momento las cancillerías europeas estaban centrando su atención en la preparación de la Conferencia Económica Mundial que se inauguraba en Londres el 12 de junio, por lo que se impuso un nuevo receso en los trabajos y el 29 de junio la Comisión General decidió aplazar sus sesiones hasta el 16 de octubre. La Conferencia del Desarme parecía eternizarse sin posibilidad de alcanzar un acuerdo definitivo.

Entente democrática y «Locarno mediterráneo»

El receso estival en los trabajos de Ginebra no impidió que la diplomacia española siguiera de cerca la evolución de la política europea, intentando apoyar o promover iniciativas destinadas a hacer disminuir la tensión internacional. Ya en plena fase de escepticismo en materia de desarme, al gobierno español le seguía preocupando las escasas posibilidades de que se llegara a un convenio para la reducción del potencial agresivo de los principales Estados europeos, pero le inquietaba, sobre todo, la causa que hacía imposible la realización de tal acuerdo; es decir, la amenaza de los fascismos y la falta de entendimiento entre Francia y Gran Bretaña. A estas preocupaciones respondió, tanto el deseo español de que se constituyera una *entente* democrática que hiciera frente al creciente peligro de las dictaduras, como la propuesta de impulsar la firma de un acuerdo para el mantenimiento del *statu quo* en el Mediterráneo.

Como medio para salir del callejón sin salida en que se encontraba la Conferencia del Desarme y la política europea en general, durante el verano del 33 el gobierno español se mostró partidario de llegar a una *entente* entre las potencias democráticas para asegurar el mantenimiento de la paz y el buen funcionamiento de las instituciones internacionales. Este planteamiento, que ya había sido apuntado por Zulueta en algunas de sus conversaciones con Herbette, encontró su máximo valedor en Fernando de los Ríos desde su acceso a la cartera de Estado en el mes de junio, tras la formación del último gobierno Azaña. Así se lo hizo saber, por ejemplo, a Bowers, embajador americano en Madrid, a quien dijo que España deseaba la formalización, dentro del marco de la Sociedad de Naciones, de «un acuerdo firme y seguro entre Inglaterra, Francia y Estados Unidos, países democráticos, con el fin de prepararse ellos mismos y de preparar al mundo contra toda agresión, que sólo es posible temer de los regímenes antidemocráticos» [81]. Tal sugerencia sólo respondía a una idea vaga e imprecisa de la diplomacia republicana, una suerte de referencia constante a la que en ocasiones se recurría para expresar un deseo, sin contemplarse como una posibilidad real, dado el tradicional aislacionismo norteamericano y las grandes diferencias que enfrentaban a británicos y franceses. Más concreción tuvo, sin embargo, el proyecto de lograr un «Locarno mediterráneo».

La preocupación española por reforzar la seguridad en el *Mare Nostrum* no era ninguna novedad. La Monarquía había expresado en reiteradas ocasiones su deseo de participar directamente en cualquier negociación que afectara a los problemas del Mediterráneo, donde España se jugaba tantos intereses relacionados con su defensa nacional y sus aspiraciones coloniales. Así ocurrió en plena agonía del régimen de Primo de Rivera, entre diciembre de 1929 y enero de 1930, cuando Francia quiso aprovechar la celebración de la Conferencia Naval de Londres para llegar a la firma de un Pacto Mediterráneo. En aquel momento, la iniciativa francesa quedó en suspenso, toda vez que Gran Bretaña, siempre hostil a asumir nuevos compromisos de seguridad, no se mostró partidaria de incluir la cuestión en la agenda de dicha Conferencia. Una vez proclamada la República, el eventual acuerdo mediterráneo volvió a ser objeto de estudio por parte del *Quai d'Orsay* en diciembre de 1931, al abordar la preparación de la Conferencia del Desarme, pero esa vez el asunto ni siquiera llegó a ser planteado a nivel internacional, quedando los problemas del Mediterráneo al margen de las discusiones de Ginebra [82].

Pese a la escasa maduración de la idea por parte de las cancillerías europeas, el proyecto de Pacto Mediterráneo siempre contó con el beneplácito del gobierno republicano. La manifestación de apoyo más clara se produjo en septiembre de 1932, en vísperas de la visita de Herriot a Madrid, cuando Zulueta comentó a Herbette que España permanecía «completamente favorable» a la idea de un eventual «Locarno mediterráneo» basado en «el respeto al *statu quo*» y, por supuesto, inconcebible sin el concurso de las otras potencias interesadas, en clara referencia a la necesaria participación de Gran Bretaña e Italia. De hecho, Francia estaba realizando por las mismas fechas una nueva tentativa de resucitar el Pacto Mediterráneo vinculado a su *plan constructif* de desarme, que contemplaba la adopción de acuerdos regionales que reforzaran el sistema de seguridad europeo; y en efecto, cuando esta noticia se filtró a la prensa, dando a entender que España se asociaría a la idea, el propio Zulueta declaró públicamente que Madrid acogería de buen grado «todo lo que pudiera garantizar, por un acuerdo internacional, el *statu quo* y la paz en el Mediterráneo» [83]. Desde el otoño del 32, pues, la diplomacia española siempre había tenido entre sus asignaturas pendientes la conveniencia de propiciar el reforzamiento de la seguridad colectiva en el Mediterráneo, aunque sin tomar iniciativas concretas.

Lo que constituía una novedad significativa en el verano de 1933 era que la voluntad de retomar el Pacto Mediterráneo partiera del gobierno de Madrid, y más en concreto de Fernando de los Ríos. Por primera vez desde que la idea fuera planteada en 1929, España no se situaba, aparentemente, a remolque de la iniciativa francesa, sino que la asumía como suya y estaba dispuesta a abanderar la bondad de su causa ante el resto de los países interesados. ¿Qué circunstancias habían aconsejado al nuevo ministro de Estado a dar ese paso? A juzgar por la documentación francesa, la clave de la resuelta actitud española estaba en la evolución de la política alemana, que forzaba a la unidad de acción del resto de las potencias europeas, en particular de los regímenes democráticos, y de igual forma, en el clima de cordialidad en que se desarrollaban las relaciones franco-italianas a raíz de las negociaciones sobre el Pacto de los Cuatro propuesto por Mussolini.

A Fernando de los Ríos le inquietaba, sobre todo, «la complejidad del movimiento hitleriano, que no entra» —según explicó a Herbette— «en ninguna de las categorías en que se acostumbra a clasificar los empujes de la opinión». Según su análisis, cualesquiera que fueran las dudas y los peligros que pudieran formularse de cara al futuro, Alemania se había convertido en «el eje de la inquietud europea, como en 1913», por lo que «las diferencias que se interponían entre las otras naciones europeas tienen una tendencia a atenuarse bajo la presión de las preocupaciones comunes». Este razonamiento, expuesto por el ministro socialista al embajador francés «con tanta objetividad como convicción» —según indicó éste último— llevó a ambos a concluir que las circunstancias del momento podían ser favorables para «estabilizar situaciones que a veces han parecido estar amenazadas, particularmente la paz mediterránea», lo que pasaba necesariamente por el mantenimiento del *statu quo* en el marco de la Sociedad de Naciones, y siempre que se contara con la participación de Italia y Gran Bretaña [84].

Si el primer toque de atención surgió espontáneamente de Fernando de los Ríos, la aceleración de los contactos bilaterales para perfilar el proyecto corrió a cargo de la diplomacia francesa. París estaba entonces preparando el terreno para introducir algunas correcciones al proyecto de desarme británico y formar un frente común contra el rearme alemán. En tal contexto, el planteamiento que se estaba haciendo el ministro español venía como anillo al dedo a las intenciones francesas, además de que en el *Quai d'Orsay*, desde febrero de ese mismo año, se había estado valorando la posibilidad de retomar la iniciativa de un acuerdo mediterráneo que permitiría, entre otras ventajas, «atraerse a España hacia nuestro sistema de asistencia». Paul-Boncour, en consecuencia, no tardó en instruir a su embajador en Madrid para que indagara si el gobierno español estaba dispuesto a «tomar una iniciativa» al respecto [85].

La sugerencia española adquirió contornos más precisos en el mes de agosto, cuando el Gobierno dio su aprobación a las ideas de Fernando de los Ríos y éste intensificó sus conversaciones con Herbette e inició los contactos con Londres y Roma. Contrariamente a lo que aconsejaban los cánones para asuntos de esta envergadura, la solicitud de la aprobación gubernamental fue el último de los pasos dados por el ministro de Estado en todo este proceso. Una vez más, la asfixiante situación política interior absorbía las preocupaciones inmediatas del Gabinete, que intentaba hacer frente, cada vez más debilitado, a los efectos de la crisis económica —paro, oleada de huelgas y fuerte ofensiva patronal del verano de 1933—, determinando la automarginación forzosa del Consejo de Ministros como colectivo, así como el exceso de protagonismo personal en la adopción de decisiones. Debido a estas circunstancias, sólo el 19 de agosto la diplomacia francesa pudo saber con certeza que la idea de un «Locarno mediterráneo» contaba con la aprobación del gobierno Azaña y no sólo con el apoyo personal del Ministro. Antes de esa fecha, sin embargo, Fernando de los Ríos ya había madurado suficientemente su concepción del Pacto y puesto en marcha la maquinaria diplomática a la búsqueda de apoyos concretos.

El eje central del proyecto consistía en llegar a la firma de un pacto de no agresión que sería firmado por España, Francia, Gran Bretaña e Italia sobre la base de los artículos 10 y 16 del Pacto de la Sociedad de Naciones. Tampoco descartaba Fernando de los Ríos la posibilidad de ampliar el alcance del eventual acuerdo a los Estados con intereses limitados al Mediterráneo oriental, pero estimaba que el éxito quedaría asegurado con la participación de los cuatro países con intereses en el Mediterráneo occidental. Además, el Ministro había llegado a «la convicción» de que la iniciativa diplomática debía corresponder al gobierno español; ello redundaría en beneficio tanto de España, que así no podía ser objeto de marginación alguna, como del acuerdo en sí mismo, evitando las suspicacias a que daría lugar una propuesta realizada por una de las grandes potencias, y particularmente por Francia. El apoyo de esta última nación resultaba «indispensable» y se daba por hecho, dada su permanente obsesión por las cuestiones de la seguridad, pero había que obrar con tacto para obtener el respaldo británico e italiano [86].

En relación a etapas precedentes, dos factores hacían suponer que la iniciativa española encontraría ahora una mejor acogida por parte de Italia. De una parte, estaba «la buena inteligencia» que reinaba en las relaciones franco-italianas después de la firma del Pacto de los Cuatro, *rapprochement* del que España no tenía más que felicitarse, puesto que todo lo que fuera distender situaciones de posibles conflictos entre grandes vecinos marítimos era una garantía para la salvaguardia de los intereses nacionales. El otro factor convergente a tener en cuenta era «el nuevo clima que se iba creando en las relaciones bilaterales» entre Italia y la propia España, y, en relación con ello, el interés italiano en renovar el tratado de amistad y arbitraje de 1926, que hizo a Guariglia entrar en contacto directo con Fernando de los Ríos por aquellas mismas fechas. Aunque por parte del gobierno republicano se mantenían las reservas sobre aquel tratado, el ministro de Estado veía en el deseo italiano de renovación la ocasión propicia para tomarlo como «una excelente entrada en materia» y «vender» a Roma el proyecto español de pacto de no agresión cuatripartito entre las potencias mediterráneas, de tal manera que sus conversaciones con el embajador italiano se orientaron en esa dirección [87].

Quedaba, no obstante, Gran Bretaña. Tanto Fernando de los Ríos como Herbette estimaban que las mayores dificultades vendrían de su parte, dado que la posición británica se había vuelto «excentrique à l'Europe». Convencidos de que la participación de Inglaterra no podía obviarse y conocida la tradicional política del *Foreign Office* de oposición a asumir nuevos compromisos de asistencia mutua en el Continente, las dudas se centraban en el método a utilizar para atraer a los británicos a la mesa de negociaciones. Herbette no dejó de insistir ante el *Quai d'Orsay* en ello, pero finalmente fue Fernando de los Ríos el que tomó la decisión de encargar a Pérez de Ayala, que mantenía «excelentes relaciones» con Vansittart, que sondeara las intenciones británicas al respecto [88].

Todo quedó, sin embargo, en un mero intento, y además, intento personal de Fernando de los Ríos durante el breve período que estuvo al frente del Ministerio de Estado. Dos factores se interpusieron en el desarrollo de la iniciativa española. Uno es el apuntado por Ismael Saz al señalar que «la caída del gobierno Azaña en septiembre de 1933 dio al traste con todas estas expectativas. Y ello porque el gobierno italiano consideró que España entraba en un nuevo período de inestabilidad poco favorable para el desarrollo de conversaciones como las apuntadas» [89]. Otro estuvo asociado a las circunstancias internacionales del momento, pues las principales preocupaciones de las cancillerías estaban centradas en las conversaciones sobre desarme, cuyo estancamiento no aconsejaba introducir nuevos elementos que complicaran aún más la política europea.

Pese a la paralización de la iniciativa, el planteamiento de un «Locarno mediterráneo» a la altura del verano de 1933 proporciona una prueba más de que la diplomacia republicana se estaba moviendo al ritmo de los acontecimientos, y lo mismo puede decirse de los continuos llamamientos a la formalización de una *entente* democrática, por muy vagos que fueran. Al igual que ocurría en el resto de los países, en España se estaba tomando plena conciencia de la tormenta que, tarde o temprano, se iba a desencadenar en Europa. Al ver las «orejas» al «lobo» alemán, algunos dirigentes republicanos, como Fernando de los Ríos, repararon en la gravedad de la situación e intentaron maniobrar a la búsqueda de un reforzamiento de la seguridad nacional, aunque siempre en la modesta medida que permitían los problemas internos y la escasa entidad española en la escena internacional. Las maniobras se intensificaron cuando Berlín inició el camino de las pruebas de fuerza contra el sistema de seguridad colectiva.

EL IMPACTO DEL FACTOR BERLÍN

El aplazamiento de las reuniones de la Conferencia del Desarme dio ocasión a que las grandes potencias se dedicaran a practicar lo que Madariaga llamó su «deporte favorito», que consistía en «negociar a espaldas de la Sociedad de Naciones sin llegar a resultado alguno». Esta vez, sin embargo, se llegó a un principio de acuerdo, aunque luego se volviera en contra de la Conferencia y de la propia Sociedad de Naciones. En septiembre de 1933, en medio de un ambiente cada vez más enrarecido a causa del secretismo de las conversaciones, el gobierno francés consiguió que Londres y Washington aceptaran una modificación importante al proyecto de convención británico. La modificación consistía en ampliar de 5 a 8 años el período de aplicación del futuro convenio, dividiéndolo en dos fases: en la primera no se produciría ni aumento ni reducción de los armamentos alemanes, aunque se llevaría a cabo la transformación de los ejércitos continentales y se establecería un sistema de control de armamentos; en la segunda fase se procedería al desarme propiamente dicho, aplicando las cifras que se fijaban en el proyecto de convención británico. Con el nuevo plan, la diplomacia francesa retrasaba el rearme alemán y se aseguraba el mantenimiento del *statu quo* en materia de armamentos hasta que el período de prueba confirmara la viabilidad de proceder a una reducción de sus arsenales militares. Al acuerdo anglo-franco-norteamericano se asoció Italia, confirmándose de ese modo la formación de un frente común para intentar frenar el rearme de la Alemania nazi.

Máxima cautela ante la defección alemana

Los alemanes no estaban dispuestos a aceptar las modificaciones impuestas por los franceses al proyecto de convención británico. Aparte del doble lenguaje practicado por Hitler en materia de rearme, desde el punto de vista de Berlín lo que hacía inaceptable el nuevo plan de desarme era la exigencia de un «período de prueba» por medio del control internacional sobre la base de las limitaciones establecidas en Versalles, sin reducción de armamentos por parte de los otros países y, sobre todo, sin garantía alguna de que las demás potencias comenzaran a desarmarse al término de esa etapa. En consecuencia, el gobierno alemán rechazó terminantemente la iniciativa, declarando que la consecución de la igualdad de armamentos era una aspiración irrenunciable para Alemania [90].

Pese al rechazo alemán, Gran Bretaña, Francia y Estados Unidos se reiteraron en sus posiciones. El 14 de octubre Simon se dirigió a la Mesa de la Conferencia para exponer el contenido de las nuevas propuestas, intentando suavizarlas para que resultaran más aceptables para Alemania, aunque mostrándose totalmente contrario a la pretensión de un rearme inmediato. La declaración británica, aprobada en su integridad por la delegación norteamericana y con algunas reservas por parte de Francia, Bélgica, Checoslovaquia y Grecia, contó con el silencio significativo de España y el resto de los países ex-neutrales, como Holanda, Suiza y los países escandinavos, además del de las delegaciones soviética y japonesa. Alemania no se conformó con rechazar las modificaciones al proyecto británico, ni descargar sobre el resto de las grandes potencias la responsabilidad del fracaso, sino que ese mismo día un escueto telegrama enviado desde Berlín anunciaba al mundo la retirada alemana de la Conferencia del Desarme y de la Sociedad de Naciones [91].

Madrid había contemplado el proceso de negociaciones diplomáticas y contraofertas alemanas sin efectuar ningún tipo de comentarios. En realidad, tampoco estaba en condiciones de hacerlos; la gravedad de la crisis política había obligado a formar dos nuevos gobiernos en el plazo de un mes, el último de ellos tras la disolución de las Cortes y la convocatoria anticipada de elecciones para noviembre. Una vez conocida la decisión alemana, la primera reacción del gobierno de transición fue sumamente precavida. El ministro de Estado, que era Sánchez Albornoz, instruyó a

Madariaga para que procurara «extremar la mayor cautela en su actuación como delegado de un país ajeno en cierto modo a la discusión entablada entre los antiguos aliados y el *Reich*», pidiéndole que, en el supuesto de verse obligado a intervenir en los debates, expusiese anticipadamente su opinión al Ministerio a fin de que éste diera las instrucciones oportunas sobre el sentido y el alcance que debía tener la intervención de España en tan delicado tema. Madariaga recibió estas instrucciones tarde, puesto que ya se habían celebrado las reuniones de la Mesa y de la Comisión General de la Conferencia, y además, las consideró inncesarias e injustificadas, respondiendo posteriormente a Madrid «sobre la improbabilidad de que una delegación muy experta en las lides de Ginebra olvide la cautela que impone la representación que ostenta sin caer en la vergonzosa debilidad que afligía en Ginebra a la delegación de la Monarquía» [92].

El tono empleado por Madariaga no sólo daba cuenta de una protesta por la desconfianza que el Ministro demostraba hacia su gestión en un momento determinado. En el fondo, constituía una muestra más de las tensas relaciones que siempre existieron entre el delegado español y Sánchez Albornoz durante el corto período que éste estuvo al frente del Ministerio, y que incluso llegaron a explicitarse a través de un aviso de dimisión por parte de Madariaga. Al margen del enfrentamiento de carácter personal, la recomendación del Ministro era en parte lógica a tenor de las informaciones que llegaban a Madrid desde las capitales europeas, que destacaban la serenidad y la moderación como reacciones inmediatas ante la defección alemana [93]. Además, en el ánimo de Sánchez Albornoz también debió influir el temor a que Madariaga adoptara iniciativas en un momento en que toda declaración pública en el exterior podía afectar negativamente a un gobierno de transición cuya principal misión era dar el relevo al nuevo ministerio que surgiera de las elecciones. Si bien todo esto inducía a extremar las precauciones, por otra parte la «máxima cautela» tan enfatizada por el ministro de Estado resultaba algo ociosa si tenemos en cuenta la prudencia con que estaba actuando Madariaga en Ginebra.

La conveniencia y viabilidad de un frente común antialemán fue cuestionada por el delegado español desde que tuvo conocimiento de las conversaciones secretas del mes de septiembre. Entonces Madariaga se entrevistó con Von Neurath, exponiendo al ministro alemán que «era indispensable preliminar para el éxito de estas negociaciones una declaración general de *détente* entre Francia y Alemania, una especie de «pacto de dos», de donde ambas opiniones nacionales pudiesen deducir que era posible entrar por el camino de las concesiones mutuas», y que el gobierno español estaría sumamente dispuesto a coadyuvar al éxito de tal entendimiento «desde su modesta esfera» de influencia. Poco después, cuando la Conferencia del Desarme reanudó su trabajo, el comportamiento de Madariaga estuvo marcado por el distanciamiento con respecto a las posturas encontradas entre Alemania, por un lado, y el resto de las grandes potencias, por el otro, sin asumir ningún tipo de protagonismo en las discusiones, y ello a pesar de las «fuertes presiones» que recibió de los delegados franceses e ingleses para que interviniera en los debates apoyando el frente común contra el rearme alemán [94]. En suma, ante la nueva coyuntura el delegado español creyó oportuno no comprometerse en ningún sentido y optó por esperar el curso de los acontecimientos futuros.

Algo, por supuesto, había cambiado en Madrid en cuanto a la percepción de la política europea tras la salida de los socialistas del Gobierno y de Fernando de los Ríos del Ministerio, por lo que la oposición española al rearme alemán se hizo más elástica. Pero también incidió en este comportamiento la propia evolución de los acontecimientos diplomáticos y la «espada de Damocles» que pendía sobre el eventual convenio de desarme en el caso de que Alemania quedara al margen de los trabajos de la Conferencia. De hecho, la actitud prudente de Madariaga era compartida por las delegaciones de las pequeñas potencias afines a España, particularmente las del Grupo de los Ocho, a excepción de Bélgica y Checoslovaquia, países éstos últimos que se separaban cada vez más de las posiciones de las otras seis naciones del Grupo por las exigencias derivadas de su alianza con Francia. La moderación de los «ex-neutrales» se fundamentaba en la estimación de que el rearme de Alemania pertenecía más a las consecuencias del tratado de Versalles —tratado del que las pequeñas potencias no se sentían responsables— que a la necesidad del convenio de desarme a adoptar en el futuro, que era el objetivo prioritario al que aspiraban los pequeños Estados con el fin de garantizar su seguridad de forma colectiva [95].

La cautela oficial se correspondió con la actitud discreta de la prensa de Madrid. A pesar de la «profunda emoción» con que se recibió en España la noticia de la retirada alemana de Ginebra, en general los comentarios que aparecieron en la prensa de Madrid se limitaron a valorar la decisión de Berlín como «un duro golpe a la Conferencia del Desarme», advirtiéndose un peligro inmediato de quebrantamiento de la paz europea, pero sin suscitar grandes análisis ni mayores comentarios, entre otras razones porque en aquel momento la opinión nacional estaba demasiado ocupada con la campaña electoral y el destino inmediato de la política interior republicana [96]. Una vez más, los problemas domésticos condicionaron actitudes y reacciones en el terreno internacional, puesto que la relajación mostrada por los órganos de prensa de la izquierda ante la

decisión alemana dejó vía libre a que se canalizaran, a través de las instancias oficiales, otras posiciones mucho más moderadas con respecto al
fenómeno del nazismo en Alemania y sus consecuencias para el sistema de
la Sociedad de Naciones.

De hecho, dentro del Ministerio de Estado se manejó, como pauta
orientadora para determinar la actitud del Gobierno, algún que otro informe que iba mucho más allá de la prudencia y la moderación para rozar
claramente la proclividad con los planteamientos del gobierno de Berlín.
Por ejemplo, para José María Doussinague, a la sazón director de Política
Exterior, el «hecho previsible» de la retirada de Alemania de Ginebra, de
la que —según él— se había hablado repetidas veces en el seno de la
delegación española, obedecía a la puesta en práctica de una «política de
alfilerazos» de modo continuado por parte de Francia y sus satélites contra
Alemania, política que se había desarrollado «no sólo en las reuniones
plenarias de la Asamblea, sino aún en el trabajo más modesto de las
comisiones, donde a cada momento se estaba levantando un orador para
pronunciar frases hirientes hacia Alemania». Para Doussinague, en suma,
con la reconsideración de la política británica de desarme a partir del
ascenso de Hitler al poder, se había dejado de actuar en el terreno puramente internacional para interferir en «los asuntos internos de la política
alemana», por lo que la reacción de Berlín parecía plenamente justificada [97]. Desde luego, con informes como éste, que evitaba cualquier valoración de inspiración democrática sobre el fenómeno del nazismo y la potencial amenaza del rearme alemán para la seguridad europea, se com-
prende mejor las instrucciones dadas por Sánchez Albornoz a Madariaga
y el deseo de Madrid de que la delegación española obrara con la «máxima
cautela».

Compás de espera en vísperas de rectificación

Tras el llamamiento a la prudencia en Ginebra, la diplomacia republicana
se impuso un necesario compás de espera habida cuenta de las circunstancias tanto internas como europeas. En el interior del país, la situación
de interinidad aconsejaba la paralización de cualquier iniciativa que pudiera comprometer la actuación del nuevo gobierno en política internacional. En el exterior, mientras las potencias demoliberales intentaban encontrar una fórmula de compromiso que permitiera restablecer el diálogo con
Berlín sin que ello significara aceptar una actitud amenazadora o de vio-
lencia como vía de acercamiento, Hitler concentraba todos sus esfuerzos
en la campaña propagandística para el plebiscito del 12 de noviembre, a

la vez que confiaba en el quebrantamiento de la unidad del frente opuesto para hacer efectiva su política de rearme. Todo parecía indicar, pues, que la situación permanecería estacionaria hasta mediados de noviembre y que lo mejor era esperar a la formación del nuevo gobierno, aunque manteniendo los máximos contactos posibles para seguir de cerca la evolución de las negociaciones diplomáticas entre las grandes potencias y, sobre todo, las decisiones que se adoptaran con respecto a la Conferencia del Desarme.

Después de la decisión alemana, se abrió un período de reflexión sobre el futuro del desarme y la paz europea. El problema inmediato que se planteaba en el marco de la diplomacia multilateral de Ginebra era qué hacer con la Conferencia del Desarme sin la presencia de Alemania, cuya participación era decisiva para alcanzar un acuerdo. De nuevo, la indecisión y la disparidad de criterios sobre las fórmulas concretas a utilizar volvieron a ser la tónica dominante de los ambientes societarios. En medio de tal situación, la diplomacia española tuvo que ir tomando posturas y clarificando su posición con respecto a los distintos planteamientos en lisa. Este proceso coincidió, además, con el debate nacional abierto como consecuencia de la convocatoria de elecciones, que habrían de transformar sustancialmente el panorama político español. De todo ello se derivó un cambio apreciable en la orientación de la política internacional española, que desde entonces tendió al reforzamiento de su condición de neutral frente a la pugna franco-germana.

En cuanto al futuro inmediato de la Conferencia del Desarme, Madariaga se mostró contrario al abandono de los esfuerzos realizados hasta entonces. Su criterio era proseguir los trabajos, aún sin la participación de Alemania, con el fin de que se llegara a un acuerdo limitado de reducción de armamentos que fuera lo más equitativo posible para todos, incluída la propia Alemania. El delegado español justificaba esta postura en el hecho de que la existencia de un convenio «ejercería sobre unos y otros tal presión moral que permitirá llegar a la pacificación de los espíritus». En la forma, Madariaga era partidario de aplazar las sesiones de la Conferencia durante el más corto período posible y reanudarlas posteriormente sin la presencia alemana, pero en contacto «indirecto» con Alemania «para garantizar en todo momento que el convenio que se va tramitando merezca un día, si no la aprobación oficial del gobierno alemán, la aprobación universal como un convenio equitativo para los intereses alemanes». En cualquier caso, en su opinión Madrid debía seguir de cerca el desarrollo de las conversaciones y estar vigilante ante la tendencia existente en varias cancillerías a orientar el diálogo fuera de Ginebra, por medio de conversaciones secretas al margen de la Conferencia [98].

Para Madariaga lo fundamental era que todas las políticas que se hi-

cieran a partir de entonces deberían orientar sus esfuerzos a hacer volver
a Alemania al cauce institucional de la Sociedad de Naciones, para lo cual
era necesario una actitud donde «el vigor y la serenidad se equilibren con
la moderación y la paciencia». Como si estuviera presintiendo lo que iba
a suceder en un futuro inmediato, el delegado español sostenía que había
que evitar «todas las políticas que puedan conducir a una actitud de franca
rebeldía de Alemania para con el Tratado de Versalles», lo cual pondría
a España «en una situación delicada». En tales circunstancias, y partiendo
de la base de que a la República le interesaba a todo trance, primero, el
mantenimiento de la paz en Europa, y después, la conservación «en lo que
se pueda» del mecanismo ginebrino, Madariaga estimaba que la posición
de la delegación española debía ser de mediación, tendiendo un puente
para el acercamiento de Alemania a las demás potencias y haciendo todo
lo posible para que el gobierno de Berlín decidiera retornar a Ginebra.
Finalmente, y como táctica política a emplear, propuso la continuación de
los contactos con los Estados ex-neutrales, con los que se podía llegar a
una asociación de planteamientos comunes, pero sin perder la «estrecha
ligazón, franca, aunque independiente», con Francia y Gran Bretaña [99].

A pesar de que la Conferencia ya estaba muerta, finalmente prevaleció
el criterio de prolongar su agonía después de un corto aplazamiento. El
25 de octubre la Mesa declaró por unanimidad que los trabajos debían
continuar a partir del 4 de diciembre, recomendando la suspensión de las
sesiones hasta entonces. Al día siguiente, la Comisión General encomendó
a la Mesa la elaboración de un texto revisado del proyecto de convención
británico como base de las futuras discusiones. La Conferencia del Desarme, por tanto, seguiría intentando lo imposible: la reducción y limitación
de armamentos en medio de un estado de desconfianza generalizado y
cuando todos los estados mayores de los ejércitos se aprestaban a elaborar
nuevos planes de rearme y de reforzamiento de la defensa nacional; lo
intentaría, además, sin la presencia de Alemania, que era el principal
factor de desconfianza en la escena internacional. Por mucho que Ginebra
prolongara la existencia de la Conferencia, el desarme había fracasado
irremisiblemente en octubre de 1933.

El fracaso del desarme condujo al desencanto y a la pérdida de toda
ilusión en la Sociedad de Naciones. El cambio fue percibido por todos los
europeos, y los españoles no constituyeron una excepción a la regla. Los
titulares de la prensa de Madrid reflejaron la creciente tensión internacional con tintes cada vez más preocupantes, al tiempo que comenzaron a
alzarse algunas voces críticas que cuestionaban abiertamente los propios
fundamentos del Pacto y la ingenuidad demostrada por la República al
haber incorporado a su Constitución los principios de la decadente Socie-

dad de Naciones. Si la opinión pública se volvió escéptica, lo mismo ocurrió con los pocos españoles que tuvieron que vivir de cerca los acontecimientos de la política ginebrina. Pablo de Azcárate, por ejemplo, ha dejado constancia de ese «cambio moral» que se operó, no sólo en el seno de las cancillerías europeas, sino también en el interior del aparato burocrático de la Sociedad de Naciones, produciéndose la quiebra de aquel espíritu imperante en 1926, 1927 o 1930 que les había llevado a creer en la importancia de su «misión» para la preservación de la paz [100].

De poco podía valer, en medio de aquella «atmósfera de desaliento y pesimismo», el mensaje lanzado por Madariaga durante la celebración de la XIV Asamblea. El delegado español reiteró su convicción de que «la Sociedad de Naciones no puede fracasar, porque es la razón humana», argumentando que la grave crisis por la que atravesaba Ginebra no era la crisis de la Sociedad de Naciones como «organismo internacional», sino la crisis de «la asociación de los pueblos civilizados para organizar la vida humana sobre la tierra», debido al estado de «plena anarquía» en que se desarrollaban las relaciones políticas y económicas entre las naciones [101].

De poco podía valer la diplomacia retórica de Madariaga en Ginebra, porque la crisis de la «asociación» de Estados estaba afectando profundamente a la propia concepción de la Sociedad de Naciones como esperanza de organización internacional y, sobre todo, a la predisposición de la opinión pública hacia sus inoperantes reuniones. Como expresión de tal estado de ánimo, baste reproducir las palabras de Jiménez de Sandoval, un joven aspirante al cuerpo diplomático español que había ido a Ginebra en el otoño de 1933 para realizar el curso práctico en el extranjero; con una evidente sensación de frustración, escribía en su memoria lo siguiente:

> «Quince años después del crimen fratricida llamado guerra mundial, comprobamos avergonzados que aún no hemos llegado a una inteligencia mejor... Al contrario, el pensamiento y la posibilidad de una guerra pesan siempre sobre el porvenir como una amenaza eternamente presente. La consecuencia, injusta del todo, pero completamente natural, es que los pueblos desconfíen de la Sociedad de Naciones, en la que habían puesto tan grande esperanza. Habían visto en ella el instrumento que crearía una Europa nueva y mejor en la que la guerra sería inimaginable e imposible. Partiendo de esta idea se esperaban grandes resultados de la Conferencia del Desarme y de la Conferencia Económica de Londres, que se consideraban como etapas importantes para la consolidación de la paz y del porvenir. Cuando los resultados de tan grandes esfuerzos, proyectados con tanto optimismo, parecieron ser negativos, la decepción y el desaliento cundieron en todas partes. Los pueblos se preguntan: ¿Las fuerzas que deben colaborar a la paz y a las mejores relaciones de los hombres son tan débiles? ¿Los hombres que dirigen los destinos de los pueblos no han aprovechado la lección de las desdichas del pasado?» [102].

Esta conciencia de crisis necesariamente tenía que repercutir en la práctica de la política exterior española, que experimentó un nuevo reajuste en busca de inmunidad ante la crisis europea. Durante los contactos diplomáticos que se desarrollaron inmediatamente después de la retirada de Alemania, la delegación española procuró en todo momento desmarcarse de las posiciones defendidas por Francia y sus aliados, en un claro intento de no verse inmersa en responsabilidad alguna por el fracaso de la Conferencia, que atribuyó, fundamentalmente, a la dinámica de conversaciones secretas impuesta por las grandes potencias al margen de la Sociedad de Naciones. El mismo Madariaga participó de esta tendencia, llegando incluso a romper una lanza en favor de Berlín durante el transcurso de la sesión pública de la Comisión General celebrada el 26 de octubre, cuando declaró que la Conferencia debía guardarse mucho de «no penalizar a Alemania en razón de su ausencia». La observación sentó mal en el seno de la delegación francesa, que valoró el comentario del delegado español como «un indicio de intervenciones diplomáticas realizadas por Alemania en Madrid» aprovechándose de la precaria situación política en España [103]. Más que presiones alemanas sobre el gobierno Martínez Barrio, se trataba de la percepción de un fenómeno demasiado evidente como para pasar desapercibido en el Palacio de Santa Cruz: la consumación de la bipolaridad en la escena europea y, ante el riesgo de guerra, la necesidad de reforzar la neutralidad española.

El golpe de fuerza dado por Hitler, lejos de provocar un aumento de la solidaridad entre las potencias locarnistas y un reforzamiento del frente común contra el rearme alemán, provocó los efectos contrarios, acentuándose las diferencias en cuanto a la forma de hacer frente a la «amenaza nazi». A finales de octubre, la propaganda alemana había conseguido neutralizar rápidamente a la diplomacia francesa, que apareció a los ojos de muchos como la responsable directa del fracaso de la Conferencia, por lo que tanto británicos como norteamericanos recobraron su libertad de acción. En tales circunstancias, a la diplomacia republicana —y mucho menos a un gobierno de transición— no le interesaba para nada figurar como una pequeña potencia bajo la órbita de influencia de la «república hermana», por lo que no sólo se desmarcó de la posición defendida por la delegación francesa en Ginebra, sino que también intentó —y ya veremos que consiguió— reformular su alianza de intereses limitados con las pequeñas potencias. Pronto, el Grupo de los Ocho daría paso al Grupo de los Seis o Grupo de Neutrales. Con ello se abrió una nueva etapa en la actuación de la República española en la política europea.

TERCERA PARTE

La tormenta europea y el paraguas de la neutralidad

CAPITULO 5
Neutrales para salvar el desarme

Octubre de 1933 puede tomarse como punto de partida de una nueva etapa para la política europea de la República. Consumado el desencanto de las ilusiones pacifistas, la diplomacia republicana advirtió los peligros que podían derivarse del excesivo compromiso español con un sistema internacional que amenazaba ruina y decidió adoptar las oportunas precauciones. La respuesta inmediata a la creciente bipolarización y el riesgo de guerra en Europa no podía ser otra que la reafirmación de la orientación neutralista de la política exterior española, que desde entonces se volvió más renuente al cumplimiento de las obligaciones contraídas en virtud del Pacto a pesar de que persistió el discurso de «fidelidad» a los principios de la Sociedad de Naciones.

El inicio de la nueva fase coincidió, poco más o menos, con la implantación del «bienio restaurador». Tal circunstancia puede dar a entender la existencia de una relación directa de causa-efecto entre política interior y política exterior. No cabe duda que la rectificación del «nuevo rumbo» internacional se vio favorecida por el cambio de gobierno, sobre todo si tenemos en cuenta ese «posibilismo» tan característico de las ideas de política exterior de la nueva mayoría, cuyo principal partido, la CEDA, confesaba abiertamente su «desconfianza de Ginebra» y preconizaba «la neutralidad "a marchamartillo"» [1]. Sin embargo, el «viraje» neutralista venía gestándose antes de las elecciones de noviembre de 1933, siendo la dinámica derivada de los acontecimientos europeos —en particular la retirada de Alemania de la Sociedad de Naciones— la que acabó por darle el impulso definitivo. Además, dicha tendencia no fue exclusiva de España, sino común a todos los Estados ex-neutrales, que caminaron en la misma dirección al margen de las diferentes concepciones ideológicas de sus respectivos gobiernos [2]. Hay que desechar, pues, la visión del reajuste de la política exterior española como producto exclusivo de la derechización de la República, aunque ésta sirviera para reforzar la orientación neutralista que se impuso entre las pequeñas potencias no alineadas como consecuencia de la agudización de los peligros internacionales.

La puesta en marcha de la «operación neutrales» dio el pistoletazo de salida a la nueva fase de la política exterior española. La iniciativa se fraguó en los despachos del Ministerio de Estado a finales de octubre y su objetivo era la formalización de una especie de «alianza» de Estados neutrales que se situara por encima de los enfrentamientos entre las grandes potencias para actuar como factor de mediación en los conflictos europeos, en particular en el ámbito de la Sociedad de Naciones. En el fondo, se trataba de ir adquiriendo en tiempos de paz la inmunidad necesaria para hacer valer la condición de neutral en caso de que estallara una nueva guerra. Esto llevó a España a acercarse cada vez más a la política apaciguadora de Gran Bretaña con el fin de tender un puente entre Berlín y Ginebra y, por supuesto, evitar cualquier «flirteo» diplomático con Francia, que oficialmente dejó de ser la «república hermana» para convertirse en la gran responsable, junto con la irreductible Alemania, del incremento de la tensión internacional.

Esta línea de conducta venía intuyéndose desde finales del mes de septiembre, después de la salida de Azaña y los socialistas del Gobierno. Pero se reafirmó en los meses siguientes, cuando se reanudaron los trabajos sobre el desarme y el recién formado Grupo de los Neutrales entró en escena. Así nació el memorándum del 14 de abril de 1934, la declaración del 1 de junio y un nuevo memorándum redactado por Madariaga el 15 de octubre de ese mismo año, tres tentativas de mediación dirigidas a ofrecer una alternativa conjunta con el propósito de salvar la insalvable Conferencia del Desarme. Esfuerzos baldíos, puesto que las diferencias entre Londres y París con respecto al estatuto militar de la Alemania nazi impidieron cualquier tipo de acuerdo, ni siquiera «el mínimo realizable» propuesto por los neutrales, entrándose de lleno en la etapa del rearme generalizado.

LA OPERACIÓN NEUTRALES

La confirmación de la decadencia del Grupo de los Ocho durante la XIV Asamblea de la Sociedad de Naciones, la retirada de Alemania de la Conferencia del Desarme y la constatación, en fin, de la quiebra de la seguridad colectiva eran motivos suficientes para abrir un período de reflexión sobre el futuro de la política española en Ginebra. En este contexto, el Ministerio de Estado se planteó como objetivo prioritario la formalización de un nuevo grupo para la coordinación de los esfuerzos de paz en la escena europea, y de modo especial en la Conferencia del Desarme: el Grupo de los Seis, o de las pequeñas potencias europeas que habían permanecido neutrales durante la Gran Guerra; es decir, Holanda, Suecia, Dinamarca, Noruega y Suiza, además de España.

La formulación del proyecto

En su planteamiento inicial, el Grupo de los Seis pretendía aprovechar los vínculos que se habían creado entre los países ex-neutrales a partir de su militancia conjunta en el Grupo de los Ocho, cuya unidad se había ido resquebrajando a medida que se agudizaba el enfrentamiento franco-alemán y se ponía al descubierto la excesiva supeditación de Bélgica y Checoslovaquia a la política de seguridad francesa. No obstante, el nuevo proyecto difería notablemente del anterior en dos aspectos fundamentales. En primer lugar, partía de una diferente concepción de los lazos de unión, puesto que no aspiraba a reunir a los pequeños Estados europeos que compartían el mismo régimen de democracia parlamentaria avanzada —como había dicho Madariaga en 1932—, sino constituir un agrupamiento de países vinculados exclusivamente por la adopción de una política exterior común: la neutralidad ante los conflictos europeos. En segundo lugar, existía una diferencia no menos llamativa en cuanto al proceso seguido para llevar a cabo su constitución, ya que el intento de coordinar la acción de los neutrales no fue el fruto de una confluencia improvisada a partir del trabajo que se desarrollaba en Ginebra, como había ocurrido con el Grupo de los Ocho, sino el resultado de una acción promovida y coordinada por los máximos responsables de la diplomacia española desde Madrid.

La operación neutrales cayó como fruta madura después de cinco meses de gestación. El primer atisbo de la idea había surgido en mayo de 1932, cuando a raíz de la experiencia del conflicto de Manchuria Zulueta planteó a los delegados de Suecia, Holanda y Suiza el problema de la neutralidad ante el fracaso del artículo 16 del Pacto (el de las sanciones). Idéntica reflexión, aunque sin contactos exploratorios de por medio, volvió a hacerse en septiembre de ese mismo año, durante la celebración de la XIV Asamblea de la Sociedad de Naciones, cuando se comprobó que el Grupo de los Ocho estaba agonizando sin remedio. Por fin, aquellos pensamientos se plasmaron en un proyecto concreto un mes más tarde, después de la retirada de Alemania de Ginebra, con Nicolás Sánchez Albornoz como ministro de Estado y José María Doussinague —a la sazón director de Asuntos Exteriores— como máximo inspirador de la iniciativa.

La acción se puso en marcha a partir de un informe elaborado por Doussinague el 23 de octubre de 1933. Según este documento, el fracaso de los sucesivos planes de desarme y la retirada de Alemania de la Sociedad confirmaban la alteración sustancial de las condiciones internacionales. El nuevo escenario venía definido por la aparición de dos importantes fenómenos: el riesgo evidente de una guerra en Europa y la imposibilidad de hacer efectiva la solidaridad entre las naciones de acuerdo con el sistema de seguridad colectiva establecido en el *Covenant*. El riesgo de guerra era considerado como «el problema más grave» al que los neutrales europeos se enfrentaban a la hora de diseñar su política exterior, habida cuenta de su situación de indefensión y, por tanto, de su extrema vulnerabilidad. El principio de solidaridad internacional frente al agresor, por otra parte, tenía para España una significación especial, puesto que le obligaba a renunciar «a una de las ideas más caras a la opinión pública y al ideario político de la nación, que es la idea de neutralidad», en un momento en que se había llegado a una situación de retroceso tan grande que —según Doussinague— «no puede pensarse seriamente» en la aplicación de las obligaciones internacionales contraídas en virtud del artículo 16 del Pacto. La conclusión de tales reflexiones era obvia: «parece evidente que España vuelva a meditar si acaso no sería oportuno ir tomando posiciones para que ante un futuro conflicto nuestra Patria pueda permanecer neutral». Una meditación que, en todo caso, habría de hacerse de forma colectiva, pues si los problemas eran comunes también debían serlo las soluciones. Los seis Estados ex-neutrales, en suma, tenían necesidad de «agruparse urgentemente y tratar de adoptar una política común» [3].

Si las razones aducidas para plantear la constitución del Grupo de los Neutrales apuntaban hacia la recuperación de la neutralidad, esta intención quedó aún más explícita en los propósitos y orientaciones que España pretendía imprimir al Grupo una vez constituído. Según el informe, la «alianza de los neutrales» tendría que desplegar una «política de mediación» entre Alemania y el resto de las potencias en el terreno concreto de la reducción de armamentos. Dado que para el éxito de la Conferencia del Desarme era «totalmente indispensable» la participación de Alemania, y como quiera que ésta ya no podía darse de modo directo, nada mejor que canalizarla «a través de un elemento neutral, absolutamente imparcial, que ofreciera garantías de completa neutralidad»: el Grupo de los Neutrales, cuya actuación debía orientarse a hacer llegar a la Conferencia la posición alemana «ante cada problema concreto» que se debatiese en su seno y hacer de «amigable componedor en las diferencias entre las diversas naciones que forman el grupo francés por un lado, y Alemania por otro». Esta política de conciliación se presentaba, además, como un ejercicio digno del más puro altruismo internacionalista, lo que podía enlazar directamente con la orientación pacifista y la voluntad de conciliación de la República española:

«Esto permitiría al Grupo realizar una labor de primera fila, destacando la importancia que tiene hoy dentro de la política europea el hecho de que existan seis países ajenos a la contienda y a la división profunda de Europa, neutrales en esencia y desde el fondo de su espíritu, representantes únicos y autorizados de la idea de la paz y de todo principio de conciliación y de avenencia.

Esta idea de paz y estos principios de conciliación y de avenencia necesitan ser lanzados al seno de las discusiones de Ginebra por voces llenas de prestigio y que puedan defender tales principios con la persistencia, la energía y el desinterés necesarios. He aquí el papel de las Naciones neutrales, he aquí la ocasión, quizás única, para que estos Países neutrales conjuntamente adquieran en Ginebra una posición de gran potencia moral, la posición que en el terreno del espíritu les corresponda por la posibilidad que tienen de señalar a Europa el camino hacia el futuro» [4].

Para la puesta en práctica de tal política, Doussinague proponía la adopción de tres pasos concretos. El primero era iniciar el establecimiento de «contactos y exploraciones» con los gobiernos de las otras cinco naciones a fin de exponerles el criterio español de «ir con rapidez a la constitución del Grupo» a través de «una colaboración íntima», tanto en las líneas generales de su política internacional, como en el terreno de la diplomacia multilateral de Ginebra. Una vez que estas gestiones dieran resultado positivo, el segundo paso consistía en celebrar una reunión de los delegados de los Seis en la Conferencia del Desarme para «trazar una línea de actuación conjunta en todos y cada uno de los problemas de detalle» que allí se plantearan. Finalmente, el Grupo debía hacer gestiones en Berlín con el propósito de actuar como «órgano de enlace y de punto de contacto entre la Conferencia del Desarme y el gobierno alemán», de modo que procurara «buscar un terreno de avenencia y hallar fórmulas de conciliación» para llegar a un acuerdo final sobre desarme [5].

Tan sólo un día después de la redacción del informe, Sánchez Albornoz sometió la iniciativa diplomática a la consideración del Consejo de Ministros, que la aprobó en sus líneas fundamentales. De inmediato, el Ministerio de Estado cursó las primeras instrucciones a sus representantes en las capitales neutrales a fin de que «explorasen el ánimo» de los respectivos gobiernos y les indujeran a que sus delegados se reunieran en Ginebra para examinar conjuntamente necesidades y criterios comunes en política internacional, particularmente en materia de desarme. Con tal motivo fue redactada la orden circular de 25 de octubre de 1933, que recogía la totalidad del sentido y algunos de los párrafos del informe Doussinague, matizando que en los primeros momentos se trataba simplemente de «desbrozar el terreno» y llegar a «coincidencias de principio» que fueran acentuándose poco a poco hasta que condujeran a la constitución formal del Grupo [6].

De la importancia que el Ministerio de Estado concedió a la operación da prueba el hecho de que las gestiones se iniciaran de forma inmediata a la aprobación gubernamental del proyecto y que se orientaran en varias direcciones. Así, de forma simultánea, se encargaron hasta cuatro misiones específicas. A los ministros de España en Copenhague, Oslo y La Haya se encomendó el inicio de gestiones ordinarias de acuerdo con las instrucciones recogidas en la Orden Circular del 25 de octubre. A López Oliván se le asignaron gestiones especiales, dirigidas no sólo a explorar la actitud de los gobiernos de Suecia y Suiza en su doble condición de ministro de España en Estocolmo y delegado de España en Ginebra, sino también a establecer los contactos necesarios con los delegados en la Conferencia. A Madariaga, que debía permanecer al margen durante la fase de contactos previos, se le reservaba el desarrollo de la acción diplomática conjunta una vez que las gestiones hubieran dado resultado, al tiempo que debía sondear «el estado de ánimo» de París ante la iniciativa española. Por último, a Luis de Zulueta, entonces embajador de España en Berlín, se le instruyó para que explorase la disponibilidad del gobierno nazi ante la posibilidad de que España y los neutrales intentaran mediar entre Alemania y el resto de las potencias [7].

Las dificultades y reticencias iniciales

A pesar de que en el Ministerio de Estado se las prometían muy felices, las gestiones fueron más lentas de lo esperado. Las reticencias de las potencias neutrales a la formalización de una especie de «alianza» a través de un grupo que desarrollara una política internacional común eran grandes. La disponibilidad de Alemania a aceptar una posible mediación del Grupo de los Neutrales no estaba en absoluto garantizada. La presentación de otras iniciativas diplomáticas, como la de los británicos, concretando las modificaciones al proyecto de convención de desarme con su memorándum del 29 de enero; o la de los italianos, proponiendo una reforma del Pacto de la Sociedad de Naciones, añadieron nuevas preocupaciones inmediatas que aconsejaron detener la marcha forzada que Madrid pretendía imprimir al Grupo de los Neutrales. Y por último, también influyó la nueva situación política creada en España tras las elecciones generales de noviembre de 1933, que obligó a retrasar negociaciones en curso a la espera de la formación del nuevo gobierno.

Madariaga fue el primero que expresó su opinión ante las nuevas propuestas del Ministerio. El Embajador compartía la idea de estrechar la colaboración con los neutrales, por considerarla «en perfecta armonía con los intereses de la República y con los de Europa en general», aunque formuló claras reservas en cuanto a los objetivos prioritarios que se pretendían alcanzar y apreció «algo delicada» la operación de pasar del Grupo de los Ocho al Grupo de los Seis marginando taxativamente a checos y belgas de las conversaciones. En esta ocasión, Madariaga creyó oportuno desvanecer las desmesuradas expectativas que los mentores de la iniciativa habían puesto en la mediación de los neutrales para propiciar un acuerdo sobre desarme, que —en su opinión— tropezaba con «obstáculos cada vez más graves» de resultas de la consolidación del nazismo en el poder y del consiguiente fortalecimiento de las posiciones antialemanas en las principales cancillerías. En consecuencia, «toda acción mediatriz entre Alemania y las demás potencias, y en particular Francia, es hoy más delicada y difícil que nunca y puede hoy menos que nunca colocarse en el exclusivo terreno del desarme», de lo cual se desprendía la conveniencia de «matizar nuestra gestión atenuando considerablemente su actividad en los primeros pasos», no tanto con los países neutrales, sino sobre todo con el gobierno alemán, con quien no convenía llegar a una «conversación directa» sino a «una mera observación del ambiente» [8].

Las sugerencias de Madariaga llegaron tarde, pues Zulueta ya había sondeado la opinión alemana ante una eventual mediación de los neutrales. El resultado de sus exploraciones no vino sino a confirmar la irreductibilidad de los planteamientos de Berlín, que seguían estando basados en el axioma de que «Alemania ha desarmado, a los otros les toca ahora desarmar», por lo que el gobierno nazi no deseaba participar en ningún acuerdo que no tuviera en cuenta la aplicación inmediata de la igualdad de derechos. Además, la actitud alemana ante la Sociedad de Naciones permanecía inalterable, sin disposición alguna a volver a los cauces de Ginebra, por lo que Zulueta advirtió que toda gestión en ese sentido no daría resultado, aunque el gobierno alemán se mostraba, en principio, dispuesto «a comunicar a alguna nación neutral que lo desease sus observaciones y puntos de vista acerca de los temas que se susciten en la Conferencia» [9].

Madariaga y Zulueta habían coincidido en un punto importante: la mediación de los neutrales entre Berlín y Ginebra resultaba una misión sumamente difícil y compleja. Alemania, por una parte, estaba dispuesta a informar de sus posiciones a los neutrales, pero, por la otra, sus posiciones seguían siendo irreconciliables, y además, por entonces toda voluntad negociadora del gobierno alemán no pasaba precisamente por Ginebra, sino por los acuerdos con Francia al margen de la Sociedad de Naciones [10]. Quizás por esta razón, a pesar de mostrarse como un «partidario entusiasta» de la política de mediación, Zulueta recomendaba que «para no comprometerla, hay que proceder con la mayor prudencia en la elección de los momentos oportunos y en la forma de realización». La cuestión, pues, quedó planteada en estos términos: ¿era aquél el momento oportuno de proponer a los neutrales la constitución de un Grupo con el propósito de mediar entre Alemania y el resto de las grandes potencias y llegar a una política común en Ginebra? El resultado inmediato de las gestiones con los neutrales, así como las tendencias que se apuntaban en la diplomacia europea, parecen abonar la hipótesis de que el Ministerio de Estado se precipitó al plantear el tema con carácter urgente y se excedió al formular el alcance y los objetivos del proyecto.

Dado que el planteamiento de Madrid era la adopción de «una política común» de los Estados neutrales, las primeras gestiones de los representantes españoles en Copenhague y La Haya demostraron las reticencias de estos países a la formalización de un grupo que funcionara como una alianza más dentro del sistema internacional. Aunque veían la iniciativa española «con simpatía», tanto holandeses como daneses mostraron «cierta escama, temiendo que en la propuesta española hubiera algún gato encerrado o se tratara de buscar, de manera encubierta, la forma de atacar a alguien» —como señaló Aguirre de Cárcer a Oliván. Así, el danés Bernhoft lo primero que preguntó a su interlocutor era si España había pensado en algún pacto o *entente* por escrito, idea que resultaba inaceptable para su gobierno, mientras que el holandés De Graeff insinuó si en la iniciativa española no había «ninguna «punta» contra nadie», produciéndose una «confusión» entre el Grupo de los Ocho, donde España y Holanda venían ya participando, y el nuevo grupo de países ex-neutrales propuesto por la diplomacia española [11].

Las confusiones iniciales se debieron no sólo al planteamiento equívoco de la iniciativa, sino también a la falta de coordinación de la diplomacia española durante el curso de las exploraciones. En los contactos intervinieron, de forma aislada, los ministros de España en las capitales neutrales, los embajadores de España en París y Berlín y el propio López Oliván desde Ginebra. Esta dispersión de canales, y sobre todo la desinformación existente entre unos y otros, alimentó toda clase de rumores y suspicacias que retrasaron la puesta en marcha de la operación. Incluso en alguna ocasión este fenómeno fue observado desde dentro por algunos diplomáticos españoles, como Ginés Vidal, quien desde Copenhague reclamó a Madrid noticias más precisas sobre las gestiones que sus colegas estaban realizando en otras capitales, puesto que era «de suma importancia» —argumentó— «dar la sensación de una actividad diplomática uniforme y homogénea, que se desenvuelva paralelamente en todos los países interesados, para mayor eficacia de la misma» [12].

Estas primeras dificultades provocaron la inmediata reacción de Madrid, que procuró matizar el proyecto original a fin de exponer el punto de vista español de forma más tranquilizadora. El propio Doussinague tuvo que dar nuevas instrucciones a Ginés Vidal para que éste disipara «la última sombra de recelo» que pudiera existir en el ánimo del gobierno danés, indicando «de manera terminante que en el pensamiento del gobierno español no estuvo nunca el llegar a un pacto escrito», y que tampoco se trataba de que el Grupo de los Neutrales asumiera en el seno de la Conferencia «la defensa de los puntos de vista alemanes», sino de conocer «del modo más directo y preciso posible el punto de vista de la nación ausente» para encontrarse situados «en el término medio» que podría favorecer la búsqueda de «soluciones armónicas e intermedias». Además, desde que se tuvo conocimiento de las reacciones suscitadas en Dinamarca y Holanda, el Ministerio no hizo tanto hincapié en la inmediata constitución del Grupo como en el establecimiento de «contactos» entre los representantes de los seis países en Ginebra a fin de trazar «una línea de conducta común» ante la reanudación de la Conferencia [13]. La iniciativa española, así planteada, parecía tender más a lo que había sido el Grupo de los Ocho en la etapa precedente: colaboración a partir de una dinámica de trabajo conjunta en vez de acuerdos de principio sobre la base de una política común.

En esta «marcha atrás» de la diplomacia española, Aguirre de Cárcer, subsecretario de Estado con Sánchez Albornoz, y los «españoles de Ginebra» (Madariaga y Oliván, e indirectamente Azcárate) desempeñaron un papel moderador frente a la posición de «reafirmación neutralista» personificada en Doussinague. Éste era, en efecto, un diplomático de conocidas tendencias germanófilas y, fiel a sus propias ideas, se había propuesto recuperar la tradicional política de estricta neutralidad española en Europa desde que había accedido al cargo de director de Asuntos Exteriores. En este sentido, hasta Oliván se había mostrado algo sorprendido con el nuevo giro que pretendía imprimir a la política ginebrina de la República, creyendo que el hecho de que el Grupo de los Ocho se debiera a la iniciativa

personal de Madariaga había impulsado a Doussinague («que detesta al
actual Embajador en París») a buscar otra fórmula de colaboración con
las pequeñas potencias en la Sociedad de Naciones. Con el telón de fondo
de estas diferencias de criterios en cuanto a la forma de proceder, cobran
mayor sentido las palabras que Aguirre de Cárcer escribiera a Oliván de
forma confidencial: «mi opinión personal es que hay que afrontar este
problema en condiciones de gran modestia, tratando de ir muy poco a poco
y de no elaborar planes de gran envergadura ni proyectos demasiados
ambiciosos» [14].

También la opinión de Oliván contribuyó a suavizar el planteamiento
inicial. Más apegado a las realidades de Ginebra y con un mayor conocimiento de las tendencias dominantes en las cancillerías europeas, el estrecho colaborador de Madariaga, al igual que había hecho éste desde París,
se mostró muy cauto respecto a las posibilidades reales de la mediación
propuesta por Doussinague. De sus contactos con el ministro sueco Undén,
Oliván había sacado la impresión de que la idea podía ser acogida favorablemente en las capitales neutrales, pero no con la premura y finalidad
previstas en Madrid, por lo que propuso al Ministerio la adopción de
cuatro criterios de actuación. El primero se refería a la necesidad de «aguardar» a que se constituyera en España un gobierno «con ciertos caracteres
de estabilidad» antes de seguir con las gestiones. En segundo lugar, no
parecía «posible ni oportuna» la intervención de los neutrales en el terreno
del desarme, pues la Conferencia estaba en suspenso y ni siquiera se conocían las intenciones de las grandes potencias de cara a su reanudación.
En tercer lugar, Oliván sugirió como «materia más propicia» de diálogo
la cuestión de la reforma del Pacto de la Sociedad de Naciones suscitada
por Italia, una noticia que, de confirmarse, debía estar en la agenda de
las preocupaciones inmediatas de los neutrales. Por último, dadas las diferencias que separaban a las seis naciones en temas concretos, el delegado
español propuso la realización de «un análisis minucioso y detallado» de
los puntos de vista sostenidos por sus gobiernos en los asuntos de la Sociedad para, antes de proseguir los contactos, «determinar de antemano
las diferencias que les separan y las coincidencias que les unen» [15]. Excepto en esta última cuestión del «análisis minucioso y detallado», que era
pedir demasiado a un ministerio en continua remodelación de cargos, las
sugerencias de Oliván marcaron la pauta a seguir en los próximos meses,
una vez estabilizada la situación política en España.

Hacia la formación del Grupo de los Seis

El 16 de diciembre de 1933 quedó formado el primer gobierno de la nueva mayoría surgida de las elecciones de noviembre. Con Lerroux al frente del Consejo de Ministros, Leandro Pita Romero se encargó de la cartera de Estado y Doussinague fue nombrado nuevo subsecretario. No tardó mucho en confirmarse que el reajuste ministerial reforzaba la posición de los partidarios de imprimir un giro más decididamente neutralista a la diplomacia española. A la semana de la formación del nuevo gobierno y tan sólo dos días después del ascenso de Doussinague a la Subsecretaría, volvió a reactivarse la operación neutrales.

Una reunión entre Pita, Doussinague y Oliván sirvió para perfilar la nueva estrategia a seguir. El Grupo de los Seis quedó planteado definitivamente como «una asociación de potencias con intereses muy similares en la esfera de la política internacional» encaminada al cumplimiento de dos objetivos: «primero, consultarse y concertarse sobre cuestiones de principio que afecten a la paz y a la organización internacional; y segundo, influir por medio de la acción oficial y privada para hacer triunfar esos principios o para evitar que los resultados ya logrados en ese orden puedan malograrse». No se trataba, pues, de «la constitución solemne» de un grupo, sino de «poner en marcha un procedimiento» que fuera capaz de ir creando «la necesidad de la consulta y el concierto» entre los seis países. Para España —se argumentaba— esta política de asociación con los neutrales resultaba la más adecuada a las condiciones internacionales del momento, puesto que evitaría «las suspicacias que pudiera despertar el hecho de que apareciese defendiendo esas ideas y principios en compañía de una gran potencia» [16].

La matización del proyecto original también afectó al procedimiento a utilizar. De acuerdo con las sugerencias apuntadas por Oliván desde Ginebra, el tema que serviría para retomar los contactos no iba a ser el desarme, sino la propuesta de reforma del Pacto de la Sociedad de Naciones. Por otra parte, las gestiones no tendrían lugar de forma simultánea con los diversos gobiernos, sino que se iniciarían con uno de ellos, y si éste acogía favorablemente el proyecto, se continuarían con otro, y así sucesivamente hasta completar las consultas con la totalidad de los seis países. Además, desde ese momento Oliván se convertiría en el hombre clave de la operación, confiándosele la realización de las primeras exploraciones y la capacidad para proponer y ejecutar iniciativas concretas. Con él, el proyecto español de impulsar el Grupo de los Neutrales ganó bastante en coordinación y eficacia.

No era de extrañar que el tema objeto de los primeros contactos fuera la eventual reforma de la Sociedad. Los reiterados fracasos del organismo internacional en la solución pacífica de las disputas y la brusca retirada de Alemania estaban propiciando que se planteara la posibilidad de reformar los mecanismos previstos en el Pacto. A mediados de diciembre de 1933 tomaron cuerpo los rumores de que Italia estaba estudiando una iniciativa en tal sentido, en lo que parecía un intento de resucitar el fracasado proyecto de directorio europeo de grandes potencias. Por las mismas fechas, Madariaga había informado desde París que entre algunos representantes de países escandinavos parecía abrirse paso la idea de aprovechar la disminución del número de miembros importantes de la Sociedad para restringir las obligaciones derivadas del artículo 16 del Pacto. La preocupación de las pequeñas potencias por el tema volvió a suscitarse a comienzos de 1934, cuando el gobierno holandés hizo pública una nota declarando que no consideraba necesario una modificación del *Covenant*, aunque se mostraba dispuesto a participar en un debate sobre la oportunidad de tal revisión a condición de que se hiciera dentro del marco de la Sociedad de Naciones y de que no atentara contra el principio de igualdad de derechos de todos sus miembros [17].

Similar criterio mantenía el gobierno español, a juzgar por los comentarios privados del nuevo ministro de Estado. En sus primeras entrevistas con Herbette, Pita Romero rechazó el argumento italiano de que la presencia de un elevado número de Estados en la Sociedad de Naciones fuera la causa que impedía a las grandes potencias asumir sus responsabilidades en problemas concretos. Si bien se reconocía que la estructura societaria era «perfectible», el Ministro consideraba que toda eventual reforma en su funcionamiento debía hacerse «desde dentro» y nunca al margen de sus mecanismos institucionales, aunque el gobierno español estimaba que en ese momento «toda tentativa de modificar sus prescripciones podría ser peligrosa» [18]. El tema, en suma, tenía el suficiente interés objetivo como para convertirse en el objeto de los primeros contactos con los neutrales, máxime cuando las cuestiones de desarme parecían seguir estancadas en negociaciones entre las grandes potencias. A este fin se encaminaron las nuevas gestiones de la diplomacia española, que en principio debían centrarse en la captación del apoyo de Berna, donde había sido destinado Oliván con el propósito de que coordinara todo el trabajo de la delegación española en Ginebra.

Sin embargo, no todo se desarrolló según el programa previsto por el ʼsterio de Estado. En el mes de enero, la operación neutrales recibió ulso definitivo gracias a la intervención de la diplomacia sueca, que viembre había sido informada de la iniciativa española a través y noruegos. A pesar de la confusión inicial en torno al tema, el proyecto había sido acogido favorablemente en Estocolmo, donde se interpretaba que «tenía como finalidad el concertar de común acuerdo las reglas de una neutralidad ante un eventual conflicto armado». El interés del gobierno sueco se expresó de forma clara a comienzos de enero, cuando su ministro en Madrid, Danielsson, solicitó a Doussinague que España concretara el contenido de su propuesta. La ocasión no podía ser desaprovechada y Oliván reactivó el tema aprovechando su viaje de despedida a Estocolmo antes de tomar posesión en Berna. Las primeras impresiones no podían ser más optimistas: Sandler, ministro de Asuntos Exteriores sueco, «aguardaba con cierta impaciencia» la comunicación española, la cual ya había sido «objeto de examen por el Gobierno y aún tal vez de cambio de impresiones con los gobiernos escandinavos»; además, en Estocolmo se concebía que la acción de los neutrales debía encaminarse no sólo a la reforma del Pacto, sino también a las cuestiones relacionadas con el desarme [19].

Las impresiones recogidas por Oliván se confirmaron poco tiempo después. Los contactos hispano-suecos se intensificaron durante los primeros días de febrero, concretándose entonces la propuesta española de modo definitivo. En cuanto a los contenidos, se convino que las primeras reuniones conjuntas tendrían por objeto fijar un punto de vista común sobre la forma de enfocar la eventual reforma del Pacto y que para ello se sometería a estudio el principio de la igualdad de los Estados miembros de la Sociedad, la regla de la unanimidad, la ligazón entre el Pacto y los Tratados de Paz de Versalles, la armonización del Pacto Briand-Kellog con el *Covenant*, la colaboración con los Estados no miembros y la cuestión de la universalización de la Sociedad de Naciones (añadida posteriormente a sugerencia noruega). En cuanto al procedimiento a seguir para poner en marcha el proyecto, se acordó que el gobierno sueco se dirigiera a los de Dinamarca y Noruega, y una vez obtenida la conformidad de éstos, hacer gestiones cerca de los de Holanda y Suiza a fin de que los representantes de los seis países se reunieran en Ginebra en marzo o abril [20].

Las gestiones suecas ante Dinamarca y Noruega demostraron que la iniciativa española era acogida favorablemente por estos gobiernos, si bien el noruego se mostró partidario de incorporar a Bélgica a las discusiones en virtud de la colaboración existente en la Conferencia del Desarme y la unión que había mantenido con los países escandinavos desde la firma del Convenio de Oslo. La sugerencia no fue bien acogida en el Ministerio de Estado, cuyo subsecretario estimaba «imprescindible» que el Grupo estuviera formado exclusivamente por países neutrales, «sin inclinarse en ningún punto a ninguno de los que fueron bandos beligerantes en la pasada guerra». Partiendo de este criterio, la intervención belga —según Doussi-

nague— «desvirtuaría el sentido» de una aproximación entre unas naciones que debían colocarse «en un justo punto medio entre las opiniones
encontradas que dividen a Europa» [21]. De todas formas, la incorporación
de Bélgica quedó abierta para ser dilucidada cuando los delegados de los
seis países se reunieran en Ginebra.

Mientras Oliván intensificaba sus gestiones en Estocolmo y Madariaga
permanecía al margen de los asuntos de la Sociedad, el Ministerio de
Estado se esforzaba en despistar a la diplomacia francesa sobre el alcance
y significación de la operación. En principio, tanto en el *Quai d'Orsay* como
en la Embajada de Francia en España se tenía la convicción de que la
iniciativa española estaba destinada a imprimir un mayor dinamismo al
Grupo de los Ocho. Así se lo dio a entender Pita a Herbette a finales de
enero, cuando puso especial cuidado en señalar que tanto Bélgica como
Checoslovaquia estaban incluidas en unas gestiones que «no habían tratado tanto de una política de neutralidad como de una coordinación de los
esfuerzos destinados a mantener el carácter democrático de la Sociedad de
Naciones». No fue hasta el 1 de febrero cuando París descubrió las verdaderas intenciones de Madrid. De regreso a Ginebra, Oliván informó al
delegado francés, «a título confidencialísimo», que los contactos realizados
por él en Estocolmo no iban dirigidos a revitalizar el Grupo de los Ocho,
sino a poner en marcha la nueva orientación neutralista bajo la inspiración
de Doussinague. Massigli no tardó en informar a París del tema, alertando
sobre la orientación germanófila del Subsecretario y dando cuenta de que
en el círculo de españoles de Ginebra había cundido una cierta preocupación por el alcance del proyecto y hasta el propio Pablo de Azcárate, ya
subsecretario de la Sociedad, se proponía realizar una visita a Madrid para
analizar los asuntos europeos con el presidente de la República y los jefes
de los principales partidos políticos [22].

El silencio del Ministerio de Estado dio los frutos apetecidos. La diplomacia francesa no pudo maniobrar a tiempo en contra de la exclusión
de Bélgica y Checoslovaquia, que quedaron al margen del nuevo grupo
desde las primeras reuniones. Para hacer valer sus criterios, Doussinague
aprovechó la retirada momentánea de Madariaga, que a partir de comienzos de marzo dejó la Embajada en París para iniciar su infortunada aventura como «Ministro cinco semanas». Madariaga ha escrito al respecto que
ni Pita ni yo podíamos ir a Ginebra, de modo que mi asiento, allá lo
ocupaban funcionarios del cuerpo diplomático; y si hubiera sido Oliván,
habríamos perdido y quizá ganado algo; pero fueron otros. Y uno de
muy antifrancés, aprovechó su situación para tratar de eliminar de
grupo a los países más adictos a Francia, o sea Bélgica y Checos-
me pareció muy mal, pero ya no me preocupé tanto, porque

vislumbraba que el gobierno Lerroux no iba a durar mucho más» [23]. A la inestabilidad ministerial se añadió la suavización del planteamiento inicial de la operación y el hecho de que se confiara a Oliván los contactos con los neutrales, factores que dieron una cierta garantía de que no iba a producirse un cambio espectacular en la política exterior. En adelante, Madariaga y Oliván se hicieron a la idea de que el Grupo de los Neutrales podía ser utilizado para dar un paso más en la línea de colaboración con las pequeñas potencias que se había iniciado en junio de 1932 con el Grupo de los Ocho, aunque ya sin la presencia de Bélgica y Checoslovaquia.

El resultado de las gestiones realizadas fue presentado ante la Junta Permanente de Estado a mediados de marzo al objeto de darle «un sello definitivo de estabilidad y continuidad». Posteriormente, el propio Doussinague evaluaba el despegue del Grupo de los Seis como un paso de «importancia extraordinaria» para la diplomacia española. A su juicio, entre los países neutrales existía «una coincidencia de puntos de mira, un paralelismo en las actuaciones y una efectiva comunidad en el conjunto de la orientación de la política internacional» que hacía pensar en la edificación de «una obra sólida» de futuro. Al filo de las gestiones realizadas, Doussinague reconocía que «sería excesivamente ambicioso» tender hacia la formalización del Grupo como una «alianza» o *entente* en firme y se mostraba partidario de «proceder gradualmente y con cautela, creando la situación sin definirla, estableciendo la coincidencia sin haberla anunciado previamente y, en fin, llegando a la constitución práctica del Grupo de neutrales por haber creado la coincidencia de opiniones». Pero los objetivos últimos del proyecto no ofrecían duda: el reforzamiento de la orientación neutralista de la política española ante el riesgo de guerra:

«...Ante la eventualidad de futuros conflictos guerreros en Europa (...), se hace indispensable que vayamos sentando desde luego sólidos jalones, que nos permitan, si ello conviene a nuestros intereses en aquel momento, permanecer neutrales en la contienda. Se hace pues necesario que desde ahora demos al mundo la sensación de nuestro decidido propósito de mantener la paz por todos los medios, realizando cuantos esfuerzos sean necesarios con esta finalidad. Pero si tales esfuerzos resultaran un día baldíos, debe saberse de antemano que la posición de España ha de ser la de mantener su neutralidad, en cuanto ésta sea compatible con nuestros intereses» [24].

El paso estaba dado; ahora sólo faltaba poner en marcha el mecanismo de actuación a partir de una dinámica de trabajo. El encuentro que los neutrales habían concertado para marzo tenía la finalidad de aunar criterios sobre la reforma del *Covenant*; no obstante, cuando los representantes de los Seis se reunieron en Ginebra, la cuestión del Pacto había pasado a

segundo plano de las preocupaciones diplomáticas ante la inminente reanudación de la Conferencia del Desarme, cuyo *Bureau* había sido convocado para comienzos de abril. Las circunstancias del momento se impusieron
y el Grupo de los Neutrales, tal como había previsto Doussinague, cobró
sentido para intentar la mediación en el terreno del desarme, punto de
partida de una colaboración que luego se amplió a otras cuestiones de
interés común.

LA PRIMERA TENTATIVA DE MEDIACIÓN

Después de la brusca retirada de Alemania de Ginebra y la ruptura del
«frente común» contra el rearme alemán, la Conferencia había quedado
paralizada y las negociaciones sobre desarme se encauzaron a través de
las conversaciones diplomáticas entre las grandes potencias. Entre finales
de octubre de 1933 y mediados de abril de 1934 se dieron todas las com-
binaciones posibles de contactos bilaterales entre Francia, Alemania, Gran
Bretaña e Italia. Los resultados no pudieron ser más desalentadores: mientras Hitler consolidaba su poder en Alemania y lanzaba su «ofensiva de
paz» al mundo, pretendiendo llegar a acuerdos de desarme fuera del marco
de la Sociedad de Naciones, franceses, británicos e italianos mantenían
posiciones más divergentes que nunca (véase Cuadro 3).

El enfrentamiento franco-germano seguía siendo el gran impedimento
para llegar a acuerdos. Durante aquellos seis meses de intensas negociaciones, la diplomacia francesa estuvo a la deriva, a caballo entre los partidarios de las concesiones y los de la firmeza, sin aceptar el rearme alemán, pero sin capacidad de decisión e iniciativa suficientes como para
proponer una solución real al desarme; atrincherada en el baluarte ginebrino, pero aceptando el juego de las conversaciones secretas. Los dirigentes de la Alemania nazi, por su parte, continuaron insistiendo en la voluntad pacífica de su pueblo y los derechos que asistían a los alemanes a
no ser tratados como vencidos, pero simultáneamente subían el tono de
sus demandas hasta hacerlas cada vez más exigentes, aumentaban sus
presupuestos militares en proporciones gigantescas y estimulaban a sus
ventudes con ímpetus de guerra. Británicos e italianos, en fin, se erigie-
en mediadores entre franceses y alemanes y propusieron sendas solu-
al desarme que, a pesar de tener grandes diferencias, coincidían en
ción del rearme alemán como un hecho irreversible que debía ser
a través del convenio de desarme a adoptar por la Conferen-

CUADRO 3
PROPUESTAS DE DESARME HACIA FINALES DE MARZO DE 1934

PROPUESTA FRANCESA	PROPUESTA BRITANICA	PROPUESTA ITALIANA
SEGURIDAD		

— Seguridad ligada al desarme con plazos fijados que garanticen su ejecución a través del control automático y permanente.
— Pacto de no agresión.
— Prevención de la violación del Convenio de Desarme mediante:
  • pérdida de derechos de control del infractor,
  • sanciones económicas,
  • aplicación de los tratados en vigor, y
  • derogación del desarme.
	— Procedimiento de consulta inmediata en caso de una amenaza de violación del Convenio con discusión de las medidas a adoptar para restablecer la situación y mantener el Convenio.
	— Inclusión de los pactos alemanes de no agresión en el cuadro de la Sociedad de Naciones y regreso de Alemania a Ginebra.
	— Control permanente y automático del Convenio.
		— Seguridad garantizada por las intenciones pacíficas declaradas por Hitler y el mantenimiento del *statu quo* (Locarno y Roma).
		— Abolición de la guerra química.

DESARME		
BASES — Aceptacion de un acuerdo sobre la base del Plan MacDonald, aunque aplicado en dos fases con período de prueba.	BASES — Plan MacDonald rectificado según el Memorándum británico de 29 de enero de 1934.	BASES — Mantenimiento del *statu quo* para las potencias armadas y reconocimiento de las reivindicaciones alemanas.

(cont.)

PROPUESTA FRANCESA	PROPUESTA BRITANICA	PROPUESTA ITALIANA
EFECTIVOS — Reducción de efectivos franceses sincronizados con las formaciones paramilitares de Alemania (1.ª fase). — Igualdad de las fuerzas militares metropolitanas (2.ª fase).	**EFECTIVOS** — Ejércitos continentales de milicias de corto tiempo de duración (200/300.000 hombres entre 8 y 12 meses de servicio). — Seguridades alemanas sobre el carácter no militar de las SA y SS.	**EFECTIVOS** — Rechazo de la uniformidad de los ejércitos continentales. — Limitación de los gastos militares de las potencias armadas al nivel actual.
MATERIALES — Mantenimiento del *statu quo* de las potencias armadas sin aumento de los armamentos de las potencias no armadas (1.ª fase). — Paridad en los armamentos de las potencias armadas y no armadas (2.ª fase).	**MATERIALES** — Carros de combate: supresión de los superiores a 16 tn. para las potencias armadas (según plazos de 1, 3 y 5 años) y equipamiento de carros inferiores a 16 tn. para las potencias desarmadas. — Artillería: limitación a 155 mm. por pieza.	**MATERIALES** — Limitación de los materiales terrestres al nivel actual para las potencias armadas. — Concesión a Alemania de artillería inferior a 155 mm y carros de asalto de 6 tn
DESARME AEREO — Abolición de las aviaciones nacionales militares. — Creación de una fuerza aérea internacional. — Control absoluto y riguroso de la aviación civil.	**DESARME AEREO** — Si en dos años no hay acuerdo para la supresión de la aviación militar, todos los países (Alemania incluida) tendrán el derecho de poseerla.	**DESARME AEREO** — Mantenimiento del *statu quo* para los países con aviación militar. — Reconocimiento del derecho alemán a poseer aviación de reconocimiento y de caza. — Prohibición del bombardeo aéreo.

PROPUESTA FRANCESA	PROPUESTA BRITANICA	PROPUESTA ITALIANA
DESARME NAVAL — Aplazamiento de la cuestión hasta 1935.	DESARME NAVAL — Arreglos transitorios hasta que se tomara una decisión en 1935.	DESARME NAVAL — Aplazamiento de la cuestión hasta 1935.

FUENTE: Elaboración propia a partir de los datos y cuadros de VAISSE, M.: *Securité d'abord...*, op. cit., pp. 481-528.

Pero británicos e italianos no fueron los únicos partidarios de aceptar el rearme alemán como algo inevitable. Los gobiernos belga y polaco también formularon iniciativas en idéntico sentido. A excepción de Francia, la *Petite Entente* y la Unión Soviética, en toda Europa parecía que se abría paso una nueva coyuntura diplomática, la del apaciguamiento, que se manifestaba en «la resignación» ante el rearme de Alemania. Es en este contexto donde cabe situar la iniciativa española de constituir un grupo de pequeñas potencias neutrales que fuera capaz de desplegar una política de mediación y —por qué no decirlo también— de apaciguamiento ante el enfrentamiento franco-alemán y el riesgo de una nueva guerra europea.

La iniciativa sueca y las vacilaciones españolas

Mientras en el Ministerio de Estado se preparaba la reunión con los neutrales para discutir la reforma del Pacto de la Sociedad de Naciones, en Ginebra se intentaba reactivar la Conferencia del Desarme. El pesimismo ante la reanudación de los trabajos era la tónica dominante entre las delegaciones de las pequeñas potencias, y también entre sus gobiernos, que se esforzaban en tranquilizar a sus ciudadanos dando seguridades de que no reducirían sus escuálidas fuerzas militares, sino que, por el contrario, intentarían hacer un esfuerzo económico para incrementar los medios de la defensa nacional [26]. En aquellas circunstancias de desconfianza casi absoluta respecto de las posibilidades del desarme, la convocatoria de la reunión del *Bureau* para el 10 de abril ofreció la primera oportunidad de coordinar la actuación de los seis Estados neutrales.

Esta vez la iniciativa no partió de Madrid, sino de Estocolmo. Westman, ministro de Suecia en Berna, se dirigió simultáneamente a Oliván,

consejero federal suizo Motta y al delegado holandés Moresco para que
sometieran a sus respectivos gobiernos la necesidad de que los neutrales
realizaran «un esfuerzo común» con el fin de impulsar los trabajos de la
Conferencia en el nuevo período de sesiones. El esfuerzo común propuesto por Suecia consistía, según Westman, en presentar a la Conferencia una
declaración conjunta apoyando las conclusiones del memorándum británico del 29 de enero de 1934, pero enmendándolo en algunos puntos. En
esencia, la propuesta estaba encaminada a lograr de la Mesa «una decisión
de principio respecto a un convenio de desarme limitado, pero que suponga un desarme sustancial (no la tesis italiana de conservar los armamentos actuales y no aumentarlos) y que sea un paso decisivo hacia la
igualdad y hacia una seguridad más positiva». Formulada de este modo,
la iniciativa sueca nacía con una evidente voluntad de conciliación, ya que
intentaba articular un desarme limitado, pero sustancial (tesis británica)
con el reconocimiento de la igualdad de derechos (tesis alemana) y el
reforzamiento de las garantías de seguridad (tesis francesa), evitando en
todo momento que se consumara el fracaso definitivo de la Conferencia
sin acuerdo alguno o con la falsa solución de mantener el *statu quo* de los
armamentos (tesis italiana), que en opinión de las pequeñas potencias sólo
podía conducir a una carrera de armamentos generalizada [27].

Atendiendo al requerimiento del gobierno sueco, el Ministerio de Estado elaboró el 7 de abril un documento que valoraba de forma muy
positiva la iniciativa. Madrid, además, optaba por hacer una declaración
conjunta, «pública y solemne», que expresara el sentir común de los países
neutrales ante el futuro de la Conferencia. Si bien España pretendía incluir
en esa declaración algunas de sus reivindicaciones tradicionales en materia
de desarme (supresión de la aviación militar, limitación de los presupuestos
militares y adopción de un tratado sobre fabricación privada de armas y
municiones de guerra), las observaciones españolas al memorándum británico se situaban en la misma línea que las preconizadas por Suecia; es
decir, reforzamiento de las garantías de seguridad previstas a través de la
ujeción del futuro convenio de desarme al *Covenant* y la adopción de
·tos de no agresión; desarme efectivo, aunque limitado a determinadas
` de armamentos, dejando la solución de los armamentos navales para
` prohibición absoluta de los bombardeos aéreos [28].

`lquier caso, esa primera formulación política quedó en suspenso
`'a de ser elaborada. La propuesta sueca y la eventual respuesta
`n sometidas a la consideración de la Junta Permanente de
`a tal fin con carácter extraordinario. En la reunión, Dous-
`ó de exponer las gestiones hechas por España para la
`¬o de los Seis, así como la bondad de la declaración

conjunta sobre desarme. Sin embargo, en la Junta se suscitaron «graves dudas» sobre la oportunidad de tomar tal iniciativa en un momento en que Gran Bretaña, y por tanto su memorándum de 29 de enero, se situaba más en la línea de las tesis de Alemania e Italia que en las de Francia. En tales circunstancias, la Junta se hizo la pregunta de rigor: «¿es prudente que España tome una actitud de franca oposición hacia Francia?» La tradición de la política exterior española aconsejaba abstenerse en las diferencias anglo-francesas, y ese fue el camino recomendado por la Junta: la abstención. En consecuencia, España debía aplazar la declaración de los neutrales, apostar por el entendimiento entre París y Londres y mantenerse a la expectativa de los acontecimientos, si bien se reconocía que «no habría ningún inconveniente en hacer el acto propuesto por Suecia si esto no llevara consigo el peligro de enfrentarnos francamente con Francia» [29].

Con el interés de disipar los recelos de París, algunos dirigentes españoles se esforzaron en hacer llegar al gobierno francés la posición abstencionista de España en la controversia franco-británica sobre desarme. Tal fue el caso de Santiago Alba, presidente de las Cortes y miembro de la Junta Permanente de Estado, quien se lamentó ante Herbette de la tendencia de Londres a afrontar los problemas internacionales «desde el punto de vista del interés británico» cuando en aquellas circunstancias resultaba necesario llegar a una *entente* franco-británica en materia de desarme. Aún más explícito fue Pita Romero, al asegurar al embajador francés que España era del criterio que una intervención de las pequeñas potencias resultaba contraproducente entonces, puesto que podía perjudicar un posible acuerdo entre Francia y Gran Bretaña [30].

El repliegue de Madrid se había hecho efectivo cursando las oportunas instrucciones a Ginebra para que se frenara la iniciativa sueca. El mismo día en que Pita Romero exponía el criterio abstencionista español a Herbette, Oliván intentaba convencer a Sandler de la conveniencia de aplazar la declaración hasta la próxima reunión de la Comisión General, prevista para finales de mayo. Pero la coartada elegida por la diplomacia española para esquivar el tema (la ausencia de Noruega y Dinamarca del *Bureau*) no dio resultado positivo. El ministro sueco insistió en su argumentación de que «los Estados neutrales contraían una responsabilidad al no señalar ahora ciertos puntos muy simples destinados a facilitar la negociación» y subrayó que su gobierno estaba dispuesto a acomodar la declaración conjunta a los puntos de vista españoles. Oliván, en fin, no pudo negarse al examen del texto propuesto por Sandler, aunque condicionó la aceptación del mismo a la decisión de su gobierno, al igual que hicieron los delegados de Suiza y Holanda con el documento consensuado entre Sandler y Oliván. El delegado español salió de aquel encuentro con el «convencimiento personal» de que Suecia estaba dispuesta a hacer la declaración en solitario aun sin contar con el apoyo de España y que, en caso de que éste se produjera, Noruega y Dinamarca suscribirían también la declaración; «si nos oponemos» —vaticinaba Oliván—, «preveo grandes dificultades en el desarrollo de las negociaciones para la constitución del grupo de neutrales», expresando además su opinión de que el texto, en la forma que estaba redactado, no podía disgustar a ninguna de las grandes potencias [31].

Una vez más, el criterio de Oliván fue determinante en la decisión final del gobierno español. En la sesión del *Bureau* del 10 de abril, Sandler anunció su intención de remitir en breve una nota al presidente de la Conferencia exponiendo sus puntos de vista sobre el estado del desarme. Dos días después, el delegado español confirmó a su homólogo francés que España se había adherido a la nota, extremo que confirmó el propio ministro de Estado a Herbette pocas horas después. Con la aceptación española parecía garantizado el respaldo de Dinamarca y Noruega. El gobierno suizo, por su parte, insistió en incluir una frase relativa al reingreso de Alemania en la Sociedad de Naciones y también se adhirió a la declaración conjunta. Sólo Holanda mantuvo la duda hasta última hora, solventada finalmente con la adhesión al tenor de la declaración, aunque sin hacer suya la argumentación palabra por palabra [32]. De ese modo se fraguó la primera tentativa de mediación del Grupo de los Neutrales en la Conferencia del Desarme.

El memorándum del 14 de abril

La declaración de los neutrales, hecha pública en forma de memorándum el 14 de abril, constataba la imposibilidad de llegar a un acuerdo de desarme sobre la base única del plan MacDonald de marzo de 1933, puesto que la Conferencia se encontraba ante «la necesidad de ajustar, por medio de un convenio, la situación derivada de un rearme de hecho». En este sentido, los Seis consideraban que el memorándum británico de 29 de enero de 1934 representaba «un esfuerzo apreciable de conciliación», pero «insuficiente» para resolver todas las dificultades, palabras escogidas con sumo tacto para evitar el rechazo de París y propiciar el entendimiento anglo-francés.

Los países neutrales concretaban en cuatro puntos los «elementos esenciales» para llegar a una «solución realizable» en materia de desarme en aquellas circunstancias. En primer lugar, el establecimiento de un convenio limitado a ciertas clases de armamentos, dejando para más adelante la solución definitiva del desarme naval y la decisión sobre la abolición de la aviación militar, aunque evitando una agravación de la situación existente mediante la prohibición, sin reservas, de los bombardeos aéreos. En segundo lugar, la adopción de medidas sustanciales de desarme y no una mera limitación sobre la base del estado de cosas existente. En tercer lugar, la realización práctica de la igualdad de derechos de una forma moderada. Y por último, el reforzamiento de la seguridad prevista en el memorándum británico mediante la fijación de garantías concretas y precisas para la ejecución del convenio dentro de los límites de las obligaciones previstas en el *Covenant* y el regreso de Alemania a la Sociedad de Naciones. En suma, la declaración estimaba que la Conferencia se encontraba ante dos alternativas: «o una reducción restringida, pero real de los armamentos, paralela a un rearme moderado, o una limitación pura y simple al *statu quo* acompañada de un rearme más en masa». Ante esta disyuntiva, las delegaciones neutrales tomaban partido por la primera solución, al tiempo que rechazaban la segunda [33].

Dado que el memorándum del 14 de abril marcó el inicio de la colaboración efectiva del Grupo de los Neutrales en Ginebra, no es ocioso indagar en la intervención que cada parte tuvo en su proceso de elaboración. De entrada, puede descartarse la participación activa de Dinamarca y Noruega en la redacción del texto, puesto que sus delegados no eran miembros del *Bureau* de la Conferencia. La vinculación de estos dos países al Memorándum y al Grupo de los Seis se debió, sobre todo, al efecto de arrastre que Suecia tenía entre el resto de las delegaciones escandinavas. En cuanto a la aportación de Suiza, Motta intentó poner de relieve ante los franceses su decisiva contribución al apartado sobre las garantías de seguridad; sin embargo, el único añadido que el ministro suizo hizo al Memorándum fue la frase relativa al reingreso de Alemania en la Sociedad (precisamente la que más críticas suscitó en la prensa francesa), y en esto coincidieron tanto Oliván como los embajadores francés y británico en Berna. Según la versión inglesa, Motta creía que la opinión pública de su país podía reaccionar negativamente en el caso de que Suiza —país neutral por excelencia— no se adhiriera a la declaración, por lo que se vio obligado a suscribirla a pesar de sus temores a una reacción negativa en París y Londres [34]. Tampoco Holanda tuvo una intervención directa en la elaboración del Memorándum. Aunque la actitud de gobierno holandés coincidía con los propósitos españoles de «crear una estabilidad, fundada en principios de conciliación, a la situación internacional», desde hacía un tiempo mostraba «una tendencia marcada a no definirse en política internacional», no tanto por razones de principio, como por «motivos de interés práctico», dada la creencia holandesa de que tanto sus colonias como el territorio metropolitano correrían un grave peligro en caso de que se dujera una nueva guerra y que no convenía mostrarse en pleno desacuerdo con las grandes potencias en situaciones críticas [35].

Descartada la participación de Noruega y Dinamarca, así como la intervención directa de Suiza y Holanda, todo quedó reducido a la negociación entre la delegación sueca, de quien había partido la iniciativa, y la española, cuyo apoyo era esencial para que el documento revistiera carácter de declaración conjunta. En efecto, el texto del Memorándum salió de la reunión à deux entre Sandler y Oliván la tarde del 9 de abril. Según la versión que Pita dio a Herbette, Sandler tenía la intención de hacer una declaración categórica de adhesión al memorándum británico, pero España se opuso estimando que arriesgaría el diálogo franco-británico, por lo que el ministro sueco, al no verse secundado tampoco por Holanda y Suiza, se avino a aceptar las tesis españolas, que ponían el acento en el reforzamiento de las medidas de seguridad. Sin duda, la versión del ministro español exageraba las diferencias a fin de no disgustar a Francia, cuya diplomacia intentaba presionar a Madrid para que no se adhiriera a la declaración [36].

En realidad, el Memorándum no suscitó grandes divergencias entre Suecia y España. Cuando Oliván y Sandler se reunieron para preparar la declaración, el ministro sueco llevaba una nota preparada de antemano, mientras que el delegado español disponía tan sólo de las instrucciones generales que le había facilitado el Ministerio de Estado. El texto final debió su máxima inspiración a Sandler, si bien Oliván procuró tener en cuenta las puntos de vista de Madrid, «unas veces para omitirlos cuando l acuerdo no era posible, y otras veces para enmendarlos» —según su opia explicación [37]. Con la inicial propuesta sueca, las instrucciones da a Oliván y el texto definitivo de la declaración conjunta se ha elabo un cuadro sinóptico (véase Cuadro 4) del que se pueden extraer tres aciones: la primera, que Sandler y Oliván evitaron que el Memo tuviera referencias concretas a capítulos específicos del proyecto segundo, que España transigió en su deseo de incorporar al final algunas de sus reivindicaciones tradicionales en materia como una adhesión de principios a la supresión de la aviación acuerdo sobre fabricación y comercio de armas, y por último, cedió a concretar las garantías de seguridad en los términos nes previstas en el Pacto de la Sociedad, entre las que se supuesto, la imposición de sanciones económicas y finan gresor, extremo éste que fue subrayado por el delegado como un hecho altamente positivo, puesto que signifi ón sustancial de la tradicional política de los países ia de seguridad colectiva [38].

CUADRO 4
MODIFICACIONES PROPUESTAS POR LOS NEUTRALES AL
MEMORANDUM BRITANICO DEL 29 DE ENERO DE 1934

PROPUESTA SUECA	PROPUESTA ESPAÑOLA	MEMORANDUM 14 ABRIL
	SEGURIDAD	
PRINCIPIO — Reforzamiento de las medidas de seguridad.	**PRINCIPIO** — Reforzamiento de las medidas de seguridad.	**PRINCIPIO** — Reforzamiento de las medidas de seguridad.
MEDIOS — Acción colectiva contra el infractor del Convenio de Desarme. — Pacto de no agresión (Kellogg reformado) — Inserción de la definición de agresor en régimen de protocolo abierto.	**MEDIOS** — Convenio de Desarme sujeto a las obligaciones previstas en el *Covenant*. — Adopción de pactos de no agresión, tanto bilaterales como colectivos.	**MEDIOS** — Garantías concretas y precisas de la ejecución del Convenio dentro de las obligaciones previstas en el *Covenant*. — Regreso de Alemania a la Sociedad de Naciones.
	DESARME	
DESARME AEREO — Prohibición absoluta de los bombardeos aéreos.	**DESARME AEREO** — Declaración de principios favorable a la supresión de la aviación militar, aunque sin insistir en ello. — Prohibición absoluta de los bombardeos aéreos.	**DESARME AEREO** — Dejar en suspenso el pronunciamiento sobre supresión o mantenimiento de la aviación militar. — Prohibición absoluta de los bombardeos aéreos.

(cont.)

PROPUESTA SUECA	PROPUESTA ESPAÑOLA	MEMORANDUM 14 ABRIL
DESARME NAVAL — Dejar en suspenso el desarme naval hasta 1935.	**DESARME NAVAL** — Dejar en suspenso el desarme naval hasta 1935. — Declaración de principios de que el tonelaje máximo de los buques de guerra se limite a 10.000 tn.	**DESARME NAVAL** — Dejar en suspenso el desarme naval hasta 1935.
EFECTIVOS — Servicio de ocho meses.	**EFECTIVOS** — Servicio de doce meses, y en su defecto, aceptación del de ocho meses.	
	MATERIALES — Supresión de la artillería móvil superior a 115, o en su defecto, 155 mm.	
OTRAS MEDIDAS — Publicidad de los gastos militares.	**OTRAS MEDIDAS** — Limitación y publicidad de los gastos militares. — Tratado sobre fabricación y comercio privado de armas.	

FUENTE: Elaboración propia.

Pese a los temores de Madrid y Berna, el memorándum de los neutrales no levantó demasiadas ampollas en las cancillerías de las grandes potencias. El *Foreign Office* se apresuró a dar instrucciones a su embajador en Suiza para que disipara los temores de Motta`sobre este extremo, ya que en Londres la declaración del 14 de abril había sido acogida favorablemente, valorándose que, si bien los neutrales carecían de fuerza material, «al menos su apoyo moral era muy bien recibido en estos duros momentos». A la postre, la declaración de los neutrales apoyaba las tesis británicas con dos grandes salvedades: el reforzamiento de las garantías de seguridad y la prohibición absoluta del bombardeo aéreo. De ahí que Leeper, alto funcionario de la diplomacia británica, analizara el texto de la propuesta como «un documento realmente admirable que nosotros podemos utilizar para reforzar nuestro propio argumento, ya que la única base de acuerdo útil, y sobre todo concebible, está en las líneas de nuestro memorándum del 29 de enero, quizás modificado en ciertos puntos, y fortalecido, por supuesto, por acuerdos para garantizar su debida observancia» [39]. En Londres, en fin, se estimó positivo que las pequeñas potencias hicieran oir su voz, sobre todo porque se había expresado en un lenguaje fácilmente asumible para el gobierno británico.

El Memorándum también fue bien recibido en el seno de la delegación norteamericana. Para Wilson, la propuesta de los Seis proporcionaba «una plataforma neutral» para hacer valer los puntos de vista norteamericanos en la solución del desarme: «hay mucho en este documento» —señaló— «que merece nuestro apoyo, aunque podríamos poner objeciones a ciertas etapas del mismo». El delegado americano observó una contradicción entre la parte de la declaración que se pronunciaba a favor de la reducción de armamentos y la referencia que hacía a revisar la base existente de la Conferencia, que tendía una mano a los planteamientos franceses y que —según le explicó el sueco Westman— había sido añadida para lograr la adhesión española al documento. De todos modos, el tenor general de la declaración causó una «impresión favorable» a Wilson, que así lo declaró en el *Bureau* [40].

Con menos simpatías fue recibida la iniciativa en Italia y Francia. En Italia, porque el Memorándum del 14 de abril condenaba explícitamente la tesis italiana, defendida con tanto ahinco por Mussolini, de mantener el *statu quo* de los armamentos nacionales existentes. En Francia, porque, si bien la declaración hacía una clara referencia al reforzamiento de las garantías de seguridad previstas por los británicos, los neutrales venían a dar nuevos argumentos a la tesis de conceder un rearme moderado a Alemania al tiempo que se reducían los arsenales militares de las potencias armadas. En la prensa de París, por tanto, la declaración fue criticada por hacerle un flaco servicio a la causa de la contención del rearme de la Alemania nazi, e incluso algún diario vinculado a las posiciones más intransigentes llegó a señalar que el interés de los neutrales aconsejaba que «estos países se abstuvieran de mantener tesis que puedan adormecer la opinión internacional mediante la presentación de garantías ilusorias, haciendo así el juego de la Alemania pangermanista de hoy». No obstante, en el *Quai d'Orsay* la reacción fue mucho más moderada, e incluso el memorándum del 14 de abril sirvió para que algunos expertos militares formularan observaciones destinadas a perfeccionar o matizar apartados concretos de los proyectos de desarme que Francia estaba considerando en ese momento [41].

Desde que el tema fue planteado a la Junta Permanente de Estado, el gobierno español era consciente de que Francia no veía con buenos ojos su participación en la iniciativa sueca. De ahí que a la inicial presión francesa en Madrid para que España no apoyara la declaración de los neutrales le siguiera el esfuerzo español en hacer comprender al gobierno de París las razones de «interés nacional» y de «fuerza moral internacional» que asistían a España y a los neutrales para no permanecer callados en aquella coyuntura, recalcando en todo momento que el documento ponía especial énfasis en reforzar las garantías de seguridad previstas en el memorándum británico de 29 de enero. La actitud comprensiva de la diplomacia francesa ante este razonamiento quedó demostrada con el comportamiento de Herbette, que parecía entender las razones aducidas por Pita para prestar su apoyo a la iniciativa sueca y tampoco insistió tanto en la presión que le demandaba Massigli desde Ginebra [42].

En la prensa española, la primera acción conjunta de los neutrales no suscitó grandes comentarios. Esto se debió, en parte, a que el interés informativo estaba centrado entonces en los acontecimientos de la política nacional, entre los que destacaba el debate parlamentario sobre la amnistía a los militares condenados por la intentona golpista protagonizada por Sanjurjo y, poco después, por la concentración de las juventudes católicas en El Escorial acompañada de la huelga general que paralizó Madrid. Pero el desinterés de la opinión pública también estaba fundamentado en la consideración de que las discusiones de Ginebra sobre desarme se contemplaban como la interpretación de «una comedia en dos actos» en la que diplomáticos y políticos hablaban de paz mientras generales y magnates de la industria pesada preparaban la guerra. Además de *El Debate*, que fiel a sus posiciones antifrancesas criticó el apartado dedicado al reforzamiento de las garantías de seguridad, otros periódicos insertaron breves comentarios sobre la declaración de los neutrales, como el diario *Ahora*, que destacó el hecho de que las pequeñas naciones hicieran oír «su voz sabia y desinteresada», «digna de ser escuchada», puesto que representaba «la voz serena y noblemente franca de los neutrales en la Gran Guerra» [43]. Nadie, sin embargo, se hacía ya ilusión alguna con respecto al futuro de la Conferencia.

Al margen de los ecos de prensa y de las reacciones favorables y desfavorables que la iniciativa suscitó, conviene subrayar —como ha hecho

Vaïsse— que el memorándum del 14 de abril expresaba «la presión internacional en favor de una convención de desarme» y el rechazo a mantener el estado de cosas existente en cuestión de armamentos [44]. Una vez más, las pequeñas potencias se habían erigido en portavoces, si no del conjunto de la opinión pública democrática (ya profundamente dividida), sí al menos de esos sectores más próximos a la Sociedad que deseaban ver a la Alemania nazi integrada en un convenio de desarme por muy mediocre que éste fuera. Pero también en esta ocasión la tentativa fracasó. Sólo tres días después de la presentación de la declaración de los neutrales, las negociaciones diplomáticas sobre desarme se interrumpieron bruscamente tras la contestación definitiva del gobierno francés al memorándum británico del 29 de enero. La nota francesa del 17 de abril daba un no rotundo a la legitimación jurídica del rearme alemán por medio de una convención de desarme; rechazaba las conversaciones directas, remitiéndose a las decisiones que adoptara la Conferencia, y en definitiva, optaba por la «libertad de acción» como alternativa más acorde a la necesidad de «seguridad» para hacer frente al rearme de Alemania [45].

Con la decisión francesa y la posterior ruptura de negociaciones, el memorándum de los neutrales perdía toda virtualidad y la Conferencia del Desarme entró de nuevo en un punto muerto hasta finales de mayo. La primera tentativa de mediación de los neutrales en Ginebra se había esfumado rápidamente. La decepción volvió a cundir en el ánimo de los delegados de las pequeñas potencias, sobre todo si se tenía en cuenta el esfuerzo que había costado sacar adelante la declaración y las concesiones que en la misma se habían hecho con respecto a sus tradicionales reivindicaciones en materia de desarme. Con ello se evidenció, una vez más, que una cosa era que los débiles de Europa hicieran oir su voz y otra bien distinta que esas voces fueran escuchadas.

No obstante el fracaso, en Madrid se valoró positivamente la tentativa de mediación. En el Ministerio de Estado se llegó a preparar un proyecto de discurso para ser leído en las Cortes por el Ministro con el fin de explicar a la Cámara los antecedentes de la política de desarme desarrollada por la República y las gestiones para la articulación del Grupo de los Neutrales, así como la importancia del memorándum del 14 de abril y los objetivos que España se proponía alcanzar en Ginebra a corto plazo. El texto del documento ponía al descubierto las verdaderas intenciones de Madrid al asociarse a la iniciativa sueca a pesar de las vacilaciones iniciales: no perder aquella oportunidad para dar el primer paso en el camino de articular una política común de neutralidad frente a la crítica situación de Europa tras el desafío lanzado al mundo por la Alemania nazi y los constantes desacuerdos entre Francia e Inglaterra:

«...Las naciones neutrales adquieren en el texto de este documento una personalidad conjunta y destacada ante el problema del desarme. (...) Pero, por
encima de todo, adquieren conciencia de su personalidad de neutrales. Existe,
en efecto, una neutralidad de tiempo de paz, que consiste en intervenir en la
solución de los problemas partiendo de una posición de absoluta imparcialidad,
colocándose en el terreno intermedio entre las tesis opuestas y buscando sistemáticamente fórmulas de conciliación entre las mismas. Así han venido actuando las naciones neutrales en Ginebra... Y este espíritu adquiere ahora un
singular relieve y viene a constituir el alma de una personalidad conjunta que
nace a la vida internacional en el documento presentado por el Sr. Sandler.
Lo que antes era una simple coincidencia y un paralelismo en las actitudes,
empieza a convertirse ahora en una actitud sistemática, bien meditada y orientada hacia fines precisos de colaboración internacional en el terreno especial
que deben pisar las naciones neutrales por el hecho mismo de serlo» [46].

Al tiempo que se valoraba la experiencia reciente, se anunciaba el
propósito del Gobierno de tender al reforzamiento del Grupo de los Seis.
La colaboración entre los neutrales «debe hacerse cada día más firme,
sólida e íntima» —se decía—, a fin de desplegar conjuntamente una política de neutralidad en tiempos de paz, una política de mediación en las
disputas entre las grandes potencias y adaptada a la condición de los
neutrales como factor de conciliación. Sin duda, se estaba asistiendo a la
coyuntura del apaciguamiento y en el Ministerio de Estado se tenía conciencia de ello, muy en consonancia con la política abanderada por Londres en ese momento. La lenta agonía en que se sumió la Conferencia del
Desarme a partir de entonces proporcionó nuevas oportunidades para que
los neutrales intentaran mediar en la discordia, ya reducida a buscar la
mejor fórmula de cerrar aquel aciago capítulo de la historia de la Sociedad
de Naciones.

LOS NEUTRALES EN LA AGONÍA DE LA CONFERENCIA DEL DESARME

En España, tras la aprobación del proyecto de ley de amnistía, sobrevino
la oscura crisis ministerial de finales de abril, saldada con la formación un
nuevo gobierno radical, presidido por Samper y sin grandes cambios con
respecto al anterior equipo ministerial. Pita Romero se mantuvo como
ministro de Estado, aunque añadiendo a su cartera —en insólita compa-
tibilidad de cargos— la Embajada de España ante el Vaticano con el
propósito de reforzar las relaciones con la Iglesia, uno de los ejes de la
«política rectificadora» del segundo bienio. Junto a la confirmación de Pita
se produjo un hecho inusual en el Ministerio: el cese del Subsecretario con

el mismo ministro que lo había nombrado [47]. En el relevo de Doussinague debió influir tanto su excesivo protagonismo en la operación neutrales, a la que pretendía darle un mayor alcance al deseado por el Gobierno, la Junta Permanente de Estado y la Delegación en Ginebra, como los comentarios y quejas que llegaban a Madrid sobre las tendencias germanófilas del Subsecretario.

Para sustituir a Doussinague se recurrió al diplomático José María Aguinaga Barona, hasta entonces consejero de la Embajada de España en París, cargo al que había sido ascendido a sugerencia de Madariaga [48]. Aguinaga personificó un caso infrecuente de permanencia en un alto cargo del Ministerio, pues se mantuvo como subsecretario de Estado hasta el primer gobierno del Frente Popular y durante ese tiempo estuvo a las órdenes de nada menos que seis ministros. Esta circunstancia da cuenta del deseo de los dirigentes españoles de que la Subsecretaría fuera ocupada por un técnico que, por una parte, asegurara una cierta continuidad en el cargo, y por la otra, no suscitara recelos en el aparato diplomático español ni en las cancillerías extranjeras, como había sido el caso de Doussinague.

A pesar del cambio operado en la cúpula ministerial, la política de colaboración con los neutrales no se alteró en lo sustancial, aunque quizás sin poner tanto énfasis en «lo neutral» en su formulación teórica. El propio Aguinaga así lo analizaba con posterioridad, al reconocer que había contribuido a mantener esa orientación anterior «con entera fidelidad a lo que en el fondo venía a significar», si bien este significado venía referido ahora al «vivo deseo de que las decisiones internacionales se basaran en criterios de objetividad y de moral, el anhelo de paz y de buen entendimiento, la deferente disposición a cualquier intervención o consejo susceptible de modificar en sentido favorable las diferencias» [49]. El matiz era relevante, al igual que también lo fue el hecho de que la política de colaboración con los neutrales volviera a estar nuevamente bajo la batuta directa de Madariaga, que regresó a las lides de la política internacional una vez concluida su breve etapa como ministro, y ya sin la sobrecarga de tener que compartir sus labores en Ginebra con la Embajada en París.

La insistencia en la imposible mediación

Mientras la República española probaba un nuevo gobierno, la situación internacional seguía deteriorándose progresivamente. En Alemania Hitler había apuntalado el régimen nazi en las vísperas de «la noche de los cuchillos largos», y en Austria el canciller católico Dollfuss había instaurado una dictadura tras ahogar en sangre la protesta socialista. Estos acontecimientos contribuyeron a crear en Europa una atmósfera de creciente crispación, haciendo inviable un acuerdo sobre desarme y colocando a la Conferencia ante la tesitura de tener que reconocer su fracaso. En tales condiciones se convocó la reunión de la Comisión General para el 29 de mayo.

Desde que se conoció la fecha de la nueva reunión, el Ministerio de Estado comenzó los preparativos a la búsqueda de una acción concertada. Además de telegrafiar a las capitales neutrales para renovar los deseos de colaboración con los gobiernos del Grupo de los Seis, Madrid se puso a atar todos los cabos posibles con vistas a perfilar su actuación en la fase terminal de la Conferencia. Esta vez las instrucciones recibidas por Madariaga y Oliván fueron mucho más precisas que en anteriores ocasiones y, además, habían sido «acordadas» por la Junta Permanente de Estado y «confirmadas» por el Consejo de Ministros. La delegación española debía procurar: primero, mantener un contacto estrecho con las delegaciones del Grupo de los Neutrales; segundo, esforzarse al máximo para que la Conferencia del Desarme no consumara su fracaso de un modo definitivo y llegase a la redacción de un convenio, por muy limitado que fuera; tercero, seguir en todo momento los cauces que trazara la delegación de Gran Bretaña, apoyando con el Grupo de los Neutrales todas las fórmulas de conciliación y transigencia que propusieran los británicos; y por último, tener la máxima cautela en dar garantías de seguridad suplementarias, no adelantándose a las demás potencias en este punto, y procurando el acuerdo previo de los Seis en este sentido [50].

A finales de mayo el nuevo gobierno radical había despejado las dudas que tanto le habían preocupado un mes antes, cuando no se atrevió a dar un apoyo explícito al memorándum británico e insistió en las «garantías de seguridad». Ahora no sólo encargó a sus delegados que apoyaran las fórmulas de conciliación de Londres, sino que recomendó la «máxima cautela» en materia de seguridad. En este cambio de actitud había influído el distanciamiento entre las dos ex-«repúblicas hermanas» tras los cambios de gobiernos que se habían paroducido en ambos países y, especialmente, el impacto causado por la nota francesa del 17 de abril, que fue valorada en Madrid como un acto de intransigencia que revelaba los propósitos del gobierno Doumergue de tender al *encerclement* del bloque germánico [51]. Dada la orientación neutralista que dominaba en el Ministerio y la actitud decididamente contraria a participar en cualquier maniobra de cercamiento contra la Alemania nazi, no era de extrañar que el gobierno Samper recomendara a sus delegados un alineamiento con la política de apaciguamiento del *Foreign Office*. De todas formas, como sucedió en abril, no resultaba tan fácil orientar la actuación de la Delegación desde Madrid, puesto que después surgían los imprevistos en Ginebra.

Las posiciones en el seno de la Comisión General quedaron bien delimitadas desde la reanudación de sus sesiones. En una situación extrema aparecía Italia, que sostenía la liquidación de la Conferencia al no tener utilidad alguna sin la presencia de Alemania. Las demás delegaciones oscilaban entre los partidarios de concentrar los esfuerzos en la seguridad y los defensores de llegar a acuerdos mínimos sobre desarme sin afrontar la seguridad hasta haber resuelto las cuestiones políticas pendientes. La Unión Soviética y Francia eran los paladines de la seguridad. La primera reconocía el fracaso de la Conferencia y proponía su transformación en una Conferencia de la Paz que desarrollara sus actividades al margen de la Sociedad, aunque con la ventaja de servir de cauce para la colaboración de Estados Unidos y la Unión Soviética. Francia y sus aliados mantenían la defensa de la reducción de armamentos por etapas, excluyendo toda concesión al rearme inmediato de Alemania, por lo que se mostraban a favor de la continuación de los trabajos para llegar a un acuerdo sobre seguridad, desarme aéreo y tráfico de armas. Para Gran Bretaña y Estados Unidos, en cambio, la Conferencia había sido convocada con el propósito de alcanzar un acuerdo sobre desarme y no podía transformarse en «una Conferencia para inventar planes de seguridad sobre la base de que ningún desarme era posible», por lo que abogaron por seguir las discusiones con el exclusivo propósito de redactar algunos acuerdos limitados sobre publicidad presupuestaria, prohibición de la guerra química y creación de una comisión permanente [52]. Las diferencias se mantenían, aunque se pudo observar que de todos los discursos emergía un mensaje común: ya no se trataba del desarme, ni tan siquiera de la limitación de armamentos, sino de hacer un último esfuerzo para frenar el rearme, pero ni aún así hubo acuerdo posible pese al nuevo intento de mediación de los neutrales.

El Grupo de los Seis se encontraba a caballo entre las propuestas francesas y las anglosajonas, aunque siempre más proclive a dar la razón a Londres. Sus delegaciones defendían la continuación de los trabajos de la Conferencia, pero se daban cuenta de la imposibilidad de alcanzar un acuerdo importante de reducción de armamentos, por lo que proponían un desarme limitado a ciertos puntos con reconocimiento de un cierto grado de rearme a Alemania (posición británica), compatible con el reforzamiento de la seguridad internacional (posición francesa matizada). En las reuniones sostenidas por los neutrales para diseñar su estrategia de actuación, se decidió hacer una reafirmación pública del memorándum del 14 de abril como única salida posible para salvar la Conferencia y, a sugerencia de Sandler, se procedió al estudio de una nueva iniciativa conjunta destinada a concretar las garantías de seguridad «dentro del límite de las obligaciones reconocidas del Pacto y tomando en cuenta la situación especial que puede ocupar un Estado en el seno de la Sociedad». Tales garantías quedaban entendidas como «medidas coercitivas tomadas en caso de violación del Convenio, de naturaleza económica y financiera, y según una escala progresiva de acuerdo con las circunstancias y en proporción al grado de gravedad de la violación» [53].

La propuesta de Sandler tendía una mano a las aspiraciones francesas en materia de seguridad sin ser del todo incompatible con el memorándum británico. Pero tras la intervención de Simon en la Comisión, los neutrales decidieron presentar una declaración más amplia que concretara todos los puntos del documento del 14 de abril con el fin de establecer una base de acuerdo entre las posiciones extremas de Francia y Gran Bretaña. Así nació la declaración del 1 de junio, en cuya elaboración participaron todas las delegaciones neutrales, si bien el protagonismo recayó, una vez más, en el ministro de Asuntos Exteriores sueco, que fue el encargado de defenderla en la Comisión General. La nueva declaración conjunta contenía los siguientes puntos:

1) Nombramiento de un comité especial para estudiar las garantías de ejecución del Convenio y elaborar un informe para la Mesa de la Conferencia.

2) Envío a la Mesa, para su estudio, de la cuestión del control de la fabricación y el comercio privado y estatal de armas y municiones de guerra.

3) Revisión del proyecto de convenio del 27 de octubre de 1933 por parte de la Mesa, incluyendo los tres puntos sugeridos por la delegación británica (guerra química, publicidad presupuestaria y creación de la Comisión Permanente de Desarme), así como los siguientes aspectos de desarme cualitativo:

a) Prohibición sin reservas del bombardeo aéreo.

b) Destrucción de un número determinado de los aviones prohibidos según el proyecto de convención británico durante la primera fase de aplicación del Convenio y destrucción del resto en la segunda fase.

c) Estudio de las medidas a tomar para prevenir la utilización de la aviación civil con fines militares.

d) Prohibición de toda fabricación de materiales de calibre o tonelaje superiores a los autorizados por el Convenio para todos los Estados.

e) Destrucción de los carros de combate y de las piezas de artillería móbiles de tierra previstos en el memorándum británico de 29 de enero durante la segunda fase de aplicación del Convenio.

4) Autorización a la Mesa para insertar en los cuadros del proyecto británico cifras concretas relativas a las fuerzas terrestres y aéreas y al material, a fin de impedir el aumento general de los armamentos.

5) Autorización a la Mesa para consultar y negociar con los Estados, incluída Alemania, todo lo necesario para completar el proyecto, así como para convocar a la Comisión General, que adoptaría las decisiones finales.

En la declaración, las seis delegaciones hacían constar que sus propuestas respondían a la preocupación de alcanzar el «equilibrio» y la «equidad» entre los diversos planes presentados. Para ello habían reducido sus aspiraciones de desarme y concentrado sus esfuerzos en evitar el rearme en el dominio del aire, al tiempo que se comprometían a contribuir a la seguridad de un modo apreciable poniendo en primer plano la cuestión de las garantías de ejecución de la Convención. De igual modo, los neutrales se abstenían de pronunciarse sobre la actitud defendida por los diversos gobiernos y eludían todo juicio en cuanto a las responsabilidades del fracaso; en su opinión, «se impone la acción» y «evitar todo vano retorno al pasado», sentenciando que «sólamente un acto de pronta y generosa solidaridad podrá asegurar la conclusión de un Convenio» [54].

Las propuestas de los neutrales fueron preparadas «cuidadosamente» mediante el contacto con los delegados de las grandes potencias, en especial con franceses y británicos, a los que Madariaga consultó previamente las líneas generales de la declaración. En cuanto a la actitud de los primeros, Massigli se mostraba en principio de acuerdo con las medidas sugeridas, ya que si bien «no se podía esperar» del Grupo de los Seis una declaración «enteramente conforme» con las tesis francesas, no era menos importante que el documento se mostraba «bastante discreto sobre el rearme de Alemania». Los neutrales daban como «seguro», por otra parte, que también Gran Bretaña iba a dar su «completo asentimiento» a las líneas generales de la declaración. Sin embargo, por las mismas razones que la iniciativa presentaba algunos puntos de interés para los franceses tenía sus inconvenientes para los británicos, quienes seguían sosteniendo el criterio de que todo reforzamiento de la seguridad debía de ir acompañado de la solución inmediata de los «problemas políticos» pendientes, es decir, de la aceptación del rearme de Alemania y la vuelta de ésta a los trabajos de Ginebra [55].

Aunque en un principio Madariaga creyera «posible» que de la declaración del 1 de junio podía salir una «nueva etapa» de la Conferencia, pronto se disipó toda vana expectativa. Durante las tormentosas reuniones de los días 4, 5 y 6 de junio, el delegado español propuso la adopción de un doble procedimiento: organizar los trabajos de la Conferencia de acuerdo con las sugerencias de los neutrales y, paralelamente, iniciar negociaciones para reducir las diferencias entre las posturas de las cuatro grandes potencias. Pero la oposición terminante de Italia a participar en un comité de redacción para asignar a la Conferencia una tarea concreta paralizó la propuesta e hizo aplazar las sesión en medio de un «profundo pesimismo». Madariaga informó a Madrid que la situación había llegado «a un punto que hace casi imposible toda solución». Los delegados de las pequeñas potencias no disimulaban su gran contrariedad, «hartos todos del juego, a la vez descortés y estéril, de las grandes potencias», al tiempo que reconocían su impotencia, «a causa del monopolio que hacían de la iniciativa política» Francia, Gran Bretaña, Italia y Estados Unidos [56]. Estos países seguían siendo los únicos que podían buscar una salida a la situación, por lo que de nuevo se recurrió a laboriosas negociaciones entre sus delegados para zanjar la discusión.

Así se llegó a la resolución del 8 de junio, por la que se puso el punto final a la Conferencia sin desarme y sin seguridad. La declaración, por una parte, invitaba al *Bureau* a buscar solución para los problemas políticos en suspenso y facilitar el retorno de Alemania a las discusiones, y por la otra, recomendaba a los comités especiales que retomaran los trabajos interrumpidos a finales de 1933 para presentar informes sobre la organización de la seguridad, la limitación de los armamentos aéreos y el control de la fabricación y el comercio de armas. Con esa declaración se evitaba tomar una decisión, tanto sobre la disolución de la Conferencia del Desarme, como sobre su transformación en una Conferencia de la Seguridad. Para los neutrales, el texto de la resolución era «muy deficiente en cuanto a desarme», representaba un «éxito de Francia en lo concerniente al predominio de la seguridad sobre el desarme» y ofrecía cierta «compensación a Inglaterra en lo concerniente a la vuelta de Alemania». A sugerencia de Madariaga, el Grupo de los Seis se limitó a hacer una breve declaración felicitándose del acuerdo, aunque señalando que sus delegaciones se atenían a sus anteriores valoraciones [57].

La Conferencia del Desarme, en suma, había demostrado su incapacidad para poner frenos a un rearme generalizado. El nuevo fracaso de las grandes potencias demoliberales y de la Sociedad de Naciones tuvo consecuencias desastrosas en los próximos meses, en los que se asistió, de forma gradual pero continuada, a sucesivos golpes de fuerza contra el sistema de seguridad colectiva. La opinión pública comprometida activamente con la democracia, que aspiraba al restablecimiento de la confianza internacional como requisito *sine qua non* de la recuperación económica, se encontró ante nuevos motivos de inquietud. Las pequeñas potencias, que no podían asegurar su defensa nacional con los medios de que disponían —a todas luces insuficientes— y que esperaban obtener de un acuerdo general sobre reducción de armamentos la garantía de su propia seguridad, aumentaron su resentimiento y desconfianza con respecto a los grandes Estados, incapaces de mantener la paz que ellos mismos habían impuesto al mundo.

Ni siquiera «el mínimo realizable»

De acuerdo con la resolución adoptada por la Comisión General en junio, los comités técnicos especiales siguieron trabajando durante el verano de 1934, y ello a pesar de que no había ninguna garantía de que su labor sirviera para algo. Dos de estos comités pudieron elaborar informes para ser sometidos a la Comisión General. Uno fue el comité especial de seguridad, que recomendó la adopción de pactos regionales de no agresión en consonancia con las tesis francesas. El otro, el comité sobre reglamentación de fabricación y comercio de armas y municiones, incluso llegó a elaborar un proyecto de acuerdo. Los restantes corrieron peor suerte, como sucedió con el encargado de las garantías de ejecución del convenio de desarme, que se disolvió sin que sus miembros llegaran a un entendimiento. Por último, el comité aéreo ni tan siquiera se reunió. Así estaban las cosas en las vísperas de la celebración de la XV Asamblea de la Sociedad de Naciones, en septiembre de 1934, momento que se aprovechó para intentar cerrar los temas del desarme [58]. Una de las iniciativas partió de Madariaga, a quien el Grupo de los Neutrales encargó la redacción de un memorándum sobre los criterios a seguir con respecto a la disolución de la Conferencia para ser sometido a estudio de los seis gobiernos.

El memorándum Madariaga sobre desarme de 15 de octubre de 1934 reconocía que la situación política en Europa se había agravado hasta un punto en que «parecía prudente considerar un medio de liquidar la situación actual de la Conferencia, que se convierte en peligrosa para su propio prestigio, así como para el prestigio de la Sociedad de Naciones». Para ello Madariaga proponía partir de una serie de principios generales, tales como que el desarme era una tarea continua, que las circunstancias actuales no se prestaban a reducciones sino a limitaciones de armamentos, que la Conferencia debía dejar una institución encargada de continuar su trabajo y que debía reducirse «al mínimo realizable» el contenido de la Convención a adoptar antes de la clausura de la Conferencia.

El «mínimo realizable» propuesto por Madariaga se reducía a tres puntos concretos. En primer lugar, la creación de una comisión permanente de desarme que se encargara de controlar la ejecución del convenio y preparar una nueva conferencia «cuando las circunstancias políticas sean más favorables». En segundo lugar, la adopción de un capítulo sobre control de fabricación y comercio de armas y municiones por medio de la publicidad y la centralización de las estadísticas de licencias de armas. Y en tercer lugar, la inclusión de un apartado sobre presupuestos militares, independientemente de que fuera o no posible limitarlos. Un cuarto punto hacía alusión a la limitación o prohibición de la guerra aérea y de la guerra química, aunque se consideraba que esta cuestión «no era esencial» si no se llegaba a un acuerdo de principio. El nuevo memorándum era la manifestación clara de la resignación de las pequeñas potencias ante el fracaso de la Conferencia. Se trataba de un programa muy modesto que sólo aspiraba, según su propio autor, a asegurar la continuación de los trabajos preparatorios con vistas a un futuro sin determinar y establecer un convenio para controlar ciertos aspectos sobre fabricación y comercio de armas [59].

El documento elaborado por Madariaga fue transmitido por el Ministerio de Estado a los diversos gobiernos neutrales sin que el gobierno español se pronunciara sobre el mismo. Oliván señaló la inconveniencia de tal procedimiento, recomendando que antes de enviarse se emitiera una aprobación de principio a reserva de un análisis más detenido, puesto que de otra forma «sería un «documento Madariaga» y «no dejaría de producir cierta extrañeza el hecho» en las capitales neutrales [60]. El razonamiento de Oliván era incuestionable, pero el escepticismo sobre el futuro de la Conferencia había hecho tanta mella en el Ministerio, por una parte, y entonces el gobierno radical-cedista estaba tan ocupado con la represión de la revolución de octubre, por la otra, que no hubo tiempo para andarse con miramientos diplomáticos y el memorándum Madariaga sobre desarme se redujo sólo a eso: a un documento personal que no expresaba la opinión gubernamental. De todas formas, tampoco hizo falta que el Gobierno se pronunciara. Henderson, el presidente de la Conferencia, había enviado una circular a todas las delegaciones proponiendo, poco más o menos, lo mismo que Madariaga había sugerido a los neutrales en su memorándum, por lo que éste ni siquiera llegó a ser discutido [61].

Desde entonces y hasta bien entrado el mes de abril de 1935, el trabajo sobre desarme se centró en el comité especial dedicado al control del tráfico y fabricación de armas y municiones de guerra, a quien la delegación norteamericana había sometido un proyecto de convenio. El asunto no sólo dio que hacer en Ginebra, sino también en Madrid, donde incluso el Estado Mayor Central del Ministerio de la Guerra elaboró un informe sobre el tema. Trabajo estéril nuevamente, porque no se llegó a ningún acuerdo en cuanto a los mecanismos para controlar la fabricación de armas, una cuestión que volvió a enfrentar a los técnicos franceses y soviéticos, por una parte, con los británicos e italianos, de la otra. En el medio se situaron los delegados de Suecia, Suiza y España, que en última instancia propusieron la adopción de un compromiso entre las dos escuelas de pensamiento [62]. Al igual que antes lo había hecho la Comisión General y la Mesa de la Conferencia, el comité especial sobre fabricación y comercio de armas aplazó las discusiones sin resolver nada y sin convocar una nueva fecha para proseguir su trabajo. Con ello la Conferencia quedó en suspenso sin que fuera oficialmente clausurada.

De esa forma tan penosa acabó la historia de la Conferencia del Desarme. En su último año había contado con tres iniciativas del Grupo de los Seis —memorándum del 14 de abril, declaración del 1 de junio y memorándum Madariaga de 15 de octubre—, todas tendentes a propiciar la mediación entre las posiciones enfrentadas de Francia y Gran Bretaña, entre las garantías de seguridad y el desarme limitado, y que fracasaron porque lo prioritario en 1934 no era ni la seguridad ni el desarme, sino el rearme, al que todas las potencias se estaban aplicando. En situación de extrema debilidad y sin capacidad alguna de decisión, las pequeñas potencias neutrales asumieron su papel de actores secundarios e intentaron «salvar la cara» de la Conferencia, una misión imposible, ya que no sólo fallaban los actores principales, sino hasta el propio guión de la comedia, el deseado desarme, «cosa vana y vacía» —sentenció Madariaga— «como ya lo sabíamos desde 1925; ya que nada que tenga que ver con el desarme tiene sentido, puesto que la política del mundo va o hacia el consenso o hacia el disenso, y en este caso no hay desarme posible y en aquél ya se hará de por sí sólo» [63].

Para las pequeñas potencias, la consecuencia inmediata de la comprobación del fracaso de la Conferencia fue la reapertura del viejo debate en torno a las insuficiencias de la defensa nacional. En Bélgica, el tema comenzó a inquietar seriamente en mayo de 1934, cuando Hymans viajó a Londres al objeto de plantear ante los dirigentes británicos la preocupación de su gobierno por la cuestión de la seguridad belga [64]. Para los Estados que habían permanecido neutrales durante la Gran Guerra, los problemas de la defensa nacional se relacionaron directamente con la reafirmación de la orientación neutralista en política internacional. En Holanda, desde el verano del 34 comenzaron a abundar los comentarios oficiosos defendiendo una política de «neutralidad estricta». También en los países escandinavos el tema de la defensa nacional comenzó a ser motivo de desosiego, reflejándose tanto en la prensa como en los parlamentos, especialmente en Dinarmarca, donde la proximidad de la Alemania nazi hacía que la cuestión de la seguridad de sus fronteras nacionales se contemplara con tintes más dramáticos [65].

En España el tema tomó carta de naturaleza con la idea de crear un Ministerio de la Defensa Nacional, proyecto que había estado *in mente* en varias ocasiones y que estuvo a punto de cuajar en noviembre de 1934, aunque finalmente el Gobierno se limitó a reorganizar el Ministerio de la Guerra. En cualquier caso, el problema había quedado planteado:

«Seguramente, no hay español que dude acerca de cuál habría de ser la actitud de España ante otra catástrofe mundial como la del 14 al 18. Neutrales fuimos y neutrales seríamos (...) Pero la neutralidad en conflictos de esta índole es siempre relativa. Lo fué en el pasado y lo será mucho más en el futuro... ¿Qué clases de salpicaduras nos alcanzarán a nosotros, neutrales, en la próxima contienda?. ¿Qué medidas preventivas pueden tomarse para evitar el daño de estas salpicaduras, que algunas acaso sean provocadas *ex profeso* para obligarnos a salir de la neutralidad? Desgraciadamente, la neutralidad es una actitud que también hay que defender, y en España tenemos en absoluto abandono algunos servicios preventivos que en las demás naciones se hallan a estas alturas perfectamente organizados. (...) Todos estos aspectos y problemas, desde los más grandes hasta los más chicos, ninguno baladí, por desgracia, han de tenerse muy presentes al organizar en serio la defensa nacional. No la defensa nacional entendida como un simple mecanismo adjetivo del «ramo» de Guerra, sino resuelta con el sentido amplio de una gran obra que contenga, a ser posible, todas las previsiones» [66].

Artículos como éste daban cuenta de los primeros balbuceos de un debate que pasó al primer plano de las preocupaciones poco tiempo después, a partir de enero de 1935, cuando el riesgo de guerra en Europa afectó de lleno al Mediterráneo, la espina dorsal de la defensa nacional.

CAPITULO 6
Neutrales ante el rearme

Varios factores contribuyeron a aliviar la tensión internacional a comienzos de 1935. Unos tuvieron que ver con la política exterior francesa, que exhibió una mayor predisposición al entendimiento tras la formación del gobierno Flandin-Laval. El cambio se debió a que Francia se sentía algo más segura frente a la «amenaza» alemana después de haber dado —en expresión de Duroselle— tres «pequeños pasos» diplomáticos: el primero hacia la URSS, con la firma del protocolo franco-soviético de 5 de diciembre de 1934; el segundo hacia Italia, como consecuencia de las conversaciones entre Laval y Mussolini que cuajaron con la firma de los acuerdos de Roma del 7 de enero de 1935, y el tercero hacia la propia Alemania, con la que había solucionado el contencioso del Sarre tras la celebración del plesbicito del 13 de enero. Todo ello daba a entender una variación en los planteamientos de París: a la política «de barrera» contra las reivindicaciones alemanas en 1934, parecía seguirle «otra que sugería un acercamiento a Alemania, es decir, aceptar una expansión alemana, a condición de que no fuera dirigida hacia Europa occidental» [1].

Junto a ese cambio en la política exterior francesa, en Ginebra se produjeron dos acontecimientos positivos después de tantas decepciones. Uno fue el ingreso de la Unión Soviética en la Sociedad de Naciones, de gran significación política, que contribuyó a restablecer parte del daño causado tras las deserciones de Japón y Alemania. El otro tuvo lugar al encontrarse una solución a la crisis húngaro-yugoslava que había estallado como consecuencia del atentado terrorista de Marsella contra el rey Alejandro de Yugoslavia y Louis Barthou [2]. La esperanza, en el primer caso, y el alivio, en el segundo, ayudaron a tranquilizar el enrarecido ambiente que se respiraba en torno a la institución ginebrina tras el fracaso de la Conferencia del Desarme.

Fue en el contexto de aquella coyuntura momentánea, engañosamente tranquilizadora, cuando los países neutrales reemprendieron sus esfuerzos de conciliación bajo los auspicios del *Foreign Office*. Esto ocurrió cuando la diplomacia sueca planteó la posibilidad de que el Grupo de los Seis realizara una *démarche* conjunta ante Berlín para conseguir el retorno de Alemania a la Sociedad de Naciones. Era la última tentativa de mediación realizada por las pequeñas potencias antes de hacerse pública la nueva realidad que anunciaba la guerra: el rearme generalizado. A la postre, los desengaños sufridos por los neutrales sólo sirvieron para retraerlos más de la participación en los asuntos europeos.

EL INTENTO DE *DÉMARCHE* ANTE BERLÍN

La mediación de los neutrales entre Alemania y el resto de las potencias de la Sociedad de Naciones había sido una de las razones fundamentales esgrimidas por Doussinague en octubre de 1933 para justificar la puesta en marcha de la operación neutrales. En aquella ocasión la iniciativa española no había cuajado, tanto por su formulación precipitada, como por las adversas circunstancias coyunturales. Cinco meses después, en marzo de 1934, Madariaga había retomado la idea en el contexto de las negociaciones que británicos, franceses e italianos estaban desarrollando con el fin de desbloquear la Conferencia del Desarme. En esta segunda ocasión el proyecto no tuvo «carácter de iniciativa oficial», pero sí contó con el «beneplácito» del Gobierno, que autorizó a Madariaga para que «explorara el ánimo» de los representantes de los países neutrales. Los contactos se intensificaron en el otoño de 1934, cuando los delegados de las pequeñas potencias buscaban, con tanta tenacidad como ineficacia, una salida airosa a la Conferencia del Desarme [3].

Suecia retoma la iniciativa y España reafirma sus dudas

Pese al interés demostrado por España a lo largo de 1934, en enero de 1935 la iniciativa de realizar una gestión conjunta ante el gobierno alemán partió de Suecia. Esto vino a confirmar las tendencias apuntadas anterioriormente en la dinámica interna del Grupo de los Neutrales: el gobierno sueco, y en particular su ministro Sandler, era el elemento dinamizador de los Seis a la hora de proponer una iniciativa conjunta destinada a mediar en la crisis europea, y casi siempre lo hacía después de que la diplomacia española se planteara idéntica posibilidad sin atreverse del todo a llevarla a cabo. Así había ocurrido en los casos del memorándum del 14 de abril o la posterior declaración del 1 de junio, y así ocurrió también con el intento de hacer regresar a Alemania a Ginebra.

La tentativa de *démarche* había sido cuidadosamente preparada en Estocolmo, sin duda en contacto con Londres. El gobierno sueco incluso había elaborado un anteproyecto de la nota que sería remitida a Alemania en el caso de que el resto de los gobiernos neutrales decidideran apoyar la iniciativa. Su fundamento era el reconocimiento de la imposibilidad de alcanzar un acuerdo sobre limitación de armamentos sin la cooperación activa de los alemanes y la aceptación de la *Gleichberechtigung* como punto de partida para que tal colaboración pudiera producirse. Sobre esta base, la propuesta sueca contemplaba la necesidad de luchar por la creación de «una base jurídica nueva» mediante la sustitución de las disposiciones de los tratados en vigor relativas a los armamentos de Alemania por cláusulas a insertar en un convenio limitado de desarme que garantizara la realización práctica del principio de la igualdad de derechos [4].

La proposición de Suecia no presentaba grandes novedades con respecto a los planteamientos defendidos por el Grupo de los Neutrales en la Conferencia del Desarme desde octubre de 1933; si acaso, los llevaba hasta sus últimas consecuencias, eliminando las concesiones realizadas a Francia en ocasiones anteriores. Al enfatizarse el reconocimiento de la igualdad de derechos y evitarse toda alusión al reforzamiento de las garantías de seguridad, el *avant projet* sueco apostaba por la contención del rearme generalizado por la vía de la aceptación del rearme controlado de la Alemania nazi. De este modo se confirmaba el progresivo alineamiento de los Seis con la política de «reconciliación europea» que el gobierno británico perseguía con tanto ahinco por aquellas fechas, y que consistía —siguiendo a Duroselle— en «llevar nuevamente a Alemania a Ginebra y retomar las negociaciones de desarme». Para contextualizar esa convergencia entre el arbitraje británico y la mediación de los neutrales, hay que hacer referencia al viaje que Eden había realizado por Escandinavia tres meses antes de la iniciativa sueca, visita en la que el ministro inglés comprobó el temor que se sentía en esos países ante el rearme de la Alemania nazi, así como la «estrecha afinidad» con los criterios de Londres [5].

El gobierno sueco decidió dar el primer paso hacia el 23 de enero, al dirigirse al gobierno español solicitando una reunión conjunta en Ginebra para determinar la forma y momento de poner en práctica la operación. De inmediato, el Ministerio de Estado autorizó a Oliván a iniciar los contactos, aunque sin definirse claramente sobre la conveniencia y oportunidad de llevar a cabo la gestión conjunta ante Alemania. La diplomacia sueca no se percató en principio de la indecisión de Madrid, puesto que Westman dijo a Oliván que de los sondeos practicados resultaba que España «consideraba oportuna la iniciativa». En buena lógica, Estocolmo tenía motivos para pensar que así fuera; no en vano la idea había sido sugerida por Madariaga meses antes y Madrid había cursado «instrucciones» a su representante en Berna para iniciar las conversaciones. A Oliván no le quedó más remedio que intervenir para deshacer el equívoco, advirtiendo que su gobierno «no se había pronunciado sobre el fondo de la cuestión, limitándose a considerar oportuno que se celebraran conversaciones y reservando su opinión hasta conocer el resultado de las mismas» [6]. El hecho puede valer para ilustrar las excesivas cautelas e indecisiones del Ministerio de Estado a la hora de tomar o respaldar iniciativas concretas.

Paralelamente, Suecia se había dirigido en los mismos términos al resto de los gobiernos neutrales, que expresaron sus criterios sobre la proposición sin tantas reservas como las exhibidas por la diplomacia española. Dinamarca se mostró «muy indeciso» sobre la oportunidad de dar el paso, estimando que «la situación había sido otra si el gobierno alemán hubiera deseado una acción de ese género». Holanda dio su aceptación «de principio», aunque sujeta a modificaciones en la redacción de la nota sueca y «siempre a condición de asegurarse que el gobierno británico no pondría inconvenientes». Noruega acogió la iniciativa «con simpatía», aunque consideraba «absolutamente necesario» sondear previamente la opinión de Berlín para evitar que la gestión de los neutrales fuera mal recibida por el gobierno del *Reich*. Por último, Suiza era partidaria de aplazar cualquier iniciativa de esa índole hasta que la cuestión del Sarre estuviera totalmente liquidada, al tiempo que expresaba sus temores de que la acción pudiera ser contraproducente a los fines propuestos, ya que podía conducir a reforzar el sentimiento de indispensabilidad de Berlín para el éxito de Ginebra y a endurecer las pretensiones alemanas para su retorno a la Sociedad de Naciones [7].

Ante tal disparidad de criterios, el gobierno sueco extrajo dos conclusiones. La primera, la conveniencia de aplazar la gestión ante Berlín; y la segunda, la necesidad de que los gobiernos neutrales prosiguieran sus contactos para seguir el desarrollo de los acontecimientos y determinar el momento oportuno de retomar el asunto. A las mismas conclusiones llegaron Oliván y Westman en Berna, argumentando que la *démarche*, «además de no ofrecer garantías de éxito, podría producir cierto desagrado tanto en el seno del gobierno alemán como en los de Francia e Inglaterra» [8]. La iniciativa sueca, pues, había quedado momentáneamente paralizada como consecuencia del temor de las pequeñas potencias neutrales a una negativa aceptación en las grandes capitales.

El asunto, sin embargo, no quedó zanjado, pues entre los «pequeños pasos» que estaba dando la diplomacia francesa se encontraba el dirigido hacia Gran Bretaña, concretado en la visita de Flandin y Laval a Londres a comienzos de febrero para discutir el problema del rearme alemán y pasar revista a la situación europea. El encuentro anglo-francés concluyó con un comunicado en el que ambas partes invitaban a Alemania a cooperar en los acuerdos regionales que se estaban preparando para completar el sistema de seguridad en el centro y este de Europa y participar en un pacto aéreo que reforzara el sistema de Locarno en el oeste. El nuevo arreglo sería firmado por las potencias signatarias de Locarno (Alemania, Francia, Bélgica e Inglaterra) y consistía en garantizar la asistencia mutua en el caso de un ataque aéreo, aunque con la novedad de que Gran Bretaña aparecía no sólo como garante, sino también como beneficiaria [9]. Los resultados de la cumbre de Londres, así como la posterior invitación que el gobierno británico dirigió al alemán para entablar conversaciones sobre el pacto aéreo, fueron valorados por los gobiernos de los países neutrales como una nueva oportunidad de retomar las discusiones sobre reducción de armamentos.

Entre el apoyo a Londres y el temor a Berlín

Concluida la conferencia anglo-francesa de Londres, el jefe de la Legación sueca en Madrid volvió a plantear la propuesta de *démarche* al gobierno español. Estocolmo había decidido retomar la iniciativa, aunque esta vez se había producido un cambio significativo de planteamiento: ya no se trataba de solicitar de Alemania su reingreso en la Sociedad de Naciones y en la Conferencia del Desarme, sino de hacer presión internacional ante Berlín para que el gobierno alemán aceptara participar en las negociaciones de las que se había hablado en Londres. El móvil de la nueva propuesta sueca no tenía secreto alguno: la mediación contaba con el beneplácito del *Foreign Office*, donde se había considerado «oportuna» la gestión de los neutrales ante Berlín «con el propósito de influenciar sobre el gobierno alemán» para que éste diera una respuesta positiva a la oferta de conversaciones hecha por el gobierno británico [10].

El gobierno sueco estimaba que la nueva situación era «propicia» para presionar en favor del diálogo anglo-francés con Berlín. No obstante, la intervención de los neutrales quedaría limitada «a expresar la esperanza de que Alemania se declare dispuesta a participar en las conversaciones proyectadas y de dar cuenta de esta gestión a Londres y París», expresando a Berlín el deseo de los seis gobiernos del Grupo de que las conversaciones se dirigieran «a situar a Alemania en pié de igualdad en la colaboración internacional». Suecia, además, parecía decidida a dar el paso definitivo, puesto que instaba al resto de sus «socios» a que le informaran sin demora si también ellos creían oportuno hacer valer sus puntos de vista ante Berlín, «cada uno separadamente y de la manera que le pareciera a cada cual más apropiada», a fin de que el gobierno sueco pudiera decidir definitivamente si debía proceder a realizar la gestión por su cuenta en el transcurso de aquella misma semana [11].

El gobierno español no estaba dispuesto a responder a Estocolmo sin antes conocer las opiniones de los demás miembros del Grupo, por lo que se apresuró a hacer las oportunas indagaciones en las capitales neutrales. Esta vez las informaciones que se recibieron en Madrid fueron mucho más explícitas sobre los temores que suscitaba la iniciativa sueca y sumamente reveladoras de las actitudes dominantes en las cancillerías de las pequeñas potencias en vísperas de la confirmación definitiva del rearme. Suiza seguía siendo reacia a aceptar la propuesta, esgrimiendo las mismas razones que había expresado en enero. Noruega tampoco creía oportuno realizar la gestión por dos motivos esenciales: primero, porque en Londres se había puesto condiciones para el regreso de Alemania a Ginebra y, por tanto, había que esperar a que estas condiciones se negociaran; y segundo, porque Alemania «podría pensar que la gestión de nuestros países podía obedecer a una presión o influencia de Francia y tener un efecto contrario al deseado» [12].

Las respuestas de Copenhague y La Haya abundaban en los mismos argumentos, pero fueron aún más significativas. Dinamarca mostraba una actitud «de extrema reserva» ante el proyecto. El subsecretario de Asuntos Exteriores danés estimaba que si Berlín acogía la invitación de Londres la gestión era «innecesaria» y hasta «pudiera rozar la susceptibilidad de la *Wilhelmstrasse*», ya que podía darse la impresión de que el Grupo se colocaba abiertamente del lado franco-inglés. En el supuesto de que Berlín no aceptase las conversaciones, para Bernhoft «no sería ciertamente el Grupo de los Neutrales el que, con razonamientos más o menos románticos, habría de hacer cambiar su resolución, y una negativa cortés, además de colocarnos a todos en situación desairada, podría molestar todavía más a Alemania». En suma, temor a la reacción alemana, porque —como señaló el ministro español en Copenhague— el gobierno danés tenía «el mayor interés en no rozar ni de cerca ni de lejos los sentimientos, ni aún la sensibilidad, del gobierno de Berlín», puesto que «a estos gobernantes tan sensatos y sinceramente neutrales les repugna la idea de desagradar a

Alemania tanto como a cualquier otro país, o para hablar con más propiedad, más que a cualquier otro país lejano o en situación diferente de la Alemania actual» [13].

El gobierno holandés parecía mostrar la actitud más renuente a la intervención. A tenor de las informaciones recibidas, en La Haya se consideraba que a partir de las conversaciones anglo-francesas se iniciaba una fase de «regateo» entre París y Londres de un lado, y Berlín del otro. En tales condiciones, Holanda no podía sumarse a la propuesta, «tanto más cuanto que esta iniciativa no ha sido espontánea del gobierno sueco, sino apuntada por Inglaterra», y no convenía «dejarse arrastrar» a una gestión que pudiera asociarse a la política de una gran potencia en contra de otra. Este principio —seguía el informe— tenía que ser aplicado a la actuación del Grupo de los Neutrales, que «debe proceder automáticamente, marcando su personalidad y no dejándose conducir ni sumándose a actuaciones ajenas a él», siendo inapropiado que figurara como «un elemento más de los que Francia e Inglaterra ponen en movimiento para presionar a Alemania» [14]. Es necesario aclarar que el autor del informe de marras no era otro que Doussinague, a la sazón Ministro de España en La Haya, y que al margen de los recelos holandeses (comunes a todos los neutrales), los términos en que se expresaba inducen a pensar que no se trataba tanto de traducir fielmente el ánimo holandés como de influir decisivamente sobre Madrid para que el gobierno español no respaldara la iniciativa sueca.

En Madrid, mientras tanto, se estaba analizando la posibilidad de la gestión de los neutrales ante Berlín desde dos puntos de vista: el histórico y el práctico. Desde el punto de vista histórico, «no sólo es oportuno» —se decía en un informe del Ministerio— «sino muy conveniente que España sea la primera en fomentar ahora lo que ella en un principio inició», por lo que el gobierno de la República debía adherirse «con la mayor fuerza» a la propuesta sueca. Desde el punto de vista práctico, en cambio, el informe señalaba que el problema giraba alrededor de dos factores: Londres y Berlín, y si bien se contaba con la «aprobación incondicional» del gobierno británico, más difícil era precisar las reacciones del gobierno alemán, por lo que había que contestar afirmativamente a Estocolmo una vez que se tuviera certeza de que la iniciativa no iba a producir «un efecto contraproducente» en Alemania. Dado que las noticias que llegaban de Berlín no eran muy optimistas al respecto (el gobierno de Hitler seguía guardando «extrema reserva» sobre la oferta negociadora de Londres) y teniendo en cuenta que, salvo Suecia, ningún otro gobierno parecía dispuesto a apoyar la gestión, la diplomacia española despejó definitivamente sus dudas entre el punto de vista histórico y el práctico al inclinarse decididamente por este último [15].

La respuesta que España dio a Suecia se expresó en términos tan esquivos que no podía llevar a engaño respecto de la intención abstencionista
de Madrid. «El gobierno español» —se exponía—, «luego de estudiar atentamente las circunstancias internacionales y la posición de Alemania después de las recientes conversaciones, toma muy buena nota de la indicación hecha por Suecia, que si a ello hubiere lugar se tendría presente en
el momento oportuno». Con esa evasiva se cerró el tema en el Ministerio
de Estado, que ya no volvió a ocuparse del asunto. La diplomacia sueca,
por su parte, abandonó todo intento de mediación conjunta, aunque a
juzgar por el testimonio de Eden sí parece que realizó la gestión ante
Berlín a título individual: «el gobierno sueco, con quien yo había mantenido estrechas relaciones desde mi visita a Estocolmo, nos echó una mano
y una notificación no oficial del Rey de Suecia en Berlín probablemente
influenció sobre el gobierno alemán para redactar una réplica que era más
complaciente que de costumbre» [16].

En definitiva, el intento de *démarche* de los neutrales ante Alemania en
enero y febrero de 1935 no se llevó a cabo porque los gobiernos neutrales
tuvieron más en cuenta la posible reacción negativa de Berlín que el dudoso efecto positivo de su misión mediadora, y ello a pesar de que ésta
estuviera animada por Londres. Además, el objetivo final de la gestión era
algo tan poco creíble como difícil de conseguir: el retorno de Alemania a
la Sociedad de Naciones. Berlín continuó argumentando que volver a Ginebra era el «deseo honesto» de todos los alemanes, pero que era «imposible» si antes Alemania no disfrutaba de la igualdad de derechos en materia de armamentos. Un mes después los neutrales europeos se dieron
cuenta de que sus esperanzas de someter a un cierto control el rearme
alemán estaban cada vez más lejos de convertirse en realidad. El ministro
sueco en Madrid confirmó que, a pesar de los esfuerzos de Sandler, la
situación era poco propicia para la negociación entre las grandes potencias
y, por tanto, para la mediación de los neutrales [17].

Pese a sus deseos de tender puentes al entendimiento anglo-francés con
Alemania, la diplomacia española procuraba eludir al máximo iniciativas
concretas en circunstancias comprometidas. El paraguas seguía siendo el
Grupo de los Neutrales, en cuyo tejido esta vez se había producido la
primera grieta: sus componentes no estaban de acuerdo en la conveniencia
de apoyar acciones que pudieran dar una imagen de parcialidad, parecer
demasiado «románticas» a los ojos de los «realistas» de la política internacional o disgustar a alguno de los grandes actores de la escena europea,
sobre todo cuando uno de ellos daba muestras de especial agresividad y
estaba a las puertas de sus fronteras nacionales, como bien había quedado
demostrado en la actitud danesa respecto de Alemania. Pronto ni siquiera

ese paraguas serviría a los propósitos de la diplomacia española. Bastó con que Hitler promulgara la ley del ejército alemán para demostrar la fragilidad de un grupo cuyas pretensiones de neutralidad entraban en flagrante contradicción con los compromisos internacionales que habían adquirido en virtud del Pacto.

LA ACEPTACIÓN DEL REARME ALEMÁN

A comienzos de marzo de 1935 la situación europea continuaba siendo inquietante. A pesar de la aceptación alemana a iniciar conversaciones sobre el pacto aéreo y del anuncio de la visita de Simon y Eden a Berlín, en Ginebra y las capitales neutrales nadie se hacía demasiadas ilusiones sobre el éxito final de las negociaciones. Del estado de inquietud se pasó pronto al de alarma, porque en aquella primavera del 35 las grandes potencias anunciaron públicamente que había comenzado una nueva carrera de armamentos.

Se trataba de la culminación de un proceso que venía gestándose desde finales de 1933. Durante los años en que la Conferencia del Desarme aportaba un hálito de esperanza, los gastos militares se habían estabilizado. Pero a lo largo de 1934 comenzó a detectarse una clara tendencia al incremento de las partidas presupuestarias destinadas a la defensa nacional. En marzo de 1935, y como respuesta a la creciente amenaza nazi, Gran Bretaña y Francia se decidieron a adoptar medidas efectivas de rearme. La reacción de Berlín fue inmediata; el 16 de marzo Hitler convocó a los embajadores de las potencias europeas para darles a conocer el texto de una nueva ley por la que se restablecía el servicio militar obligatorio en Alemania y se fijaba la fuerza del ejército alemán en tiempos de paz en 36 divisiones, lo que significaba casi 600.000 hombres, noticia que había sido precedida por el anuncio de la reconstitución de la aviación militar alemana. Con su actitud durante los años precedentes, las grandes potencias demoliberales habían contribuído a hacer fracasar el sistema de seguridad colectiva; con el anuncio de sus nuevos planes de defensa, Hitler tuvo el pretexto necesario para proclamar oficialmente el rearme de Alemania, algo que ya era un secreto a voces [18].

La política del silencio y la espera

Desde una visión «realista» de la política internacional, la decisión de Hitler podía ser valorada como la consecuencia derivada del mantenimiento de las ataduras impuestas a Alemania en 1919 y del incumplimiento de las obligaciones contraídas por las potencias vencedoras en materia de desarme. Pero desde el punto de vista jurídico, con tales medidas Alemania se colocaba fuera de la ley al cometer un acto de violación unilateral de los tratados internacionales, y en particular de las cláusulas militares del tratado de Versalles. A partir de esa contradicción evidente, el problema concreto que se planteó era en qué términos se iba a producir la reacción de las potencias aliadas. Francia y Gran Bretaña no estaban en condiciones de imponer las estipulaciones fijadas en Versalles por medio de la fuerza, ni parecían dispuestas a aceptar los hechos consumados y discutir con Alemania una limitación de los armamentos partiendo de la igualdad de derechos; de cara a la opinión pública de sus respectivas naciones, tampoco podían permanecer con los brazos cruzados, por lo que prefirieron «dejar las cosas en el aire» e involucrar a la Sociedad de Naciones en una condena moral, sin sanciones, del nuevo golpe de fuerza alemán [19].

Al igual que sucedió en toda Europa, el restablecimiento del servicio militar obligatorio en Alemania despertó una gran expectativa en la opinión pública española, aparentemente más preocupada que nunca por el futuro de la paz. A finales de marzo los grandes titulares y los comentarios editoriales sobre la tensa situación internacional se sucedieron casi a diario. La prensa de derechas, y particularmente El Debate, identificado con la opción representada en el Gobierno por la CEDA, valoró positivamente la decisión alemana de romper con las disposiciones de Versalles, puesto que los tratados de paz se consideraban como la causa última de todas los males europeos. Los diarios liberales, por su parte, condenaron la nueva ley como un acto de violación unilateral del derecho internacional, aunque no dejaron de reconocer la responsabilidad que recaía sobre los gobiernos de Londres, París y Roma al tiempo que expresaban su profundo escepticismo sobre la capacidad de Ginebra para detener la carrera de armamentos [20].

Frente a la actitud demostrada por la prensa, que se apresuró a enjuiciar la decisión alemana en uno u otro sentido, la diplomacia española reaccionó con la máxima cautela. Madrid prefirió aguardar a que las grandes potencias deliberaran y no se pronunció sobre el alcance de las medidas de rearme decretadas por Hitler ni sobre la intervención que podía tener la Sociedad de Naciones en el tema. Además, en esta ocasión no hubo fisuras de ningún tipo entre los máximos responsables del Ministerio de Estado y los representantes españoles en la Sociedad de Naciones. El jefe de la delegación española en Ginebra fue el primero que intentó tranquilizar a la opinión pública nacional indicando que España no debía adoptar iniciativas ni enconar el debate con juicios que pudieran indisponerla contra alguna de las partes en conflicto. No dejaba de resultar cu-

rioso observar cómo Madariaga, que tanto repudiaba la idea de neutralidad, apelaba a ella en aquel momento: «España» —declaró a la prensa—
«permaneció neutral durante la guerra que dio origen al tratado de Versalles, y ha sabido mantener esta neutralidad en todo el período de la
posguerra, en que se han venido liquidando gradualmente aquellas situaciones creadas por el Tratado. Sería paradójico que nuestra opinión pública reaccionase de un modo más vivaz que lo han hecho las naciones
directamente interesadas». Para el delegado español, la República debía
dedicarse a afrontar dos tareas esenciales: «la primera, influir con todo su
gran prestigio internacional y en contacto con las naciones neutrales a que
se restablezca el imperio del derecho internacional y del Pacto; y la segunda, resolver cuanto antes el problema interno que más la divide para seguir
atentamente, unida y fuerte, los acontecimientos que puedan producirse,
y en particular examinar si frente a la deplorable, pero inevitable, época
de armamentos que está ya abierta, no habrá de imponerse asimismo el
triste deber de prepararse para todo evento» [21].

Tanto por las declaraciones de Madariaga como por el silencio de los
máximos responsables del Ministerio de Estado, parecía claro cuál era la
actitud del Gobierno. Madrid no adoptaría, de momento, posición alguna
frente a la violación alemana del tratado de Versalles, al menos hasta que
las grandes potencias se pronunciaran, y además, procedería cuanto antes
a imitar las decisiones francesa y británica de reforzar su defensa nacional
como medida de precaución necesaria ante el creciente riesgo de guerra.
Pero también resultaba evidente que, tarde o temprano, Madrid tenía que
adoptar una posición definida ante el debate que se iba a plantear en
Ginebra. Con la apelación francesa a la Sociedad de Naciones, los gobiernos de los países neutrales se colocaban ante una difícil disyuntiva: por
una parte, siendo consecuentes con la política de fidelidad al Pacto que
hasta entonces habían mantenido, no podían dejar de condenar un acto
de violación unilateral de un tratado internacional; pero por la otra, tampoco podían colocarse frontalmente en contra de Alemania, máxime cuando la decisión de Berlín parecía una lógica respuesta al fracaso del desarme
al que tanto había contribuido la política de las potencias demoliberales.

Hasta comienzos de abril la diplomacia española no empezó a estudiar
la difícil situación que se crearía en el Consejo de la Sociedad de Naciones.
Tanto por el deseo de quedar al margen de una disputa que enfrentaba a
las grandes potencias, como por los problemas de orden interior que acaparaban la atención del Gobierno (entonces inmerso en una nueva crisis
ministerial), el Ministerio de Estado se había limitado a recibir información del extranjero y a esperar acontecimientos. Idéntica actitud se dibu-
jaba en el resto de las capitales neutrales. En los países escandinavos se

contemplaba la situación a distancia, limitándose a seguir las conversaciones diplomáticas e intentando adoptar desde el primer momento una posición de neutralidad. La actitud más firme en este sentido vino de Dinamarca, que por obvias razones de vecindad con Alemania se esforzaba en «evitar todo asomo de mediación en el asunto», inclinándose por «quedar al margen del conflicto, aún en el terreno jurídico, y dejar a las grandes potencias que se arreglen entre sí» en vez de disgustar al gobierno alemán con palabras románticas de condena que a nada práctico conducían. La reacción sueca fue, en principio, de esperanza en que las conversaciones anglo-alemanas de Berlín pudieran encontrar una fórmula de arreglo, o al menos que sirvieran para sentar a Alemania a discutir la situación planteada [22].

La preocupación de los neutrales subió de tono cuando se hizo evidente el fracaso de las conversaciones de Berlín. A partir de ese momento intensificaron sus contactos con el fin de adoptar una posición común ante la inmediata celebración del Consejo. Por iniciativa de Dinamarca, el 2 de abril tuvo lugar en Copenhague una reunión de los ministros de Asuntos Exteriores escandinavos con el propósito de concertar criterios de actuación en Ginebra. Antes de la reunión, el gobierno danés se había interesado por la actitud española, pero Madrid aún no había estudiado el tema, limitándose a declarar sus propósitos de llegar a una acción conjunta con los gobiernos neutrales. El encuentro de Copenhague sirvió para comprobar el alto grado de mediatización política que tenían las pequeñas potencias en la escena europea, puesto que los tres ministros constataron que todavía no era posible tomar decisiones debido a que Londres y París no se habían pronunciado. No obstante, en aquella reunión de solidaridad escandinava se acordó realizar un esfuerzo para contribuir a que la Sociedad de Naciones pudiera conservar la escasa operatividad que aún le quedaba [23].

La reunión de Copenhague espoleó al gobierno español a preocuparse por el tema. El hombre de confianza del Ministerio de Estado para diseñar estrategias comprometidas parecía seguir siendo Oliván, pues a él se dirigió Aguinaga para encargarle las orientaciones generales sobre las que podía basarse la actuación de España en la sesión extraordinaria del Consejo. Oliván estimó que todavía era difícil precisar la actitud española, pero que parecía aconsejable enunciar una serie de criterios generales y esbozar una táctica concreta que pudiera aplicarse en cualquier circunstancia. A su juicio, los criterios que debían inspirar la intervención española en el debate debían ser el reconocimiento de la infracción alemana y de la inviolabilidad de los tratados por acción unilateral si fuera necesario; el apoyo a toda solución que, salvando los principios, pudiera facilitar la legalización del estado de cosas actual y el urgente cumplimiento de las obligaciones en materia de desarme; el rechazo a toda acción coercitiva o de sanción, y la declaración de que el incumplimiento de las obligaciones en materia de desarme eximía a los miembros de la Sociedad de Naciones del cumplimiento de las obligaciones en materia de asistencia mutua, y en particular de la aplicación del artículo 16 del Pacto. En cuanto a la táctica a desplegar en Ginebra, Oliván creía conveniente mantener estrecho contacto con las delegaciones de los países escandinavos y Gran Bretaña y, ante la eventualidad de que a España se le ofreciera la comprometida tarea de ser ponente en el Consejo, sólo aceptarla si se integraba en un comité de varios miembros [24].

Poco después de que Oliván sugiriera aquellas líneas de actuación, los jefes de Gobierno y ministros de Asuntos Exteriores de Gran Bretaña, Francia e Italia se reunían en Stresa a sugerencia de Mussolini con el fin de concertar las medidas a tomar. Durante las reuniones, Francia propuso un frente común contra la violación de Versalles con inclusión de sanciones en caso de reincidencia. Italia aceptó la idea, e incluso solicitó que el acuerdo se extendiera a la defensa de la integridad territorial de Austria. Gran Bretaña parecía dispuesta a aceptar un frente unido contra Alemania, pero no quería comprometerse en exceso y limitó el alcance de la condena de Alemania a su aspecto moral. Los franceses aceptaron tal solución, mientras que Mussolini veía sus deseos cumplidos, puesto que el asunto de Etiopía ni siquiera había sido mencionado a pesar del inminente riesgo de guerra en Africa. Finalmente, por la retórica y vaga declaración del 14 de abril los tres gobiernos dieron cuenta de «su acuerdo completo en oponerse, por todos los medios adecuados, a toda repudiación unilateral de los tratados susceptible de poner en peligro la paz de Europa». Aquella fue —en opinión de Taylor— «la última manifestación de solidaridad aliada, un eco burlón de los días de la victoria» [25].

El mismo día que comenzaron las reuniones de Stresa, Francia confirmó oficialmente su apelación a la Sociedad de Naciones solicitando el pronunciamiento de su Consejo. Para España y el resto de los Estados neutrales parecía que llegaba el momento de fijar su posición en Ginebra ante la violación alemana del tratado de Versalles. Sin embargo, a esas alturas tampoco había mucho que decidir, salvo definir de qué forma y con qué grado de protagonismo las pequeñas potencias representarían los papeles de comparsas que las grandes potencias le habían asignado en aquella farsa que fue la sesión extraordinaria del Consejo de la Sociedad de Naciones de abril de 1935. Todo lo que podía decidirse en Ginebra había quedado atado y bien atado en Stresa.

Los intentos de moderar los términos de la condena

Mientras las grandes potencias se reunían en Stresa, el gobierno español aprobaba las instrucciones para orientar la actuación de la delegación española en el Consejo. El recién estrenado gabinete de transición —constituído sólo por radicales— refrendó un documento que no presentaba ninguna novedad sustancial con respecto a lo que había sido la orientación de la política exterior española a lo largo de 1934 y primeros meses de 1935, limitándose a reproducir los criterios y la táctica que Oliván había enunciado una semana antes desde Ginebra.

Quedó confirmado, de entrada, el recurso al «escudo protector» de los neutrales y la progresiva inclinación española al arbitraje británico. La orden era taxativa al respecto: se debía procurar «mantener contacto con las representaciones neutrales y, en líneas generales, permanecer cercana a la tendencia británica». En cuanto a los hechos que iban a ser analizados, se exigía la máxima cautela a la hora de emitir valoraciones sobre la violación alemana del tratado de Versalles, «evitando en lo posible enjuiciar el pasado» y, en el caso de que resultara inevitable pronunciarse, España condenaría «toda denuncia unilateral de los tratados», pero relacionándola con «el estado precario en que se encuentra la aplicación integral del Pacto, y en particular su artículo 8.°» (el del desarme). Por último, el gobierno español estimaba necesario que la Delegación rehusara una posible solicitud de sanciones militares contra Alemania argumentando que «no puede esperarse del artículo 16 un rendimiento mayor que el de los demás artículos del Pacto», e insistiendo en el criterio de que «todas las naciones apliquen en su integridad las obligaciones que limitan su libertad de acción si desean que en los momentos de crisis les esté asegurada la cooperación de otras naciones» [26].

De acuerdo con las instrucciones recibidas, Madariaga inició sus contactos con los neutrales el 14 de abril, la víspera del inicio de la sesión del Consejo. Desde entonces se apreciaron síntomas evidentes de malestar y división entre los miembros del Grupo, donde había «bastante desorientación» además de un deseo unánime de evitar toda salpicadura derivada de la grave situación planteada. Noruega pudo evitar la reunión al no tener asiento en el Consejo, Suiza no estuvo representada «por ausencia deliberada» y Holanda no asistió a las siguientes reuniones que se convocaron. El Grupo de los Seis, por tanto, quedaba reducido a tres: España, Suecia y Dinamarca.

Iniciados los primeros contactos, parecía que el «escudo protector» de los neutrales no iba a funcionar tan eficazmente como en ocasiones anteriores y que España se vería obligada a asumir el papel dinamizador que poco antes desempeñaba Suecia, poco animada en esta ocasión a tomar iniciativas concretas [27].

Estas primeras impresiones se confirmaron de inmediato, cuando Laval y Simon comunicaron a Madariaga que las tres potencias de Stresa habían confiado en él para redactar la ponencia a presentar ante el Consejo. Los líderes de Ginebra explicaron al delegado español que ellos ya habían llegado a un acuerdo previo sobre el texto de la resolución, pero que no iban a presentarlo como cosa hecha para no pecar de falta de respetuosidad para con los restantes miembros. Con el propósito de no dar una mala impresión ante la opinión pública, la idea de Laval era dejar caer en el bolsillo de Madariaga un papel («papel que no tenía existencia oficial» —según el ministro francés) conteniendo «una indicación general» o «el esqueleto de las ideas» a incluir en la resolución de acuerdo con lo aprobado en Stresa a fin de que el delegado español le diera forma definitiva y lo presentara como proyecto de resolución. Madariaga respondió a Laval que «no veía inconveniente personal en aceptar el cargo y que celebraría poder servir a la Sociedad y a las tres grandes Potencias», si bien se reservó la aceptación definitiva del ofrecimiento a la decisión que adoptara su gobierno [28].

Con el encargo franco-británico de por medio, la posición de España en el Consejo se veía seriamente comprometida. En Madrid se advirtió el peligro que comportaba aceptar la responsabilidad exclusiva de la redacción de la ponencia condenatoria, pues —como se apuntó en la prensa— «por mucha que sea la habilidad del señor Madariaga, caeremos en el peligro, cierto, de disgustar al *Reich* o no complacer a Francia». Al gobierno español, por una parte, no le interesaba asumir el papel de fiscal de Alemania ni figurar como el instrumento del que las grandes potencias se valían para imponer sus acuerdos en Ginebra; pero, por la otra, tampoco le convenía rechazar de plano el ofrecimiento, tanto para no provocar el disgusto de Francia y Gran Bretaña, como por no dar la imagen de España como una nación desinteresada de los peligros del rearme, lo que podía lesionar su imagen de «leal colaboradora» en los asuntos de la Sociedad de Naciones. La solución se encontró en el punto medio, el que había sugerido Oliván anteriormente, de tal modo que Madariaga recibió instrucciones precisas de no aceptar el ofrecimiento franco-británico a condición de que se uniesen a él, como ponentes, otros dos delegados del Consejo [29].

De acuerdo con este criterio, Madariaga intentó incorporar al comité de redacción a Munch, «pues de este modo» —argumentó— «me aseguraba un ala izquierda que previne me sería necesaria». La inclusión del delegado danés era aceptada por Simon, pero cuestionada por Laval, al estimar que la presencia de Dinamarca iba a moderar en exceso los términos de la resolución acordados en Stresa. Finalmente, y como consecuencia de la insistencia de Madariaga, la delegación francesa aceptó que el comité estuviera integrado por España, Dinamarca y Chile. A partir de ese momento se celebraron diversas entrevistas en las que intervinieron Madariaga, Munch, Laval y Simon con el propósito de redactar el texto definitivo de la ponencia. Durante el transcurso de las conversaciones, se dibujaron dos posiciones extremas: la danesa y la francesa. Munch, basándose en el argumento de que «atacar directamente y *nominatim* a la nación alemana era contrario a la cortesía internacional», deseaba evitar a toda costa que el texto de la resolución condenara explícitamente a Alemania, prefiriendo una referencia «derivada» de la condena genérica de todo acto de repudiación unilateral de los tratados. Laval, por el contrario, no parecía dispuesto a transigir en la condena explícita del rearme alemán como un acto de «violación» del derecho internacional. Madariaga, colocándose en el punto medio, se propuso acercar las posiciones extremas de Laval y Munch a fin de que el texto pudiera merecer la aprobación simultánea de Francia y Dinamarca y el voto unánime del Consejo [30].

Tanto Madariaga como Munch aceptaron la primera parte de la propuesta de Laval, una mera declaración de principios por la que el Consejo afirmaba que «el respeto escrupuloso del Pacto y de los tratados no sólo era la base de la Sociedad de Naciones sino la condición indispensable de la paz». Las mayores diferencias se centraron en la segunda parte de la resolución, la relativa a la valoración de la decisión alemana, que Dinamarca quería evitar a toda costa, mientras Francia no estaba dispuesta a transigir, al ser el punto fundamental de la resolución aprobada en Stresa. De forma sinóptica, los textos sugeridos por cada una de las tres delegaciones fueron los siguientes:

PROPUESTA FRANCESA	PROPUESTA ESPAÑOLA	PROPUESTA DANESA
— Por una serie de medidas, y en particular por la promulgación de la Ley de 16 de marzo, *el gobierno alemán ha violado esos principios*.	— Las medidas tomadas por el Gobierno alemán en 9 y 16 de marzo *no son compatibles con estos principios*. — En el estado actual, *todo cambio considera-*	(Supresión, sin más, de estos párrafos referidos a la decisión alemana).

PROPUESTA FRANCESA	PROPUESTA ESPAÑOLA	PROPUESTA DANESA
— Por esta *acción unilateral* el Gobierno alemán no ha podido crearse un derecho. — La revelación de *este rearme ilegal, al aportar un nuevo elemento de perturbación* en la situación internacional, *tenía necesariamente que aparecer como una amenaza contra la seguridad europea.*	*ble en el equilibrio de armamentos, hecho fuera de las limitaciones que impone el Pacto* en cuanto al uso eventual de esos armamentos, *tiene que aparecer necesariamente como amenaza contra la seguridad europea.*	

En el apartado final de la resolución, las tres delegaciones coincidían en que el Consejo debía «reafirmar el deber de todos los miembros de la comunidad internacional de respetar las obligaciones que han contraído», pero diferían notablemente en el último párrafo del texto. Mientras la propuesta francesa condenaba taxativamente «la política de Alemania de repudiar deliberadamente sus obligaciones por acción unilateral», la propuesta de las delegaciones danesa y española, al unísono, se contentaba con señalar la condena de «toda política de repudiación unilateral de las obligaciones internacionales», sin mencionar explícitamente a Alemania [31].

El intento conciliador de Madariaga le valió duras críticas en la prensa francesa, que arremetió contra las ambiguas posiciones defendidas por España en el Consejo. Los diarios de París censuraron la propuesta española al estimar que «no sólamente prescinde de una condena sino que ni siquiera formula una censura». Algunos comentarios se centraron en la figura del delegado español, ironizando sobre «el Madariaga antifascista» de la Conferencia por la Paz celebrada en Trocadero en 1932 y «el Madariaga indulgente» hacia la audacia hitleriana de 1935. Otros aludieron a la preocupación española por no comprometer su neutralidad ante Alemania en un momento en que trataba de negociar un nuevo acuerdo comercial con el *Reich*. Tampoco faltó, finalmente, la referencia a la presión ejercida por el Ministerio de Asuntos Exteriores alemán en Madrid. Estos comentarios provocaron la reacción inmediata del Ministerio de Estado, que presentó una protesta verbal en el *Quai d'Orsay* y publicó una nota de prensa desmintiendo «de la manera más categórica y rotunda» los rumores «tendenciosos» de presiones alemanas sobre España y defendiendo la actuación de Madariaga en el Consejo como una prueba más de la estricta aplicación de los principios de «justicia» y «equidad» en política internacional [32].

Al margen de las reacciones negativas de París, el esfuerzo conciliador de Madariaga resultó estéril. La delegación francesa, antes que ceder a la pretensión danesa de no mencionar a Alemania o de suavizar los términos de la resolución en el sentido propuesto por Madariaga, decidió abandonar la idea de redactar un texto por la vía de la negociación y prefirió presentar al Consejo el documento elaborado en Stresa sin más explicaciones. Si los comentarios de la prensa francesa desagradaron a Madrid, la actitud de la delegación francesa en Ginebra indignó profundamente a Madariaga, que se percató entonces de que «las grandes potencias, y en particular Francia, habían ido a Ginebra dispuestas a obtener de los demás miembros del Consejo una aprobación sin discusión del texto que habían adoptado en Stresa, y habían creído encontrar en el delegado de España y en su gobierno un mero portavoz» [33].

La delegación británica, por su parte, dirigió sus esfuerzos a que la Comisión volviera a retomar como base de la ponencia el texto francés. Tanto Simon como Vansittart apremiaron al delegado español para que dejara a un lado «sus escrúpulos» y suscribiera las ideas francesas, apartándose de la posición danesa. Ante el fracaso de sus intentos de conciliación y los requerimientos británicos, Madariaga se vió obligado a consultar nuevamente con Madrid. El ministro de Estado recomendó taxativamente no acceder a la pretensión francesa e insistir cerca de los británicos para que éstos obtuvieran de Francia una moderación de los términos de la condena, al tiempo que ordenó realizar todos los esfuerzos necesarios para asegurarse la colaboración danesa. Las instrucciones también fueron precisas en la hipótesis de que no se llegara a una moderación de los términos inicialmente propuestos por Francia; en ese caso, la Delegación debía «inhibirse» de la ponencia para que España no apareciera asociada a la iniciativa que se presentaba ante el Consejo [34].

En cumplimiento de las nuevas instrucciones, Madariaga volvió a reunirse con los delegados de las potencias neutrales, encuentro que reveló una vez más la disparidad de criterios existente entre sus miembros. La abstención danesa parecía irreversible, pero Madariaga creía que todavía podía salvarse la ponencia con la presentación de algunas enmiendas, por lo que nuevamente se puso en contacto con la delegación británica para suavizar el texto de la condena. Era otra gestión inútil, puesto que las delegaciones francesa, británica e italiana ya habían decidido presentar ante el Consejo un proyecto de resolución que era una reproducción casi exacta del texto inicialmente propuesto por Francia. Madariaga, no obstante, insistió tanto ante Vansittart (dándole a entender que España votaría con Dinamarca contra la propuesta si ésta no era enmendada) que el funcionario británico convino con Madariaga que «los británicos harían presión sobre los franceses» para satisfacer sus peticiones [35]. Era una respuesta de mera cortesía diplomática, pero el delegado español aún confiaba en su «poder de convicción» personal y en «la caballerosidad» de los británicos para lograr que las enmiendas españolas fueran aceptadas, por lo que acudió a la reunión del Consejo del día siguiente con el falso convencimiento de que la presión inglesa daría algún resultado positivo.

La decepción fue mayúscula. «Al llegar a la reunión» —informó Madariaga—, «me encontré con que Sir John Simon, alegando órdenes concretas recibidas de su gabinete, y M. Laval, alegando instrucciones firmes recibidas de París, se negaban a cambiar ni un ápice de su texto». Madariaga expresó su sorpresa por el procedimiento empleado y reclamó que se replanteara la cuestión, argumentando que «es casi imposible que el proyecto salga del Consejo en la forma en que ha entrado en él». Pero como ha escrito Bendimer, «cuando un miembro del Consejo lanzaba una crítica, aunque oblicua, quedaba apisonado dentro de un impotente silencio». Al llegar la hora de los discursos y de los votos, prácticamente todos los delegados, a excepción de los tres proponentes, mostraron sus desacuerdos en varios puntos, pero de nuevo encontraron la respuesta del silencio y ninguna de las enmiendas fueron aceptadas [36]. Finalmente, y aunque lo hiciera «de mala gana», el Consejo votó la resolución el 17 de abril, y excepto Dinamarca, que se abstuvo, todos sus miembros votaron favorablemente el texto propuesto por las potencias de Stresa. Las razones eran obvias:

«...Adoptar la resolución —ha escrito Walters— significaba aceptar una serie de declaraciones sin estar convencidos de su honestidad y prudencia y una propuesta referente a las sanciones en la que tenían poca confianza, pero rechazarla equivalía a cooperar con Hitler, ofender profundamente a los británicos, franceses e italianos y arriesgar un grave y serio conflicto entre estas potencias y una gran parte de los restantes Miembros de la Sociedad. Dar la conformidad era el menor de los males, incluso para aquéllos a quienes más disgustaban tanto los términos de la resolución como el modo en que les había sido impuesta» [37].

Entre los delegados más disgustados con la resolución se encontraba Madariaga, que había sido objeto de una clara instrumentalización política por parte de las grandes potencias durante los días previos a la votación en el Consejo. Pero a pesar de su disgusto y de sus veladas amenazas a Vansittart de abstenerse en la votación, el delegado español era consciente de que no había otra alternativa que votar favorablemente el texto presentado. Madariaga solicitó de Madrid instrucciones definitivas, pero al mismo tiempo expuso su criterio, compartido por Oliván y los funcionarios españoles de la Sociedad de Naciones, de que España debía «marcar inequívocamente su criterio neutral», renovando las «reservas» sobre el procedimiento seguido y apuntando la «disconformidad» con ciertos términos de la resolución, pero que, en cualquier caso, «no podía dejar de votar en pro de la resolución condenatoria de la repudiación unilateral de los tratados» [38]. Así se valoró también en el Ministerio de Estado, por lo que la actitud de la delegación española en la reunión «decisoria» del Consejo se atuvo a estos criterios.

La intervención de Madariaga en el Consejo se desarrolló en un tono muy comedido y su discurso no destacó «ni por su interés ni por su relevancia», como apuntó el cónsul británico en Ginebra. Después de lamentar que no se hubiera realizado un mayor esfuerzo para alcanzar un acuerdo unánime, Madariaga expuso el deseo español de insertar el repudio unilateral de los tratados en el contexto de la situación política vigente y «que este hecho se ligue a los orígenes que lo explican, aunque sea en sí mismo injustificable». Desde esta perspectiva, el delegado español abundó en el proceso de «desnaturalización gradual» al que se había sometido al Pacto, y en especial al fracaso en el cumplimiento de su artículo 8°, una cuestión en la que España había insistido para evitar situaciones como la que allí se estaba debatiendo. Si hasta entonces la mayoría de los artículos se habían debilitado, era lógico que también se hubiera debilitado el Pacto en su conjunto y, en consecuencia, las posibilidades de aplicar sanciones contra un determinado país. En este punto Madariaga fue bastante explícito al «expresar las dudas de mi gobierno en cuanto a la posibilidad de aumentar la eficacia del artículo 16° si no se acrecienta también la de otros artículos», en inequívoca referencia a la desaprobación de cualquier tipo de sanciones contra Alemania. Por último, explicó el sentido afirmativo del voto español al proyecto de resolución basándose en que los criterios de «independencia» y «objetividad» que la República siempre había observado en Ginebra: a pesar de las reservas al procedimiento y a ciertos puntos del análisis de fondo, España «no puede dejar de votar una resolución en la que se declara, en último término, que la Ley debe prevalecer sobre la fuerza y que nadie está por encima de la Ley» [39].

La diplomacia española solucionó el dilema que se le había presentado en Ginebra con ocasión de la violación alemana del tratado de Versalles de la misma forma que lo hicieron los miembros no permanentes del Consejo: disintiendo de las formas empleadas, recelando del contenido de la condena, pero dando su voto afirmativo. Para ello tuvo que pasar un momento de apuro durante la fase de negociaciones previas, cuando intentó suavizar los términos de la resolución manteniendo un difícil equilibrio entre matices contrapuestos, por lo que recibió críticas en algunas cancillerías y en sectores de la opinión pública europea. Pero finalmente capeó el temporal como pudo, o más bien, como le dejaron.

El repliegue: hacia la neutralidad armada

Tanta era la satisfacción en Madrid por haber superado aquella difícil prueba que hasta el ministro de Estado se apresuró a felicitar personal y públicamente a Madariaga por el modo en que había desempeñado su cometido en Ginebra. Rocha enfatizó, al mismo tiempo, las excelencias de la política exterior de su gobierno, declarando a la prensa que «el momento internacional español no puede ser más eufórico» [40].

A decir verdad, había pocos motivos de euforia en aquella primavera del 35. Madariaga había votado la resolución «a regañadientes» y su disgusto con las potencias de Stresa era notorio. Las relaciones hispano-francesas atravesaban su peor momento y las quejas españolas a París se prodigaron en las semanas siguientes a propósito de los contenciosos comerciales y africanos. Por otra parte, la actitud de España en el Consejo tampoco satisfizo plenamente a la Alemania nazi, cuyo embajador en Madrid seguía recelando de la política exterior española a pesar de constatar «una atmósfera de mayor cordialidad» en las relaciones bilaterales. Además, con la abstención danesa la unidad de los neutrales había salido malparada; durante la última reunión del Grupo de los Seis (entonces reducido al Grupo de los Tres), Madariaga no había conseguido convencer a Munch para que respaldara la resolución aunque ésta no recogiera todas las aspiraciones de los neutrales, y finalmente España y Dinamarca se habían separado en la votación del Consejo por no haber «paridad de situaciones políticas». De este modo, las divergencias que habían comenzado a surgir en el seno del Grupo un par de meses antes, con ocasión de la propuesta sueca de *démarche* conjunta ante Berlín, se manifestaron en un debate público en Ginebra, donde hasta ese momento habían compartido criterios y votos comunes. Y si en el orden estrictamente diplomático el momento no era nada boyante, menos lo era la imagen que el país proyectaba hacia el exterior, donde España era observada como una nación desgarrada por continuas luchas internas [41].

Rocha, no obstante, tenía al menos dos consuelos que le permitían mantener viva su «euforia». El primero era que la delegación española había eludido un momento especialmente comprometido en el Consejo sin que se resintiera la política de intentar mantenerse al margen de la conflictividad europea entre las grandes potencias. El segundo consuelo, nada desdeñable en España, era que la actuación del Gobierno ante la violación alemana de Versalles no provocara excesivas críticas entre las principales fuerzas políticas del país, aunque no se pudiera decir lo mismo de los grupos minoritarios de opinión, particularmente los monárquicos de Renovación Española, los tradicionalistas y los falangistas, e incluso de algunos sectores vinculados a la CEDA, que volvió a compartir responsabilidades de gobierno con los radicales a partir del 6 de mayo. Esto se demostró con ocasión del debate parlamentario que tuvo lugar en las Cortes a mediados de mayo, cuando el diputado monárquico Antonio Goicoechea censuró la política ginebrina del Gobierno en unos términos que no dejaban lugar a dudas:

«...La Sociedad de las Naciones es evidente que pasa en el momento actual por una grave crisis. Se la desobedece, se formulan contra ella declaraciones irrespetuosas... Y, frente a eso, nosotros seguimos formando parte de la Sociedad de las Naciones, con propósitos de sumisión, como si esta exteriorización de esos propósitos de humildad fuera el precio de que por parte de las demás naciones se nos deje existir. Y esa es la política de carneros de Panurgo, de comparsería internacional... ¿no hubiera sido mejor, Sr. Ministro de Estado, que en el momento en que lo que se plantea ante la Sociedad de las Naciones es la actitud revisionista o antirrevisionista de los Tratados, el egoísmo con que se mantienen determinadas actitudes respecto del desarme, la igualdad de derechos de los vencidos con los vencedores, hubiéramos nosotros permanecido apartados, sin pronunciarnos en una cuestión que no nos interesa resolver y que debían resolver exclusivamente los poderosos que a la hora de la guerra no supieron imponer la paz y a la hora de la paz no supieron imponer la justicia? [42].

El discurso de Goicoechea era significativo de la opinión que los sectores más reaccionarios de la derecha española tenían sobre la acción exterior del Estado. Defendían la inhibición pura y simple cuando se trataba de condenar el rearme alemán o —como luego veremos— la guerra de conquista de Mussolini en Abisinia. Pero exigían del Gobierno que España se comportara como «una potencia activa, vigorosa y operante», de acuerdo con un «ideal internacional» de «grandeza», cuando lo que estaba en juego eran los intereses anglo-franceses en el Mediterráneo. No menos significativo fue que la CEDA optara por no entrar en polémica con Goicoechea sobre la reciente actuación de España en el Consejo de la Sociedad de Naciones, dejando que fueran los radicales, y en concreto el ministro de Estado, el que saliera al paso de tales críticas para calificar lo realizado en Ginebra como «un éxito indiscutible» de la política exterior española. Pero quizás lo más significativo de aquella sesión parlamentaria estuvo en el hecho de que la diplomacia española en Ginebra recibiera mayores elogios de los escaños de la izquierda republicana moderada que de los grupos que sostenían a la mayoría de gobierno. El encargado de responder a Goicoechea desde las filas de la oposición fue Augusto Barcia, quien no se apartó un ápice de la orientación moralizante que los primeros gobiernos republicanos habían imprimido a la política exterior y empleó un tono que presagiaba el cargo de ministro de Estado que iba a desempeñar nueve meses después con el Frente Popular:

> «...Cuando se habla de lacayos, de escuderos y de servidores, se olvida que hay que hacer justicia a nuestra diplomacia y a nuestros Gobiernos, que han sabido mantener un concepto del deber internacional... Yo afirmo terminantemente que hoy el prestigio grande de España en el orden internacional nace precisamente de haber sido la iniciadora de una corriente que está influyendo y marcando en los conflictos normas que en el orden universal, en esta contienda suprema, tienen los dos grandes ideales: el ideal de la violencia y el de la fuerza, vinculados en un gran poder, y el ideal de la suprema razón, que es el que nosotros representamos, adelantándonos unos siglos a toda la concepción actual, a la posibilidad de que haya normas de tipo moral acatadas por todos los pueblos y que sirvan de contén [sic] a las ambiciones y a los desmanes del imperialismo triunfante. Esto es lo que representamos nosotros, y eso, Sr. Ministro de Estado, hay que alentarlo. Tal política se está haciendo y se debe hacer con toda la magnífica altivez de un pueblo que no siente hoy codicias de tipo material y, en cambio, está dispuesto a servir generosamente, aunque a veces las generosidades de momento sean lamentables, a todos los grandes problemas de tipo universal» [43].

Barcia, no obstante, obvió mencionar en su discurso el escaso «poder de contención» que había tenido la condena moral del rearme alemán. De hecho, el «idilio» anglo-franco-italiano de Stresa duró muy poco. Pocas semanas después de la reunión del Consejo, el gobierno británico daba pruebas de su escasa credibilidad en la Sociedad de Naciones al negociar con Alemania un acuerdo naval por el que aceptaba el rearme alemán hasta un 35% del tonelaje total de la flota inglesa. Por las mismas fechas, el gobierno francés firmaba un acuerdo militar con Mussolini para frenar a Hitler en el caso de que interviniera en Austria. Y si la política de británicos y franceses hacia Alemania se orientaba en direcciones opuestas, otro tanto de lo mismo iba a ocurrir con respecto a Italia a propósito de sus planes en Abisinia [44].

Todos estos acontecimientos contribuyeron a desacreditar aún más a la Sociedad de Naciones ante la opinión pública europea y a retraer de la escena internacional a los gobiernos de las pequeñas potencias. No en vano se había adoptado una resolución inoperante en sus fines y cuyo único efecto real había sido confirmar al mundo, por si quedaba alguna duda, que las decisiones del Consejo eran burladas por las mismas potencias que las hacían adoptar; que la Sociedad era incapaz de contener el rearme y hacer cumplir el Pacto, y que Alemania se alejaba definitivamente de los cauces de Ginebra. En resumidas cuentas, la organización internacional volvía a ser sacrificada por las grandes potencias al tiempo que los gobiernos de las pequeñas naciones aumentaban sus dudas, temores y recelos. De ello se dieron cuenta los funcionarios y delegados españoles en Ginebra, entre ellos Madariaga, quien en privado se mostró verdaderamente «alarmado» con los derroteros que tomaba la crisis europea [45].

Y si Madariaga se percataba de la muerte de la Sociedad de Naciones, mucho más tenía que ocurrir con los sectores que desconfiaban sin reservas de ella. La negación de los cauces institucionales de Ginebra afectó en España a importantes sectores de opinión vinculados a la derecha gobernante, que no desaprovecharon la ocasión de postular la debida «rectificación» de la política exterior española. La confirmación de la firma del acuerdo naval anglo-germano fue utilizada por *El Debate* para advertir que España se estaba comportando «demasiado fiel» al espíritu y la letra del Pacto y que debía «aprender la lección» para no reproducir los errores cometidos, particularmente el error de votar «contra un Estado amigo», y menos «sin provecho y sin que nadie nos aprecie la honra». Para el diario católico conservador, la corrección de tales errores sólo tenía un camino: la sustitución de la política de «estricta fidelidad al Pacto» por otra basada en la «estricta neutralidad» ante cualquier tipo de conflicto que enfrentara a las grandes potencias [46].

La polémica no era exclusiva de España, sino extensiva a todos sus «homólogos» europeos. La actitud abstencionista de Dinamarca ante la violación alemana de Versalles desató una viva polémica en los países escandinavos, particularmente en Suecia. El debate se centró en considerar hasta qué punto el voto de Munch en el Consejo podía ser interpretado como expresión de una actitud común de los tres países escandinavos, cuyos ministros de Asuntos Exteriores se habían reunido previamente para actuar de forma conjunta en Ginebra. Aunque Sandler defendió en el *Riks-*

dag que la abstención danesa estaba en consonancia con los principios básicos que se habían acordado en Copenhague, la división de pareceres era bien patente en los círculos gubernamentales y entre los dirigentes del partido socialista sueco, entonces en el poder. El trasfondo de aquella polémica no era otro que el deseo *versus* posibilidad de que las pequeñas potencias neutrales se mantuvieran al margen de la creciente conflictividad entre las grandes potencias, sobre todo cuando la Alemania nazi estaba a las puertas de Escandinavia. «Suecia» —se informó a Madrid desde Estocolmo— «desea mantenerse en absoluto independiente y libre de compromisos», considerando «la neutralidad como una tercera alternativa entre la guerra y la paz, pero se pregunta si puede ser posible en ciertas regiones del mundo, y si puede ser práctica y utilizable». La solución dada a aquel dilema no fue otra que la «neutralidad armada», y a finales de marzo se activó una intensa campaña en favor del aumento de los presupuestos militares suecos en conexión con la situación internacional europea, campaña que tuvo su corolario con la celebración de un debate parlamentario sobre la defensa nacional [47].

También en España se adoptó la misma solución ante idéntico dilema. Aunque la cuestión venía planteándose desde el fracaso de la Conferencia del Desarme, la firma de los acuerdos de Roma en enero de 1935 y el anuncio oficial del rearme de las grandes potencias dos meses después acabaron por dar al Gobierno los argumentos necesarios para justificar ante la opinión pública el incremento de los presupuestos destinados a la defensa nacional. Si en enero de 1935 el Ministerio de Marina había obtenido de las Cortes un crédito extraordinario de 15 millones de pesetas para la construcción de 12 cañoneros, y en febrero se aprobó otro de 12 millones y medio para fortalecer las bases defensivas navales, en marzo de 1935 se concedieron nada menos que 450 millones de pesetas para consolidar la defensa de las islas Baleares. En los meses siguientes, con Gil Robles en el Ministerio de la Guerra, tal política se robusteció considerablemente con nuevos programas para la reorganización del Ejército y nuevos contactos para la compra de material de guerra a Alemania, todo ello en conexión con el fortalecimiento de los recursos necesarios para el mantenimiento del orden público interno [48].

El gobierno español, de ese modo, trataba de acomodarse a las realidades de la política europea. La condena moral del rearme a partir de su aceptación práctica como hecho consumado implicaba la necesidad de participar en la carrera de armamentos en la modesta medida de las posibilidades nacionales. En este caso se trataba de armarse para hacer valer la neutralidad en una eventual guerra, aunque también había que comenzar por defender la neutralidad en tiempos de paz. Por ello era necesario

intentar rehuir todo excesivo compromiso con las partes en litigio y mantenerse al margen de los enfrentamientos que se produjeran entre las grandes potencias. No sería fácil mantener esa política de neutralidad y, al
mismo tiempo, cumplir las obligaciones internacionales contraídas, como
se demostró con ocasión del conflicto de Etiopía.

CAPITULO 7

Abisinia: las contradicciones de un neutral con obligaciones

La guerra de Abisinia fue el episodio culminante de la crisis del sistema internacional establecido al término de la Gran Guerra. Por primera vez desde su creación, la Sociedad de Naciones, bajo el liderazgo británico, se dispuso a probar la eficacia de los mecanismos previstos en el *Covenant* y decidió aplicar sanciones económicas y financieras contra un Estado agresor. La Sociedad fracasó en su propósito de detener la agresión italiana contra Etiopía, y con el fracaso de la acción colectiva como medio para impedir las agresiones, fracasó todo el sistema en su conjunto, arruinando definitivamente la escasa capacidad de influencia moral que le quedaba a la organización ginebrina. Pero la guerra de Abisinia también fue «un buen ejemplo de cómo una disputa regional podía tener ramificaciones extraordinariamente más amplias». El conflicto, a la postre, fue desastroso para Europa, pues con él se abrió una profunda grieta en las relaciones anglo-italianas y volvieron a emerger las diferencias entre Francia y Gran Bretaña, proporcionando un poderoso estímulo a las aspiraciones expansionistas de Hitler, que resultó ser el gran beneficiario de la nueva situación de inestabilidad [1].

Teniendo en cuenta todas esas implicaciones, no era de extrañar que la guerra de Abisinia pusiera al descubierto las contradicciones de la política exterior española. Hasta entonces, las violaciones del derecho internacional tratadas en Ginebra habían afectado a escenarios lejanos o poco comprometidos para los intereses de España y se habían resuelto con simples condenas morales. Esto había permitido que la diplomacia republicana fuera capeando situaciones críticas sin que los deseos de neutralidad entraran en incompatibilidad manifiesta con las obligaciones internacionales adquiridas. Pero la guerra de Abisinia polarizó la tensión en el Mediterráneo, donde tantos intereses nacionales se tenían, y obligó a España a definirse cuando se pusieron en práctica las sanciones previstas en el Pacto. Además, los grandes protagonistas del conflicto eran la Italia de Mussolini, con la que convenía estar en buenas relaciones, y Gran Bretaña, hacia la cual se había orientado la política española de conciliación desde la agudización del enfrentamiento franco-germano. Por si fuera poco, ningún otro acontecimiento interesó tanto al país como la guerra de Abisinia, que dividió profundamente a la opinión pública y contribuyó a agudizar el enfrentamiento entre filofascistas y antifascistas en el seno de la sociedad española [2]. La duda estaba servida: ¿se aferraría España a su condición de «neutral» o cumpliría sus compromisos con el Pacto?

En los meses siguientes al estallido de la disputa no hubo mayores problemas para que la política exterior española mantuviera su inestable equilibrio entre los principios del *Covenant* y la neutralidad. Madrid apostó decididamente por las fórmulas dilatorias que empleó el Consejo de la Sociedad de Naciones mientras Mussolini intensificaba los preparativos de guerra. Pero la disyuntiva se planteó abiertamente cuando Italia consumó su agresión al Pacto, en septiembre de 1935. Fue entonces cuando la diplomacia española atravesó su momento más crítico, pues el mismo gobierno radical-cedista estaba dividido y, por tanto, indeciso respecto a la política que debía seguir en el conflicto. Al final, después de sufrir no pocas presiones externas, España aceptó las decisiones tomadas en Ginebra y aplicó sanciones contra Italia. En última instancia, la guerra de Abisinia sirvió para demostrar que la neutralidad española tenía límites bien precisos: las obligaciones internacionales contraídas como miembro de la Sociedad de Naciones, al menos mientras Gran Bretaña estuviera interesada en poner a prueba el sistema de seguridad colectiva.

EL APOYO A LA SOLUCIÓN NEGOCIADA

La reactivación de la amenaza alemana en Europa favoreció las aspiraciones italianas en Africa. La conquista de Etiopía era el gran proyecto bélico ideado por Mussolini para reparar el orgullo herido de la Italia vencida por los tratados de paz y comenzar a realizar el sueño fascista de un segundo imperio romano [3]. El pretexto que sirvió para poner en marcha la agresión fue el incidente fronterizo que se produjo entre tropas italianas y etíopes en la zona de Ual-Ual en diciembre de 1934. Desde entonces y hasta finales de agosto de 1935, el conflicto quedó constreñido a un doble procedimiento, siempre a la sombra de los problemas europeos. Por una parte, la disputa italo-etíope se sometió al arbitraje de las partes sin la intervención directa de la Sociedad de Naciones, cuyo Consejo se prestó a un pasatiempo inútil bajo la dirección anglo-francesa y la pasiva aquiescencia del resto de sus miembros. Por la otra, Gran Bretaña y Francia intentaron llegar a una solución negociada con Italia por la vía de los viejos arreglos coloniales al margen de los mecanismos societarios y de la soberanía etíope, algo que acabó fracasando irremisiblemente ante la necesidad del régimen fascista de emprender una guerra de conquista. Durante esta fase, la actitud española ante el conflicto se caracterizó por la aceptación de la «política dual» hacia Mussolini.

La pasividad inicial

La disputa entre Italia y Etiopía pasó prácticamente inadvertida en España durante los meses iniciales del conflicto, los que mediaron entre el incidente de Ual-Ual (5 de diciembre de 1934) y el segundo llamamiento etíope al Consejo de la Sociedad de Naciones (16 de marzo de 1935). Durante ese período, el Ministerio de Estado se limitó a seguir los acontecimientos a través de las noticias de prensa y de alguna fuente dispersa, pero ni elaboró informe alguno sobre el tema ni solicitó información específica a sus embajadas en el extranjero. Tampoco la prensa nacional pareció preocuparse demasiado por los incidentes que habían protagonizado tropas italianas y etíopes en una zona muy alejada de las posesiones españolas en Africa.

El desentendimiento inicial tuvo bastante que ver con la existencia de otra preocupación internacional más inmediata a los intereses españoles: la cuestión del Mediterráneo, que saltó al primer plano de la actualidad en enero y febrero de 1935, a raíz de la firma de los acuerdos de Roma entre Laval y Mussolini. El debate sobre política exterior que se suscitó entonces tuvo un alcance equiparable al que se produjo con ocasión de la visita de Herriot a España en 1932, e incluso superior al registrado con motivo del anuncio del Pacto de los Cuatro propuesto por Mussolini en 1933. El disparador que lo activó fue la posibilidad de que el acercamiento franco-italiano sellado en Roma derivara hacia una revisión del *statu quo* y el temor de que España quedara relegada de las negociaciones para la firma de un eventual pacto. La coyuntura fue aprovechada para plantear la necesidad del reforzamiento del papel de España como potencia mediterránea a través de la renegociación de las cuestiones africanas pendientes: restitución de territorios españoles ocupados por Francia en Marruecos, modificación de la situación de España en el Estatuto de Tánger y delimitación de la zona de soberanía española en Ifni [4].

El renovado interés por las cuestiones mediterráneas y africanas dio a entender que la diplomacia española quería poner en marcha una política exterior más activa. Y en efecto, a pesar de las seguridades iniciales dadas por Londres, París y Roma de que España no sería marginada de futuras negociaciones, se desató una intensa actividad en torno a las cuestiones internacionales. La campaña de prensa, las consultas diplomáticas y los debates parlamentarios convergieron con una solemne declaración ministerial reafirmando la voluntad de España de ser escuchada en todas las cuestiones que afectaran al *statu quo* en el Mediterráneo. El inusual acto, calificado por el *Foreign Office* como «un ejercicio sin sentido», fue justificado por Rocha, ministro de Estado, como un medio de «pulsar la opinión pública» nacional e internacional ante la intención española de hacer valer su condición de potencia mediterránea. Junto a ello, también se solapaba el interés del Gobierno en recomponer su debilitada imagen después de que la liquidación de la revolución de octubre de 1934 mediante consejos de guerra y fusilamientos hubiera desencadenado una oleada de protestas en varios países de Europa, especialmente en Francia y Gran Bretaña. Así, al menos, se sospechó en Londres, cuyo embajador en Madrid ya había advertido que «el gobierno español podría intentar hacer algo espectacular en política exterior para desviar la atención de la gente de la peligrosa situación interna» [5].

En cualquier caso, conviene retener los fenómenos que se apuntaron en ese proceso de reactivación diplomática española que siguió a los acuerdos de Roma. A saber, renovación de la preocupación por el Mediterráneo y de las reivindicaciones históricas en el norte de Africa; acercamiento español a Italia, política de mano tendida por parte de Mussolini hacia España y fuerte presión de la propaganda fascista en la sociedad española, y por último, visión hispana de Gran Bretaña como árbitro de la situación internacional, cuyo concurso era indispensable para el mantenimiento de la paz en Europa y el *statu quo* en el Mediterráneo. Estos fenómenos planearon con fuerza, casi siempre de forma contradictoria, en el comportamiento español durante el desarrollo del conflicto de Abisinia y, de momento, exigieron de Madrid un esfuerzo considerable que incidió en la despreocupación por los incidentes fronterizos entre Italia y Etiopía.

Pero el factor determinante para explicarse el inicial desinterés español por la disputa italo-etíope fue la política inhibitoria en la que se embarcó la Sociedad de Naciones bajo la dirección de Francia y Gran Bretaña. Después de la primera petición de Etiopía para que la disputa fuera considerada en el Consejo, éste forzó a las partes a someterse al arbitraje previsto en el tratado de amistad firmado entre ambos países en 1928 sin entrar a discutir el asunto, que de este modo escapó a la mediación de Ginebra. La decisión buscaba una salida airosa para Mussolini, que en principio se había negado al arbitraje, pero que desde entonces encontró en él un magnífico instrumento para ganar tiempo mientras preparaba sus planes de conquista. Desde el punto de vista jurídico, el resultado de tal actitud fue que el conflicto quedó relegado a unos cauces bilaterales en los que la Sociedad nada podía hacer hasta que el Pacto fuera violado y alguno de sus artículos invocado [6].

En tales condiciones, no había razón alguna para que España interviniera en una cuestión de la que el propio Consejo se había desentendido *ex profeso*. La abstención española se hacía aún más aconsejable cuando una de las partes en litigio era la Italia de Mussolini, con quien se había alcanzado una mejora sustancial en las relaciones bilaterales tras la incidencia de factores como el acceso de la CEDA al gobierno, la nueva imagen de orden que proyectaba la República rectificada tras la represión de la revolución de octubre y el «encantamiento» que el éxito diplomático de Mussolini había producido en España. Además, si Francia y Gran Bretaña (ésta última, con sólidos intereses coloniales en la zona) habían eludido la discusión solicitada por Etiopía, ¿por qué motivo habría de propiciarla España cuando Abisinia quedaba bastante lejos de la zona de influencia española en Africa? No convenía, por tanto, que la delegación española fomentara el inicio de un debate que disgustaba profundamente a Mussolini en un momento en que era preciso granjearse sus simpatías ante la eventual negociación de un pacto mediterráneo o la posibilidad de revisión del Estatuto de Tánger [7].

En consecuencia, durante la sesión del Consejo del mes de enero la actuación española se caracterizó por la pasividad, limitándose a estar presente, pero sin asumir protagonismo alguno en la disputa. La delegación española contempló de cerca, y el Ministerio de Estado a distancia, el inicio de aquel «doble trámite» de gestiones en el Consejo combinadas con negociaciones entre Gran Bretaña, Francia e Italia, en las que a menudo se pasó por alto el Pacto y los intereses de la Sociedad de Naciones. En esta ocasión, tampoco Madariaga tuvo un atisbo de crítica a tales procedimientos, que parecían reproducir fielmente la idea del directorio europeo y los métodos de conversaciones secretas entre las grandes potencias, otrora tan combatidos por el delegado español, y ello pese a que en los círculos próximos a la Sociedad —según él mismo observó— «se considera evidente la agresión por parte de Italia que, a su vez, constituiría un mero episodio hacia una política invasora que sería muy difícil compaginar con los principios ginebrinos» [8].

La diplomacia española no dio muestras de mayor preocupación por el tema hasta bien entrado el mes de marzo, cuando el gobierno etíope realizó un segundo llamamiento a la Sociedad de Naciones invocando el artículo 15 del Pacto. Pronto se supo en Madrid que la situación no era nada favorable a Etiopía; el embajador español en París informó que los responsables del *Quai d'Orsay* «no sabían que hacer», dado que no podían disgustar a Italia ni abandonar a Etiopía, y en el *Foreign Office* ocurría otro tanto de lo mismo a pesar de que los planes de Mussolini comenzaban a verse como una seria amenaza contra los intereses británicos en la región. Además, la apelación etíope llegaba en pésimo momento, puesto que el mismo día de ser presentada Hitler anunciaba el restablecimiento del servicio militar obligatorio en Alemania. De acuerdo con los propósitos de Mussolini, en Stresa no se habló para nada de Etiopía, por lo que era poco probable que se llevara al Consejo. Francia y Gran Bretaña no podían disgustar al *Duce* en Africa para que les ayudara a contener al *Fürher* en Europa, por lo que desaconsejaron el tratamiento del tema en aquel momento y aplazaron el debate hasta mayo [9].

España, por supuesto, no iba a ser una excepción. En las conversaciones previas con las delegaciones británica y francesa Madariaga aludió «al contraste entre la insistencia sobre la santidad de los Tratados emanada de Stresa y la conducta poco armonizable con el Pacto en que Italia se había lanzado cerca de Abisinia», pero en su intervención ante el Consejo se asoció a las observaciones formuladas por Simon, limitándose «a aconsejar a Abisinia que tuviera paciencia». El delegado español apoyó con sus declaraciones en público lo que tanto reprochaba a Francia y Gran Bretaña en privado, puesto que «en aquel preciso momento» —argumentó— «Italia estaba a la cabeza de una clara demostración de buena voluntad, lo cual daba prueba de un espíritu constructivo de la paz internacional, y un país sólo podía tener una política». Ni que decir tiene que aquella alocución de Madariaga en el Consejo fue recibida en Roma con muestras de «gran simpatía», subrayándose el apoyo dado por España a los planteamientos del delegado italiano [10].

La actuación de Madariaga en Ginebra se ajustaba plenamente a la actitud pasiva del gobierno español en estos primeros lances del conflicto y a los criterios dominantes en el Ministerio de Estado de que convenía extremar la prudencia para no deteriorar las relaciones con Roma. En Madrid, además, aún se creía que Italia «no parece hallarse dispuesta a iniciar ninguna acción bélica», conformándose «con asegurar su posición de predominio en Abisinia» a la espera de encontrar mejores oportunidades para cumplir «sus tradicionales deseos de incluir a Etiopía dentro de su radio de acción colonial», de lo que se deducía que el conflicto se iba a resolver «amistosamente» [11]. Los hechos posteriores, al contradecir esta visión demasiado optimista de las intenciones de Mussolini, no harían sino extremar las precauciones españolas ante el conflicto.

La apuesta por la política dual

Madariaga no tardó mucho en rectificar sus apreciaciones sobre las intenciones pacíficas de Mussolini. Tres semanas después de la reunión del Consejo, el delegado español sugirió a Madrid la realización de una «consulta urgente» a los neutrales con el fin de llevar a cabo una acción colectiva en defensa del Pacto, que era —a su juicio— la «única garantía de nuestra seguridad» [12]. No era de extrañar el cambio de actitud de Madariaga, pues dos hechos habían agravado la situación del conflicto a comienzos de mayo. El primero era un mal síntoma: la paralización del proceso de arbitraje como consecuencia del desacuerdo surgido entre italianos y etíopes en el nombramiento de la Comisión Conciliadora. El segundo era un claro desafío: el gobierno italiano había decidido intensificar los preparativos bélicos con el envío de nuevos contingentes de tropas a Somalia y Eritrea, al tiempo que se prodigaba en declaraciones encaminadas a demostrar «el estado bárbaro» del Imperio del *Negus*. Estos acontecimientos fueron interpretados como un signo inequívoco de que Mussolini avanzaba hacia el desencadenamiento formal de las hostilidades.

La posibilidad de una guerra inquietó en todas partes, sobre todo en Gran Bretaña, donde cada vez cobraba mayor fuerza el recurso a la Sociedad de Naciones como «instrumento o mecanismo útil» para frenar las ambiciones de Mussolini en una zona tan vital para las comunicaciones del Imperio. Madariaga entonces se encontraba en Londres, invitado para pronunciar una conferencia en el encuentro anual del *Cobden Memorial Lecture*, ocasión que aprovechó para entrevistarse con los máximos dirigentes del *Foreign Office* a fin de conocer de cerca sus intenciones e intercambiar criterios sobre el procedimiento a seguir en Ginebra. En sus entrevistas con Simon, Eden y Vansittart, Madariaga se mostró partidario de tramitar el conflicto de acuerdo con el artículo 11 del Pacto, colocándose en una posición intermedia entre los postulados defendidos por Italia, que aspiraba a mantener el arbitraje de las partes sin intervención directa del Consejo, y la demanda etíope de aplicación del artículo 15, que podía ser recusada por Italia al encontrarse el conflicto sometido a arbitraje. El delegado español estimaba que la Sociedad todavía estaba a tiempo de frenar una posible agresión y su estancia en Londres le hizo concebir grandes ilusiones al respecto, puesto que no sólo Eden (a quien le unía una estrecha amistad), sino el propio Simon (de quien recelaba) e incluso Vansittart (a quien detestaba) coincidieron en señalar «la necesidad de proceder de modo que el Consejo diese la impresión de tomar el asunto en mano y de no soltarlo», y para ello los dirigentes británicos contaban «con el apoyo de España» y la colaboración de Madariaga [13].

Mientras Madariaga alertaba sobre la conveniencia de tomar una iniciativa en defensa del Pacto confiando en exceso en el liderazgo británico, el Ministerio de Estado se encaminaba hacia posiciones más realistas. Contribuía a ello la incidencia de varios factores que obligaban a la diplomacia española a obrar con suma prudencia. Por una parte, la embajada italiana en Madrid no desaprovechaba ninguna ocasión de ejercer presión en un sentido favorable a sus tesis, aludiendo al papel de España como «potencia colonial» y, por tanto, a su obligación de no causar perjuicio al «prestigio europeo en Africa». Por la otra, hubo de tenerse en cuenta la existencia de una fuerte corriente de opinión proitaliana en importantes sectores de opinión, algunos de ellos ideológicamente emparentados con la CEDA, que volvió a hacerse fuerte en el Gobierno a comienzos de mayo. Esto se puso de manifiesto en la intensa campaña de prensa que se desató en España tras el discurso de Mussolini en el Senado el 14 de mayo, de la que participaron no sólo los órganos de expresión de claras tendencias fascistas, sino también importantes diarios de la derecha española, como *El Debate* y *ABC* [14].

El debate parlamentario sobre la cuestión del Mediterráneo vino a añadir nuevos argumentos al mantenimiento de una actitud cautelosa. La discusión en las Cortes volvió a poner sobre el tapete el mantenimiento del *statu quo* y la negociación de las cuestiones africanas pendientes, y en relación con ello, la necesidad de que España incluyera a Italia entre sus amistades preferenciales, aunque también se advirtió que la República había contraído unas determinadas obligaciones internacionales que no podían ser burladas. Con esta doble referencia quedaron planteados los términos de la contradicción en que iba a debatirse el Gobierno en los próximos meses: amistad con Italia *versus* fidelidad al Pacto. La insistencia de Romanones en obtener una respuesta más explícita del ministro de Estado llevó a éste a introducir una tercera consideración entre los dos postulados anteriores, la de que «la política internacional de Inglaterra merece al gobierno español viva simpatía» [15]. Con esta alusión, Rocha estaba adelantando el factor clave para resolver el dilema entre Roma y Ginebra: Gran Bretaña, que seguía siendo, no sólo el «árbitro» de los problemas europeos, sino también el líder de la Sociedad y la potencia que había marcado la pauta seguida por la delegación española desde hacía algún tiempo.

En el Ministerio de Estado se tenía la certeza de que la contradicción no iba a plantearse de forma inmediata, por lo que había que obrar con tacto y dejar que funcionaran los cauces del entendimiento. No cabía esperar de España una iniciativa en defensa del Pacto en el sentido propuesto por Madariaga, pero tampoco eran de recibo los planteamientos de secundar las posiciones de Italia en el Consejo. Madrid apostaba por el arbitraje de las partes y el apaciguamiento franco-británico, limitándose a desear el éxito de las negociaciones. Las informaciones que llegaban del extranjero confirmaron que esa política era la más conveniente en aquellos momentos. Según Cárdenas, embajador de España en París, Francia trataba de desinteresarse del asunto, debido a los «compromisos tácticos» contraídos por Laval con Mussolini. Desde Londres, Ayala concretó la actitud británica en un sentido no tan favorable a la Sociedad de Naciones como las entrevistas de Madariaga podían dar a entender, puesto que el gobierno MacDonald parecía inclinarse por el procedimiento de «escamotear y postergar dicho problema reduciéndolo por lo pronto a un incidente de límites a fin de satisfacer a Italia», aunque dejando pendiente la convocatoria del Consejo en caso de agravamiento del conflicto [16].

En efecto, tanto en Londres como en París se impuso la «política dual» hacia Mussolini, intentando someterlo al control de la acción de la Sociedad, pero procurando satisfacer sus aspiraciones coloniales por la vía de las concesiones pactadas. Como ha señalado Baer, los gobiernos demoliberales no podían obviar del todo los cauces de Ginebra, «en parte porque conocían el sentimiento pro Sociedad entre sus electores, y en parte porque en ese momento carecían de plan alternativo de seguridad para Europa», pero tampoco estaban dispuestos a enfrentarse directamente a Mussolini para no comprometer el frente común que poco antes se había activado contra el rearme alemán. Por tanto, «parecía que la única respuesta realista era una política dual, de negociaciones directas para resolver la cuestión etíope a través de un acuerdo territorial (que esperaban sería revalidado en Ginebra), combinado con un apoyo limitado al Pacto (el suficiente para mantener una apariencia de solidaridad sin provocar a Mussolini)» [17].

Esta política de apoyo limitado al Pacto con concesiones a Mussolini se puso claramente de manifiesto durante la sesión del Consejo celebrada a finales de mayo. Era el momento de afrontar el tercer llamamiento etíope para que la Sociedad agilizara el arbitraje y acabase con los preparativos militares que Italia estaba realizando en sus colonias limítrofes. De entrada, parecía que la actitud de Eden era «firmemente resuelta a sostener el Pacto» y que de ningún modo iba a permitir que el Consejo se dispersara «sin dejar asegurada la continuidad de su acción bajo el artículo 11 del Pacto», lo cual significaba que se iba a abordar, no sólo la aceleración de los procedimientos del arbitraje, sino también la amenaza inminente de guerra. Pero tales intentos tropezaron con la intransigencia italiana. Con el concurso de Laval, Eden se entregó a cuatro días de intensas negociaciones con Aloisi, que finalmente aceptó dos de las tres proposiciones anglo-francesas (establecimiento de un plazo límite para el arbitraje y extensión de éste a todos los puntos solicitados por Etiopía), pero se negó terminantemente a aceptar la tercera, la que obligaba a hacer una declaración solemne de no recurrir a la fuerza, que era la más importante de todas. Al final, Eden y Laval capitularon y en la reunión del 25 de mayo se aprobó una resolución por la cual se adoptó un plan para evitar dilaciones en el arbitraje, con plazos para la convocatoria automática del Consejo, aunque la petición etíope de que se pusiera fin a los preparativos de guerra no se tuvo en cuenta. Item más, Italia se permitió desafiar públicamente al Consejo, al declarar con palabras «categóricas y finales» que las medidas de su gobierno para asegurar la defensa de sus territorios coloniales no podían ser objeto de comentario alguno [18].

De acuerdo con la prudencia que Madrid se había impuesto en el conflicto, era previsible que España respaldara en Ginebra la política dual hacia Mussolini. Así lo hizo Madariaga, quien actuó como estrecho colaborador de Eden durante el desarrollo de las conversaciones al margen del Consejo. En su primer contacto, Eden y Madariaga perfilaron los argumentos a esgrimir para conducir la disputa bajo el artículo 11 del Pacto. Entonces Madariaga señaló al Ministerio que, en su opinión, la línea de conducta de la Delegación podía ser la de «dar a Italia las máximas facilidades, manteniéndonos en lo esencial junto a Inglaterra en la defensa del Pacto».

Más tarde, cuando se supo que tales propuestas eran «indiferentes» para Mussolini y que Gran Bretaña y Francia rechazaban las contrapropuestas italianas (todavía Eden opinaba que eran preferibles «los riesgos de la firmeza a los riesgos de la debilidad»), Madariaga volvió a insistir a Madrid en el sentido de que «salvo aviso en contrario, me consideraré autorizado para, con las consideraciones de forma necesarias, no dejar en duda nuestro apoyo a Inglaterra y Francia en su defensa del Pacto». Por último, cuando la indiferencia de Mussolini se convirtió en intransigencia y las delegaciones británica y francesa parecían dispuestas a ceder a las pretensiones italianas, Eden consultó previamente con Madariaga, quien le dio a conocer su opinión favorable a la renuncia del Consejo: «creí oportuno» —informó a Madrid— «dar mi aquiescencia a estas proposiciones pues, aunque son moderadas y ni siquiera aluden al Pacto mismo, creo razonado tomar en cuenta las gravísimas dificultades con que tropieza Inglaterra, cuya firmeza y buena intención en este asunto son muy de admirar» [19]. En definitiva, apoyo a la delegación británica en el proceso de negociaciones secretas y silencio en la sesión pública del Consejo.

Se puede argüir que a Madariaga no le quedaba más remedio que apoyar aquella decisión pusilánime del Consejo, dado que Gran Bretaña y Francia estaban poco dispuestas a llevar hasta sus últimas consecuencias la estricta aplicación del *Covenant*. Al explicar su actitud, Madariaga ha escrito que «El Consejo de la Sociedad de Naciones se encontraba en una situación análoga a la del matador con dos toros en el ruedo, y aún cuando sea ocioso especular sobre si Inglaterra y Francia (o España o Suecia en su caso) habían obrado con mayor firmeza para con Mussolini si no hubiera salido Hitler al ruedo, el hecho es que estábamos todos dominados por la mera presencia de aquellos dos toros» [20]. La observación es pertinente, pues Europa había cambiado en poco tiempo. En 1931-32, la Sociedad de Naciones seguía siendo una posibilidad, Hitler aún no gobernaba Alemania y todavía quedaba algún resquicio a la esperanza del desarme. En 1935, por el contrario, el Pacto había sido desnaturalizado, Hitler se había hecho fuerte en Centroeuropa y todos los Estados se rearmaban hasta el límite de sus posibilidades. Pero no sólo había cambiado la coyuntura internacional, sino también la nacional y la política exterior republicana, o —siguiendo el símil taurino de Madariaga— había cambiado la forma de torear. Atrás habían quedado las ilusiones iniciales, aquellas que en 1931-32 llevaban a España a adoptar una política resueltamente pacifista; en 1935, en cambio, corrían los tiempos de extremar las precauciones y de afrontar la realidad de una España neutral en medio de una Europa en vísperas de guerra, por lo que de la amistad preferencial con «la república hermana» se había pasado a cultivar los encantos de la Pérfida Albión y del compromiso con las democracias avanzadas a no hacer muchos distingos entre democracias y dictaduras. Y no sólo era una mera cuestión de toros y formas de torear, sino también de toreros, pues había cambiado el propio Madariaga, que de prodigar elogios a «la Niña bonita» y de propagar pacifismo internacionalista como «continuación» de la política nacional de la República reformista se había consagrado a proyectar el «Ideario para la constitución de la Tercera República» [21].

Este esbozo de nuevas realidades conviene tenerlo presente a la hora de comprender la actitud de Madariaga y la diplomacia española en este momento, crucial, del tratamiento del conflicto italo-etíope ante la Sociedad de Naciones. Una actitud que —en palabras de Aguinaga— podía ser resumida del siguiente modo: «no dar de lado sus compromisos libremente contraídos al ingresar en la Sociedad de las Naciones, aunque se concedieran, en efecto, a Italia todas las facilidades deseables y se hiciera todo lo humanamente posible en su favor» [22]. La diplomacia española, en suma, se amparó en la *realpolitik* para adoptar también una «política dual» hacia Mussolini: apoyó las resoluciones esquivas del Consejo sin exhibir en su comportamiento público la menor dosis de aquel pacifismo moralizante que llevaba a España a ser la primera nación en condenar las agresiones al Pacto o denunciar la política de dilaciones practicada por las grandes potencias en Ginebra, y al mismo tiempo, cuidó en todo momento que su colaboración con el liderazgo anglo-francés no enturbiara la buena amistad con Italia, puesto que, de lo contrario, podrían surgir complicaciones en un momento en que España pretendía jugar su baza de potencia mediterránea y colonial para salir de su enquistamiento interno.

Incremento de la tensión y «política de los cinco minutos»

El verano de 1935 sirvió para despejar las dudas sobre la significación y el alcance del conflicto de Abisinia, que quedó planteado ante la opinión pública como «una lucha entre la Italia fascista y la Sociedad». A partir de entonces los españoles se interesaron de una forma más definida por el conflicto y el Gobierno comenzó a inquietarse seriamente por las repercusiones negativas que una guerra en Africa podía tener para la seguridad europea y para España.

Mientras en Italia se intensificaban los preparativos militares y se recrudecía la propaganda en favor de la guerra contra el «incivilizado» y «bárbaro» Imperio del *Negus*, los gobiernos demoliberales se veían cada vez más obligados a hablar del conflicto en clave societaria. A ello contribuyó la extensión de una fuerte corriente de opinión en defensa del Pacto como instrumento para frenar la agresión fascista a Etiopía. En Gran Bretaña el 27 de junio se hicieron públicos los resultados del escrutinio de la paz que había organizado *The League of Nations Union* valiéndose de la prensa: de los casi 12 millones de votantes, el 94% se declaró partidario de imponer sanciones económicas contra un presunto agresor y el 74% era favorable a aplicar sanciones militares en caso necesario [23]. Después del *Peace Ballot*, el nuevo gobierno británico, presidido por Baldwin y con Hoare al frente del *Foreign Office*, añadía a sus intereses imperiales y a los principios morales la presión de una opinión pública favorable a los mecanismos societarios como factores para contener a Mussolini en Abisinia.

Sin embargo, las cancillerías seguían empeñadas en buscar una salida negociada al conflicto mediante la vía de los viejos métodos diplomáticos. Este fue el sentido del viaje que Eden emprendió a Roma el 24 de junio con el propósito de ofrecer a Mussolini determinadas compensaciones territoriales y económicas en la provincia del Ogadén a cambio de que Inglaterra cediera a Etiopía el puerto de Zeila y un acceso directo al mar en la Somalia británica. El plan Zeila, rechazado por Mussolini y acogido con recelos por los franceses, sólo sirvió para aumentar las reticencias italianas con respecto a la mediación británica, provocar una brecha en la unidad de acción anglo-francesa y poner al descubierto el doble juego de Londres en el tratamiento de la disputa. Poco después de este paso en falso, fracasó el proceso de conciliación establecido en virtud del tratado italo-etíope de 1928. Según la resolución adoptada en Ginebra en mayo, la paralización de la conciliación debía conducir a la convocatoria de una nueva reunión extraordinaria del Consejo. Los gobiernos y los máximos responsables de la Sociedad de Naciones comenzaron a inquietarse ante la posibilidad de que el Consejo fuera sometido a la dura prueba de pronunciarse en contra de Italia con la previsible consecuencia de su retirada de Ginebra [24].

El gobierno español no era ajeno a los temores generalizados en Europa. El Ministerio de Estado estaba al corriente de los aspectos más preocupantes de la disputa en aquella coyuntura del verano del 35: confirmación de las intenciones agresivas de Mussolini, aumento de la tensión entre Londres y Roma, presentación de la crisis como una pugna entre Italia y la Sociedad de Naciones y percepción de las contradicciones de la política exterior de las grandes potencias demoliberales. A medida que el agravamiento de la situación hacía inevitable un pronunciamiento inminente de la Sociedad, la diplomacia española se fue percatando de que su silencio no podía prolongarse por mucho tiempo. La cuestión se planteó con visos de urgencia a raíz del aumento de la tensión anglo-italiana en los meses de junio y julio. En buena lógica, la nueva dimensión que había adquirido la disputa aconsejaba ir definiendo la posición española y preparar a la opinión pública nacional en el sentido de que España estaría abocada a apoyar los principios de la seguridad colectiva frente a una agresión al Pacto, tal y como había tenido que hacer con motivo de la violación del tratado de Versalles por Alemania [25].

No obstante, en Madrid seguía manteniéndose un imperturbable silencio. La indefinición tenía su razón de ser en la incapacidad de la diplomacia española para optar de una forma clara por cualquiera de las soluciones posibles. Pero también estuvo alimentada por la actitud de las grandes potencias demoliberales, cuyo «doble juego» fue percibido claramente en el interior de España, operando en sentido inverso al que la previsión de los acontecimientos aconsejaba y contribuyendo a retrasar el pronunciamiento español sobre la crisis. Así, en julio de 1935 la cuestión abisinia se presentó ante la opinión pública española como «un choque entre fuerzas imperiales»: los intereses británicos consolidados en la zona contra las nuevas ambiciones coloniales de la Italia fascista. La prensa liberal, partidaria de contener la agresión a Etiopía a través de los mecanismos societarios, censuró abiertamente la política británica de recurrir a la Sociedad sólo cuando sus intereses imperiales peligraban y de mostrarse tan celosa en el sometimiento de la disputa al Pacto cuando había consentido agresiones y violaciones de tratados en ocasiones anteriores. La prensa de derechas, por su parte, encontró en las contradicciones británicas un excelente argumento para apoyar la estricta neutralidad española [26].

Las informaciones que llegaban al Ministerio de Estado tampoco aconsejaban la adopción de una política más definida por parte de España. Desde París, Cárdenas daba cuenta de que el gobierno francés se encontraría en una situación «desagradable» en caso de que la Sociedad de Naciones tuviera que pronunciarse sobre el tema. Desde Londres, Ayala destacó la «extrema fluidez e inestabilidad» de la política exterior británica, que era una especie de «esfinge sin secreto», pues su único secreto consistía en que «tampoco el gobierno británico sabe a qué atenerse, y por ende su única táctica es el aplazamiento y el oportunismo» [27]. Y si el gobierno de Londres no sabía a qué atenerse, menos lo podía saber el de Madrid, donde la disparidad de criterios ya estaba latente por aquellas fechas en las páginas de los periódicos vinculados al Partido Radical y la CEDA, aunque todavía sus dirigentes no se hubieran manifestado de forma explícita.

Las dudas se incrementaron cuando se anunció la inmediata convocatoria del Consejo para el 31 de julio. Paralelamente, también aumentaron las preocupaciones de Roma y Londres ante la «incertidumbre» de que hacía gala Madrid. En las vísperas de la reunión de Ginebra, la diplomacia italiana se mostraba inquieta por la actitud que adoptaría la delegación española, aunque en el fondo intuía el sentido de su voto, dado que «el gobierno español tiene sobre todo la preocupación de no contribuir a nada que pudiera desacreditar a la Sociedad de Naciones y teme por parte de Italia una decisión capaz de poner en peligro las instituciones de Ginebra». También la diplomacia británica se percató de las vacilaciones hispanas. Para su embajador en Madrid, hasta ese momento el Gobierno había obrado con cautela «para mantener una actitud no comprometida» a pesar de que la prensa española de todos los matices estaba pendiente de la evolución del conflicto, y en el Foreign Office no se daba por seguro el apoyo español al Pacto, puesto que algunos funcionarios creían «dudoso» que el gabinete radical-cedista se arriesgara a declararse en favor de la Sociedad de Naciones en contra de Italia [28].

En España se seguía cada vez con mayor interés el desarrollo de los acontecimientos. A propósito de las «filias» y «fobias» suscitadas al calor del conflicto, ya se ha dicho que, «en líneas generales, la opinión española se dividió, como era de prever, entre italófilos e italófobos de acuerdo con las tendencias políticas de derecha e izquierda respectivamente», aunque hubo «importantes excepciones» en la prensa de derechas y «amplias diferencias de matiz» en los sectores de la izquierda [29]. El embajador francés en Madrid, Jean Herbette, quizás por su condición de periodista, percibió con nitidez esa división ideológica entre partidarios y detractores de la política italiana en Abisinia. Los italófilos estaban asociados a los sectores más reaccionarios de la sociedad, siempre resistentes a los principios ginebrinos que la República había incorporado a la Constitución de 1931 y admiradores, fervientes o encubiertos, del régimen fascista de Mussolini. Para Herbette esta tendencia estaba estrechamente ligada a las ideas de «la reconstitución de un régimen despótico en el interior de España y el renacimiento de un imperialismo español hacia el exterior», y tenía entre sus principales activistas al grupo monárquico en las Cortes y a influyentes redactores de *El Debate*. Esto se demostró en las vísperas de la reunión del Consejo de finales de julio, cuando el diputado Goicoechea reclamó del Gobierno la aplicación de «las reglas de neutralidad estricta» y el diario conservador advirtió sobre los riesgos que podía correr España al adoptar una posición excesivamente proclive a los compromisos con el Pacto [30].

Pero la mayoría de los españoles, según Herbette, rechazaba los planes militares de Mussolini y sostenía que los principios de la seguridad colectiva no podían ser eludidos ante casos de agresión contra cualquier miembro de la Sociedad. Ahora bien, los que pertenecían a esta corriente de opinión mayoritaria exteriorizaban un sentimiento que iba desde «la frialdad» hasta «la hostilidad declarada». La animosidad contra la política imperialista de Italia era particularmente intensa en los grupos de izquierda, que condenaban sin paliativos la agresión a Etiopía, valoraban la amenaza de guerra como un claro «chantaje» a la Sociedad y hasta veían en la aventura colonial de Mussolini una posibilidad para el derrocamiento del régimen fascista. Otros sectores italófobos, en cambio, mantenían posiciones más moderadas, confiaban en la presión de Gran Bretaña y Francia y en los escasos apoyos de que disponía Italia como factores decisivos para resolver la crisis y estimaban que finalmente Mussolini sería disuadido por la vía de la mediación. Asociados a esta corriente de opinión, «los elementos influyentes del público español» —sentenciaba Herbette— «están generalmente de acuerdo con la opinión británica, y si la cuestión se planteara como una elección entre Inglaterra e Italia, sus preferencias no serían dudosas» [31].

La distinción realizada por Herbette proporciona un elemento de análisis decisivo para desvelar la actitud dominante en el seno de la diplomacia española por aquellas fechas. Tanto los máximos dirigentes del Ministerio de Estado (el ministro Rocha y el subsecretario Aguinaga) como los españoles influyentes en Ginebra (Azcárate, secretario general adjunto de la Sociedad de Naciones, y Oliván, primer delegado español en ausencia de Madariaga) compartían los planteamientos de ese sector moderado de la opinión pública española. Todos rechazaban los planes italianos en Abisinia, pero apostaban por la búsqueda de «una solución razonable», una negociación que combinara «la necesidad de la satisfacción que pueda darse a Italia respecto a su situación frente a Abisinia con la no menos obligada de acatar los principios que informan la Sociedad de Naciones y los compromisos contraídos por todos sus miembros». Aguinaga y Azcárate, por ejemplo, coincidieron en la conveniencia de proseguir los esfuerzos realizados por Gran Bretaña para tratar de encontrar esa salida airosa que no entrara en contradicicción con los principios ginebrinos y, al mismo tiempo, evitara poner en un brete a la Sociedad, aunque para ello fuera preciso realizar concesiones a Mussolini asegurándole una especie de «mandato» encubierto en Abisinia. La diplomacia española se asociaba así a los sectores dominantes en el *Foreign Office* y el *Quai d'Orsay*, de igual forma que en el *Hotel National* de Ginebra, que Ayala definió como los «realistas», es decir, aquellos que procuraban «persuadir a Italia, por su bien y a vuelta de cálidas muestras de afecto y benevolencia, de los daños que a sí propia y al resto de Europa acarreará indefectiblemente, de obstinarse en ese mal paso». Esa corriente realista —concluía Ayala— «se afana en utilizar la Liga como medio instrumental para llegar a una ficción jurídica (en el puro sentido del derecho romano) que evite la guerra y deje a Italia relativamente satisfecha» [32].

En Madrid, los españoles «realistas» eran el objetivo de la labor proselitista de Herbette, de acuerdo con las instrucciones dadas por Laval desde París. Su misión consistía en ganarse para la causa de la «solución razonable» a los que rechazaban los planes de Mussolini en Abisinia, pero evitando «las violencias verbales» y «las exageraciones» de las izquierdas, más «propensas a comprometer el éxito» de la política de conciliación. Para que esta tarea diera resultado positivo, el Embajador pretendía sacar a relucir el tradicional aforismo de la política exterior española de que «los problemas difíciles ganan al ser aplazados» y apuntar que, de momento, no convenía que España se definiera del todo, ya que era más «cómodo» para ella apoyar «una solución que la dispensara provisionalmente de tener que tomar partido» en lugar de propiciar «una decisión que comprometa la actitud de España hacia la Sociedad de Naciones o hacia Italia». El éxito de Herbette estaba asegurado, puesto que en el Ministerio de Estado se pensaba que el interés español estaba en colaborar en la búsqueda de esa «acción de moderación y de freno» que evitara el pronunciamiento de la Sociedad y, de paso, el de España [33].

Con tales criterios acudió la delegación española a la sesión extraordinaria del Consejo celebrada del 31 de julio al 3 de agosto. Esta vez Madariaga no podía estar presente, puesto que se encontraba de viaje oficial a Sudamérica, por lo que se cursaron instrucciones a Oliván para que, en caso de tener que intervenir en los debates, lo hiciera «en un sentido ampliamente pacifista y conciliador». El delegado español, sin embargo, no tuvo oportunidad alguna de expresar esos criterios en el Consejo. La sesión, considerada en principio como «la más importante» desde hacía muchos años, acabó como había empezado; es decir, sin soluciones para el conflicto, y además, sin que nadie —a excepción de Gran Bretaña, Francia e Italia— tomara parte en las discusiones. Durante tres días, Aloisi, Eden y Laval se entregaron a una nueva ronda de negociaciones en los hoteles de Ginebra con la delegación etíope y los restantes miembros del Consejo como meros espectadores. El resultado final fue la satisfacción de las pretensiones italianas, decididamente apoyadas por Francia, cuya única preocupación consistía en «evitar que Italia se retirara del Consejo y ganar un mes de tiempo» con el fin de encontrar una «compensación sustancial» que ofrecer a Roma para evitar la guerra [34].

La resolución aprobada por el Consejo era completamente inocua para los planes de Mussolini. Por ella se instruía a la Comisión de Arbitraje para que se reuniera de nuevo sin capacidad para pronunciarse sobre la soberanía del territorio de Ual-Ual; se aplazó la discusión sobre las relaciones italo-etíopes hasta el 4 de septiembre, y el Consejo tomó nota «con satisfacción» de que los gobiernos del Reino Unido, Francia e Italia se comprometían a entablar negociaciones para encontrar una solución a la diferencia italo-abisinia. De esa forma el Consejo refrendaba la vuelta a los viejos métodos coloniales, un «throw back» imperialista —como ha señalado Baer— que «ni podía tener éxito ni podía entregar a Mussolini lo que quería: a saber, una guerra» [35]. Pero con ello, y a la espera de la «solución razonable», se evitaba el pronunciamiento de la Sociedad, que seguía permaneciendo al margen de la disputa, tanto del proceso de arbitraje bilateral y de las futuras negociaciones trilaterales, como de las amenazas de agresión contra uno de sus miembros. Luis de Zulueta, el ministro de Estado del gobierno Azaña, evocó aquella sesión del Consejo con una feliz expresión: el triunfo de «la política de los cinco minutos»:

«Lo importante de esta última reunión del Consejo no ha sido la trascendencia de lo que se ha dicho, sino la magnitud de lo que se ha callado... El conflicto italo-abisinio pasó de puntillas por la sala, envuelto en un prodigioso velo de silencio. Silencio sobre el fondo del conflicto. Silencio sobre los problemas internacionales que suscita. Silencio sobre la preparación de la guerra. Silencio sobre los deberes y derechos que a todos sus firmantes confieren el Pacto de la Sociedad... La Gran Bretaña no ha hecho otra cosa que confirmar su reserva. Los demás la emularon. Sencillamente en Ginebra ha prevalecido la política de los cinco minutos... No reanimó el pasado: el ideal de paz, de derecho, de solidaridad entre los Estados... Cerró los ojos al futuro: la inminencia de una guerra» [36].

Con «la política de los cinco minutos» seguida en Ginebra, Madrid consiguió eludir un pronunciamiento sobre el conflicto. Ello proporcionó un leve respiro a la diplomacia española, que seguía postulando lo de «dar tiempo al tiempo». Durante los próximos días, todo lo más durante las próximas semanas, el ministro de Estado no tendría necesidad de dar explicaciones a la prensa ni enfrentarse a las objeciones neutralistas de algunos de sus compañeros de gobierno. Quizás por eso Rocha expresó a Herbette que el acuerdo alcanzado en el Consejo bajo inspiración de Laval le había parecido «feliz», porque «el aplazamiento mismo aumenta las posibilidades de un arreglo pacífico». Sin embargo, el Ministro tampoco se mostraba excesivamente esperanzado con las posibilidades de acuerdo, puesto que entendía que a Mussolini le sería muy difícil dar marcha atrás y «terminar pacíficamente su empresa después de haber anunciado con tanta resonancia sus intenciones de conquista». Por si acaso, Rocha aclaraba que en caso de declarar la guerra a Abisinia, «Italia tendría contra ella «la unanimidad» del mundo», lo que equivalía a decir que España se pondría del lado de la Sociedad en contra de Italia, añadiendo, como respuesta a una alusión hecha por Herbette, que no le preocupaba demasiado las simpatías que los monárquicos españoles manifestaban por la Italia fascista [37]. A Rocha sólo le faltó decir que lo que verdaderamente le inquietaba era que esas simpatías estuvieran tan extendidas entre sus coaligados de gobierno. En cualquier caso, Herbette no tardaría mucho en comprobarlo, porque el respiro fue tan leve que las contradicciones estallaron al poco tiempo.

LA ADOPCIÓN DE LA POLÍTICA DE LA AMBIGÜEDAD

Hacia mediados de agosto parecía evidente que estaba llegando la hora de tomar decisiones. Así se entendió en el Ministerio de Estado, que calificó la situación «de extraordinaria gravedad» y decidió elaborar un informe para someterlo a deliberación del Gobierno. En el Consejo de Ministros celebrado en San Sebastián el 14 de agosto se acordó —según la versión de Gil Robles— «seguir con todo interés cuanto se relacionara con aquel conflicto y colaborar con las naciones democráticas que no podían considerarse grandes potencias en una política inspirada en los principios de la Sociedad de Naciones y en las exigencias pacifistas del artículo sexto de nuestra Constitución». Para compensar el compromiso societario que tal acuerdo implicaba con las posiciones neutralistas, se decidió acelerar los planes de defensa ya programados por el ministro de la Guerra con el propósito de reforzar las bases navales del Mediterráneo, «sin que tales medidas» —añadía Gil Robles— «prejuzgaran la actitud definitiva que ante los acontecimientos adoptáramos» [38].

Al amparo de la indefinición

El Gobierno, pues, por una parte reafirmaba sus compromisos constitucionales, y por la otra se aprestaba a reforzar su dispositivo defensivo en previsión de que las consecuencias del conflicto amenazaran la neutralidad española. En realidad, se intentaba capear el temporal como únicamente se sabía: procurando tapar las contradicciones internas de la política exterior republicana —neutralismo *versus* societarismo, orientación pro-británica *versus* amistad italiana— y aplazando toda decisión definitiva hasta que las circunstancias diplomáticas obligaran a hacerlo. Tal actitud era como cerrar los ojos a la realidad de una guerra que ya se anunciaba como inminente; el propio Lerroux así lo puso de manifiesto cuando dijo a Herbette, el mismo día del Consejo de Ministros, que «actualmente el gobierno español no cree en una guerra italo-etíope» [39].

Los acontecimientos se precipitaron en sentido inverso al que «creía» el gobierno español. A los pocos días se conoció el fracaso de las conversaciones tripartitas de París tras la negativa de Mussolini a aceptar el plan anglo-francés que se le había ofrecido, y que contemplaba desde importantes concesiones económicas en Abisinia hasta garantías de control político sobre el gobierno etíope, lo que suponía limitaciones reales a su soberanía, aunque reconociendo *de jure* su «independencia». De ahí a lo que pedía Italia sólo iba un paso, pero el *Duce* había estimulado tanto las ansias de «gloria nacional» que se estaba jugando la suerte misma de su régimen. Poco después, Mussolini daba instrucciones al general De Bono para que acelerara los preparativos militares con vistas a iniciar el ataque sobre Etiopía [40].

Una vez fracasada la «solución razonable» y con Italia dispuesta al asalto definitivo, se estrechaba el abanico de posibles salidas a la crisis.

Desde Londres, Ayala informaba que sólo parecían quedar tres caminos:
el primero, «buscar una puerta de escape y vestidura legal que permita
libre curso a las aspiraciones italianas»; el segundo, «la reprobación, meramente formal, de la política italiana en Abisinia», y el tercero, «la aplicación del artículo 16 del Pacto» con imposición de sanciones a la potencia
agresora, posibilidad que ya estaba en la mente de todas las cancillerías.
Las informaciones recibidas en Madrid confirmaron este extremo: las pequeñas potencias condenaban la aventura italiana y apostaban por someter
la disputa al Pacto con todas sus consecuencias, aunque todo dependía de
la actitud que Gran Bretaña y Francia adoptaran. Había excepciones,
como la de Austria, aliada de Roma, que exhibía una «prudente reserva»,
y la de Suiza, vecina de Italia, que trataría de «mantenerse en la más
estricta posición de neutralidad». Había también algunas indefiniciones,
como las de Grecia y Checoslovaquia, aunque se suponía que apoyarían
la aplicación del Pacto. Pero las respuestas que más interesaban a España,
la de los neutrales europeos, a excepción de Suiza, eran bastante definidas:
desde Estocolmo, Copenhague y Oslo se anunciaba una actitud de firmeza
en apoyo del *Covenant* y la adhesión al punto de vista británico. Poco
después, los gobiernos de Suecia, Dinamarca, Noruega y Finlandia confirmaron esta orientación en una reunión conjunta celebrada en Oslo, al
tiempo que desde Estocolmo se anunciaba el «enérgico criterio» con que
Sandler iba a acudir a Ginebra: «obligar al mantenimiento de los compromisos del Pacto» [41].

Mientras el Ministerio de Estado intensificaba sus contactos diplomáticos en el extranjero, en el interior de España el ambiente no podía estar
más enrarecido. A finales de agosto y comienzos de septiembre el conflicto
volvió a acaparar el interés de la opinión pública, ya claramente dividida
en dos bandos. La prensa de derechas insistió en que la disputa había
quedado reducida a un pulso entre Gran Bretaña e Italia, por lo que sólo
cabía una actitud «digna» por parte de España: el mantenimiento de una
neutralidad estricta. Los periódicos vinculados a la CEDA, en particular
El Debate, redoblaron sus presiones sobre el Gobierno y sus críticas a la
Sociedad de Naciones, que no merecía el «sacrificio» pacifista de la República. Sin cuestionar la orientación neutralista de la política exterior, la
izquierda republicana moderada valoraba el conflicto, no como una pugna
entre naciones, sino como una lucha de concepciones (democracia *versus*
fascismo), por lo que reafirmaron la necesidad de que España mantuviera
su «compromiso pacifista» en Ginebra, aún cuando fuera necesario actuar
con «prudencia». El ex-ministro Zulueta destacó en este sentido, erigiéndose en el máximo propagandista de tales argumentos desde las páginas
de *El Sol* [42].

Hasta entonces, el enfrentamiento entre las dos percepciones del conflicto se había manifestado claramente en la prensa. Esa disparidad, aunque bastante más matizada (entre italófilos «moderados» e italófobos «realistas»), estaba latente en el seno del Gobierno; pero éste, con su silencio, había evitado que las diferencias afloraran ante la opinión pública. No obstante, tal situación no podía ser prolongada por más tiempo. El 25 de agosto las contradicciones en el seno de la coalición gubernamental se hicieron públicas con los discursos pronunciados por Lerroux y Gil Robles en Baños de Montemayor y Santander respectivamente. Ambos aludieron a la tan cacareada neutralidad española como actitud general, pero cada uno de ellos habló de implicaciones diferentes. Para el Presidente, la neutralidad debía llevar a España a «aportar su convencimiento y su posición para unirse a aquellos países que impidan la guerra», señalando que la República representaba «no sólo una fuerza moral sino también material» en el sostenimiento de la paz. Para el ministro de la Guerra, en cambio, «la neutralidad no se consigue con un artículo derrotista en la Constitución, ni se logra con un Pacto vergonzoso, sino por el imperio de la fuerza, que es lo suficiente para impedir que por nuestras costas, ni por nuestros suelos, ni por nuestro espacio, pueda cruzar un solo individuo». *El Debate* fue el encargado de «resaltar la diferencia entre ambas posiciones» —como ha escrito Saz— y polemizó sobre el tema reprobando el discurso de Lerroux y proclamando —de acuerdo con Gil Robles— la «estricta neutralidad» en el conflicto y el primado de los «intereses nacionales» sobre las «obligaciones internacionales» [43].

Pero tampoco hay que exagerar las diferencias entre Lerroux y Gil Robles. Cierto es que ambos dirigentes se orientaban, sentimental e ideológicamente, hacia direcciones opuestas: hacia Inglaterra en el caso del radical, hacia Italia en el caso del cedista. Pero ni Lerroux pretendía apostar decididamente por los ingleses en detrimento de la amistad italiana, ni Gil Robles desconocía las dificultades existentes para que España evitara lo inevitable: el compromiso final con las tesis societarias bajo el liderazgo británico. Aunque Mussolini expresara su disgusto por el discurso de Lerroux de modo oficial, los propios italianos minimizaron las diferencias existentes entre ambos dirigentes y las consideraron irrelevantes ante el imperativo de los intereses nacionales en juego: la «buena voluntad» de no enturbiar las relaciones con Italia y la imposibilidad de sustraerse a los designios de la política británica, de lo que se deducía que «la simpatía de Lerroux es un sentimiento superfluo» y «las aspiraciones italófilas de Gil Robles pueden ser vanas» [44].

Por encima de las preferencias de ambos, tanto Lerroux como Gil Robles habían coincidido en la defensa de la neutralidad española, hecho que comenzaba a preocupar en el *Foreign Office*. En Londres ya se conocía la escasa disposición de España a asumir compromisos que pudieran contrariar a Mussolini, pero entonces el mantenimiento de tal actitud comenzaba a ser inquietante, puesto que el 22 de agosto el gobierno británico concentraba la *Home Fleet* en Portland para una eventual intervención en el Mediterráneo, al tiempo que decidía que toda imposición de sanciones a Italia sólo podía ser adoptada colectivamente. Además, por aquellas fechas la prensa inglesa había prestado especial atención a los movimientos de tropas que se estaban produciendo en el interior de España, parte de las cuales se dirigieron hacia la frontera con Gibraltar, y los servicios secretos británicos estaban siguiendo con preocupación los pasos poco claros que estaba dando el gobierno español en política de defensa. Por si fuera poco, un informe de la Inteligencia Naval del Almirantazgo alertó al *Foreign Office* de la existencia de «conversaciones directas» entre Mussolini y el gobierno español con respecto a la neutralidad española, que Italia deseaba fuera definida como «fine neutrality» en vez de neutralidad a secas. Estas noticias, así como el eco de los discursos cruzados de Lerroux y Gil Robles, dieron ocasión a suponer que probablemente Madrid no se comprometería antes de que tuviera lugar la reunión del Consejo prevista para el 4 de septiembre y que el deseo del Gobierno era «permanecer neutrales si les fuera posible» [45].

El *Foreign Office* no se equivocaba: España mantendría su neutralidad mientras le fuera posible. Tres días después de aquella polémica entre Lerroux y Gil Robles, se volvió a reunir el Consejo de Ministros, que resolvió las diferencias en el seno del Gobierno de un modo bastante ambiguo. Se decidió —siguiendo el relato de Gil Robles— que Madariaga (de regreso de América) «se pusiera en contacto con los demás países neutrales, para intentar restablecer por vía pacífica el imperio del derecho internacional y los postulados del propio Pacto», al tiempo que «España se mantendría al margen de la contienda y a la expectativa del desarrollo del conflicto» [46]. La primera parte de la decisión parecía tener un propósito claro: España iba a colaborar en todo esfuerzo de conciliación tendente a encontrar una solución pacífica dentro del marco de la Sociedad. Más problemática era la referencia a mantenerse «al margen del conflicto», puesto que cabía preguntarse cómo era posible sostener los principios del Pacto y permanecer neutrales en una contienda en la que una de las partes no se avenía a la búsqueda de una solución dentro de su marco.

Los mentores de aquella fórmula intentaron argumentarla con apelaciones al «espíritu conciliador» tan en boga en aquella coyuntura prebélica. Pero a esas alturas, los intentos de conciliación habían fracasado y la crisis italo-etíope era algo más que una disputa entre Italia y Etiopía, e incluso rebasaba los límites del enfrentamiento entre los intereses coloniales de Italia y Gran Bretaña, puesto que se había convertido, jurídica y políticamente, en un conflicto entre Italia y la Sociedad de Naciones. La diplomacia española seguía intentando resolver sus contradicciones internas reconociendo la existencia del primer conflicto (el que enfrentaba a Italia con Etiopía), eludiendo en todo lo posible el segundo (el que existía entre Italia y Gran Bretaña) y pasando por alto el tercero (el que ponía al descubierto el enfrentamiento entre las dos concepciones de las relaciones internacionales del período de entreguerras: la fuerza contra el derecho, el poder de las armas contra la seguridad colectiva, o dicho de otro modo, democracia contra fascismo), y todo ello a la espera de que los acontecimientos le obligaran a decantarse definitivamente. La ambigüedad del gobierno republicano y la experiencia adquirida por los españoles en otros procesos de conciliación emprendidos en Ginebra hicieron de la delegación española una especie de novia con muchos pretendientes en las vísperas de la reunión del Consejo. Ninguno de los principales actores desconocía el ascendiente hispano entre los delegados latinoamericanos, así como su reciente liderazgo de los neutrales europeos, por lo que tanto Gran Bretaña y Francia como Italia intentaron atraerse a España hacia sus respectivas posiciones en un momento que parecía decisivo para encontrar una solución a la crisis.

Era evidente el interés de Gran Bretaña en asegurarse la colaboración española ante una eventual acción colectiva contra Italia. Sin embargo, no hay constancia de que el *Foreign Office* diera un paso en este sentido hasta más adelante. De momento, la iniciativa partió de España, cuyo embajador en Londres se entrevistó con Eden el 28 de agosto para expresarle el deseo español de mantener una «estrecha colaboración» con la delegación británica en Ginebra y solicitó del ministro inglés «información o consejos» que ayudaran al Gobierno a dar las instrucciones precisas a sus representantes. Eden, consciente de los titubeos de Madrid, a buen seguro que prefería tratar directamente con los delegados españoles en Ginebra, con quienes sería más fácil llegar a un entendimiento, por lo que se limitó a responder que su gobierno era partidario de la acción colectiva y a expresar sus deseos de entrevistarse con Oliván la víspera del Consejo. Londres, de momento, no quiso precipitar acontecimientos, a sabiendas de que el apoyo español a las tesis británicas probablemente llegaría a través de las decisiones de Ginebra. Todo ello no escapaba a la observación del embajador británico en Madrid, quien resumió la actitud española ante el conflicto con la frase de «strict neutrality and Spain first», «una fórmula» —añadió— «que necesariamente no excluye a España de seguir el liderato asumido por el Reino Unido»[47].

La diplomacia de Mussolini no disimuló su interés en atraerse a España hacia sus posiciones desde el primer momento. El gobierno español, sin embargo, reiteró sus deseos de amistad con Italia en cuantas ocasiones pudo, pero también procuró alejar de las autoridades italianas toda falsa impresión de un presunto apoyo a su causa. En la presentación de sus cartas credenciales como nuevo embajador en Madrid, Pedrazzi tuvo ocasión de escuchar de labios de Rocha que «si algún día España se viera precisada, en razón de altas consideraciones, a pronunciarse en sentido poco favorable a Italia, podría asegurarle no lo habría de hacer sin gran sentimiento por su parte y lamentándolo mucho, como deben lamentarse las diferencias que puedan surgir entre miembros de la misma familia». Con esta alusión el ministro de Estado quería ir preparando el terreno ante una aceptación española de eventuales sanciones contra Italia. Poco después, cuando Pedrazzi expresó a Rocha los deseos de su gobierno de que los delegados españoles se pusieran en contacto con los italianos antes de la reunión del Consejo, el Ministro se apresuró a telegrafiar a Oliván para que se limitara a «escuchar», pero «sin salirse del marco» de que España deseaba encontrar una solución armónica dentro de la Sociedad de Naciones [48]. Madrid, en suma, procuraba no disgustar a Roma, pero tampoco le quería dar seguridad de que la neutralidad pudiera mantenerse por mucho tiempo.

Por último, el interés de Francia en colaborar con España radicaba en la necesidad de buscar un apoyo decidido en Ginebra para impedir el establecimiento de sanciones y procurar el éxito de la salida negociada al conflicto mediante el acercamiento de las posiciones entre Gran Bretaña e Italia. Así se lo dejó entrever Laval a Cárdenas en París antes de partir para Ginebra. El ministro de Asuntos Exteriores francés contaba con Madariaga para que le ayudara «a encontrar fórmulas inteligentes y flexibles que puedan salvar el prestigio de la Sociedad de Naciones y la paz de Europa»; es decir, un arreglo que hiciera concesiones a Mussolini sin que supusiera una violación del Pacto [49]. No encontró muchas reticencias esta actitud en el seno del Ministerio de Estado, pues Francia y España compartían los mismos deseos en el conflicto.

Sometido a tantas presiones, internas y externas, el Ministerio de Estado decidió que había que «andar con pies de plomo» en Ginebra. Rocha cursó instrucciones a la delegación española para que obrase de acuerdo con la fórmula ambigua hallada por el Consejo de Ministros: colaboración en los esfuerzos de paz dentro del marco de la Sociedad y neutralidad ante el conflicto. Además, esta vez Madrid procuró tener bajo control la actuación de sus delegados en evitación de «quijotadas» propias de otros tiempos, por lo que se dieron órdenes a Oliván para que se mantuviera «en comunicación constante» con el Ministerio, en donde se deseaba seguir todas las incidencias que surgieran «con todo detalle». El Gobierno —añadía Rocha— creía interpretar los deseos de la opinión pública española de que se procediera de modo que se combinaran los «sentimientos de amistad cordial hacia Italia» con la «actitud constante» de la República de resolver los conflictos «por vías de derecho» [50].

Cuando el 4 de septiembre se reunió el Consejo, ya no había excusa posible para evitar que se discutiera sobre el fondo de la cuestión: la amenaza de guerra en Abisinia. Ese mismo día se produjo la única intervención pública de la delegación española. Oliván lamentó que los esfuerzos de conciliación no hubieran dado resultado, rechazó las corrientes de opinión que de antemano consideraban inútil la acción de la Sociedad, planteó la necesidad de proseguir «con continuidad y tenacidad» los intentos de solución realizados por el Consejo y abogó por poner todos los medios de que se disponían al servicio del mantenimiento de la paz, señalando que «el procedimiento del Pacto deberá, pues, ser aplicado con la máxima rapidez». El discurso del delegado español era moderado, por lo que sus palabras fueron bien acogidas en Londres y en Roma. No obstante, mientras Suvich, subsecretario de Exteriores italiano, expresaba al embajador de España en Roma la «gratitud» de su gobierno por la actitud de Oliván, la prensa filofascista de Madrid criticaba abiertamente la intervención española en el Consejo. Para *Siglo Futuro*, por ejemplo, Oliván no se había percatado de lo fundamental: que había sido Etiopía quien había infringido el Pacto [51].

Las argumentaciones de los fascistas españoles respondían fielmente a la nueva estrategia diplomática desplegada por Mussolini, que había enviado a Aloisi a Ginebra para justificar la necesidad de una acción enérgica de Italia en Abisinia. Así, el delegado italiano presentó al Consejo un voluminoso memorándum glosando injusticias, ultrajes y violaciones cometidas por el gobierno etíope contra ciudadanos italianos y contra el propio Pacto, puesto que había incumplido sus compromisos al ingresar en la Sociedad de Naciones: abolir la esclavitud y controlar el tráfico de armas. Se trataba de una hábil maniobra para convertir a Etiopía en acusada y a Italia en defensora del prestigio de la civilización. A excepción de Litvinov, ningún miembro del Consejo —España incluida— consideró oportuno denunciar públicamente aquella operación. La razón hay que buscarla, según Walters, en que los miembros de la Sociedad «esperaban evitar que Mussolini consiguiera lo que quería, pero no deseaban molestarle, herirle o humillarle y, sobre todo, no deseaban provocar su caída [52].

Esfuerzos en el Comité y silencio en la Asamblea

A partir de entonces la labor de Ginebra se orientó hacia dos direcciones, aparentemente contradictorias, aunque consideradas complementarias. Por una parte, el Consejo ideó un subterfugio, el Comité de los Cinco, con el propósito de continuar los intentos de arreglo pacífico por la vía de las concesiones a Italia. Por la otra, el interés político pasó a centrarse en la XVI Asamblea, donde Gran Bretaña trató de utilizar la fuerza de la mayoría para presionar a Italia con la amenaza de las sanciones. De modo harto significativo, la delegación española destacó en la primera tarea, pero se desentendió de la segunda. El diferente comportamiento seguido en el Comité y la Asamblea no fue casual, sino consecuencia de la política de la ambigüedad que la diplomacia española puso en práctica siguiendo las instrucciones del Gobierno.

El Comité de los Cinco fue creado por el Consejo no sin antes haber tenido lugar una «laboriosa negociación» para determinar su composición. La idea había partido de Eden y Laval, que propusieron un comité formado por los representantes de Gran Bretaña, Francia, España, Turquía y Polonia, con presidencia española. La delegación italiana opuso serios reparos a esta solución, argumentando que si Gran Bretaña y Francia formaban parte del Comité también ella debía estar presente. Para no incluir a Italia sin la participación de Etiopía, se exploró la posibilidad de un Comité de Tres integrado por los representantes español, turco y polaco, pero éstos recibieron la nueva propuesta con escaso entusiasmo, según Aloisi porque ninguno de ellos quería «asumir la carga» si Gran Bretaña no participaba. Después de intentar otras alternativas, Laval consiguió que Aloisi no se opusiera a la constitución del comité originariamente previsto a condición de que Italia se abstuviera de votar la propuesta cuando fuera sometida al Consejo. Así se hizo, y el 6 de septiembre quedó constituído formalmente el Comité de los Cinco bajo la presidencia de un Madariaga que —como señaló *ABC*— se mostraba «menos locuaz» que en ocasiones precedentes y «decidido a ceñir la responsabilidad de una misión casi histórica» [53].

Los motivos que se adujeron en Madrid para que fuera otorgada a España la presidencia del Comité fueron de distinta naturaleza. Para unos se debía al prestigio personal de Madariaga y a la labor desarrollada por la República en Ginebra, donde había demostrado hasta la saciedad su disposición a la colaboración y sus dotes de mediación. Para otros, en cambio, la confianza depositada en España era la lógica consecuencia de su neutralidad, reafirmada por el Gobierno durante el desarrollo del conflicto [54]. Las dos versiones tenían su parte de razón, aunque habría que combinarlas con unas buenas dosis de «intereses ajenos» para que resulten completamente verosímiles. Para que España pudiera opositar a la presidencia del Comité de los Cinco —y otros muchos posteriormente— necesitaba acumular, no sólo méritos propios (prestigio personal de Madariaga, voluntad de colaboración, peso «moral» como miembro de la Sociedad, sentido de la ecuanimidad internacional), sino también recomendaciones en el tribunal que le examinaba, esto es, que Gran Bretaña, Francia e Italia vieran en ella una nación sobre la que se pudiera ejercer presión en cualquier momento para hacer valer sus respectivos puntos de vista en la tramitación de la disputa.

En el caso del Comité de los Cinco, la iniciativa partió de ingleses y franceses al unísono. Eden consideraba a Madariaga como «un negociador experimentado» y veía en él a «un espíritu afín». Para Laval, Madariaga era el delegado de una nación que, como Francia, procuraba no comprometer la amistad de Italia e interesada en hallar una «solución razonable» que evitara la guerra y el desprestigio de la Sociedad. Para que la propuesta anglo-francesa prosperara también se necesitaba la aceptación italiana, y ésta nunca le faltó a España. Aloisi cuestionó y torpedeó la formación del Comité, pero nunca se opuso a que se encomendara a Madariaga su presidencia. Es más, Madariaga llegó a informar a Rocha que «hasta ahora, por paradójico que parezca, hemos conseguido que la delegación española en el Consejo esté considerada a la vez como la guardiana más estricta del Pacto y, sin embargo, como la confidente especial de la del gobierno italiano, que nos está especialmente agradecido» [55]. No era tan paradójico como a simple vista parecía, pues a excepción de Suiza, ¿qué otra nación europea, sino España, se había prodigado tanto en demostraciones de buena voluntad hacia Italia y en declaraciones de neutralidad ante el conflicto? La paradoja en la que se encontraba la Delegación era un reflejo más de la fórmula ambivalente hallada por el gobierno español para in-definirse en el conflicto sin enemistarse con nadie: colaboración para la paz, neutrales ante la guerra. Eran, sin duda, los beneficios de la duda.

En España, el nombramiento de Madariaga como Presidente del Comité fue recibido con «general satisfacción», aunque algunos comentarios no dejaban de ser bastante significativos. *El Debate*, por ejemplo, creyó interpretar las intenciones oficiales enfatizando que España estaba deseando colaborar al máximo en los esfuerzos de paz, pero que no iba a dar «un paso más que ese». El comentario expresaba muy bien cuál era la intención del Gobierno, que no parecía estar dispuesto —como señalaba el embajador británico— «a ir más allá de un pronunciamiento, necesariamente ambiguo, por la neutralidad y la paz». Leído este comentario,

Vansittart recomendó a Eden que hablara con Madariaga en Ginebra y que le hiciera saber que España era un miembro de la Sociedad «y, por lo tanto, tan implicado como cualquier otro, ni más ni menos». La advertencia parecía clara, pero el gobierno español, *mutatis mutandi*, permanecía fiel a sus ambigüedades. Lerroux, por ejemplo, ante la pregunta de si daba su apoyo a las sanciones, se volvió enigmático y dijo a la prensa que España «procederá con exquisita discreción y cumplirá, como siempre, con su deber». En Roma, Suvich hizo la misma pregunta al embajador español y obtuvo similar respuesta: los delegados españoles tenían instrucciones de realizar los mayores esfuerzos para encontrar una solución dentro de los principios del Pacto, aunque el Gobierno se reservaba «toda la libertad de examinar las situaciones que se creen para adoptar la actitud que corresponda a las mismas» [56].

España se reservó tanto que ni siquiera habló durante el transcurso de la XVI Asamblea de la Sociedad de Naciones. El debate general se celebró entre el 9 y el 16 de septiembre en medio de un «ambiente de gran esfervescencia política» ante la posibilidad de que por primera vez se aplicaran las medidas coercitivas establecidas en el *Covenant* contra uno de los miembros más cualificados de la Sociedad. El discurso de Hoare —«en funciones de Quijote», como escribió Madariaga— hizo historia. Las palabras de Laval declarando que Francia cumpliría con las obligaciones societarias tranquilizaron a muchos. Después de que hablaran los «pesos pesados» de la diplomacia demoliberal, las adhesiones al Pacto se sucedieron en cascada. Casi todas las delegaciones europeas, y en particular aquellas con las que España había venido colaborando estrechamente en Ginebra desde el conflicto de Manchuria, expresaron su intención de cumplir con «el espíritu y la letra» del Pacto. España permaneció muda; era la primera vez que sucedía desde la proclamación de la República. A propósito de los significativos silencios de Suiza y España, Walters ha explicado que ambas se mostraron «reacias a admitir la posibilidad de tener que oponerse a la Italia que admiraban». Replicando a Walters, Madariaga ha justificado el silencio español en el marco de un contraataque furibundo al «discurso fiero, rígido, casi belicoso en pro del Pacto, todo el Pacto y nada más que el Pacto» pronunciado por «aquel nuevo Caballero de la Triste Figura» llamado Sir Samuel Hoare y con el argumento siguiente: «¿El presidente del Comité de los Cinco, encargado de la conciliación, aplaudiendo un discurso belicoso?» [57]

Madariaga tenía razones para criticar la utilización de la Sociedad de Naciones por «Albión» cuando sus intereses peligraban. También podían sobrarle motivos para censurar el cinismo político de «pérfidos» que, como Hoare, despreciaban el Pacto y pretendían servirse de él como bandera para la defensa de los beneficios imperiales en el Mar Rojo, el Lago Cham y el Nilo. Pero su justificación del silencio español en la Asamblea resulta poco convincente, y menos con la argumentación de no poderlo hacer por ostentar la presidencia del Comité. Al respecto, ¿habrá que recordar que, cuando la crisis de Manchuria, el propio Madariaga, en funciones de presidente del Consejo, hábilmente traspasó sus funciones a Briand para tener mayor capacidad de maniobra y pronunciar, uno tras otro, «discursos fieros, rígidos, casi belicosos en pro del Pacto, todo el Pacto y nada más que el Pacto»? Otras circunstancias derivadas de la representación española hacen perder consistencia al argumento de Madariaga. La delegación de España en la Asamblea de 1935 era una de las más numerosas que la República envió a Ginebra, encontrándose en ella hombres suficientemente capacitados para hablar en la sesión pública. De igual forma, se podía haber recurrido al método, tantas veces utilizado por España, de que una delegación del Grupo de los Neutrales hablara en nombre de todas o de algunas de ellas, como lo hicieron en aquella misma Asamblea los países escandinavos, e incluso, si hubiera habido voluntad de intervenir en la discusión, hasta se podía haber desplazado el propio ministro de Estado a Ginebra, como otrora hicieron Lerroux y Zulueta. Habrá que preguntarse, pues, si la aceptación de la presidencia del Comité de los Cinco por España no era un buen ardid para eludir otras responsabilidades mayores, entre ellas la de pronunciarse públicamente en un momento en que no podía eludirse hablar de las obligaciones internacionales contraídas en virtud del Pacto, una cuestión sobre la que Madrid no quería definirse «hasta el último minuto».

La actuación de Madariaga al frente del Comité de los Cinco es reveladora de que, en esta ocasión, el otrora «Don Quijote de la Manchuria» no representó el papel de «Don Quijote de la Etiopía» y, por tanto, tampoco se las vió y deseó para justificar su «firmeza» del Lago Leman frente a la «prudencia» de la Plaza de la Cibeles. De entrada Madariaga no las tenía todas consigo con respecto a la misión que se le había encomendado. Como buen conocedor del Pacto, sabía perfectamente que el Comité no encajaba del todo con ese «espíritu de Ginebra» que debía presidir las actuaciones de la Sociedad. Hacer concesiones a Italia partiendo de las negociaciones tripartitas de París y con reparto de territorios coloniales de por medio era sumamente peligroso para la credibilidad de la institución ginebrina. «Nuestras propuestas» —escribió Madariaga—, «por fuerza conciliadoras, tendrían que navegar entre el peligro de no complacer a Mussolini y el de herir al Pacto en pleno rostro». Una visita del ministro sueco Undén sirvió para que a Madariaga se le encendieran las luces del peligro que suponía ofrecer a Italia una «solución incompatible con el espíritu del

Pacto, aunque bajo hábil disfraz ginebrino», por lo que advirtió al Comité y a Madrid de lo resbaladizo del terreno que se estaba pisando, en el que se podía «comprometer nuestra responsabilidad sin siquiera tener garantía de que Italia acepte» [58].

En efecto, Italia no estaba dispuesta a aceptar. Desde el inicio de las reuniones, la delegación italiana procuró obstaculizar la labor del Comité, aduciendo que lo «desconocía oficialmente». Las dificultades de Madariaga en este terreno provocaron alguna intervención de Madrid ante el gobierno italiano, aunque sin que pareciera una «gestión oficial», pues hasta ahí llegaban las prevenciones. Durante aquella especie de diálogo con sordos, Madariaga hizo gala de sus dotes de mediador y exhibió un espíritu conciliador a prueba de continuos reveses. Ya en su primera entrevista con Aloisi, a la que acudió acompañado de Avenol, el delegado italiano pudo percibir que sus interlocutores se encontraban «muy animados del deseo de darnos satisfacciones en el cuadro de la Sociedad de Naciones», e incluso en otra ocasión posterior Aloisi dejó constancia de su alto grado de «acuerdo» con Madariaga, puesto que éste le había dicho que quería «dejar abierta la puerta grande a la actividad italiana en Abisinia». A pesar de la sordera italiana, Madariaga no se dio por vencido en ningún momento y alentó al Comité a proseguir su labor, puesto que, a su juicio, no convenía tomar «la imprecisión o incoherencia» de la actitud de Aloisi como «una posición negativa» [59].

En las vísperas del estallido de la guerra en Abisinia, lo que perseguía denodadamente Madariaga y el Comité de los Cinco era algo así como resucitar a un muerto. El muerto de aquella «política dual» que Gran Bretaña y Francia habían intentado seguir con Mussolini desde los primeros compaces del conflicto y que había dado sus últimos coletazos en las negociaciones tripartitas de París, política a la que España parecía aferrarse incluso en la hora de tomar decisiones, como quien se agarra a un clavo ardiendo. Sin embargo, era demasiado tarde para seguir insistiendo en la vía negociada, puesto que Mussolini ya no podía dar marcha atrás. A pesar de los denodados esfuerzos del Comité presidido por Madariaga y del buen entendimiento de éste con Aloisi, el intento resultó fallido.

El 18 de septiembre el Comité aprobó las propuestas que iban a ser presentadas a Roma y Addis Abeba. Se trataba de «un cuadro a rellenar» que contemplaba la prestación de asistencia a Etiopía en varios campos de actuación, una «asistencia internacional» susceptible de convertirse en «asistencia marcadamente italiana» en el futuro, como señaló Laval. Junto a la propuesta oficial, se añadía «un cebo de negociación», como lo definió Aloisi: el reconocimiento anglo-francés del «interés especial» de Italia en el desarrollo económico de Abisinia y la posibilidad de realizar ciertos «ajustes territoriales» con las Somalias británica y francesa de por medio. El 23 de septiembre tales propuestas fueron aceptadas por el gobierno etíope como base de negociación, pero un día antes ya habían sido rechazadas por Mussolini, quien daba a De Bono la orden de comenzar las operaciones militares el 3 de octubre, toda vez que ya había finalizado la época de lluvias. Fracasado el intento de conciliación del Comité de los Cinco, la máquina societaria comenzó a actuar bajo el artículo 15 del Pacto, por lo que el Consejo nombró un nuevo comité (el Comité de los Trece, constituído por todos los Miembros del Consejo, a excepción de las partes) con el fin de elaborar una declaración final sobre la disputa [60]. El conflicto quedaba visto para sentencia.

Londres presiona: no cabe la neutralidad

Mientras la conciliación fracasaba en Ginebra y la guerra se preparaba en Abisinia, la temperatura política se puso al rojo vivo en Madrid. Para medir sus grados con precisión, es necesario recurrir a la escala Farenheit, pues Londres entró en acción para ayudar a definir la posición española ante el conflicto. Con las sanciones a la vuelta de la esquina, la diplomacia británica no podía quedarse parada ante la política de la ambigüedad. Consciente de que Gil Robles representaba «la sección más influyente» del Gobierno, el *Foreign Office* dirigió sus esfuerzos a intentar contrarrestar las tendencias italófilas por medio de dos vías convergentes: por una parte, presionó sobre el Ministerio de Estado para que España adoptara una política más comprometida en Ginebra; por la otra, ejerció la persuasión sobre los núcleos de la opinión pública más afines a la CEDA al objeto de que éstos variaran su percepción del conflicto y se mostraran más receptivos a las tesis británicas. El interés en «cultivar» las relaciones con la prensa española se insertaba en un marco más amplio: paliar los efectos «antibritánicos» que estaba logrando la propaganda fascista en los sectores conservadores de Europa. Pero en este contexto España constituyó uno de los máximos objetivos, debido a las vacilaciones oficiales y al excelente caldo de cultivo que encontraban las posiciones de «estricta neutralidad» en la sociedad española [61]. Esta doble labor, diplomática y propagandística al mismo tiempo, estuvo dirigida desde Londres por Vansittart, subsecretario permanente del *Foreign Office*, e interpretada en Madrid por Ogilvie Forbes, embajador británico en funciones.

El primer paso lo dio Vansittart el 18 de septiembre, al expresar sus quejas ante la actitud que venía manteniendo cierta prensa española, en particular *El Debate*, durante el desarrollo del conflicto. Para él, la presentación de la disputa como una lucha entre Gran Bretaña e Italia era «una falsificación deliberada» y significaba una «deplorable tendencia» que podía ser interpretada en el exterior como «indicativa del deseo español de evadir las responsabilidades que caen exactamente sobre el destino de España en común con los otros miembros de la Sociedad». A lo largo de su entrevista con el encargado de negocios español en Londres, Vansittart reiteró que España no podía ser una excepción en Ginebra: «todos estamos en el mismo barco» —añadió—, «y ningún miembro de la Sociedad podía escaparse de él sin completo descrédito, no sólo para sí mismo, sino también para la Sociedad en su conjunto» [62].

Simultáneamente, Forbes tenía encomendada la doble misión de hacer valer los mismos criterios ante el Ministerio de Estado y de intensificar la labor propagandística de la Embajada en la prensa de Madrid. Si ya Ismael Saz ha señalado que *ABC* e *Informaciones* fueron las «bestias negras» de la prensa española para la diplomacia fascista, *El Debate* se convirtió en la máxima obsesión de la diplomacia británica durante el mes de septiembre. Instruído por Vansittart para que hiciera presión sobre el diario católico y gracias a los buenos oficios del corresponsal de *The Times* en Madrid, Ogilvie Forbes se entrevistó con el editor de *El Debate*, que debió mostrar una buena disposición a acoger con más benevolencia las tesis británicas, toda vez que el Embajador indicó al *Foreign Office* que, si se le daba tiempo, podía obtener «algo bueno» de tales contactos. Al día siguiente se confirmó este hecho, cuando el diario publicó un editorial titulado «La responsabilidad italiana» en el que se ponía el acento, no sobre los intereses imperiales británicos en Abisinia, como venía siendo habitual, sino en las graves responsabilidades que pesaban sobre el gobierno italiano en aquel momento, señalándose que «culpar a Gran Bretaña de los males de Europa sería una cobardía moral». Poco después, Forbes confirmaba la aproximación de *El Debate* al punto de vista inglés al informar que su editor deseaba entablar negociaciones con *The Times* o *The Daily Telegraph* al objeto de utilizar sus servicios de noticias y que podían ser requeridos los buenos oficios del gobierno británico para conseguir una reducción de las tarifas correspondientes [63].

Si los contactos de Forbes con el editor de *El Debate* estaban dando los primeros frutos, parecía que lo mismo sucedía con las presiones directas ejercidas sobre Madrid. Tras el Consejo de Ministros celebrado el 18 de septiembre, el ministro de Estado declaró que «España consideraba que, de hecho, el Pacto había sido violado en su espíritu y letra» y que se estaba analizando las medidas a adoptar. Las declaraciones sentaron bien en Londres, donde se estimó que «el gobierno español está, al fin y con renuencia, dándose cuenta de las implicaciones del problema y de las responsabilidades de España como miembro de la Sociedad». Sin embargo, tampoco se confiaba en que Madrid prestara un apoyo decidido a la imposición de sanciones contra Italia, por lo que Vansittart y sus colegas siguieron dando instrucciones a Forbes para que hiciera todo lo posible por «estimular» la actitud española. El Embajador en funciones lo estaba intentando por todos los medios, pero la diplomacia española tropezaba con serias dificultades para seguir las sutiles indicaciones del *Foreign Office*. Los temores se incrementaron cuando Forbes confirmó que el Gobierno, aunque reconocía «la justicia» de la actitud británica y «condena la acción de Italia», aún no había tomado una decisión sobre las sanciones, estimando que el eventual apoyo español a las medidas coercitivas era «decididamente problemático» y sólo se produciría después de que los demás países europeos tomaran la delantera y no sin «una fuerte oposición» en el interior del país [64].

El gobierno Lerroux seguía estando dividido y, por tanto, jugando a dos bandas en su actitud ante el conflicto. Al mismo tiempo que parecía percatarse de que no le quedaba otro remedio que apoyar las decisiones que se adoptaran en Ginebra, aprobaba una circular dirigida a todos los gobernadores civiles ordenando una vigilancia estricta sobre los medios de comunicación para que éstos no incluyeran comentarios partidistas sobre el conflicto ni se apartaran de la línea de neutralidad proclamada oficialmente por España. «El Gobierno» —se exponía en dicha instrucción— «está firmemente determinado, ahora y en el futuro, a mantenerse a distancia de cualquier lucha que pueda surgir dentro o fuera de Europa, y permanecer neutral y enteramente apartado de las influencias resultantes de los intereses enfrentados». En suma, preso de sus contradicciones internas y en situación de extrema fragilidad, el espíritu que seguía animando al gabinete Lerroux en sus decisiones de política exterior era el de no comprometerse con nada para no enemistarse con nadie, o como se dijo en su momento, adoptar la política de «quedar bien con todos» [65].

La decisión de aplicar la censura de prensa a las cuestiones internacionales se justificó en la necesidad de apaciguar los ánimos exaltados ante el conflicto. En última instancia, la circular del Ministerio de la Gobernación se orientaba a preparar el camino para que el apoyo español a las sanciones se efectuara sin traumas. Nada más rápido —debió pensarse entonces— que dotarse de un instrumento eficaz con el que poder eliminar toda oposición interna, tanto de las izquierdas, que seguían denunciando el incumplimiento de las obligaciones contraídas, como de los sectores más reaccionarios, que se aferraban a la neutralidad estricta como medio de apoyo a Italia [66]. En cualquier caso, la política de silencio decretada por el Gobierno estaba destinada a ocultar al electorado las contradicciones en que se debatía la diplomacia española, constituía un serio peligro para el necesario respaldo que la opinión pública debía prestar a toda decisión de política exterior, añadía un nuevo argumento de crítica interna al Ejecutivo por su actitud oscurantista ante el conflicto y volvía a sembrar la inquietud de Londres ante los afanes neutralistas de Madrid.

Pese a la preocupación por la actitud española, de momento Londres no siguió insistiendo en sus presiones directas sobre el Ministerio de Estado. Había una poderosa razón para ello: en Madrid se estaba a la espera de que se resolviera la enésima crisis de gobierno que se planteaba en España después de las elecciones de noviembre de 1933. No parece que la crisis tuviera que ver directamente con las diferencias sobre política exterior en el seno del Gobierno. Pero lo que sí resultaba evidente era que la crítica situación internacional planeaba en la mente de todos y que «este tema» —como denunció Azaña en su momento— «se aprovechó como un motivo, no quisiera decir como un arma, para obtener efectos en la política interior de España». Las notas presidenciales emitidas por aquellas fechas así lo ponían al descubierto: Alcalá Zamora llamaba a la constitución de «un gobierno de tregua limitada y concentración amplia» para afrontar «el momento crítico» por el que la República atravesaba. Las apelaciones a la unidad nacional por encima de las diferencias de partido sembraron la alarma en las filas más prietas de la derecha, que interpretaron las notas presidenciales como el preludio de una reorientación de la política exterior en un sentido decididamente probritánico y subrayaron la dimensión internacional de la crisis de gobierno [67]. Tal valoración resultaba excesiva, pero algunos síntomas presagiaban que algo nuevo empezaba a despuntar tras el cambio de gobierno: Madrid parecía comprender que todos sus caminos pasaban por Ginebra y que sus días de neutralidad estaban contados.

La crisis se saldó con la formación de un gabinete presidido por Chapaprieta y con Lerroux al frente del Ministerio de Estado. La reducción de los cargos ministeriales produjo una correlación de fuerzas más favorable a las tesis societarias en el seno del Consejo de Ministros. La censura de prensa estranguló al máximo la capacidad agitadora de la prensa fascista, y a pesar de su insistencia, ni Goicoechea ni Primo de Rivera lograron sacar de Chapaprieta una alusión a la presunta neutralidad española durante el debate parlamentario sobre el programa del nuevo gobierno, limitándose a declarar que «el Gobierno cumplirá con su deber. Y nada más sobre el tema». Lógicamente, el discurso del nuevo presidente fue bien acogido en el *Foreign Office*, para quien el gobierno español «se colocó en su sitio». Tal y como evolucionaban las cosas, ya no cabían neutralidades, y de ello se daba cuenta el propio Gil Robles, quien escribió en sus Me-

morias que «nuestra posición neutralista se hizo mucho más difícil e inestable desde el momento en que la gravedad del conflicto internacional
determinó la aplicación de sanciones contra Italia». Todo parecía indicar,
pues, que hacia finales de septiembre Madrid había comprendido las ad-
vertencias británicas sobre sus compromisos internacionales. El cambio de
actitud lo percibió el propio embajador británico en Madrid el 27 de septiembre, cuando al fin pudo escuchar de labios de un Aguinaga menos
reservado que de constumbre que «el nuevo gobierno español intentaba
ser leal al Pacto en su totalidad», aunque no pudiera precisar más el
alcance de las acciones futuras a tomar «en vista de la fluída y delicada
situación de Ginebra» [68].

La posición de España ante el conflicto quedó decantada desde entonces. Tanto por el curso de los acontecimientos internacionales, como por
la defensa de los intereses nacionales, la orientación filobritánica de la
política exterior española tenía que imponerse a las veleidades italófilas de
buena parte del Gobierno y el cumplimiento de las obligaciones societarias
a los deseos neutralistas. Era, sin duda, la política inevitable, siempre en
el buen entendido de que no convenía significarse en su defensa bajo ningún concepto. De ahí que prosiguieran los silencios elocuentes, las ambigüedades calculadas y las contradicciones internas; de ahí, también, que
se hicieran necesarias nuevas presiones de Londres para encauzar de forma
definitiva el apoyo español a las sanciones contra Italia.

LA ACEPTACIÓN ANÓNIMA DE LAS SANCIONES

El 3 de octubre las tropas italianas invadieron Etiopía sin declaración
previa de guerra. Comenzaba así lo que muy bien pudiéramos llamar
«crónica de una agresión anunciada». La indignación generalizada de la
opinión pública democrática sirvió de estímulo a la actuación inmediata,
de carácter formal, de la Sociedad de Naciones, cuya propia supervivencia
estaba en peligro en caso de prolongar el aplazamiento de su intervención
directa en el conflicto. La unidad de acción anglo-francesa favoreció la
rápida puesta en marcha de los mecanismos societarios: el 5 de octubre el
Consejo creó el Comité de los Seis con el encargo de emitir un informe
sobre la ruptura de hostilidades y su relación con el *Covenant*, el 7 de
octubre el Consejo aprobó la resolución declarando que el gobierno italiano había violado sus compromisos con el Pacto, el día 9 fue convocada la
Asamblea para pronunciarse sobre el tema y el 11 quedaron aprobadas
las sanciones contra Italia [69].

Durante esos días de frenética actividad ginebrina, la actuación de la delegación española siguió estando marcada por la prudencia. Baste señalar un detalle significativo: los delegados españoles se abstuvieron de participar en el Comité de los Seis, el encargado de emitir el veredicto que condenaba a Italia. No era de extrañar tal comportamiento. El 4 de octubre Lerroux había telegrafiado a Madariaga para que extremara las precauciones y después de la histórica reunión del Consejo le expresó la felicitación del Gobierno por la «discreción e inteligencia» con que venía interpretando sus instrucciones, dejando a su criterio la eventual intervención de España en la discusión de la Asamblea, aunque se estimaba preferible la abstención en el caso de que no fuera «absolutamente necesaria» la participación en el debate. Madariaga interpretó estas indicaciones al pie de la letra y tampoco en aquella ocasión consideró oportuna su intervención en la Asamblea, donde España dio su voto afirmativo a la imposición de sanciones a Italia, pero sin hacer ningún tipo de declaración pública sobre el tema [70].

El recrudecimiento de tensiones y presiones

El apoyo de España a las sanciones contra Italia seguía tropezando con serios obstáculos internos. A nivel oficial las diferencias en el seno del Gobierno continuaron estando a la orden del día, y al calor de la guerra el debate público sobre fascismo/antifascismo ganó en intensidad en la sociedad española. Una vez aprobadas las sanciones en Ginebra, la disparidad de criterios se centró en el modo de interpretarlas y en el grado en que iban a ser aplicadas, atenuadas o, en el peor de los casos, burladas.

Alcalá Zamora, Gil Robles y Chapaprieta han dejado constancia de las profundas divisiones que sacudieron al Gobierno durante esta fase del conflicto. Para el presidente de la República, «los cinco ministros de Acción Popular desvirtuaban en la ejecución y atenuaban en la trasmisión lo que se convenía», actitud que incluso llegaba a traducirse en «escamoteos y transformaciones» de las decisiones adoptadas por el Consejo de Ministros, aludiendo a graves desviaciones en la aplicación de las medidas preventivas de carácter defensivo, como el «descuido deliberado» de la defensa de las Baleares y el «intento» de movilizar tropas para reforzar la frontera con Portugal. El ministro de la Guerra ha confirmado sus disensiones con Alcalá Zamora, aunque limitándolas a cuestiones puramente conceptuales. Según el líder de la CEDA, el Presidente «mantuvo un criterio de franco y entusiasta apoyo a la política sancionadora, «aún cuando se presentara la posibilidad de que llegara a punto de guerra»». A Gil Robles esta postura le pareció «en extremo peligrosa», por lo que —según relató— «no omití esfuerzos para atenuar, en lo posible, los «fervores sancionistas» del presidente, sin dejar, desde luego, incumplidas las obligaciones derivadas de nuestra participación en el organismo de Ginebra», unas obligaciones que en su criterio «no obligaban a España sino a emitir el voto en la forma más favorable para asegurar la concordia entre los pueblos». Chapaprieta, que terció en la disputa, ha confirmado la «alarma» de Alcalá Zamora por las cuestiones de la defensa, aunque él no apreció «cosa alguna que justificara los temores del presidente de la República». Según su versión, ni Gil Robles ni sus compañeros de partido «se salieron de la línea de conducta que desde el comienzo del conflicto quedó establecida», añadiendo que si alguien se salió de esa línea fue Madariaga, que llevado de un «celo excesivo» tendió a atribuirle a España demasiadas iniciativas «cuando el deseo del Gobierno era no desentonar ni en uno ni otro sentido, de manera que sin dejar de cumplir España sus compromisos internacionales, su actuación fuese todo lo anónima que consintieran las circunstancias» [71].

Al margen de los testimonios de unos y otros, los temores de Alcalá-Zamora sobre la actuación de Gil Robles ante la crisis internacional hay que insertarlos en un contexto más amplio. En esos momentos, la descomposición de toda alternativa de gobierno de las derechas estaba provocando un «conflicto en el interior mismo de los aparatos del Estado» que propiciaba un acusado grado de autonomía entre los diferentes departamentos ministeriales. Y en ese contexto, Gil Robles y la CEDA en su conjunto —como ha señalado Preston— «estaba entre dos aguas»: por una parte, no creía en la Sociedad de Naciones, simpatizaba con Italia, recurría a menudo al vocabulario al uso de los fascios y repudiaba la política de sanciones; por la otra, de la misma forma que aceptó participar en la dinámica constitucional, era consciente de que España no podía salirse del marco de la Sociedad y contravenir abiertamente la política de las grandes potencias demoliberales hacia Italia. De ahí su ambigua actitud entre «la legalidad» y «el accidentalismo», entre la aceptación de que España «emitiera el voto» a las sanciones en Ginebra y «no omitir esfuerzos» para atenuar o burlar sus efectos en la medida de lo posible. En este doble juego, Gil Robles tuvo que ejercer como elemento «tranquilizador» frente a sus bases juveniles más radicalizadas, que le exigían, no ya una neutralidad pasiva, sino el desmarque de España de la política sancionista, cuando no el apoyo explícito a las conquistas de Mussolini en Abisinia [72].

Las diferencias en el seno de la coalición gubernamental en general, y entre Alcalá Zamora y Gil Robles en particular, volvieron a inquietar seriamente al *Foreign Office*, que redobló sus esfuerzos diplomáticos y propagandísticos en España. Ya por aquellas fechas las gestiones de Forbes seguían dando frutos apreciables. Desde finales de septiembre el diario *La*

Libertad se había ofrecido a la Embajada como portavoz de los criterios británicos en todo lo relacionado con el conflicto, y poco después el cónsul en Bilbao daba cuenta de una visita realizada por los máximos responsables del Partido Nacionalista Vasco con el fin de expresar «la gran complacencia y el entuasiasmo» que la política de Londres había producido en el *Euskadi-Guru-Batzar*. Pero desde que Ginebra se pronunció a favor de la aplicación de sanciones, Chilton, nuevo embajador británico, y el propio Forbes tuvieron que incrementar los contactos con los editores de los principales diarios madrileños y encargaron a sus cónsules que hicieran lo mismo en sus respectivos distritos. El *Foreign Office* concedió a estas gestiones una mayor importancia como medio de ejercer una presión indirecta sobre el dubitativo gobierno controlado por la CEDA, e incluso dio instrucciones concretas sobre los pasos a dar «para asegurar el suministro de información adecuada a la prensa española» [73].

Los nuevos resultados de aquellas gestiones no se hicieron esperar. *El Debate*, que seguía siendo la gran obsesión de la diplomacia británica, mantuvo corresponsales y colaboradores que no ocultaban su simpatía por el fascismo, pero el tono de su discurso comenzó a cambiar hacia mediados de octubre, de forma paralela al incremento de las presiones británicas, el nombramiento de Merry del Val como corresponsal en Londres y la concesión para el diario católico de la exclusiva del servicio de noticias propiedad de *The Times*. Finalmente, el «admirable trabajo» (así se valoró en el *Foreign Office*) que Forbes estaba realizando en España obtuvo un resultado significativo cuando Ramiro de Maeztu publicó un artículo en *El Diario Vasco* en el que, a pesar de no mostrarse totalmente de acuerdo con la política de Ginebra, enfatizó «el desinterés de la acción británica» en la crisis italo-abisinia [74]. Hacia finales de octubre, en suma, la presión de los sectores italófilos sobre el Gobierno había disminuido sensiblemente como consecuencia de la labor soterrada de los agentes británicos cerca de editores de prensa y figuras políticas de relieve, que evolucionaron hacia la aceptación formal de las sanciones como un hecho irreversible.

La campaña propagandística se conjugó, de forma sutil, con un notable incremento de las presiones directas de Londres sobre el gobierno español. Hacia mediados de octubre, Vansittart animó a Ayala para que viajara a Madrid a disipar los temores hispanos ante el conflicto y exponer claramente las razones que asistían al gobierno Baldwin para sostener la política de sanciones colectivas. A su regreso de Madrid, el embajador español confirmó que la actitud de los ministros de la CEDA «era todavía dudosa», aunque la del Gobierno fuera «satisfactoria». Sin embargo, lo que tranquilizó a los dirigentes británicos fue la actitud firme del presidente de la República: Alcalá Zamora encargó a Ayala que dijera en Londres que «la responsabilidad política efectiva de todos los pasos en los asuntos internacionales recaía sobre el Presidente, aunque por supuesto la responsabilidad burocrática correspondía al ministro de Estado, y que el gobierno de Su Majestad podía contar con él, el Presidente, para la completa lealtad a la Sociedad de Naciones y para, con su mejor habilidad, colaborar con este país en caso de necesidad». Tras leer estas últimas palabras, Eden escribió tajante: «esto sí que es una buena noticia» [75].

La fidelidad del presidente de la República tenía que causar gran satisfacción en el *Foreign Office*, por entonces sumamente preocupado por las noticias que le llegaban desde Madrid. A pesar de la mejoría experimentada en las relaciones con la prensa, la Embajada había venido informando que las inclinaciones filoitalianas de los ministros de la CEDA hacían temer por el apoyo español a las sanciones, y esto se producía en el preciso momento que el escándalo del estraperlo amenazaba con tumbar del Gobierno a los hombres más proclives a la política de Londres, empezando por Lerroux, el jefe de la diplomacia española. Las diferencias entre radicales y cedistas habían alcanzado un punto crítico con motivo de la visita a Madrid de Armindo Monteiro, ministro portugués de Asuntos Exteriores, que había apoyado las sanciones en sus conversaciones con los miembros del Gabinete y no contó con la presencia de los ministros de la CEDA en el banquete ofrecido por el Gobierno. Poco después, Chilton corroboró sus impresiones sobre la profunda división en el seno del Gobierno con motivo de una entrevista que mantuvo con Herrera Oria, uno de los «pesos pesados» de *El Debate*, en la que éste abundó en los temores de la derecha española ante la caída del fascismo como contención del comunismo [76].

Paralelamente al desarrollo del conflicto, las cancillerías estaban tratando la cuestión de la eventual revisión del Estatuto de Tánger, que expiraba el 14 de noviembre. Una vez más, la habilidad del *Foreign Office* para lidiar el esquivo «toro» español salió a relucir en el tratamiento de este asunto. Al tiempo que estaba exigiendo el apoyo incondicional de España a la política de sanciones contra Italia, Londres ofreció una contrapartida interesante para las aspiraciones españolas en Tánger que contribuyó a rebajar los ímpetus antisancionistas de los partidarios de la «estricta neutralidad»: se comprometió a hacer valer sus buenos oficios ante el *Quai d'Orsay* para que los franceses aceptaran algunas modificaciones del Estatuto con el fin de satisfacer parcialmente las demandas de Madrid y evitar, de paso, que España plantease oficialmente su revisión en un momento conflictivo. El 26 de octubre, el mismo día en que apareció el segundo de los decretos que imponía sanciones a Italia, y como consecuencia de las insistencias británicas, Francia accedió a negociar las demandas españolas sobre Tánger, iniciándose unas negociaciones que, con una ce-

leridad desacostumbrada, culminaron el 11 de noviembre con desenlace
feliz para las aspiraciones mínimas de España [77].

Mientras estos hechos se combinaban en los entresijos de la diplomacia, crecía el interés de la opinión pública por la evolución de la política
internacional. Además del escándalo del estraperlo y la permanente crisis
de gobierno (circunstancias que provocaron un nuevo ajuste en la cartera
de Estado, que pasó a manos del agrario Martínez de Velasco), la guerra
de Abisinia seguía siendo una de las principales preocupaciones de los
españoles más politizados y continuaba ocupando las primeras planas de
los periódicos, partes radiofónicos y noticieros cinematográficos. Los discursos al uso seguían expresando dos grandes tendencias. La prensa de
derechas continuaba subrayando la ineficacia de la Sociedad de Naciones
en el arbitraje de las disputas y apelando a la neutralidad española, si bien
los diarios más comprometidos con las opciones gubernamentales empezaron a considerar la imposibilidad de que España permaneciera neutral
ante la aplicación de las sanciones. La prensa liberal y de izquierdas no
dudó en alentar al Gobierno para que apoyara decididamente la política
de Ginebra y siguió defendiendo que, por encima de los errores cometidos
por la Sociedad, había que dar un respaldo a las democracias contra los
fascismos. Independientemente del apoyo de los diarios del republicanismo
moderado, algunos sectores de la izquierda española preconizaron el ejercicio firme de la presión internacional como medio para derrocar al régimen de Mussolini, e incluso la pasión por el tema llegó al extremo de
considerar la posibilidad de formar columnas de voluntarios para ir a
luchar por el *Negus* contra Mussolini [78]. Sin duda, la tensión internacional
tuvo su reflejo en la sociedad española, profundamente ideologizada a esas
alturas, y ello se producía en un momento en que el Gobierno demostraba
su incapacidad para adoptar una actitud resuelta ante el conflicto.

La moderación como pauta de comportamiento

En Ginebra, Madariaga se encargaba de guardar las formas societarias de
la política exterior española. De acuerdo con esa actitud de «colaboración
activa» con la obra de la Sociedad, el delegado republicano contribuyó a
poner en marcha el nuevo experimento de sanciones restringidas contra el
Estado agresor. Pero fiel a la actitud de su gobierno, Madariaga lo hizo
con contenidos y formas que revelaban el alineamiento español con los
partidarios de suavizar al máximo las medidas coercitivas contra la Italia
de Mussolini y sin distinguirse verbalmente en la defensa del espíritu y la
letra del Pacto.

Ya desde la celebración de la Asamblea resultó evidente que ningún Estado estaba dispuesto a llevar hasta sus últimas consecuencias las obligaciones del artículo 16 del *Covenant*. A todo lo más que se aspiraba en Ginebra era a arbitrar una fórmula intermedia que permitiera mantener ante la opinión pública una imagen de condena de la agresión italiana, aunque evitando provocar un enfrentamiento bélico a causa del conflicto. Además de las dificultades políticas, la cuestión de las sanciones planteaba numerosos problemas técnicos, derivados de los diferentes intereses económicos en juego y del «sacro egoísmo» que limitaba cualquier sacrificio nacional en una época de fuerte depresión del comercio internacional. A ello se sumaban dos obstáculos serios: la existencia de miembros de la Sociedad que se habían declarado antisancionistas (Austria y Hungría) o reticentes a cumplir las sanciones (Suiza), y la circunstancia de que permanecieran al margen de la institución ginebrina un buen número de grandes potencias que podían minar los efectos de las medidas a adoptar [79].

Para concertar las sanciones, la Asamblea creó un órgano autónomo, que no dependía ni de ella ni del Consejo: el Comité de Coordinación, una especie de conferencia con capacidad para recomendar propuestas cuya aceptación o rechazo dependía de la voluntad de cada Estado. Este organismo delegó la mayor parte de su trabajo en una dirección más reducida, el Comité de los Dieciocho, y se crearon varios comités y subcomités para cuestiones específicas. Todo este complejo entramado perseguía resolver los obstáculos existentes por la vía de la cooperación internacional, pero también ayudó a retrasar la aplicación de las medidas coercitivas contra Italia de acuerdo con la política contemporizadora preconizada por las grandes potencias. Así, entre el 11 y el 19 de octubre el Comité de Coordinación aprobó las cuatro propuestas de sanciones: el embargo de armas y municiones de guerra, la prohibición de conceder créditos, la prohibición de importar productos italianos y el embargo de ciertas exportaciones, entre las cuales no se encontraban las principales materias primas necesarias para hacer la guerra, especialmente el petróleo, que era el arma fundamental para frenar los planes italianos. En suma, Ginebra adoptó una política de sanciones económicas limitadas con el fin de no provocar en exceso a Mussolini y evitar el riesgo de guerra [80].

Esa política convenía a los intereses del gobierno español, que de ese modo ganaba tiempo para limar diferencias internas y demostrar a sus bases más radicalizadas que las sanciones no iban a comprometer la paz europea ni la tradicional neutralidad española. Madariaga, por una parte, veía la necesidad de que la Sociedad penalizara al infractor para que su autoridad no quedara definitivamente cuestionada; pero, por la otra, tenía que contribuir a evitar el riesgo de guerra y demostrar que el apoyo de su gobierno a las sanciones no significaba un acto de enemistad hacia Italia, sino una mera consecuencia de su aceptación del Pacto. El resultado práctico de todo ello fue que el delegado español defendió en Ginebra la forma más moderada de la política de sanciones, de acuerdo con una concepción «realista» que enfatizaba las dificultades de su aplicación. De hecho, el Ministerio de Estado se aseguró de que Madariaga no diera un paso en Ginebra sin contar antes con su aprobación, recomendándole que obrara con moderación y se mantuviera en constante comunicación con Madrid. Quizás por ello, y porque también él había cambiado hacia posiciones menos «idealistas» en relación con su praxis precedente, Madariaga se vio obligado a «teorizar» posteriormente sobre el inevitable fracaso de las sanciones «como medio práctico de imponer la voluntad colectiva a una nación recalcitrante» [81].

Desde los inicios del proceso se hizo evidente que esta vez no iba a haber disparidad de criterios entre Ginebra y Madrid. Fiel a las instrucciones recibidas, Madariaga no fue más allá de las «miríficas decisiones» —como él mismo las llamó— que se adoptaron en la Sociedad de Naciones bajo el liderazgo anglo-francés. En las conversaciones previas a la formación del Comité de Coordinación, el delegado español ya había expuesto a Eden y Laval «la conveniencia de ritmar las sanciones» con el argumento de que era necesario «mantener suficiente contacto con las opiniones públicas, a las que hay que ir educando en la práctica novísima de la solidaridad internacional». Esta concepción de las sanciones, limitadas en su contenido y acompasadas en su ritmo de aplicación, respondía a las principales preocupaciones de Madrid y, lo que era más importante para que diera resultado, encajaba perfectamente en los planes del *Quai d'Orsay* y del *Foreign Office*. Así, Madariaga «tuvo la satisfacción» de comprobar, de una parte, que «Laval tenía aún en grado superior al nuestro las mismas preocupaciones», y de la otra, que los británicos comprendían «lo profundamente desagradable que es este período de sanciones para ellos como para los demás» y tenían el propósito de «evitar proponer nada que pueda ser muy difícil para ningún país por repugnar mucho a su opinión pública» [82].

Frente a la petición francesa de que España ayudara a «moderar la prisa británica», Madariaga intentó —según sus propias palabras— «huir de ambos extremos» en los debates del Comité de los Dieciocho. La mejor forma de hacerlo era no desempeñar un papel activo en las discusiones, no significarse, o si se prefieren las palabras de Chapaprieta, «no desentonar ni en uno ni otro sentido» para permanecer en el anonimato todo lo que se pudiera. Sin embargo, esta «huida de los extremos» hacia el anonimato no fue siempre posible. En ocasiones el delegado español no tuvo más remedio que dejar constancia de sus reservas ante todo acto que disgustara en exceso a Italia, situándose más en sintonía con París que con Londres. Su intervención más significativa en este sentido tuvo lugar cuando el Comité de los Dieciocho discutió la organización del apoyo mutuo, debate en el que Madariaga hizo las veces de «abogado del diablo» de Austria y Hungría al plantearse la cuestión de si los miembros de la Sociedad que no se sumaran a las sanciones debían ser penalizados al resultar beneficiados de su aplicación por parte de los demás Estados. En contra del criterio sostenido por Gran Bretaña, Madariaga defendió con energía la idea de que el Comité no era una corte de justicia, sino una organización empírica, donde se debía «pensar con paciencia y hablar con moderación», por lo que no cabía penalizar con restricciones comerciales a las naciones que no estaban participando de la acción común puesto que habían Estados que podían permanecer «neutrales» ante las sanciones sin que por ello fueran «enemigos» del sistema en su conjunto. Los criterios del delegado español no fueron aceptados por el Comité, que recomendó la reducción de las compras a los miembros de la Sociedad que no estaban participando en la acción colectiva [83].

Al margen de su actuación en Ginebra, conviene aludir a dos iniciativas tomadas por Madariaga que nos revelan su actitud, siempre conciliadora, ante las incomprensiones que surgieron entre Londres y Madrid en esta fase del conflicto. La primera fue de índole política y se refirió a la utilización del contencioso de Gibraltar durante el transcurso de un par de conversaciones que sostuvo con Eden para hacerle comprender las reticencias de la opinión pública española ante las sanciones y el «notorio sacrificio» con el que tenía que hacerse «todo lo que nuestra actitud actual pudiera tener de anglófilo». La segunda iniciativa fue de naturaleza económica: solicitar de Londres, también a través de Eden, algunas concesiones comerciales a fin de paliar los efectos negativos que las sanciones podían provocar en la economía española [84]. En ambas ocasiones Madariaga utilizó alusiones que perseguían una doble finalidad: por un lado, intentar contrarrestar la fuerte oposición que las sanciones suscitaban en el seno del gobierno español por la vía de las concesiones británicas a Madrid; y por el otro, hacer comprender a Londres que los temores y recelos españoles frente a la política de sanciones eran razonables.

A pesar de que no hubo compensaciones, ni políticas ni económicas, y de que seguía habiendo una acusada diferencia de criterios en el seno del Consejo de Ministros, España «cumplió con su deber» —como había dicho Chapaprieta— y aplicó las sanciones contra Italia. Obligado por los compromisos internacionales adquiridos y sometido a no pocas presiones diplomáticas, al Gobierno no le quedó más remedio que aceptar la imposición de sanciones a Italia como una opción inevitable pese a la repugnancia que sentían por ellas algunos de sus ministros más influyentes. Para ser mínimamente consecuentes, la aceptación de tal política se hizo sin demostrar entusiasmo alguno en condenar la agresión al Pacto y procurando que las relaciones hispano-italianas salieran indemnes de aquella dura prueba.

La preocupación del Ministerio de Estado por dar a entender al gobierno italiano que la aceptación española de las sanciones era una mera «obligación de principio» fue una constante durante los meses de octubre y noviembre. Los gestos de amistad hacia Roma, prodigados tanto desde Madrid como desde Ginebra, eran significativos del deseo español de no enturbiar las relaciones hispano-italianas. Así fue entendido en Italia, donde se valoró muy positivamente los escasos fervores sancionistas de que hacía gala la delegación española en el Comité de los Dieciocho y sus intentos de tender una mano a los aliados de Roma. En este contexto, la diplomacia italiana acogió con particular satisfacción el discurso pronunciado por Madariaga en la sesión de clausura del Comité de Coordinación, en el que el delegado español enfatizó que «no se trataba tan sólo de tomar decisiones muy desagradables para un país cualquiera», sino de tomarlas «para con uno de los países más grandes y más nobles» [85].

Más significativos que los gestos de Madariaga en Ginebra fueron los titubeos de Madrid cuando hubo de responder a la nota de protesta que el gobierno italiano dirigió a todas las naciones sancionadoras el 11 de noviembre. De acuerdo con el compromiso alcanzado en Ginebra, la respuesta española debía redactarse en términos similares a los expresados por las demás naciones, y en particular por Gran Bretaña y Francia. Chilton habló varias veces del asunto con Aguinaga y había advertido a Londres que el gobierno español intentaba «suavizar algo» el contenido de su respuesta con el fin de atenuar su grado de responsabilidad en la aplicación de sanciones. De nuevo el embajador británico se vio obligado a insistir para que la réplica española siguiera las mismas líneas de la nota emitida por el Reino Unido. Las reservas se mantuvieron durante unos días, pero finalmente el 23 de noviembre el Ministerio de Estado entregó el texto definitivo de su respuesta a Londres primero, y a Roma después, optando por seguir las recomendaciones británicas de expresar la adhesión a los principios del Pacto con relativa firmeza, aunque no exenta de apelaciones a la cordial amistad hispano-italiana [86].

La réplica española a la nota de protesta italiana fue calificada de «excelente» en Londres, que parecía quitarse un peso de encima. Desde el punto de vista inglés, al fin se había conseguido que el gobierno español expresara, sin titubeos ni vacilaciones, su apoyo a las sanciones. Ello no fue obstáculo para que la prensa italiana siguiera considerando que la posición sancionista española se había formulado «con reservas», y que no se basaba en «convicciones» propias, sino en «imposiciones» ajenas. A nivel diplomático, Suvich no desaprovechaba cualquier oportunidad para recordárselo al embajador español en Roma, al aludir al «dolor» que afligía a las autoridades de su país al ver como determinados países, «que no sólamente sienten simpatía y amistad por Italia, sino tambíen repugnancia por el régimen de sanciones», eran «arrastrados» poco a poco a adoptar «medidas peligrosas y graves» contra una nación amiga y de la misma cultura [87].

El planteamiento italiano tenía algo de cierto. El *Foreign Office* y sus representantes en Madrid habían tenido que emplearse a fondo para ayudar al triunfo definitivo de los sectores gubernamentales partidarios de acatar las obligaciones internacionales contraídas sobre sus coaligados más reacios a asumirlas. Con ello España entraba de lleno en el sistema de *pax britannica*, asociándose a la acción colectiva auspiciada por Gran Bretaña mediante la imposición de sanciones económicas limitadas al agresor. Una política de aparente firmeza moral y escasa efectividad práctica y que —como pronto se demostró— no excluía la posibilidad de llegar a un arreglo pactado del conflicto por la vía de las concesiones, aunque para ello se tuvieran que transgredir los principios que la inspiraban.

La «bomba» Hoare-Laval con Madrid en la recámara

Entre esos intentos de arreglo pactado, destacó especialmente lo que Madariaga llamó «la bomba Hoare-Laval». En el marco de la política de apaciguamiento hacia Mussolini, el plan Hoare-Laval fue el último intento anglo-francés (frustrado por la presión de la opinión pública) de zafarse del conflicto mediante el ofrecimiento de importantes concesiones territoriales a Italia en Abisinia a costa de la soberanía etíope y en contra de los principios del Pacto. Su planteamiento de fondo entroncaba con la «política dual» auspiciada por Londres y París durante las primeras etapas del conflicto y, también, con los esfuerzos de conciliación emprendidos por el Comité de los Cinco en el marco de la Sociedad de Naciones.

Aunque «la bomba» explosionó en diciembre, la pólvora comenzó a prepararse a finales de octubre, cuando el *Foreign Office* y el *Quai d'Orsay* acordaron retomar las negociaciones con Italia con la falsa perspectiva de llegar a un arreglo pacífico de la disputa. Las intenciones anglo-francesas se conocieron en Ginebra el 2 de noviembre, con motivo de la reunión del Comité de Coordinación convocada para fijar la fecha de entrada en vigor de las sanciones. Hoare y Laval, después de declarar que sus gobiernos cumplirían los compromisos adquiridos, anunciaron sus propósitos de negociar con Italia un acuerdo «dentro del marco del Pacto» y solicitaron el respaldo moral del Comité. Para vencer la desconfianza que la propuesta suscitaba, los dos líderes recurrieron a Van Zeeland, jefe del gobierno belga, que tomó la palabra para pedir un voto de confianza a los representantes británicos y franceses, y al propio Madariaga, que intervino a continuación para dar su apoyo a los nuevos esfuerzos de paz. En un ambiente enrarecido ante el temor de que se tratara de un nuevo arreglo al margen de la Sociedad, el delegado español tranquilizó al resto de los delegados con el argumento de que existían «dos garantías» para que los «anteproyectos» anglo-franceses se ajustaran al espíritu del Pacto: «en primer lugar, la garantía de que se discutirán por el Consejo; y en segundo lugar, la garantía de que nuestros negociadores son los dos pilares de la Sociedad de Naciones: Francia y Gran Bretaña» [88].

Madariaga explicó posteriormente el motivo que le llevó a dar su apoyo a los preparativos del plan Hoare-Laval: de nuevo las presiones británicas. Antes de la reunión, Eden y Hoare le insistieron para que interviniera en el debate a continuación de Van Zeeland con el argumento de «hacer que «Laval afirmase en público su fidelidad a la Sociedad de Naciones en sus negociaciones con Italia». Madariaga situa su explicación después de comentar los apremios británicos sobre Laval para que Francia accediera a las demandas españolas sobre Tánger, y todo ello como resultado de una entrevista suya con Hoare en la que reprochó «que a España no se le informaba como era debido» [89]. Al margen de la relación que pudiera guardar el «favor» hecho por Madariaga en Ginebra con el apoyo británico a la aceleración de la cuestión tangerina, no era de extrañar que el delegado español apoyara de entrada el nuevo esfuerzo negociador anglo-francés. Era una actitud consecuente con la actitud de mano tendida que España venía practicando hacia Italia y que le había llevado a insistir en la fórmula de una «solución razonable» que evitara la prueba de la acción colectiva.

De hecho, Madrid ya conocía y apoyaba los nuevos esfuerzos negociadores que Francia y Gran Bretaña estaban emprendiendo con Italia con anterioridad a que la noticia se conociera en Ginebra. La iniciativa había partido del Vaticano, que apoyaba el inicio de conversaciones sobre la base de cuatro propuestas italianas: atribución a Italia de las posiciones conquistadas hasta ese momento por sus tropas, mandato italiano sobre zonas periféricas etíopes, mandato colectivo sobre el resto de Etiopía y desarme de Abisinia fiscalizado a través de sus presupuestos, proposiciones que eran consideradas por la diplomacia vaticana como una prueba de que

Mussolini no tenía ambiciones «imperialistas» en Abisinia. En este contexto de mediación papal, el secretario de Estado del Vaticano solicitó la intervención personal de Pita Romero, a la sazón embajador ante la Santa Sede, para que el gobierno español aceptara las propuestas como base de negociación e hiciera valer sus buenos oficios ante Londres con «absoluto sigilo» para que la prensa no abortara el éxito del proyecto. En principio Madrid no se dio mucha prisa en intervenir, pero ante la insistencia vaticana acabó dando instrucciones a Ayala para que hiciera la gestión ante el *Foreign Office* sin pronunciarse sobre los contenidos de la oferta negociadora [90].

Después de aquellos prolegómenos, las negociaciones quedaron paralizadas como consecuencia de la convocatoria de elecciones en Gran Bretaña. Como era de esperar, el conflicto se convirtió en el centro de la campaña electoral, en la que los conservadores reafirmaron su conversión a la fe societaria, por lo que el gabinete Baldwin salió reforzado como consecuencia del respaldo popular a la política de aparente firmeza contra el agresor. Mussolini, mientras, atravesaba momentos difíciles: a las dificultades encontradas en el avance de sus tropas se sumaban los primeros síntomas del malestar social latente en el interior del país y, además, hacia finales de noviembre debía reunirse el Comité de Coordinación para debatir la aplicación de nuevas sanciones, entre ellas el embargo de petróleo, que era determinante —según los expertos— para hacer desistir al *Duce* de su aventura en Abisinia. Cuando todo parecía jugar a favor de la causa de Ginebra, sobrevino «la bomba». Mussolini maniobró y amenazó con retirarse de la Sociedad de Naciones. París apostó por la carta de las concesiones, solicitó el aplazamiento del Comité y presionó a Londres para que aceptara un arreglo pacífico. En el *Foreign Office* se temió que Gran Bretaña se quedara sin el apoyo francés en caso de guerra, que comenzó a verse como posibilidad. El resultado final de tales maniobras, apuestas y temores fue el plan Hoare-Laval, acordado en las conversaciones anglo-francesas de París del 7 y 8 de diciembre [91].

El plan Hoare-Laval se encaminaba a satisfacer a Mussolini poniendo contra las cuerdas al gobierno etíope y a la Sociedad de Naciones. Las proposiciones se inspiraron en los principios que había establecido el Comité de los Cinco en septiembre, pero el alcance de las concesiones que se hacían a Italia iba mucho más allá de cualquier otra fórmula ofrecida anteriormente, con la gravedad de que esta vez se hacían a un agresor que había sido condenado públicamente y sometido a sanciones. En concreto, Etiopía debía ceder a Italia tres amplias zonas contiguas a sus colonias de Somalia y Eritrea a cambio de recibir un pequeño acceso al mar, y los italianos ejercerían un auténtico protectorado sobre el resto del territorio «soberano» de Etiopía. Pocos días después, «una indiscreción de la prensa francesa» —como ha escrito Duroselle— «reveló al mundo entero que los grandes campeones de la seguridad colectiva ofrecían a los agresores una enorme prima». La reacción de la opinión pública democrática fue inmediata, sobre todo en Gran Bretaña. El plan Hoare-Laval sorprendió tanto en los círculos diplomáticos que —como indicó Madariaga— «la palabra traición se oyó con frecuencia» en los pasillos de Ginebra [92].

El gobierno español no hizo declaración alguna sobre el tema y se mantuvo, prudente como siempre, a la expectativa de los acontecimientos. Madariaga, en cambio, que vivió de cerca el ambiente de indignación, expresó a Eden su rechazo a las nuevas proposiciones, que «en ningún caso tenía la intención de apoyar». Ahora bien, el delegado español tampoco se significó en el movimiento de oposición que se desencadenó en Ginebra, tanto por la actitud de moderación que ya había asumido como pauta de comportamiento ante el conflicto, como por su creencia de que el Plan estaba condenado al fracaso al no ser el reflejo de la política oficial de Londres. En este sentido, Madariaga creía que una cosa era Hoare y Vansittart, enemigos de la Sociedad, y otra bien distinta Eden y el gobierno británico, que no iban a permitir tal afrenta presionados por su opinión pública. Así se lo hizo saber a Laval en cuanto éste le dio a conocer las propuestas, y así se explica que valorara el traspiés dado por la diplomacia británica como «una de tantas incidencias en las que el azar de las personas lleva a un gobierno a cambiar de postura sin proponérselo». Excepto en la presión de la opinión pública, Madariaga se equivocaba: el gabinete Baldwin había dado carta blanca a Hoare antes de su viaje a París, y luego aprobó lo que su ministro había convenido con Laval. El Ministerio de Estado conocía estos pormenores a través de las informaciones de Ayala, que aún después de que se produjera la dimisión de Hoare y su sustitución por Eden, daba cuenta de la tendencia dominante entre «los procreantes y nodrizas tradicionales» del *Foreign Office* a considerar como «inevitable» e «imperiosa» una solución similar al plan Hoare-Laval [93].

Cuando el 19 de diciembre las nuevas propuestas fueron sometidas al Consejo, Gran Bretaña y Francia pudieron sortear la difícil situación que habían creado recurriendo a la inestimable colaboración de Madariaga. El delegado español abrió el fuego del caldeado debate para defender el criterio de que el Consejo no debía pronunciarse sobre el plan anglo-francés hasta tanto se recibieran las respuestas de los gobiernos italiano y etíope, proponiendo como solución de procedimiento que todas las cuestiones relacionadas con los esfuerzos de paz se confiaran al Comité de los Trece. El punto de vista de Madariaga no fue compartido plenamente por Dinamarca, la Unión Soviética y Portugal, cuyos delegados no se recataron en declarar su hostilidad a las proposiciones anglo-francesas y defendieron la necesidad de que se rechazaran como base de futuras negociaciones argumentando su incompatibilidad con el Pacto. No obstante, la fórmula sugerida por Madariaga tenía la ventaja de satisfacer los deseos de las delegaciones británica y francesa, que no estaban dispuestas a aceptar una nueva reprimenda en el Consejo después de haber sufrido la severidad de la crítica en sus propios países, por lo que finalmente todas las delegaciones se avinieron a aprobar una resolución, redactada bajo la inspiración de Madariaga, en virtud de la cual el Consejo «agradecía» a Gran Bretaña y Francia la comunicación de sus propuestas, sobre las que de momento no se pronunciaba por tener un «carácter preliminar», al tiempo que se encargaba al Comité de los Trece el estudio del conjunto de la situación «inspirándose en el Pacto» [94].

En medio de un ambiente enrarecido y hostil hacia lo que todos consideraban un acto de traición a la Sociedad de Naciones, Madariaga coadyuvó a frenar los ímpetus de las delegaciones más radicalizadas. Él fue uno de los principales artífices de una fórmula conciliadora —típicamente ginebrina— que aspiraba, por una parte, a recobrar para el Comité de los Trece la iniciativa perdida en la negociación del conflicto, y por la otra, a «salvar la cara» de las delegaciones francesa y británica. La actitud de Madariaga era una prueba más de la política contemporizadora que España venía desarrollando en Ginebra durante el desarrollo del conflicto, un gesto más de los que tanto prodigó para «quedar bien con todos». Al menos en este caso quedó la satisfacción de que se cumplieran los objetivos previstos, puesto que todos parecieron darse por satisfechos. Eden, y particularmente Laval, que tenía los días contados al frente de la diplomacia francesa, se sintieron «profundamente agradecidos» con el delegado español. El gobierno etíope valoró de forma positiva la vuelta a control ginebrino de las peligrosas proposiciones de París. Los delegados más hostiles al plan Hoare-Laval consideraron muertas sus pretensiones una vez aprobada la resolución del Consejo, interpretada como «un veredicto cortés, pero inequívoco». Y Madariaga, por último, valoró que con su intervención España había prestado «un buen servicio» a la Sociedad [95]. A esas alturas, sin embargo, pocos gestos podían salvar a la institución de su fracaso como garante del orden internacional.

En síntesis, entre comienzos de octubre y mediados de noviembre de 1935 la actitud española hacia el conflicto de Abisinia había evolucionado, a ritmo lento pero seguro, desde una fuerte resistencia inicial a aplicar sanciones contra Italia hacia una postrera aceptación de la política de *pax britannica*. Tal evolución se produjo más por obligación que por devoción y no sin fuertes contradicciones internas en el seno de los aparatos del

Estado, donde cohabitaban quienes preferían abandonar toda obligación
y quienes no podían dar rienda suelta a todas sus devociones. La política
exterior española había sido forzada a superar en la práctica algunas dudas; otras, sin embargo, seguían latentes, y eso se demostró con motivo de
la consulta británica de asistencia colectiva en el Mediterráneo en caso de
que se produjera una agresión italiana.

LA FORZADA ADHESIÓN A LA ASISTENCIA COLECTIVA

Una de las cuestiones que suscitó más comentarios y especulaciones en la
prensa nacional y extranjera fue la actitud de España ante el eventual
desencadenamiento de una guerra entre Italia y Gran Bretaña como consecuencia de la aplicación de la política de Ginebra. La preocupación
había estado latente desde que afloraron las vacilaciones españolas a propósito del incremento de la tensión entre Londres y Roma. El tema se
planteó claramente en diciembre de 1935 y enero de 1936, cuando España
se vió requerida por Gran Bretaña a dar una respuesta sobre su disposición
a participar en la asistencia mutua en el Mediterráneo en caso de ataque
italiano. Esto sucedió en la antesala inmediata del plan Hoare-Laval, como
una derivación más del incremento de los temores ingleses a sufrir represalias contra las sanciones; se materializó a través de una serie de consultas
diplomáticas practicadas por Londres con el fin de asegurarse el apoyo de
las potencias mediterráneas, y se resolvió —o al menos se atenuó— hacia
finales de enero, cuando se presentaron en Ginebra los resultados de las
conversaciones practicadas y España emitió un comunicado reafirmando
su compromiso societario. El episodio, aunque breve, puede servirnos para
realizar una radiografía apresurada de lo que fue el esqueleto básico de la
posición española ante la crisis italo-etíope: una exigencia de compromiso
frente a un deseo de no exponerse; una situación de descomposición interna que condicionaba toda decisión de política exterior, y como resultante,
la aceptación forzada del «deber».

El sondeo: la evasiva como respuesta

Para centrar el tema desde su punto de partida hay que remontarse a la
declaración efectuada por el Comité de Coordinación el 14 de octubre
reconociendo que cualquier medida a adoptar en cumplimiento del artículo
16 del Pacto se debía hacer sobre la base del párrafo tercero de dicho
artículo. El párrafo en cuestión disponía que los miembros de la Sociedad

estaban obligados a prestarse apoyo mutuo, no sólo en la aplicación de las sanciones económicas y financieras, sino también «para resistir cualquier medida especial dirigida contra cualquiera de ellos por un Estado que haya infringido el Pacto». En ese caso, debían adoptar «las disposiciones necesarias para facilitar el paso a través de su territorio de las fuerzas de cualquier miembro de la Sociedad que tome parte en una acción común para hacer respetar los compromisos de la Sociedad» [96]. Desde el punto de vista jurídico, la interpretación del artículo 16 no admitía dudas: la prestación de asistencia era una obligación contraída por todos los Estados asociados, que tenían que ofrecer ayuda militar a otro que fuera víctima de una agresión como consecuencia de su participación directa en la acción colectiva contra el infractor. En la práctica, sin embargo, la aplicación del apoyo mutuo planteaba serios problemas. ¿Estaban todos los miembros de la Sociedad dispuestos a cumplir sus compromisos?, ¿estaban en condiciones de prestar ayuda en caso de agresión?, ¿cuál era el papel concreto que le correspondía desempeñar a cada Estado en la asistencia colectiva?

Estas preguntas cobraron especial significación cuando la Sociedad de Naciones decidió imponer sanciones a Italia. De pronto, Gran Bretaña apareció a los ojos del mundo —y sobre todo de Mussolini— como la principal instigadora de la política de Ginebra, por lo que Londres comenzó a inquietarse seriamente por la suerte que correrían sus sólidos intereses en la región ante un eventual ataque italiano: envió la *Home Fleet* al Mediterráneo, equipó sus bases navales y aéreas en Egipto, reforzó la defensa de Suez, Chipre, Malta y Gibraltar, y de forma paralela, desplegó una ofensiva diplomática sobre los países mediterráneos. En tal contexto, el *Foreign Office* propició la declaración del 14 de octubre en el Comité de Coordinación; estimó oportuno abordar los problemas prácticos derivados del apoyo mutuo a que obligaba el Pacto; entendió que la aplicación de tal principio requería «una especial cooperación de aquellos miembros de la Sociedad que —en razón a su situación militar o a su posición geográfica— se hallaban más inmediatamente interesados» en el conflicto, y en consecuencia, evacuó consultas diplomáticas a las potencias mediterráneas para asegurarse de que, en caso de ataque italiano, estaban dispuestos «a prestar asistencia concreta» y, de ser así, «a precisar el carácter de dicha asistencia» [97].

Gran Bretaña inició las primeras consultas con Francia. Durante el mes de octubre ambos gobiernos se intercambiaron varias comunicaciones al respecto, comprobándose la unidad de criterios en la interpretación del artículo 16 del Pacto, que implicaba la «completa solidaridad entre cada uno de los miembros de la Sociedad» si cualquiera de ellos era atacado por el Estado infractor. Una vez asegurada la reciprocidad del apoyo mutuo integral, técnicos franceses e ingleses, bajo la supervisión de sus respectivos estados mayores, se reunieron para estudiar la forma concreta que revestiría la asistencia mutua en el Mediterráneo, tanto la pasiva (utilización de bases navales), como la activa (participación directa e ilimitada de las fuerzas militares de tierra, mar y aire). Hacia mediados de noviembre la colaboración anglo-francesa en caso de un eventual ataque italiano parecía estar asegurada. Entre mediados de noviembre y principios de diciembre, cuando se incrementaron los temores del *Foreign Office* sobre un eventual ataque italiano, el gobierno de Londres realizó consultas similares a las realizadas con Francia ante el resto de los gobiernos de los países «más inmediatos» a la zona de un hipotético conflicto: Grecia, Turquía y Yugoslavia en el Mediterráneo oriental y España en el flanco occidental. Las respuestas de Atenas, Ankara y Belgrado no se hicieron esperar, reiterando su entera disposición a aplicar todas las obligaciones que se derivaban del Pacto [98]. El gobierno español, en cambio, no respondió al inicial requerimiento de Londres porque entendió —o quiso entender— que no había sido preguntado.

La petición británica a Madrid apenas difirió del resto de las solicitadas a los otros gobiernos interesados. Todas ellas se presentaron por las mismas fechas (principios de diciembre), revistieron idéntico carácter (consultas previas) y se formularon a través de cauces diplomáticos similares (los embajadores en Londres o las embajadas británicas en las capitales respectivas). De las cuatro gestiones, dos fueron verbales y otras dos por escrito, pero las comunicaciones oficiales vinieron *a posteriori*, una vez que los distintos gobiernos hubieron dado su aceptación de principio a la inicial solicitud británica. En el caso de España, el procedimiento se inició el 7 de diciembre, en una entrevista entre Ayala y Vansittart antes de que éste partiera hacia París al objeto de ultimar el plan Hoare-Laval. Sin rodeos, el dirigente del *Foreign Office* planteó al Embajador la necesidad de que el gobierno de Madrid expresara «espontáneamente» su «apoyo moral» a Gran Bretaña ante la eventualidad de que fuera objeto de un ataque italiano. Vansittart advirtió que la cuestión se tendría que plantear en Ginebra al discutirse el embargo de petróleo, pero que en esos momentos era sumamente conveniente la adhesión española como un acto de presión táctica sobre Mussolini con el fin de disuadirle de todo intento de agresión y de que se aviniera a la búsqueda de una solución negociada. Conocedor de las susceptibilidades hispanas, el diplomático inglés aclaró «que la oferta del gobierno español no podía significar prejuicio en el conflicto ni repulsa hacia Italia» a la vez que dio seguridades de que «jamás» el gobierno británico iba a proponer sanciones militares contra Italia. Por último, Vansittart sugirió que Madrid comunicara su «disposición» a prestar tal apoyo a él personalmente, a través del embajador español en París [99].

Ante el requerimiento británico, las intenciones españolas se dibujaron con claridad desde el primer momento: retrasar la respuesta lo más que se pudiera. En el Ministerio de Estado se entendió bien lo que pedía Londres desde el primer momento, puesto que de forma inmediata se exigió de Ayala aclaraciones sobre cuáles eran las intenciones del gobierno británico en cuanto a la forma concreta que podía revestir la ayuda española, a lo que el Embajador contestó que se trataba de «la utilización de algunas bases navales estratégicas». Pero aún sin haberse recibido esta última aclaración, el Ministro se apresuró a ordenar a Cárdenas que le remitiera la contestación dada por Francia y que, en caso de que los británicos se dirigieran a él solicitando una respuesta, dijera que «el gobierno español se hallaba en crisis» y que, de todas formas, «era necesario conocer de antemano los términos de la concesión francesa invocada como modelo». Poco después Madrid recibió de Cárdenas información detallada sobre la «asistencia integral» que Francia había ofrecido a Gran Bretaña, así como sobre las reuniones que los técnicos de ambos países habían mantenido, precisándose que una de las cuestiones planteadas en dichos contactos había sido la participación española en la asistencia colectiva y dándose a entender que tanto ingleses como franceses sólo esperaban de España «una cooperación pasiva» [100].

Por mucho que la diplomacia española se acogiera al carácter ni oficial ni oficioso de la conversación de Vansittart con Ayala para alegar que no hubo petición británica definida, los términos en que ésta se había formulado eran suficientemente explícitos. Londres había dado el paso previo para que Madrid expresara, de *motu proprio*, su disposición a respaldar la acción colectiva contra un eventual ataque italiano. Lo había hecho, además, con el conocimiento previo de Francia y esperando que la respuesta española influyera en el ánimo de Mussolini para que éste se aviniera a negociar sobre la base de las proposiciones que se iban a discutir en París. Como consecuencia de la gestión de Vansittart, en Londres se supuso que la respuesta española se produciría en breve y en similares términos a los expresados por el resto de los gobiernos consultados, de acuerdo con el artículo 16 del Pacto, aunque sin esperar tampoco que España extendiera un cheque en blanco para la utilización de sus bases navales en caso de guerra, puesto que se conocía bien «su particular temor» a que cualquier beligerante pudiera «violar su neutralidad» en el Mediterráneo [101]. Pero en Madrid no se entendió de ese modo: como si de momento la asistencia colectiva no fuera de su incumbencia, el Ministerio de Estado optó por el silencio ante Londres.

El enredo: un gobierno esquivo y un embajador oscuro

Después de los sondeos iniciales, el tema quedó momentáneamente conge-
lado como consecuencia de la «bomba» Hoare-Laval. Pero en las navida-
des de 1935, cuando se había disipado toda esperanza de que las proposiciones de París sirvieran de base a un arreglo pacífico del conflicto, la
asistencia mutua volvió al primer plano de la actualidad al conocerse las
respuestas de Atenas, Ankara y Belgrado. Fue entonces cuando se prodigaron en la prensa nacional y extranjera todo tipo de conjeturas sobre el
silencio oficial de la República española, que pasaba por ser «la menos
animosa y la más remisa» de las potencias mediterráneas a la hora de
declarar su apoyo en caso de agresión italiana. Las representantes españoles en París y Ginebra dieron cumplida cuenta de tal estado de ánimo,
advirtiendo que en los círculos diplomáticos de ambas capitales la ausencia
de una respuesta española era interpretada «como un deseo de no colaborar». Cárdenas incluso llegó a señalar que de las impresiones recogidas se
desprendía que la conversación de Vansittart con Ayala era considerada,
«no como un tanteo, sino como una pregunta definitiva» sobre la que se
estaba esperando contestación [102].

Puestas así las cosas, la diplomacia española volvió a retomar el asunto,
evidenciándose una vez más la falta de coordinación y la disparidad de
criterios en su seno, y también, la debilidad del Gobierno y sus deseos de
no pronunciarse sobre la petición británica. El Ministerio de Estado solicitó nuevas aclaraciones a su embajador en Londres, quien comunicó entonces que «a su juicio» la entrevista «particular» que había sostenido con
Vansittart «no significaba un requerimiento sino una insinuación», creyendo que los ingleses no tenían intención alguna de dirigirse a los gobiernos
interesados «sino desde y a través de Ginebra». La nueva versión ofrecida
por Ayala resultaba bastante incoherente con su primera comuniciación y
contradecía abiertamente las informaciones de París y Ginebra, y —como
ha señalado Pertierra— «sólamente quizá la visión pro-italiana, que durante todo el conflicto mantendrá Ayala, pueden de alguna manera expli-
carla» [103]. Madrid, en cualquier caso, no se encargó de constrastar la ve-
racidad de la información, entre otras cosas porque los juicios de su embajador en Londres venían como anillo al dedo a las intenciones esquivas
del gobierno español.

Así quedó demostrado el 26 de diciembre, cuando por fin Martínez de
Velasco sometió un informe detallado sobre el tema a la consideración del
Consejo de Ministros. Evidentemente, en aquella coyuntura de descompo-
sición del poder gubernamental y de prolegómenos de Frente Popular, el
Gobierno no estaba en condiciones de deliberar gran cosa sobre una cues-

tión tan delicada como era la participación de España en la asistencia colectiva en caso de guerra en el Mediterráneo. El Ejecutivo, por tanto, se limitó a dar el visto bueno al informe que el Ministro le presentó, en el que se interpretaba la petición británica al modo sugerido por Ayala, resolviéndose que «no ha lugar a considerar que aquella entrevista, de carácter particular, pudiera en ningún caso ser considerada como una gestión llevada a cabo por el gobierno británico cerca del gobierno español». Como corolario, se recomendaba el mantenimiento de tal interpretación «en todo momento», aunque «procurando evitar discretamente en lo posible su exteriorización, en evitación de que el hecho que a nuestro juicio no se ha producido se trocara en realidad al insistir reiteradamente en su no existencia» [104].

La recomendación ministerial se siguió al pié de la letra. En las declaraciones públicas efectuadas tras esa y las siguientes reuniones del Consejo de Ministros se procuró evitar toda referencia a la asistencia colectiva en el Mediterráneo. Aún más, lejos de asumir cualquier tipo de compromiso con Gran Bretaña, el gobierno español parecía reafirmar sus deseos de quedar bien con todos, puesto que después de su primera reunión del año 1936 uno de sus ministros volvía a insistir en la «posición de neutralidad» de España en Ginebra, actitud que el nuevo gabinete estaba decidido «a mantener a todo trance». En cualquier caso, y por si cupiera alguna duda, el informe aprobado por el Gobierno era explícito en cuanto a las intenciones finales de la diplomacia española con respecto a la solicitud británica: «encuadrar dentro del marco de la Sociedad de las Naciones toda cuestión referente al conflicto: ésta pudiera, y quizás debiera, ser nuestra actitud ante cualquier requerimiento no proviniente de acuerdos o resoluciones de Ginebra» [105]. Es decir, toda declaración española a requerimiento de Londres resultaba comprometedora a los fines propuestos de mantener la imagen de aparente neutralidad ante Roma y la opinión pública española, y por tanto, el Gobierno sólo se comprometería a tomar una decisión sobre la asistencia colectiva si las discusiones de Ginebra forzaban a ello. Eso fue precisamente lo que al final sucedió.

Antes, sin embargo, conviene detenerse en otra entrevista que Ayala y Vansittart sostuvieron en Londres a comienzos de enero, sumamente reveladora del enredo diplomático a que dio lugar el tema. Esta vez el encuentro se produjo a iniciativa del Embajador después de que el Ministerio de Estado volviera a pedirle mayor información sobre las intenciones británicas. Vansittart aclaró a Ayala que Londres no había enviado comunicación oficial alguna a Madrid porque estaba a la espera de que el gobierno español «se ofreciera voluntariamente a hacer una declaración por su propia cuenta» de acuerdo con lo convenido en la anterior entrevista. Des-

de entonces —prosiguió—, la situación interna de España había sido sumamente inestable y, «en consideración a tales dificultades, ninguna tentativa había sido hecha para apresurar la respuesta española». Vansittart,
no obstante, precisó que «el tiempo estaba pasando» y, si Madrid no
actuaba «pronto» por su propia cuenta, «obviamente se haría necesario
presentarle las mismas cuestiones que ya habían sido dirigidas a los gobiernos de Yugoslavia, Grecia y Turquía», puesto que «no había ninguna
razón para hacer una excepción de procedimiento en el caso de España».
Ante tal planteamiento inequívoco, que confirmaba la primera entrevista
como un «requerimiento» y no como una mera «insinuación», el embajador español supo maniobrar hábilmente e indujo a rectificar la intención
británica de hacer llegar al gobierno de la República la nota oficial que
ya había sido enviada al resto de las potencias mediterráneas. Ayala —según Vansittart— se mostró «dispuesto a presionar sobre la cuestión tanto
como nosotros deseemos», aunque en su opinión se había escogido «el
momento más inoportuno» debido a las dificultades internas por las que
estaba atravesando el Gobierno, que presumiblemente «podría mostrarse
cauto y poner reparos a darnos una respuesta satisfactoria por temor a
proporcionar una embarazosa munición electoral a sus adversarios». El
argumento esgrimido por Ayala sirvió para que Vansittart respondiera
que, en vista de las circunstancias, de momento era mejor que «retuviera
el asunto en su mano» hasta una nueva conversación [106].

Ayala, en efecto, retuvo el asunto en su mano, puesto que no informó
a Madrid del contenido exacto de su conversación con Vansittart. Es más,
incluso puede afirmarse que el Embajador tergiversó lo tratado en aquella
segunda entrevista, pues telegrafió a Madrid diciendo que ante el fracaso
del plan Hoare-Laval y la crisis de gobierno en Londres, los sondeos iniciados ante Yugoslavia, Grecia y Turquía «pasaron a segundo plano» y el
tema se encontraba «en un período de gestación todavía aleatorio», pendiente de su ajuste a las nuevas circunstancias, «y de aquí —me explicó
Sir Robert— que no me volviese a hablar de ello». Para mayor tranquilidad de Madrid, Ayala remató su información precisando que «no es cierto,
como algún periódico sugiere, que al gobierno británico le haya contrariado la reserva del nuestro» [107]. Sin duda, estamos en presencia de un caso
extremo, aunque no el único (recordemos el de Doussinague), en que una
decisión de política exterior —y decisión importante, además— se vió condicionada por la acción individual de un embajador al servicio de la República con intenciones claramente ideológicas de por medio (tendencia
italófila en Ayala, o germanófila en Doussinague).

No era preciso que Pérez de Ayala recurriera a aquel enredo para
conseguir el fin que perseguía. Con su certera referencia al «momento

inoportuno», el Embajador había conseguido satisfacer un deseo personal, derivado de su «comprensión» de las aspiraciones italianas en Abisinia, pero al mismo tiempo había prestado un gran servicio a su gobierno, al conseguir frenar las intenciones de Vansittart de forzar la respuesta española mediante el envío de una comunicación escrita. Ayala, no obstante, optó por burlar, no sólo al *Foreign Office*, sino también a su propio Ministerio, quizás en la creencia de que el recién estrenado gabinete Portela (ya sin ministros de la CEDA y con el progresista Urzáiz en la cartera de Estado) estaría más tentado de declarar su apoyo a la asistencia a Gran Bretaña en caso de agresión italiana.

Desde luego, no era ese el caso. El nuevo gobierno seguía considerando, como actitud de principio, que «lo único que cabe recomendar a nuestra delegación es que siga atentamente el curso de los acontecimientos y se mantenga en la actitud que ha venido siendo su norma por lo que hace a anteriores decisiones de Ginebra», es decir, «no singularizarse». Madrid reiteró a sus delegados «la conveniencia de no precipitar los acontecimientos, dar tiempo al tiempo y esperar que las propias circunstancias que revela la lucha en el Africa oriental y la acción de las impuestas sanciones, así como la atmósfera moral que rodea a Italia, den como resultado temperamentos de conciliación por parte de esta nación, que hasta ahora no se han revelado». En cuanto a la declaración de asistencia colectiva solicitada por Gran Bretaña, la diplomacia española seguía estimando que «el problema compete más bien a Ginebra y lo suscita el artículo 16 del Pacto», por lo que la solicitud debía ser formulada por la Sociedad de Naciones, con lo cual las naciones interesadas, España incluída, podían declarar el cumplimiento de sus compromisos «mediante los requisitos obligados y más defendibles ante sus propias opiniones públicas» [108].

Después de la segunda entrevista entre Ayala y Vansittart la diplomacia británica decidió aparcar el tema. Dadas las condiciones de la política interior española, entendió que no convenía forzar al Gobierno a emitir una respuesta ambigua, y por tanto insatisfactoria, y que era preferible esperar tiempos más propicios para que España se pronunciara en un sentido claramente favorable a las tesis británicas. Así lo hizo constar el propio Vansittart en su *Rapport* sobre la conversación con Ayala: «obviamente la posición no es muy gloriosa para un miembro de la Sociedad tan importante y activo como España», pero en todo caso era mejor estar bien informados de «las aprensiones e incapacidades» del gobierno español antes de tomar la decisión de enviar el requerimiento de forma oficial y luego verse sorprendidos por una respuesta elusiva, puesto que «no hará ningún servicio a la Sociedad» —sentenció Vansittart— «presentar una pregunta clara y no obtener una clara respuesta, particularmente cuando una clara respuesta es el deber claro de un miembro de la Sociedad». De momento, pues, lo único que hizo el *Foreign Office* fue dar instrucciones a su embajador en Madrid para que éste, a la vista de «las circunstancias políticas locales», sugiriera a Londres el momento más oportuno para «presionar con mayor seguridad» sobre el gobierno español a fin de obtener una respuesta satisfactoria a sus peticiones [109].

La respuesta: la presión de la opinión pública

La intervención de Chilton en Madrid no se hizo necesaria. Pocas semanas después, la asistencia colectiva frente a un eventual ataque italiano tomó un nuevo giro cuando Eden presentó en Ginebra las gestiones realizadas por Londres ante los gobiernos de las potencias mediterráneas. De haber funcionado bien la comunicación oficial entre el Ministerio de Estado y su embajador en Londres, la declaración británica no tenía porqué sorprender a la diplomacia española, puesto que Vansittart ya había advertido a Ayala que el tema habría de suscitarse en Ginebra cuando se tratara la cuestión del embargo de petróleo. Pero lo cierto fue que la declaración de Eden ante el Comité de Coordinación, consecuencia de la resolución tomada por éste en octubre, cogió desprevenidos a los responsables españoles. Fue entonces cuando el tema trascendió a la opinión pública, presentándose una vez más en clave victimista: España había sido «marginada» como potencia mediterránea de una «cuestión vital» para sus «intereses nacionales», si bien es cierto que algunas voces subrayaron que tal «marginación» era una consecuencia lógica del comportamiento ambiguo del gobierno español a lo largo del desarrollo del conflicto [110].

Las intenciones británicas de sacar a la luz pública el resultado de sus consultas fueron conocidas en el Ministerio a través de los delegados españoles en Ginebra. Madariaga y Oliván mantuvieron una entrevista con Eden y Cramborne en la que éstos aclararon que Londres no había insistido ante Madrid debido a las dificultades de la situación política española y en evitación de que el asunto fuera utilizado como arma arrojadiza contra el gobierno de la República en plena contienda electoral. Pese al afecto mutuo que se tenían Eden y Madariaga, en aquella entrevista no se deshizo el malentendido que los silencios de Ayala habían provocado entre ambas cancillerías, por lo que los delegados españoles entendieron que el recato del gobierno británico no se debía tanto a las razones apuntadas por Eden como al temor de que España exigiera ciertas compensaciones como contrapartida a la prestación de su ayuda y planteara, en particular, el contencioso de Gibraltar. Esta suposición se debía al influjo de una táctica defensiva que se había pergeñado en Madrid ante la posibilidad de que Londres solicitara oficialmente el pronunciamiento español y que ya había estado presente en informes y conversaciones sobre el tema a finales de diciembre y comienzos de enero. En cualquier caso, en la entrevista celebrada en Ginebra Eden sugirió a Madariaga la conveniencia de que «España se prestara a dar su apoyo» a una eventual acción colectiva, a lo que el español replicó que sería más apropiado «que fuera Ginebra quien la solicitara más bien que una potencia determinada». La respuesta de Madariaga, expuesta a título «puramente personal», traducía la actitud oficial de su gobierno, pero esos detalles eran lo de menos; lo importante fue que iba a hacerse realidad aquello de que «por la boca muere el pez», porque a esas alturas Londres ya había decidido llevar el asunto a Ginebra y ese hecho forzaría la definición española. Quizás por esta razón a Eden le pareció «atinada» la respuesta dada por Madariaga y le anunció su intención de llevar el asunto ante el Comité de Coordinación para que los países recogieran la sugerencia «si así lo tuvieran por conveniente» [111].

El gobierno británico perseguía un doble efecto al llevar el resultado de sus conversaciones a Ginebra. De una parte, conseguía involucrar a la Sociedad de Naciones en una cuestión que desde la declaración efectuada el 14 de octubre de 1935 había permanecido sustraída como una iniciativa de carácter unilateral adoptada por Londres. De la otra, se recordaba a Mussolini que cualquier política de fuerza en contra de Gran Bretaña estaba condenada al fracaso de antemano, y que la única solución razonada al conflicto consistía en alcanzar un arreglo pacífico de la disputa por la vía de la negociación. Sin embargo, la decisión británica colocaba al gobierno español en una difícil tesitura. Así lo entendió Madariaga desde Ginebra, que seguía creyendo que el gobierno inglés pretendía jugarle una mala pasada al español, pero que acertó en su valoración de los peligros que se corrían si Madrid seguía prolongando su silencio sobre el tema. Con la nueva situación —alertó Madariaga— y si el Comité de Coordinación decidía hacer un nuevo recordatorio sobre las obligaciones contraídas por los miembros de la Sociedad en virtud del artículo 16 del Pacto, el Gobierno se podía convertir en el blanco de todo tipo de especulaciones y se vería expuesto a sufrir una ola de críticas en el interior del país y hasta una reacción malhumorada por parte de Gran Bretaña y de otras potencias democráticas, por lo que convenía, en su opinión, dar una respuesta que pusiera en claro tres aspectos: primero, la reafirmación del apoyo de España al Pacto; segundo, la defensa del criterio español de que la aplicación del principio de la asistencia colectiva en el Mediterráneo debía dilucidarse en el seno de los comités creados en Ginebra; y tercero, la honda preocupación que sentía el gobierno español por la seguridad en el Mediterráneo [112].

Al gabinete Portela no le hacía falta tal advertencia para darse cuenta de los peligros a que se exponía en caso de mantener «la callada como respuesta». Nada más confirmarse el contenido de las conversaciones mantenidas por Gran Bretaña con las potencias mediterráneas, la prensa extranjera arreció en sus censuras contra la falta de solidaridad democrática del gobierno español, subrayando el cuidado que se ponía en Madrid para no contrariar al *Duce* cada vez que se le requería para cumplir con sus obligaciones internacionales. Simultáneamente, en Ginebra la delegación francesa presionó sobre Madariaga expresando el apoyo de su gobierno al deseo británico de que España se pronunciara sobre la asistencia colectiva. Por si fuera poco, el Gobierno sufría las críticas de la opinión pública allí donde más le dolía: en el interior del país, donde los sectores más proclives a la acción colectiva contra Italia relacionaban el «olvido» de España de las consultas británicas sobre el Mediterráneo con la política de continuas vacilaciones del gobierno de derechas, política que no había sabido romper el gabinete de transición, y todo ello en medio de una campaña electoral que subía de tono a medida que se acercaba la fecha prevista para los comicios de febrero de 1936 [113].

Una vez oficializada la petición británica a través del cauce de Ginebra y sometido a la intensa presión de la opinión pública, al gobierno español no le quedó más alternativa que romper su prolongado silencio y reiterar formalmente su adhesión a las obligaciones del Pacto. La respuesta oficial llegó a través de una nota presentada por Madariaga en Ginebra el 24 de enero, acogida con general satisfacción por la prensa republicana que había urgido la rectificación. Por ella, el Gobierno se limitaba a «reiterar que hará, como siempre, honor a sus compromisos» y, con la habilidad de las palabras bien medidas, eludía un pronunciamiento explícito sobre la petición original de ayuda pasiva en caso de guerra en el Mediterráneo (utilización de bases navales), remitiendo toda discusión sobre el tema a los cauces ginebrinos «con el fin de asegurar la máxima eficacia» en la aplicación del artículo 16. De ahí que Eden, al informar a Londres de las notas que habían sido enviadas por los diferentes gobiernos al presidente del Comité de Coordinación, hiciera una valoración resignada de la conducta española: «todas esas cartas habían sido satisfactorias, excepto la procedente de España que, aunque débil, había sido mejor que nada». Al final, y como quiera que el conflicto se encontraba en situación estacionaria y no existía un inminente riesgo de guerra, todos parecieron darse por satisfechos con la respuesta dada por España, a excepción del gobierno italiano, que se apresuró a expresar la «penosa impresión» que la nota de

Madariaga había causado en Roma, donde se «había apreciado en mucho la actitud de neutralidad» que la República había mantenido hasta entonces [114].

La respuesta final había servido para calmar los ánimos de la oposición republicana en vísperas electorales, pero el episodio en su conjunto se había liquidado con un saldo poco favorable. El deseo de huir de la tormenta europea obligaba al gobierno español a desplegar la diplomacia de la ambigüedad, a caballo entre el compromiso societario y la neutralidad, lo que terminó provocando el aumento de los recelos británicos e italianos de resultas del juego a dos bandas practicado por Madrid. Pero con la polémica en torno a la disposición española a prestar asistencia colectiva en el Mediterráneo, la República volvió a proyectar hacia dentro y hacia fuera una imagen de desorientación y de debilidad, lo cual era un síntoma más de su progresivo proceso de descomposición interna. Y se reveló, de una manera significativa, la descoordinación entre las distintas piezas que componían la maquinaria diplomática española (que esta vez desbordó el tradicional desajuste del eje Madrid-Ginebra para trasladarse a Londres, e incluso a París).

Mientras la política exterior española daba cumplida cuenta de sus contradicciones internas, la guerra en Abisinia entraba en una fase poco favorable para la causa del Pacto. De acuerdo con la política auspiciada por las grandes potencias demoliberales, la Sociedad de Naciones, lejos de reforzar las sanciones en un momento en que éstas estaban causando algún daño a Italia, se inclinó hacia las tesis del apaciguamiento con el agresor. Los zigzagueos continuaron por momentos: el Comité de Coordinación decidió encargar el estudio del embargo de petróleo a un grupo de expertos, que emitió un informe unánime en el que se concluía que la medida constituía una seria amenaza para los planes de Mussolini en Abisinia. Pero al final los gobiernos decidieron aplazar una decisión de tal envergadura y los trabajos del Comité se postergaron hasta comienzos de marzo. Para entonces Mussolini se encontraba a un paso de obtener la victoria definitiva sobre Etiopía por la fuerza de las armas y, además, la situación internacional se había agravado considerablemente al abrirse camino la perspectiva de un nuevo golpe de fuerza alemán en el centro de Europa. También por entonces había cambiado sustancialmente el decorado de la escena política española tras las elecciones de febrero de 1936 y la formación del gobierno del Frente Popular. Lo que vino después, en aquella primavera del 36, consumó la tendencia general que se había venido apuntando desde 1933: la descomposición del sistema de seguridad colectiva.

CUARTA PARTE

La encrucijada final

CAPITULO 8
Adiós a la seguridad colectiva

Si en el plano de la política interior la «rectificación de la rectificación», es decir, el rescate de la obra reformadora del primer bienio, constituía el eje sobre el que se articulaba la unidad de las izquierdas en las elecciones de febrero de 1936, en la vertiente exterior, en cambio, parecía que no había grandes cosas que rectificar. Al menos esta es la primera impresión que se desprende de la lectura del programa del Frente Popular, caracterizado por la ausencia de toda directriz que fuera más allá de la tópica declaración de que «la política exterior se orientará en un sentido de adhesión a los principios y métodos de la Sociedad de Naciones». Quizás por el laconismo de esta receta, sin precisar ingredientes ni modo de preparación, se ha llegado a concluir que «total, nada», ya que «el formalismo que ahora apunta en la política exterior el Frente Popular es el mismo que le hará ser machaconamente fiel a la letra del papel sin tener en cuenta las realidades políticas que le rodean» [1].

No puede confundirse, sin embargo, el formulismo de las declaraciones públicas con las intenciones reales que se descubren en la praxis diplomática. Y si este discernimiento debe procurarse siempre, con mayor esmero hay que hacerlo en la coyuntura específica del invierno y la primavera de 1936, un momento en que la crisis europea y el desmoronamiento de la Sociedad de Naciones se combinó con la fragmentación del poder político en el interior, condicionando en gran medida la capacidad de decisión gubernamental y limitando, más que nunca, la posibilidad de adoptar una política exterior diáfana y homogénea. Teniendo en cuenta estas circunstancias, un análisis de la actitud española ante los acontecimientos internacionales que tuvieron lugar entre febrero y julio de 1936 permite afirmar que, si hubo alguna característica que pueda definir la tendencia general del período, ésta no era la sujeción «machaconamente fiel a la letra del papel», ni tampoco la estricta supeditación a las preferencias ideológicas de los partidos del Frente Popular. Más bien, lo que se constata es una prudente pero progresiva asunción de las nuevas realidades que, a golpe de fuerza, se estaban abriendo paso en la escena europea, sin menoscabo alguno de la orientación neutralista a la que se había acomodado la República durante la etapa precedente, aunque todo esto en medio de grandes temores, muchos titubeos y no pocas contradicciones.

La política escogida por los dirigentes republicanos para encarar la crisis europea no difería mucho de la practicada en otras latitudes: ante la incertidumbre, permanente acomodo a las circunstancias. Así lo expresó el jefe de la diplomacia española con motivo del V aniversario de la proclamación de la República, al declarar que «España no tiene lo que podría ser llamado planes concretos en lo que concierne a la política internacional», pues al igual que hacían otros Estados europeos «vivía día a día, para lo que pudiera ser más beneficioso a ella». Esta afirmación, valorada en el *Foreign Office* como «una confesión que muchos países no se atreverían a hacer», puede ilustrar perfectamente lo que fue norma de conducta habitual de los dos gabinetes del Frente Popular. Perturbada y descompuesta internamente e inmersa en un mundo que se preparaba para la guerra, la República hizo, sobre todo, eso: «vivir día a día», sin previsiones, e ir capeando el temporal como malamente podía, en un intento de apoyar lo poco que quedaba por hacer en la Sociedad de Naciones, antes de que se consumara el fracaso definitivo de aquella «política internacional que tienda a gobernar el mundo a través de la razón y no a través de la fuerza» [2].

Cabe añadir a esto que tampoco hubo rupturas en el terreno organizativo. Al margen de la renovación de los altos cargos del Ministerio, no se produjeron cambios generalizados que afectaran al conjunto del servicio exterior. La elección de Augusto Barcia para ocupar la cartera de Estado era «una prueba más de la victoria personal de Azaña», y también un síntoma de la importancia que el dirigente republicano concedía a las relaciones exteriores en aquellas circunstancias de grave riesgo para el mantenimiento de la paz. La preocupación por la situación de Europa fue la razón fundamental para colocar al frente de la diplomacia a un hombre de su entera confianza, conocedor de los temas internacionales, de talante moderado y gestión pragmática. Con Barcia pasó a desempeñar la Subsecretaría un diplomático progresista poco conocido, Rafael Ureña Sanz, hasta entonces destinado en Guatemala y con experiencia en las tareas de la Sociedad en los años veinte. Las variaciones en las embajadas fueron mínimas, registrándose más dimisiones a petición propia que ceses impuestos por Madrid. Pese a estos cambios, era notorio el inmovilismo de la diplomacia española, para la cual se siguió reclamando la necesidad de su urgente «republicanización», o más bien —se dijo—, su «españolización» [3].

No obstante estas peticiones, los asuntos de la diplomacia siguieron siendo una asignatura pendiente para la República. Una vez más, las circunstancias derivadas de los acontecimientos europeos se impusieron, y éstos fueron tan intensos que el gobierno del Frente Popular apenas pudo concederse un respiro. Nada más comenzar su andadura, Hitler dio un nuevo golpe de fuerza contra el orden internacional con la remilitarización de Renania; simultáneamente, Mussolini consumaba su victoria en Abisinia, por lo que hubo de afrontarse el reconocimiento de la nueva situación, con el levantamiento de las sanciones a Italia. La derrota de la Sociedad de Naciones, por último, inició el debate en torno a la reforma del *Covenant*, ya en las vísperas de la Guerra Civil.

ADIÓS A LOCARNO: ESPAÑA EN LA CRISIS RENANA

Pocos días después de la formación del nuevo gobierno, la diplomacia española tuvo que hacer frente a su primera complicación internacional, esta vez con signos de extrema gravedad: la crisis renana. El 7 de marzo, mientras Hitler dirigía al *Reichstag* uno de sus más célebres discursos, tropas alemanas ocuparon la zona desmilitarizada de Renania, violando de esa forma el tratado de Locarno, único que Alemania había suscrito libremente, así como los artículos 42, 43 y 44 del tratado de Versalles. Con la decisión de ocupar Renania, Hitler volvía a colocar a Europa ante la realidad del *fait accompli*, asestando un nuevo golpe de fuerza a la seguridad colectiva y confirmando la escasa voluntad del *III Reich* de respetar el *statu quo* territorial. El pretexto buscado esta vez fue la ratificación del pacto franco-soviético, que para Berlín había anulado las estipulaciones de Locarno y obligado a Alemania a defenderse. La acción unilateral estuvo acompañada, una vez más, de nuevas ofertas de paz; recuperada la igualdad de derechos y restablecida la soberanía sobre el Sarre y Renania, Hitler declaró que estaba dispuesto a entrar en negociaciones con el resto de las potencias europeas para concluir nuevos tratados de garantías y pactos de asistencia y regresar a la Sociedad de Naciones, aunque deseaba que el *Covenant* quedara desligado del tratado de Versalles [4].

De la percepción del peligro a la búsqueda del entendimiento

Calculada en sus mínimos detalles y perfecta de ejecución, la remilitarización de Renania no tenía por qué sorprender a cancillerías y estados mayores. En Francia se había venido observando la creciente irritación alemana ante la ratificación del pacto franco-soviético así como la posibilidad
de que Hitler estuviera preparando un nuevo desafío, no descartándose la
ocupación de la zona desmilitarizada. Ya desde 1935 la diplomacia española había recibido informaciones en idéntico sentido, por lo que no era
de extrañar que en los círculos oficiales de Madrid la noticia de la acción
del 7 de marzo no sorprendiera a nadie y, a pesar de los temores, tampoco
se pensaba que la crisis renana fuera el detonante de una nueva guerra
europea a corto plazo.

El Ministerio de Estado concedió una gran importancia al tema. La
violación de Locarno se consideró como «el más grave conflicto que se ha
planteado al continente europeo después de la guerra del 14» y el que
mayores efectos negativos podía tener para el mantenimiento de la paz,
llegándose incluso a plantear sus eventuales repercusiones para la «disci-
plina social», puesto que, en caso de producirse una nueva conflagración,
«la revolución comunista en Europa» —decía un informe— «sería acaso
su fatal e inevitable consecuencia». Un razonamiento similar realizó Herbette ante Azaña, durante el transcurso de una conversación privada en
la que el dirigente español se mostró de acuerdo con el embajador francés
sobre el importante reto que tenían ante sí las democracias occidentales
para consolidar, «no únicamente la paz exterior de cada Estado, sino también su paz interior». Pese a la gravedad de la situación creada y la realización de estos comentarios —siempre con «el peligro comunista» como
telón de fondo—, ni el presidente del Gobierno ni el ministro de Estado
creían posible en aquel momento el estallido inminente de un conflicto
bélico, ya que consideraban que Alemania todavía no estaba preparada
para entrar en una guerra de larga duración con cualquier otra gran potencia europea, y menos con Francia, cuya superioridad militar todavía no
se cuestionaba [5].

El hecho de que no se creyera en la inminencia de la guerra no fue
obstáculo para que la decisión alemana causara en España una «profunda
impresión». Aunque la inmediatez de los problemas internos seguía aca-
parando el máximo interés de la opinión pública nacional, los diarios re-
cogieron la noticia con titulares de alcance, reflejando el impacto que había
causado en las diferentes capitales europeas. Una vez más, la sociedad
española se dividió profundamente en dos bandos, respectivamente asociados a las derechas, sobre todo la extrema derecha, que encontró no pocas

razones para justificar la acción unilateral de Hitler, y las izquierdas, que la rechazaron de plano por su carácter de flagrante violación del derecho y la amenaza directa que suponía para la paz europea. Por encima de las diferencias, la mayor parte de la prensa subrayó que Alemania ponía a Europa cada vez más ante la evidencia del hecho consumado, resaltando las declaraciones enérgicas de las potencias occidentales al tiempo que cifraban sus esperanzas en que la actitud de Italia pudiera reforzar el debilitado frente de Stresa a fin de garantizar la independencia de Austria y la estabilidad de Europa central [6].

La diplomacia española reaccionó de forma prudente ante la decisión alemana. El Ministerio de Estado no emitió comunicado oficial alguno, limitándose a solicitar información de las embajadas españolas en las capitales europeas, particularmente de la de París, cuyo titular permaneció en comunicación permanente con Barcia, siendo significativo también el aumento de los contactos entre el gobierno español y Herbette. Y es que en Madrid inquietó, sobre todo, la actitud francesa, cuya primera reacción fue calificar de «brutal» la acción de Hitler y declarar que «Francia no habría de someterse a la amenaza ni consentir que Estrasburgo quedara bajo el fuego de los cañones alemanes». Luego, cuando la serenidad se impuso en París y Flandin anunció que su gobierno no tomaría una decisión aislada, la diplomacia española afrontó la situación con mayor tranquilidad, al estimar que la concertación de las potencias locarnistas favorecería la búsqueda de una salida negociada al conflicto, aunque siguió preocupada por la convocatoria de la reunión urgente del Consejo de la Sociedad de Naciones que solicitaron franceses y belgas y la posibilidad de imponer sanciones colectivas a Alemania. También las informaciones procedentes de Londres contribuyeron a reforzar una valoración menos pesimista de la crisis. El gobierno británico, aún repudiando la violación alemana, aceptaba la remilitarización de Renania como hecho consumado y entendía que las propuestas de Hitler debían ofrecer una buena ocasión para entablar negociaciones, una posición que incluso era respaldada desde las páginas del laborista *Daily Herald*. Similares planteamientos también parecían inspirar la actuación de Bélgica y de Italia, cuyo gobierno quiso mantener desde el principio una «actitud expectante» que le permitiera «sacar mayores beneficios» del conflicto centroeuropeo para su causa africana [7].

Frente a Alemania, la cautela fue la nota característica de la actuación española. Un buen ejemplo de ello estuvo en la entrevista que Barcia mantuvo con Völckers, encargado de negocios alemán, el 9 de marzo. Según la versión dada por este último a Berlín, el ministro español se mostró «reservado» en cuanto a las consecuencias jurídicas del acto, pero «comprensivo hacia nuestra lucha por restaurar la soberanía sobre el territorio alemán y quitar las cargas unilaterales de acuerdo con el concepto de la igualdad de derechos». Barcia, según su interlocutor, dio muestras de entender la situación a la que se había visto abocada Alemania, cuya posición «en la lucha contra la propagación del comunismo en Europa Occidental» era fundamental, por lo que el jefe de la diplomacia española «estaba favorablemente inclinado» a la comprensión de la acción alemana y al estudio de sus propuestas de paz. Pese al optimismo de Völckers, la circunspección de Barcia no dejaba de ser mera práctica de cortesía diplomática, y sobre todo un deseo de no enturbiar el clima de entendimiento que se había alcanzado entre Madrid y Berlín cuando iba a procederse a la firma de los nuevos acuerdos comerciales que, tras dura negociación, se rubricaron aquel mismo día [8]. Aunque se guardaran las formas ante Berlín, Madrid estaba más pendiente de lo que se decidiera en París y Londres.

El Gobierno analizó la crisis en el Consejo de Ministros celebrado el 10 de marzo bajo la presidencia de Alcalá Zamora. Tras una exposición de las informaciones recibidas a cargo de Azaña, se decidió que Barcia se desplazara a Ginebra para responsabilizarse directamente de la actuación española en la Sociedad de Naciones, cuyo Consejo estaba convocado para el día 13. Aunque las reseñas de prensa dieron a entender que el gabinete Azaña ya había adoptado la decisión de rechazar los pretextos invocados por el gobierno alemán, al día siguiente Barcia aclaró a Herbette que el Consejo de Ministros no había tomado «ninguna decisión cerrada» sobre la actitud que España mantendría en Ginebra, aunque el Gabinete había reafirmado su voluntad de «ejecutar rigurosamente todas sus obligaciones» y valorado de «gran importancia» la situación creada por la acción alemana. Barcia precisó, a título personal, que «no hay duda alguna de que Alemania ha violado el pacto de Locarno, pero el gobierno español adoptaría una posición incorrecta si lo dijera por adelantado», añadiendo que la gran preocupación española radicaba en la divergencia anglo-francesa, puesto que la política de España estaba «*toute tracée*» cuando Francia e Inglaterra marchaban juntas, pero resultaba incierta si las dos grandes democracias tomaban caminos dispares [9].

La aclaración de Barcia llevó a Herbette a considerar que el gobierno español se asociaría sin dudarlo a toda acción concertada, pero intentaría «evitar el máximo de riesgos» en caso de diferencias entre París y Londres. España —añadió Herbette— no tomaría iniciativa alguna, pero si le era sugerido estaría dispuesta a mediar para lograr una unidad de acción que le era vital para sus intereses nacionales. En cualquier caso, el Embajador subrayó que el gabinete Azaña, «pese a su antipatía hacia el fascismo italiano, temería mucho menos una acción anglo-franco-italiana contra Ale-

mania que una política inglesa de contemplaciones hacia Berlín», lo cual
venía a coincidir con el criterio de París en cuanto a la valoración de dar
prioridad al «peligro alemán», aun a costa de adoptar una actitud más
conciliadora hacia Italia. Esta impresión quedó confirmada un día después, cuando Herbette se entrevistó con Azaña a indicación del *Quai d'Orsay* para insistir en la valoración de la cuestión renana como problema que
afectaba a «la existencia misma de la Sociedad de Naciones». Azaña aclaró
entonces que Barcia tenía instrucciones precisas para pronunciarse «afirmativa y categóricamente» sobre el acto alemán como una violación de
los compromisos contraídos en Locarno y Versalles, añadiendo que «en la
medida en que la política española tiene un papel que jugar en este asunto
ustedes encontrarán un apoyo completo de nuestra parte», aunque volvió
a insistir en lo mismo que había expuesto Barcia anteriormente: el desosiego español por la divergencia anglo-francesa, puesto que la política de
España era «fácil de determinar» siempre que Londres y París estuvieran
de acuerdo [10].

A las diferencias entre Londres y París pronto se añadió otra inquietud:
el mantenimiento de la unidad de acción de las pequeñas potencias neutrales. La idea dominante en el Gobierno era que España, por una parte,
debía apoyar y favorecer la convergencia anglo-francesa, lo cual evitaría
cualquier complicación derivada de divisiones internas en el seno del Frente Popular; pero, por la otra, tampoco se deseaba que la República se
disociara de la política que iban a mantener los países que habían permanecido neutrales durante la Gran Guerra, sobre todo teniendo en cuenta
la posibilidad de que se produjera un agravamiento de la tensión europea,
una perspectiva que obligaba a España a extremar las precauciones y
mantenerse a cubierto de cualquier actitud que la identificara formando
parte de uno de los bandos en pugna. Esta preocupación asomó cuando
se evidenció que en el resto de las capitales neutrales se estaba imponiendo
el temor a Berlín sobre otras consideraciones menos pragmáticas a la hora
de valorar la crisis renana.

Las posiciones más proclives a la estricta neutralidad vinieron de Dinarmarca, dada su condición de vecina territorial de Alemania. Desde
Copenhague se informó que la prensa danesa, aun condenando la acción
de Hitler, se guardaba mucho de aplicarle calificativos duros, y hasta parecía encontrarle «cierta justificación». El gobierno socialdemócrata, por
su parte, rechazaba la forma escogida por el *Fürher* para realizar sus planes, pero se encontraba «muy lejos» de compartir los planteamientos de
París, por lo que era seguro que Munch se opusiera en el Consejo a la
adopción de sanciones contra Berlín. Dinamarca deseaba que Inglaterra
no apoyara las pretensiones francesas, lo que le permitiría «cubrir su ac-

titud conciliadora con la del gobierno de Londres», pero exhibía otro sentimiento que prevalecía en su comportamiento exterior: «el temor de un zarpaso del coloso vecino», lo que le impulsaba a «oponerse siempre, solo o acompañado, a la adopción de sanciones o de cualquiera otra medida coercitiva dirigida contra Alemania». Similar criterio parecía imponerse en el resto de los países escandinavos, incluída Suecia, cuyo gobierno se había caracterizado por profesar un pacifismo comprometido con la causa del Pacto, pero que en esta ocasión la conveniencia le había llevado a «no entrar en discusiones ni exteriorizar mayores empeños en un problema en el que toda intervención es peligrosa». Y lo mismo sucedía en Suiza, donde se observaba «un pronunciado deseo de evitar rozamientos» con el gobierno nazi [11].

Las prevenciones neutralistas obligaron a la diplomacia española a actuar con sumo cuidado, dirigiendo sus pasos en una doble dirección: por un lado, favorecer el acuerdo entre Francia y Gran Bretaña, y por el otro, preservar la unión de los neutrales europeos. Para hacer posible esta doble unidad de acción política era del todo indispensable que el gobierno francés no insistiera en la imposición de sanciones a Alemania, lo que sería rechazado por Londres, Bruselas, Roma y el resto de los miembros del Consejo. Tampoco era oportuno que el gobierno británico siguiera manteniendo sus posiciones de estudiar las propuestas de Hitler antes de que se hubiera emitido un veredicto sobre la situación creada por el acto de fuerza alemán, a lo que París jamás accedería. Los pasos dados por la diplomacia española, tanto los de Madariaga en Ginebra, a donde se había desplazado nada más tener conocimiento de que Flandin y Eden se dirigían hacia allí, como los de Barcia en París, de paso hacia la ciudad helvética, se encaminaron en esa doble dirección.

La posición española era conocida por la diplomacia de Berlín. Según los documentos consultados por Emmerson, en Alemania se estimó que las primeras instrucciones de Madrid de «trabajar para prevenir futuras violaciones de tratados» fueron cambiadas hacia el 11 de marzo en el sentido de dirigir todos los esfuerzos a la «preservación de la paz», lo cual inducía a creer que «España condenaría el golpe, pero no apoyaría las sanciones contra el *Reich*». A juzgar por la documentación española, no parece probable que esta precisión de la actitud española se debiera a instrucciones emanadas de Madrid, sino al resultado de las gestiones que estaban desarrollando Barcia y Madariaga en París y Ginebra, que hacían prever un rechazo generalizado a la imposición de sanciones. Desde París Barcia informó al Gobierno que la situación era complicada, encontrándose España en una difícil tesitura en caso de mantenerse la división entre las potencias locarnistas. Según el Ministro, la delegación española debía votar en el Consejo a favor de la demanda franco-belga, en el sentido de que Alemania había cometido un acto de infracción al repudiar unilateralmente el tratado de Locarno, pero mantenía sus reservas, cuando no su rechazo explícito, en cuanto a la posibilidad de que España fuera requerida a aplicar sanciones, puesto que desde el punto de vista jurídico no había «base suficiente para obligarla», y políticamente «toca decidir al Gobierno». Barcia, en cualquier caso, apostaba por agotar la vía de la negociación, con lo cual era «menos probable» que se llegara a la aplicación de sanciones [12]. En Madrid, el Gobierno dio su conformidad a esta línea de conducta de cara a la inminente sesión del Consejo.

La convocatoria del Consejo, por otra parte, había sufrido un repentino cambio de planes. En las «dramáticas conversaciones» de París, Eden propuso que la reunión se celebrara en Londres en vez de en Ginebra, y un día después de la fecha inicialmente prevista, por estimar que la responsabilidad de Gran Bretaña era «suficientemente grave para justificar que las decisiones que hubieran de tomarse se hiciesen en el seno del gobierno entero», al tiempo que favorecería la presencia de Alemania. En consecuencia, fue en Londres y a partir del 14 de marzo cuando tuvo lugar la importante reunión en donde debía definirse de forma clara la actitud de España ante la crisis renana.

Repudiamos, pero no sancionamos

Reunido el Consejo en Londres, desde el inicio cobró importancia la presencia de Alemania en las discusiones. El secretario general de la Sociedad ya había dirigido una invitación a Berlín en su condición de firmante de Locarno, pero el gobierno británico solicitó que se le reiterara el llamamiento de acuerdo con el artículo 17 del *Covenant*, que establecía tal posibilidad para los Estados que no formaban parte de la Sociedad a fin de someterse a las mismas obligaciones que se le imponían a los Estados miembros en la resolución de las disputas. Francia estaba de acuerdo en dirigir un nuevo requerimiento, pero invocando no sólo el Pacto, sino también el tratado de Locarno. La diferencia no era banal, puesto que —como señaló Madariaga— «tras este matiz jurídico se ocultaba una evidente maniobra política, consistente, por parte de Inglaterra, en diluir en todo el Consejo, y a través del Consejo en toda la Sociedad de Naciones, la responsabilidad directa que le incumbía por el tratado de Locarno». Francia, en cambio, aspiraba a que las potencias locarnistas se pronunciaran sobre el alcance de sus obligaciones y las medidas a adoptar frente a

Alemania y que el resto del Consejo se limitara a asociarse a la acción de dichos países [13].

En el medio de la polémica se encontraban los restantes miembros del Consejo. Éstos —como ha escrito Walters— «de ningún modo se sentían inclinados a sacarles las castañas del fuego a Francia, Gran Bretaña y Bélgica, que eran las potencias más directamente implicadas y también las únicas que poseían un claro derecho a mantener por la fuerza la desmilitarización», por lo que estaban sumamente interesados en limitar la acción de la Sociedad a lo establecido en Locarno; es decir, emitir un pronunciamiento sobre la existencia o no de la infracción, pero dejando que fueran las potencias locarnistas las que luego decidieran las medidas concretas a adoptar contra Alemania. De ahí que la delegación española, aún considerando que era conveniente favorecer la presencia de Alemania, pusiera especial empeño en dejar la invocación al Pacto al margen de la invitación, a fin de «evitar que se involucrasen los procedimientos y, lo que es más importante, las políticas que se desprendían de ellos» [14]. Finalmente, se impuso el criterio de que el nuevo requerimiento a Berlín se hiciera confirmando la primera notificación en su condición de potencia locarnista.

Pese a aquel respiro, la situación en que se encontraba el Consejo seguía siendo «muy confusa». Mientras proseguía el desacuerdo, la delegación española aprovechó el receso de las sesiones oficiales para mantener una reunión con los neutrales. Del cambio de impresiones, Barcia extrajo la conclusión de que los países escandinavos se opondrían firmemente, valiéndose del voto de Dinamarca, a toda tentativa de sanciones, exigiendo, además, «una redacción mesurada» de la resolución condenatoria de Alemania. De forma simultánea, el embajador alemán en Londres insistió en entrevistarse con Barcia y Madariaga a fin de exponerles el criterio de Berlín de que las proposiciones de Hitler constituían «un conjunto inseparable», haciendo depender su oferta de un pacto de no agresión a «la aceptación de cancelar la zona desmilitarizada». Los delegados españoles se limitaron a insistir en la presencia de Alemania en Londres, puesto que ello «cambiaría el sentido de los procedimientos y el fin del debate», en un nuevo esfuerzo español de dar prioridad a la vía de la conciliación [15].

A la luz de estos contactos, la delegación española precisó un poco más su actitud en el conflicto. Vista la posición alemana de consolidar la remilitarización de Renania, los recelos de los neutrales, los intentos de Londres de involucrar al Consejo en la discusión de las propuestas de Hitler y la pretensión francesa de imponer sanciones, convenía, ante todo, solucionar el conflicto jurídico planteado, definiendo claramente el papel que le correspondía desempeñar al Consejo y evitando que las potencias locarnistas intentaran utilizar a la Sociedad, bien para aplicar una política de concesiones hacia Berlín, como perseguía Londres, o bien para imponer sanciones contra Alemania, como deseaba Francia. A este planteamiento respondió la intervención de Barcia en la sesión secreta celebrada el 16 de marzo. El ministro español defendió que «el contenido concreto y preciso» de aquella reunión no era otro que «pronunciarse sobre la cuestión de saber si ha habido infracción a los artículos 42 y 43 del tratado de Versalles; y en caso afirmativo, notificar este hecho a las potencias firmantes del pacto de Locarno», por lo que al Consejo no le correspondía tomar decisión alguna sobre las medidas a adoptar. Por otra parte, Barcia matizó que el Consejo no podía tratar las nuevas propuestas alemanas porque no había sido convocado para ello y no podía «alterar por su propia iniciativa la base misma de sus trabajos antes de que las potencias locarnistas le hiciera ver la necesidad de hacerlo» [16].

El criterio defendido por Barcia era jurídicamente intachable y políticamente hábil, puesto que se basaba en una interpretación rigurosa de las estipulaciones contenidas en los acuerdos de Locarno y hacía recaer toda la responsabilidad de las medidas a adoptar en sus signatarios. Como ha observado Walters, «aunque las potencias de Locarno estuvieran autorizadas a tratar una violación de la zona desmilitarizada como equivalente a la invasión de Francia o Bélgica, los otros Miembros de la Sociedad no estaban obligados a hacer lo mismo», por lo que España y el resto de las potencias neutrales, «en vista de las múltiples violaciones de tratados que habían presenciado últimamente, sobre todo tras la agresión italiana, y el modo en que ésta había sido ayudada o tolerada por Francia y Gran Bretaña, no se asombraron particularmente de la decisión alemana de reclamar manos libres sobre su propio territorio» [17]. Este planteamiento era el que estaba en el fondo de la actitud española y así lo indicó Barcia durante la sesión pública del 18 de marzo.

La nueva intervención de Barcia tuvo dos partes bien diferenciadas: la primera, más jurídica, destinada a argumentar que la decisión unilateral alemana era incompatible con el derecho internacional; la segunda, más política, encaminada a exponer las razones que impulsaban a España a rechazar la imposición de sanciones contra Alemania. Para Barcia resultaba incuestionable la inserción de Locarno en el sistema general del Pacto, pero insistió en que el procedimiento a seguir tenía que limitarse a la declaración de la infracción cometida y la notificación de la misma a las potencias locarnistas para que éstas obrasen en consecuencia. De acuerdo con ello, España se pronunciaba a favor de la proposición franco-belga en el sentido de declarar que Alemania había cometido una «violación flagrante» del tratado de Versalles. Aclarado el primer punto, Barcia inició la segunda parte de su discurso reiterando el compromiso español con las obligaciones internacionales contraídas. Desde ese fundamento, el gobierno de la República rechazaba la carrera de armamentos, la política de hechos consumados y las interpretaciones unilaterales de los tratados, pero no estaba dispuesto a aplicar sanciones porque el compromiso de España con la Sociedad derivaba de un «conjunto indivisible» que debía ser contemplado desde un triple punto de vista: jurídico, lógico y político. Jurídicamente, España no se consideraba obligada a aceptar a la fuerza más deberes del artículo 16 del Pacto cuando los compromisos del artículo 8 no habían sido cumplidos. Desde el punto de vista lógico, de haberse hecho efectivo el desarme se hubiera reducido la probabilidad y peligrosidad de los ataques, por lo que los países comprometidos con el Pacto, como era el caso de España, no tenían necesidad de recurrir a medidas para asegurar la seguridad de nadie. Y desde el punto de vista político, «ningún gobierno podría comprometerse a venir en ayuda en el último momento para resolver una situación difícil cuyo origen y gestación hubieran tenido lugar fuera de él y sin él» [18]. En fin, *realpolitik* por parte del gobierno del Frente Popular, aunque guardando las debidas formas de la condena moral del infractor.

Como el discurso de Barcia echaba por tierra los intentos de Londres de involucrar al Consejo en las medidas a tomar y en el estudio de las propuestas alemanas, y con ello reforzaba la tesis francesa de condena de la violación y supeditación de las decisiones al marco de Locarno, su intervención fue muy bien recibida en París. Para la delegación francesa, las exposiciones «más claras, más directas y más sólidamente estructuradas» habían sido las de Titulescu y Barcia, puesto que habían señalado «la gravedad de la infracción cometida» y sus «consecuencias amenazantes para las relaciones internacionales», y rechazado el inicio de la discusión sobre las propuestas de Hitler mientras no se produjera la «indispensable restitución del derecho inpunemente violado». También la prensa francesa dedicó comentarios laudatorios a la intervención del ministro español; para *Le Matin* sus palabras respondían al «lenguaje del buen sentido», y *L'Humanité* valoró como una «feliz iniciativa» la actitud de Barcia convocando a los neutrales para pedirles el apoyo a la propuesta francesa, subrayando que «contra el golpe de fuerza de Hitler, la URSS y la España del Frente Popular han sido las más leales colaboradoras de Francia». El gobierno español, por su parte, tenía motivos sobrados para valorar que «Barcia había ejecutado fielmente sus instrucciones y cumplido su misión con éxito», al tiempo que se mostró optimista sobre las futuras negociaciones, expresando su confianza de que «se encontrará una fórmula capaz de satisfacer a Francia y Bélgica resolviendo pacíficamente el problema». De igual forma, la prensa republicana dedicó encendidos elogios a la actitud de España de aceptar «gallardemente sus responsabilidades», aunque destacó más su condena de la violación de Locarno que su negativa a la política de sanciones [19].

Habiendo quedado aclarado el papel meramente consultivo del Consejo y a salvo la responsabilidad de las pequeñas potencias, Barcia regresó a Madrid y dejó la representación española en Londres a cargo de Madariaga. Al quedar las decisiones en manos de las potencias locarnistas, el peligro para España, de momento, había pasado. Por si quedaba alguna duda, Madariaga se entrevistó con Eden para exponerle que España se opondría a cualquier resolución en la línea de la que se adoptó después de la ley del ejército alemán y la formación del frente de Stresa, indicando que la resolución podía contener alguna referencia a las proposiciones alemanas aludiendo a que el regreso de Alemania a la Sociedad de Naciones podía ser una buena contribución a la mejora de la situación internacional [20]. En cualquier caso, esta vez no hubo ocasión para que las potencias locarnistas obligaran al resto del Consejo a adoptar una «solución prefabricada» a la manera de Stresa, ni mucho menos para que Madariaga abrigara la vana esperanza de un hipotético regreso de la Alemania de Hitler a Ginebra.

Las reuniones entre los Estados locarnistas, sin la presencia de Alemania, continuaron «en una atmósfera de pesimismo y tirantez», según Madariaga, y a la búsqueda, no de una política común frente al peligro del resurgimiento alemán, sino de «una fórmula que pudiera cubrir su propio desacuerdo», como indicó Walters. La jornada del 19 de marzo fue clave para salir del estancamiento; el acuerdo alcanzado partía de la consideración de que la acción alemana ni otorgaba nuevos derechos al *Reich* ni afectaba a la validez de Locarno, por lo que los estados mayores de los cuatro países debían ponerse en contacto por si fuera necesario repeler una agresión; al mismo tiempo, se invitaba a Alemania a someter al Tribunal de la Haya la presunta incompatibilidad del pacto franco-soviético con los acuerdos de Locarno, y planteaba el inicio de negociaciones con Alemania sobre la base del mantenimiento de una nueva zona desmilitarizada de veinte kilómetros, ocupada y controlada por fuerzas internacionales. De esta forma se había llegado a la aceptación del hecho consumado y al inicio de una negociación con Hitler tal como deseaba Gran Bretaña, aunque Francia también cumplió parte de sus objetivos iniciales al mantenerse la vigencia de Locarno y, por tanto, la obligación británica de prestar asistencia militar a franceses y belgas en caso de una agresión alemana no provocada. Al preservar la unidad de acción anglo-francesa y proporcionar un marco de futura cooperación frente a un ataque alemán, el acuerdo del 19 de marzo fue bien recibido en Londres y París, llegándose a comentar que, pese al carácter ambiguo de la fórmula, «lo esencial es que se esté de acuerdo para ponerse de acuerdo con vistas a otro acuerdo» [21]. De todas formas, la resolución del conflicto quedaba en un punto muerto que sólo podía ser salvado con la aceptación alemana de las propuestas, y era evidente que Hitler no estaba dispuesto a aceptarlas.

Las propuestas fueron presentadas al Consejo el 21 de marzo, aunque tampoco se esperaba que sus miembros las aprobaran, pues todavía se estaba en fase de conciliación. Tres días después, el Consejo clausuró su reunión de Londres suspendiendo toda acción a la espera de las conversaciones que se desarrollaran entre las potencias locarnistas. Los resultados, sin embargo, nunca llegaron. Sin esperar más tiempo, Hitler rechazó las propuestas anglo-francesas, calificándolas de «deshonestas». A finales de marzo, los gobiernos francés y belga dieron por concluída la fase de conciliación, entrándose en una dinámica de nuevas propuestas alemanas y contrapropuestas francesas que no condujeron a ninguna parte, excepto a ahondar la fosa que ya separaba a las dos grandes potencias de la Europa continental. Con el triunfo de la política hitleriana del *fait accompli*, las estipulaciones de Locarno concernientes a la zona desmilitarizada del Rhin se habían convertido en papel mojado. Las garantías de asistencia establecidas por el Tratado seguían vigentes, aunque sin Alemania, e incluso se iniciaron conversaciones militares entre ingleses, franceses y belgas, pero el «espíritu de Locarno» al que tanto se había apelado había desaparecido por completo, y con él, buena parte del escaso prestigio que Francia y Gran Bretaña aún conservaban. Como ha apuntado Emmerson, «con la desaparición de la Renania desmilitarizada, Europa había perdido su última garantía contra la agresión germana» [22].

La nueva situación creada tenía necesariamente que repercutir en las reflexiones que las pequeñas potencias se estaban haciendo sobre el futuro de su acción diplomática. El Ministerio de Estado, tras valorar positivamente su intervención en la crisis y el «papel preponderante» que habían desempeñado las pequeñas potencias contribuyendo a «suavizar actitudes y asperezas», decidió iniciar gestiones para conocer el punto de vista de los neutrales ante la agudización del enfrentamiento franco-germano y el riesgo de guerra europea. De las consultas practicadas se desprendía que todos los gobiernos se mostraron satisfechos de la unidad de acción alcanzada en Londres, pero expresaron su deseo de evitar futuras mediaciones. La principal preocupación danesa seguía siendo «alejar a los neutrales de la discusión entre ambos bandos contendientes», dejando que las grandes potencias arreglaran sus diferencias entre ellas «sin mezclar a países que nada tienen que ver en el problema planteado». Como apostillaba el jefe de la Legación española en Copenhague, se trataba de «extremar la política de neutralidad observada durante la guerra en los tiempos de paz». Igual actitúd se estaba consolidando en Noruega, donde el 19 de marzo se inició un debate en el *Storting* en el que el ministro de Asuntos Exteriores apuntó la necesidad de plantear un debate sobre el futuro de la Sociedad y la reafirmación de la neutralidad [23].

Se confirmaba de este modo la tendencia apuntada en los países neutrales de dejar a un lado la exaltación del Pacto con el fin de «acomodarse a las circunstancias» y no verse involucrados en la guerra que se avecinaba. La reunión del Consejo en Londres había confirmado la debilidad, y hasta la incapacidad, de las grandes potencias democráticas para hacer frente a la política de fuerza alemana. En tales condiciones, el reforzamiento de las posiciones neutralistas era la salida a la que todos querían aferrarse. España no fue una excepción a la regla. Barcia y Azaña, en sus entrevistas con los embajadores de Francia e Inglaterra, siguieron apostando por la consecución de una «*entente* democrática», pero no ocultaron sus deseos de que España permaneciera neutral en una futura contienda. Los acontecimientos posteriores proporcionaron nuevos argumentos para reforzar esta alternativa.

ADIÓS A GINEBRA: ESPAÑA AL FINAL DE ABISINIA

Después de la «bomba» Hoare-Laval, el conflicto italo-etíope entró en fase estacionaria. Enero de 1936 transcurrió sin grandes operaciones militares, creyéndose que la guerra iba a durar tiempo, y el Comité de los Dieciocho prosiguió sus trabajos, aunque sin darse prisa. El éxito de la política sancionadora dependía de la prolongación de la guerra, pero la capacidad de resistencia etíope era débil. Mientras la Sociedad de Naciones se entretenía realizando su última tentativa de llegar a una paz negociada, Mussolini intensificó la presión militar en Abisinia. La fase decisiva de la guerra empezó en febrero y culminó a comienzos de mayo con la victoria total de Italia y la derrota, no sólo de Etiopía, sino también de la Sociedad. Al éxito de Mussolini en esta fase final contribuyó la interferencia de la crisis renana, que favoreció la política italiana, puesto que para la mayor parte de los Estados europeos, y sobre todo para Francia, el «peligro nazi» en Europa central era mucho más inquietante que la pérdida de la independencia del *Negus* [24].

Los últimos intentos de negociar la paz

Poco antes de la remilitarización de Renania, Ginebra había desaprove-
chado la última oportunidad de incrementar la presión sobre Mussolini.
A comienzos de marzo, el Comité de los Dieciocho aplazó la decisión sobre
el embargo de petróleo con la finalidad de hacer un último intento de
poner fin a la guerra por la vía de la conciliación. La gestión fue encargada
al Comité de los Trece (el Consejo sin las partes), que el 3 de marzo envió
un requerimiento a Roma y a Addis Abeba para conocer su eventual
disposición a entrar en conversaciones. El Comité volvió a reunirse en
Londres el 23 de marzo, decidiendo confiar a Madariaga, su presidente, y
Avenol, secretario general de la Sociedad, «la tarea de informarse cerca de
las dos partes y de tomar todas las medidas útiles» a fin de llegar a un
rápido cese de las hostilidades y tratar las denuncias etíopes sobre el empleo de gases prohibidos por el ejército italiano [25]. Comenzaba de esta
forma la misión negociadora más importante que se le encomendaba a
Madariaga desde el inicio del conflicto, y también la más difícil, puesto
que Italia parecía tener casi asegurada la guerra y los restantes miembros
de la Sociedad estaban más preocupados de la crisis europea que de la
suerte de Etiopía.

Madariaga era escéptico respecto del éxito de su misión negociadora,
y así se lo expuso a Eden nada más recibir el encargo. Su escepticismo se
confirmó al entrevistarse con el embajador de Italia en Londres y advertir
que Roma sólo aspiraba a poner en práctica «procedimientos dilatorios».
El delegado español tampoco desconocía las enormes diferencias que separaban a Londres y París en el tema de las sanciones y su relación con
las negociaciones de paz. Mientras los británicos consideraban la cuestión
etíope «más grave» que la renana y eran conscientes de que no podían
abandonar la acción colectiva por la presión de su opinión pública, los
franceses se proponían utilizar las sanciones contra Italia para forzar a
Londres a adoptar la misma política contra Alemania, lo cual revelaba,
según Madariaga, «una ignorancia tan grave del estado de ánimo inglés
que lleva consigo los gérmenes de una profunda discordia» [26]. Pero si Madariaga captó bien los obstáculos que se interponían en su labor y las
diferentes perspectivas que se tenían de ella, no siempre pudo evitar que
sus repercusiones le afectaran de lleno y, en su calidad de presidente del
Comité de los Trece, siempre estuvo cogido entre dos fuegos.

Las dificultades comenzaron pronto. De acuerdo con el mandato recibido, Madariaga dirigió dos cartas al gobierno italiano: una pidiendo aclaraciones sobre el empleo de medios de guerra prohibidos y otra solicitando
el nombramiento de un interlocutor válido para discutir la cuestión de la

paz. Hecho esto, se trasladó a Madrid convencido de que Roma deseaba «tomarse tiempo para ciertas operaciones militares» y que la negociación «tendrá primero que pasar por un período casi muerto, a causa de la postura italiana», que a su juicio era «imposible forzar». Los británicos, sin embargo, no compartían este criterio y estaban decididos a «forzar» la respuesta de Italia aunque para ello tuvieran que «persuadir» a Madariaga. Presionado por una opinión pública alarmada por las atrocidades de la guerra e informado de que Mussolini estaba organizando grandes ofensivas militares para estar en mejores condiciones de negociar, Londres estimó que era «indeseable que el Comité de los Trece tuviera que prestarse a esta maniobra». El mismo día que el *Foreign Office* instruía a sus delegados en Ginebra para que presionaran sobre Madariaga a fin de que éste mostrara «alguna señal de actividad», el delegado español recibía severas críticas en *Le Journal des Nations* por la lentitud con que había conducido el proceso negociador. Estos comentarios preocuparon seriamente en el Ministerio de Estado, que temió ante la posibilidad de que «fuéramos nosotros, los españoles, los que cargásemos con el mochuelo de la inactividad», por lo que Madariaga multiplicó gestiones y consultas que culminaron con la convocatoria de una reunión urgente del Comité [27].

La puesta en práctica de este rápido proceso provocó la reacción de la prensa italiana, que acusó al presidente de los Trece de actuar bajo la presión británica. Madariaga ha rechazado posteriormente tales imputaciones con el argumento de que «Inglaterra tenía entonces —según la pintoresca frase francesa— otros gatos que azotar: Hitler en el Rin y no Mussolini en Etiopía era el plato del día». Y en efecto, la situación creada por el nuevo golpe de fuerza alemán estaba interfiriendo las negociaciones de paz, pero el gobierno británico se mostraba más inclinado a penalizar a Mussolini por su agresión a Etiopía que a obligar a Hitler al cumplimiento de Locarno. Así, cuando se supo que la respuesta italiana había sido la de enviar a un representante especial a Ginebra para tener un primer cambio de ideas sobre las negociaciones de paz e invitar a Madariaga a Roma para que se entrevistara con Mussolini, Londres interpretó que se trataba de una nueva maniobra dilatoria para intensificar las operaciones militares y reafirmó la necesidad de «acelerar los esfuerzos de conciliación» mediante la convocatoria de una reunión urgente del Comité. El 4 de abril, cuando todavía Madariaga no había tomado una decisión definitiva sobre el tema, Eden indicó a altos funcionarios del *Foreign Office* que la política británica debía ser la de «presionar» a Madariaga para que convocara al Comité a fin de dar cuenta de sus gestiones y preparar el terreno para el reforzamiento de las sanciones [28].

De forma paralela al incremento de la presión británica, Madrid estaba

preocupándose seriamente por la delicada situación en que se encontraba
Madariaga. La disparidad de criterios entre el gobierno inglés, decidido a
presionar a Italia con la amenaza de adoptar nuevas sanciones, y el francés, que exigía la máxima moderación para no deteriorar la posición diplomática de los italianos en Europa, comprometía seriamente el esfuerzo
conciliador que encabezaba España. La invitación cursada por el gobierno
italiano para que Madariaga viajara a Roma con el propósito de entrevistarse con Mussolini proporcionó el pretexto necesario para convocar la
reunión que tanto exigían los británicos. Tanto Madariaga en Ginebra
como Barcia en Madrid estimaron que, dada la disparidad de criterios
entre Londres y París, la aceptación de la invitación italiana era una cuestión demasiado arriesgada como para tomar una decisión sin autorización
expresa del Comité, cuya reunión parecía indispensable a fin de ponerle
al corriente de la primera fase de gestiones y recibir instrucciones precisas
para continuar las conversaciones. La decisión final, adoptada «en gran
parte por la iniciativa británica» —como declaró Eden en la Cámara de
los Comunes— se tomó en la noche del 4 de abril y su convocatoria se
mantuvo pese a los esfuerzos realizados por los italianos en París, Madrid
y Ginebra para retrasarla [29].

La sesión del Comité de los Trece del 8 de abril sólo sirvió para revelar
el profundo desacuerdo entre Francia y Gran Bretaña sobre la política a
desplegar frente a Mussolini. Las dos cuestiones que acapararon la atención de los delegados fue el empleo de gases venenosos por el ejército
italiano y las negociaciones de paz encargadas a Madariaga en Londres.
En el primer punto, Eden intentó que el Comité se pronunciara en un
sentido condenatorio, pero Flandin bloqueó el asunto y todo quedó en una
petición de datos a la Cruz Roja y en el encargo de un estudio a un comité
de juristas. En cuanto a las gestiones de paz, Eden lamentó la falta de
resultados concretos, defendió la necesidad de intentar llegar a un rápido
armisticio y recomendó una nueva reunión del Comité de los Dieciocho en
caso de que las negociaciones fracasaran. Flandin, en cambio, habló de la
buena disposición inicial del gobierno italiano, insistió en la necesidad de
esperar a que sus delegados llegaran a Ginebra y dejó entrever que su
gobierno era partidario de que Madariaga hubiera aceptado la invitación
de entrevistarse con Mussolini [30].

La reunión hubo de esperar a que Madariaga y Avenol se encontraran
con Aloisi para precisar el contenido de la respuesta de Roma. El gobierno
italiano renovó su invitación a Madariaga, haciéndola extensiva a Avenol,
pero el delegado español reiteró que no acometería negociación alguna sin
el concurso de los demás miembros del Consejo. Ante la insistencia de
Madariaga en exigir un mandato expreso del Comité, en la última sesión

se vivió el momento de máxima tensión cuando Flandin defendió la apertura de «conversaciones directas entre los representantes de Italia y Abisinia sin interferencia de la Sociedad de Naciones», propuesta que fue rechazada por Eden. En medio de la pugna, Madariaga reconoció que «ya nadie pensaba que fuera posible mantener el Pacto en su integridad y que, por lo tanto, los principios tendrían que aguantarse», pero no estaba dispuesto al intento francés de «encerrarnos a Avenol y a mi bajo el techo de la responsabilidad, por si se hundía la negociación», por lo que propuso dos alternativas posibles: o bien se reconocía la realidad de los hechos y se otorgaba un mandato para negociar un acuerdo «salvando lo que se pueda de los intereses del *Negus*, pero en la inteligencia de que no se podrá conciliar el resultado con el Pacto», o bien el Comité se constituía en sesión permanente para «compartir con nosotros la responsabilidad de los sacrificios a medida que se vayan haciendo» [31]. Quedó claro, entonces, que el delegado español tenía instrucciones expresas de Madrid en el sentido de no asumir en exclusiva la responsabilidad del fracaso de la negociación.

Las diferencias entre las posiciones inglesas y francesas eran tan grandes que de aquella reunión no podía salir nada nuevo. El Comité decidió encargar a Madariaga y Avenol el inicio de conversaciones inmediatas con las delegaciones de Italia y Etiopía en Ginebra sobre la base de la resolución de Londres, aplazar toda decisión sobre el viaje a Roma hasta conocer el resultado de estos contactos y convocar nuevamente al Comité para el 16 de abril. Todo quedaba, pues, en suspenso. Eden no había conseguido su propósito de amenazar con nuevas sanciones, ni Flandin el suyo de presionar a Etiopía para que se aviniera a conversaciones directas. Tampoco Madariaga obtuvo del Comité las «instrucciones positivas» que tanto demandaba, por lo que el procedimiento a seguir en las futuras conversaciones seguía siendo una incógnita y dependía por entero de las pretensiones italianas. El único beneficiado por la situación fue Mussolini, que ganó más tiempo para completar sus planes militares.

Italia aprovechó la tregua en las deliberaciones de Ginebra para hacer avanzar las posiciones de sus tropas y abrirse camino hacia la capital de Etiopía. Cuando el 15 de abril Madariaga se encontró con Aloisi, éste había recibido instrucciones de Mussolini de «mantener más que nunca la intransigencia». Las propuestas del delegado italiano contemplaban el establecimiento de negociaciones directas entre Italia y Etiopía fuera de Ginebra y sin la presencia de representante alguno de la Sociedad, cuyo Comité sería informado a través de la delegación italiana; la reserva absoluta del gobierno italiano respecto de sus planes de paz, y la imposibilidad de conseguir el cese de las hostilidades durante el desarrollo de las conversaciones. Más que unas bases de negociación, Aloisi presentó una serie de imposiciones amparadas en la ventajosa situación militar de las tropas italianas, «un plan inaceptable e incompatible con el Pacto» —según Madariaga— y que, como era de esperar, encontró la «rotunda negativa» de Etiopía [32].

Con las propuestas italianas y la respuesta etíope, la conciliación entre las partes era ya imposible. En cualquier caso, durante los días 16 y 17 de abril se intensificaron los contactos en un último intento de salvar lo insalvable. Fue en ese momento cuando se hizo evidente la disparidad de criterios entre los dos conductores de las conversaciones, Madariaga y Avenol, que interpretaron sus entrevistas con Aloisi de manera diferente. Mientras Avenol se mostraba optimista y confiaba en salvar la negociación con el argumento de que las proposiciones italianas eran sólo un punto de partida y podían mejorarse, Madariaga sacó una impresión bastante pesimista y veía casi cerradas las puertas de un posible acuerdo, por lo que trataba de buscar una salida airosa que no ahondara las diferencias entre ingleses y franceses y, sobre todo, que hiciera recaer el fracaso de las negociaciones en la actitud de las partes y no en la del Comité. Las mismas diferencias que separaban a Madariaga y Avenol se reprodujeron entre Eden y Boncour, aunque llevándolas hasta sus últimas consecuencias: el ministro inglés estimó fracasado el intento negociador y propuso la convocatoria inmediata del Comité de los Dieciocho para «reafirmar las actuales sanciones»; el delegado francés, en cambio, se limitó a exponer las dificultades de su gobierno para adoptar decisiones de trascendencia en plena campaña electoral, aunque «en el fondo parecía estar conforme en que se acceda a las pretensiones de Italia». Finalmente se convino en que Madariaga y Avenol hicieran una nueva gestión ante las partes y, si se reiteraban en sus posiciones, dar por cerrada la conciliación [33].

La última ronda de conversaciones siguió sin dar resultado positivo. Aloisi no añadió ninguna modificación a sus propuestas iniciales y, en consecuencia, el gobierno etíope volvió a rechazar la negociación directa sin intervención de Ginebra. A Madariaga no le quedó otra opción que dar por concluída su misión y al Comité registrar el fracaso del último intento de llegar a una paz negociada. Dos alternativas se plantearon a partir de entonces: la convocatoria del Comité de los Dieciocho y el reforzamiento de la acción colectiva contra el agresor, o la aceptación de los hechos consumados y el abandono de las sanciones. La primera había sido defendida por Eden, pero con ello se corría el riesgo de que Italia se retirara de la Sociedad y que las nuevas sanciones no llegaran a tiempo de impedir su victoria militar. La segunda alternativa daba plena satisfacción a los deseos del gobierno francés, pero significaba dar la espalda a lo poco que quedaba del Pacto y abrir una brecha profunda entre París y

Londres. Ante los peligros evidentes de ambas alternativas y la realidad de que Francia estaba sumida en unas elecciones generales que le impedía adoptar una decisión definitiva, sólo quedaba la tercera vía.

Madariaga volvió a brillar entonces como maestro de la tercera vía, gestionando una salida de compromiso entre las dos alternativas. Propuso, por una parte, dar por terminada la fase de conciliación, y por la otra, aplazar la reunión del Comité de los Dieciocho, convocando en su lugar al Consejo. Al margen del papel mediador asumido por Madariaga, el acuerdo entre Eden y Boncour había sido trabajado desde hacía una semana por la diplomacia francesa con apelaciones a la *realpolitik*. El *Quai d'Orsay* argumentaba entonces que la única solución eficaz para hacer cumplir el Pacto en Abisinia era la aplicación de sanciones militares, solución impensable ante el estado de la situación europea, y que cualquier nueva medida económica y financiera que se adoptara, como el embargo de petróleo, resultaba totalmente inoperante para frenar una guerra en la que el ejército italiano se encontraba a las puertas de Addis Abeba, además de que ello suponía el enajenamiento del concurso de Mussolini para contrarrestar la amenaza de Hitler. Como reconoció el propio Madariaga, la tercera vía no podía haberse conseguido si no hubieran concurrido una serie de «circunstancias favorables», como la preocupación por la política alemana y la convicción generalizada, incluso en la opinión pública británica, de que «queda poco que hacer para reivindicar de un modo absoluto los principios de Ginebra y la defensa de la integridad etíope» [34].

Y como quedaba poco que hacer en defensa de la Sociedad de Naciones se encontró una fórmula que protegiera, al menos, a las naciones de la Sociedad. Se adoptó, en síntesis, una solución típicamente ginebrina, de carácter transaccional y con «la moderación como premisa»: ni reforzamiento ni supresión de las sanciones, sino mantenimiento de las existentes, lo que permitía a los británicos «salvar la cara» y a los franceses «salvar a Italia», como bien ha apuntado Baer, quien ha reforzado su argumentación con el comentario de un miembro de la delegación británica: el «fracaso de la Sociedad» era preferible al «fracaso británico». Junto a Inglaterra y Francia, también España quiso salvar algo, su voluntad conciliadora y su responsabilidad al frente del Comité de los Trece, máxima preocupación de su aparato diplomático durante aquel mes de frustrados intentos de poner fin a la guerra. Para reafirmarlo con fuerza ante la opinión pública, Madariaga lanzó un mensaje radiofónico desde Ginebra, transmitido «a las cinco partes del mundo» en inglés, francés y español, en el que dio cuenta del fracaso de su misión y apeló, una vez más, a la fe en la Sociedad de Naciones [35].

Bonitas palabras al margen, el llamamiento de Madariaga ya no podía ilusionar a nadie y, en realidad, tuvo un escaso significado en aquellas circunstancias de descrédito de las democracias y de bancarrota del sistema internacional. La prensa española fue unánime al respecto: con el fracaso de los intentos de arreglo pacífico del Comité de los Trece, podía «darse por fracasada también la propia Sociedad de Naciones en su misión principal, que es asegurar la paz y restablecerla allí donde se haya alterado». La nueva realidad no se le escapaba a nadie, aunque oficialmente no se quisiera reconocer de ese modo. El gobierno español reiteró su fidelidad al Pacto públicamente, pero en privado expresó su alivio por haber salvado su posición sin haber quedado mal con nadie. Las cancillerías occidentales valoraron que Madariaga «hizo todo lo que estaba en su poder para dar contenido y decisión a las deliberaciones del Comité», por lo que en Ginebra recibió las felicitaciones de todas las delegaciones por los «beneficios» de su intervención. En Madrid, mientras, el embajador italiano testimoniaba el reconocimiento de su gobierno a la actitud de España, que «aún habiendo actuado estrictamente dentro del marco de la Sociedad de Naciones, como era su deber, no ha omitido el demostrar su benévola actitud respecto de Italia dentro de lo compatible con las obligaciones contraídas»[36]. Gracias a la prudencia que imponía el realismo político, se había conseguido eludir otra situación comprometida.

Para poder bajar el telón de aquella farsa de conciliación, sólo faltaba el epílogo: la reunión del Consejo del 20 de abril. Se trataba de una mera formalidad, pero todos sus protagonistas se aprestaron a desempeñar su papel con dignidad de buen actor. Aloisi reiteró la disposición de Roma a negociar bajo las condiciones que había impuesto. Maryam Wolde, el delegado abisinio, protestó contra la demora de la Sociedad en dar asistencia a la víctima de la agresión y reafirmó que su gobierno no podía aceptar una negociación al margen de Ginebra. Eden, si bien reafirmó la voluntad británica de mantener las sanciones, no insistió mucho en ello, limitándose a declarar que su gobierno permanecía fiel a los compromisos contraídos y que no era posible asegurar la paz sino a través de un «esfuerzo colectivo». Paul-Boncour habló más de la situación en Europa que del conflicto italo-etíope, reafirmando el interés francés en ver a Italia seriamente comprometida con el mantenimiento de la paz europea. Madariaga, en fin, después de relatar los obstáculos con que la Sociedad había tropezado en sus intentos de buscar la paz, apeló a la tradicional amistad hispano-italiana para dirigir a Roma una «urgente llamada a la conciliación». Después de las intervenciones, se adoptó una resolución que incluía, además del reconocimiento del fracaso de la conciliación, un nuevo llamamiento a Italia para que realizara un esfuerzo supremo de negociación, el mantenimiento de las sanciones en vigor, el recordatorio a los beligerantes de que estaban ligados al Protocolo de 1925 sobre el empleo de gases prohibidos y el aplazamiento de la reunión del Comité de los Dieciocho hasta mayo [37].

Excepto Etiopía, todos parecieron darse por satisfechos con la nueva resolución aprobada en Ginebra. Ingleses y franceses, porque se había puesto fin al proceso de conciliación sin rupturas; los restantes miembros del Consejo, porque se había alcanzado un mal menor que no les imponía nuevas obligaciones. Como era de esperar, Mussolini saboreó el éxito de su victoria diplomática, y a los pocos días hizo lo propio con la victoria militar. Después de la salida del emperador Haile-Selassie de Abisinia y la toma de Addis Abeba por las tropas italianas, el 9 de mayo el *Duce* anunció al mundo que la guerra de «la civilización» contra «la barbarie» había terminado, que comenzaba el gran futuro del vasto Imperio fascista y que en adelante el título de Emperador de Etiopía quedaba incorporado al del Rey de Italia. Sólo faltaba eludir un último escollo: el levantamiento de las sanciones, episodio con el que se cerró el conflicto.

El levantamiento de las sanciones

La noticia de la anexión de Etiopía por Italia fue recibida en Ginebra y en los ambientes democráticos europeos con gran indignación. A la repulsa inicial siguió un período de reflexión sobre las causas y consecuencias de la victoria fascista. En todas partes, la derrota etíope se asoció al fracaso de la seguridad colectiva y de su principal instrumento, la Sociedad de Naciones, poniéndose al descubierto la división de la opinión pública democrática a la hora de analizar la descomposición del sistema internacional y encarar el futuro de la paz europea.

En la España de la primavera del 36 se produjeron idénticas reacciones, aunque la situación interna del país contribuyó, por una parte, a limitar la atención prestada a los acontecimientos internacionales, y por la otra, a acentuar el grado de división interna en el seno de la sociedad española. El embajador británico en Madrid señaló que los periódicos de la derecha más reaccionaria, especialmente los vinculados a fascistas y monárquicos tradicionalistas, expresaron su «admiración y felicitación hacia Italia», al tiempo que condenaban la política sancionadora de Ginebra, de la cual se decía que «ha traído consigo un agravamiento del rencor internacional existente». La prensa católica, en especial *El Debate*, así como la de tendencia centrista, se había mostrado comedida, según el Embajador, puesto que mantuvo «una actitud más esperanzadora y constructiva», destacando que nada se podía esperar de una Sociedad en la que no participaban Estados Unidos, Alemania, Brasil y Japón. Los órganos de la izquierda, por su parte, «en las raras ocasiones en que han desviado sus comentarios de los asuntos internos, son inquebrantables en su condena del fascismo y en su insistencia en que el *fait accompli* en Abisinia no debe ser reconocido». A los comentarios de Chilton hay que añadir que algunos sectores del Frente Popular aprovecharon la ocasión para recordar que mientras la Sociedad consumaba su incapacidad política, el fascismo iba ganando posiciones, llegándose incluso a vaticinar —como presagiando el drama que se avecinaba— que después del ensayo victorioso en Africa «la próxima experiencia, y no se hará esperar muchos meses, acaso ni muchos días, será en Europa» [38].

Pese a los alegatos antifascistas contra Mussolini y su régimen por parte de los partidos del Frente Popular, la diplomacia republicana obró con gran comedimiento. Tanto el gobierno Azaña en primera instancia como el presidido por Casares Quiroga a partir del 13 de mayo, reconocieron las nuevas realidades que se habían impuesto en Abisinia, mantuvieron posiciones pragmáticas en el tratamiento del conflicto ante la Sociedad de Naciones y desearon que llegara la hora de liquidar la acción colectiva contra Italia. La cauta actitud oficial obedecía a la propia debilidad del Ejecutivo, que le imponía la necesidad de evitarse complicaciones internacionales en un momento delicado para la estabilidad política de la República. Pero también respondía a una concepción de la acción exterior que parecía estar bien definida en la mente de sus principales dirigentes, particularmente en la de Azaña. Aunque se declaró que el Gobierno estaba «firmemente determinado a adherirse a los términos del Pacto y cumplir las sanciones en vigor», era evidente que el equipo ministerial procuraría observar «la conveniencia» —ya apuntada por Azaña en 1935— «de que al tratar estas cuestiones seamos prudentes, serenos y desapasionados», sin «confundir el mundo con su caricatura», ni «empeñar el amor propio ni los sentimientos políticos, ni pisotear el respeto que merecen los pueblos amigos, sobre todo en la desgracia, ni tampoco olvidarse de que la vida se compone de muchos días, ni cerrar a portazos los caminos del porvenir». Es decir, que la República debía desarrollar una política exterior de inspiración no partidista, siempre respetuosa con los compromisos adquiridos y orientada en la esfera de influencia franco-británica, pero que contemplara las nuevas realidades europeas desde una óptica nacional y «por encima de los regímenes políticos» [39]. Desde esta perspectiva, era evidente que las sanciones constituían un foco de tensión permanente y, además, una molestia añadida para la conservación de las buenas relaciones que España debía mantener con Italia por encima de sus diferentes concepciones ideológicas, especialmente en un contexto de agitación social permanente en el interior del país y de creciente importancia del factor italiano en el tratamiento de los problemas europeos.

La actitud comprensiva de Madrid hacia la Italia fascista no pasó desapercibida a la atenta mirada de Roma. Como ha puesto de relieve Ismael Saz, el gobierno italiano, si bien se inquietó algo por el posible reforzamiento de la posición «filosocietaria» de España tras la victoria del Frente Popular, había recibido de Pedrazzi frecuentes despachos en los que se informaba que Azaña, desde agosto de 1935, había mantenido una clara tendencia a ser «romano» de sentimiento, «y en consecuencia antietíopico», por lo que «a la altura de febrero de 1936 el embajador italiano tenía suficientes elementos de juicio como para hacer menos pesimistas previsiones acerca de la eventual orientación en política exterior de un gobierno presidido por Azaña». Las informaciones del embajador italiano sobre el comportamiento de Azaña coinciden con la versión de Madariaga, quien puso en boca del líder de la República la ya archicitada expresión de «Lo primero que tiene Vd. que hacer es echarme fuera ese artículo 16. No quiero nada con él. ¿A mí qué me importa el *Negus*?». En efecto, si ya desde el verano del 35 Azaña era partidario de adoptar una política prudente hacia Italia, con mayor razón debió serlo en el momento que aquellas palabras fueron pronunciadas, cuando el ejército italiano estaba abriéndose paso hacia Addis Abeba y la política de sanciones había fracasado como «medio» idóneo para cumplir el «fin» de detener la agresión a Etiopía [40].

Estas reflexiones eran similares a las que se estaban haciendo otros gobiernos ante el cariz de «peligrosidad» que tomaba la situación europea. Porque a Azaña, igual que a Barcia, a los dirigentes de las pequeñas potencias, y con mayor razón a la diplomacia francesa de Flandin o a la soviética de Litvinov, les preocupaba que el mantenimiento de las ineficaces sanciones y el no reconocimiento de las nuevas realidades en Etiopía —política a la que, en apariencia, tanto parecía aferrarse Londres— impidieran hacer frente a la amenaza real de guerra en Centroeuropa, reflexión compartida plenamente por Madariaga, quien reconoció la seriedad del planteamiento de Azaña sobre las sanciones. Pero había, además, un motivo añadido para que el gobierno español no deseara el reforzamiento de la política sancionadora contra Italia: para los intereses españoles era esencial que no se generara un aumento de la tensión anglo-italiana en el Mediterráneo, escenario que podía salpicar más directamente a la República en caso de conflicto armado.

La preocupación española por las complicaciones que se podían derivar del doble enfrentamiento anglo-italiano en el Mediterráneo y franco-germano en Europa Central se hizo más evidente después de la crisis renana.

Fue entonces cuando Azaña dijo a Herbette que, mientras los rumores de complot militar en España le hacían «reír», la situación internacional le inquietaba seriamente, por la posibilidad de que se desencadenara una nueva guerra europea a medio plazo. También Barcia se expresó en idéntico sentido, dejando entrever sus escrúpulos, no tanto por la prudente actitud de Francia hacia Italia, como por la posición ambigua asumida por Gran Bretaña frente a Alemania, que —en palabras del Ministro— albergaba «el deseo fundamental» de «abatir a Italia» sin tener en cuenta «lo que es posible y oportuno» en cada momento. Para la diplomacia española, «lo posible» era entonces el triunfo de Mussolini en el campo de batalla, y «lo oportuno» la moderación en la política societaria hacia Italia a fin de no hipotecar su colaboración en la solución de los problemas europeos y evitar que el riesgo de guerra se polarizara en el Mediterráneo. De ahí la aprensión española por el agravamiento de las diferencias anglo-italianas cuando fracasaron los intentos de conciliación, la inclinación de Madrid a respaldar la actitud de París en la cuestión de las sanciones y el papel moderador que había asumido Madariaga en Ginebra acercando las posiciones de Eden y Paul-Boncour [41].

En la práctica, sin embargo, la actitud española no era tan fácil de defenderse pública y abiertamente. A pesar de los deseos oficiales de impulsar una política exterior que tuviera en cuenta las «nuevas realidades» en Africa y los «intereses nacionales» en Europa, el Gobierno se cuidó mucho de expresar de forma franca sus criterios favorables al levantamiento de las sanciones. En primer lugar, por razones de política nacional, puesto que el precario gabinete formado exclusivamente por republicanos de izquierda no resistiría una declaración contraria al fundamento antifascista que había inspirado la formación del Frente Popular. En segundo lugar, por razones de política internacional, puesto que en Madrid se era plenamente consciente de que cualquier decisión dependía, no tanto de España, a quien no correspondía tomar iniciativa alguna sobre el tema, como del rumbo que siguiera la acción colectiva de la Sociedad de Naciones bajo el liderazgo anglo-francés.

El rumbo de la política societaria debía haberse fijado en la sesión del Consejo celebrada el 11 de mayo. Aparentemente, en aquella ocasión se dio una prueba de entereza, al no ceder a las pretensiones italianas de excluir a la delegación etíope de la mesa del Consejo con la argumentación de que ya no existía un Estado llamado Etiopía ni una «disputa italo-etíope». La negativa del Consejo a «soportar tal afrenta» determinó la retirada inmediata del delegado italiano, que abandonó la sesión en medio de la indignación generalizada. Pero ni siquiera aquel gesto de repulsa hacia la política de fuerza sirvió para resucitar el alicaído espíritu de Ginebra. La ausencia de un liderazgo claro, los temores generalizados ante el riesgo de guerra y la incapacidad manifiesta de las grandes potencias demoliberales para dar una respuesta conjunta al desafío lanzado por Hitler y Mussolini contra el Pacto fueron factores decisivos para hacer que el Consejo se decantara, una vez más, por la solución del aplazamiento. Ante la imposibilidad de decretar el levantamiento de las sanciones sin dar tiempo a encajar el duro golpe recibido o de imponer nuevas medidas contra Italia sin correr mayores riesgos, a la Sociedad de Naciones sólo le quedaba la alternativa de seguir haciendo lo único que había sabido hacer con constancia desde el comienzo de la disputa: aplazar toda decisión sobre las cuestiones pendientes y, mientras tanto, mantener las sanciones en vigor [42].

Por encima de aquella decisión de prolongar la resistencia frente al victorioso agresor durante un mes más, todas las delegaciones salieron del Consejo con el convencimiento general de que las sanciones habían fracasado, aunque nadie quería reconocerlo abiertamente. Después de las reuniones celebradas por el Grupo de los Neutrales los días 9 y 10 de mayo, el danés Munch declaró que las pequeñas potencias habían decidido reafirmarse en su política de defensa de la Sociedad mientras quedara la más leve posibilidad de que en Ginebra se pudiera seguir sirviendo a los ideales de la paz. Las declaraciones del que entonces ofició como portavoz de los neutrales podían dar la sensación de que, al menos entre los delegados de los Estados neutrales, existía una firme determinación para combatir la anexión de Etiopía por la vía de la acción colectiva. Incluso en una ocasión, el holandés De Graeff llegó a sugerir a Eden que «el único recurso que ahora le quedaba a la Sociedad para preservar su dignidad era expulsar a Italia» de la institución ginebrina. Pero ni esta posibilidad había sido contemplada seriamente, ni las declaraciones de Munch pudieron ocultar la evidencia del duro golpe recibido. A los pocos días, tanto el ministro de Asuntos Exteriores noruego como su homólogo sueco declararon en sus respectivos parlamentos que las sanciones habían fracasado irremisiblemente y que, para mantenerlas con algún sentido, sólo cabía la posibilidad de reforzarlas, y si no revocarlas. Más firme fue la actitud de Suiza, cuyo portavoz declaró que «la agravación de las sanciones constituiría, en los actuales momentos, una grave falta», añadiendo que «el sostenimiento indefinido» de las mismas no podía defenderse «política, jurídica ni moralmente» [43].

También fue sintomático que Madariaga se mantuviera menos locuaz que de costumbre en las reuniones oficiales y centrara su acción en la mediación anglo-italiana a nivel de conversaciones privadas. En una de ellas expresó a Eden que, en caso de que Mussolini amenazara con un abandono definitivo de la Sociedad si las sanciones eran mantenidas, convendría tomar la decisión de expulsar a Italia de la institución ginebrina. Sin embargo, la actitud del delegado español no era tan resuelta como esta sugerencia parecía dar a entender. Tanto en sus contactos con el responsable del *Foreign Office* como en sus intentos de mediación ante la delegación italiana, Madariaga insistió en la moderación como único camino a seguir para liquidar el conflicto y también se mostró partidario del levantamiento de las sanciones. En este sentido, sugirió a Boba Scopa, delegado permanente de Italia en Ginebra, la conveniencia de que en adelante Mussolini guardara las formas societarias y tomara una iniciativa que le permitiera ser acogido en Ginebra después de todo lo ocurrido. En concreto, se trataba de que el gobierno italiano «hiciese *motu proprio* algún gesto» que «pudiera bien tomar la forma de una declaración espontánea al Consejo, reconociendo que había existido una mala inteligencia entre los demás miembros de la Sociedad e Italia, que Italia se había visto obligada por las circunstancias a tomar decisiones contrarias al Pacto, pero que reafirmaba estos principios y estaba dispuesta a colaborar con toda lealtad a la construcción de una sociedad internacional firme». En su consejo, Madariaga fue aún más explícito al plantear que dicho gesto, para mayor efectividad, podía venir acompañado de la proposición de un pacto mediterráneo, «cuyas grandes líneas podrían estudiarse primeramente en conversaciones diplomáticas que permitiesen presentarla en una atmósfera acogedora» [44].

Lo sugerido por Madariaga a Boba Scoppa estaba en perfecta armonía con los planteamientos que se hacían en Madrid. Por las mismas fechas, el ministro de Estado había reiterado a Herbette su inquietud por la situación europea, que le inspiraba «las más serias preocupaciones», así como por la posibilidad de que Roma se procurara el apoyo de Berlín ante «el peligro inminente» de una guerra anglo-italiana en el Mediterráneo, lo que obligaba a redoblar los esfuerzos para encontrar una solución al conflicto entre Italia y la Sociedad. La alusión de Barcia era una manifestación más de las ansiedades y temores que se estaban apoderando de todas las cancillerías ante el riesgo inminente de guerra, lo que obligaba a plantear el mantenimiento de las sanciones como una política improductiva de cara a hacer cambiar los planes de los italianos, convertidos en «árbitros de Europa» después de su victoria en Abisinia [45]. Aunque sin tomar iniciativas más allá de las meras sugerencias y remarcando su posición de neutralidad ante la eventualidad de guerra europea, parecía claro que la diplomacia española se inclinaba por adoptar una solución «à la française» con respecto a Italia.

Una conversación que Madariaga sostuvo con Eden en Ginebra el 16 de mayo arrojó más luces sobre la actitud española ante el conflicto. El delegado español expuso al ministro inglés que la Sociedad de Naciones sólo tenía dos opciones: «o continuar las sanciones bajo riesgo de guerra con el fin de probar la autoridad de la Sociedad, o liquidar el asunto lo mejor que podamos en la próxima sesión del Consejo». Para exponer su punto de vista ante tal disyuntiva, Madariaga recurrió al dicho español de que la vida del torero peligraba cuando había «dos toros en el ruedo», refiriéndose a la existencia del problema-Hitler y el problema-Mussolini al mismo tiempo. Según Eden, Madariaga afirmó que su gobierno sería partidario de incrementar la presión sobre Italia de no existir la amenaza alemana, pero «era imposible creer que Herr Hitler no buscaría beneficarse de tal situación», por lo que se hacía necesario «ser extremadamente cauto» y no mantener la actitud de los filosocietarios británicos que «no parecían apreciar las realidades de la situación presente» al plantear el reforzamiento de las sanciones. Para Madariaga «era estúpido ignorar la situación creada por la existencia de dos dictadores», dando a entender claramente la necesidad de que los británicos liquidaran el asunto de la mejor forma posible [46].

Los criterios expuestos por Madariaga ante Eden fueron valorados como «muy sensatos» en Londres, donde se estaban imponiendo planteamientos similares. El 10 de junio, Neville Chamberlain, entonces ministro de Hacienda, tomó la iniciativa británica en política exterior y declaró que el mantenimiento de las sanciones sería una «locura de verano». Estas declaraciones fueron el anticipo del anuncio oficial, hecho público una semana más tarde, de que el gobierno de Su Majestad recomendaría el levantamiento de las sanciones cuando se reuniera la Asamblea extraordinaria convocada para el 30 de junio. Aunque Eden expuso la opinión del gabinete Baldwin «como si la cuestión siguiera abierta a la decisión de la Asamblea», lo cierto era que «el mundo entero sabía que Gran Bretaña ya había decidido poner fin a la resistencia de la Sociedad contra Mussolini», lo cual significaba el final de la política sancionadora [47].

De cara a la opinión pública, la diplomacia española siguió dejando en suspenso su posición ante la previsible derogación de las sanciones contra Italia. El 13 de junio Barcia insistió en el tópico de que «en principio la política de España es la política del Pacto», añadiendo que el problema consistía en saber si el Pacto iba a seguir siendo aplicado: «si se mantiene una alianza franco-británica» —reconoció sin recato—, «no hay duda que el curso de la acción española está muy claro, porque ella se moverá en la órbita de esas dos naciones», pero en caso de diferencias anglo-francesas, «la actitud de España habrá de ser muy cuidadosamente considerada», planteando la posibilidad de «si sería de interés de España tener una *entente* con las llamadas potencias neutrales». Al margen de declaraciones vagas, Barcia no desveló la actitud española ante las sanciones y el agravamiento de la tensión europea. El silencio oficial se debía, sobre todo, al «dilema» entre simpatías y realidades en que se debatía el gobierno del Frente Popular. Según Forbes, mientras el gabinete Casares deseaba poner fin a las sanciones y mantener «una política en conformidad con la de Gran Bretaña y Francia», los partidos que le apoyaban habían reaccionado ante la decisión británica expresando su «profundo desacuerdo» y criticando con vigor «la humillación de Inglaterra y su rendición a las influencias fascistas». En consecuencia, el Gobierno estaba haciendo «un gran esfuerzo para abstenerse de adquirir compromisos» con el fin de evitar complicaciones internas y presentar su apoyo al levantamiento de las sanciones como resultado de una decisión colectiva a la que España no podía sustraerse [48].

El mismo criterio de «evitarse complicaciones» se siguió ante el ofrecimiento realizado a Madariaga para que presidiera la Asamblea de la Sociedad de Naciones. Cuando se supo que el checo Benes no podía acudir a Ginebra, comenzó a sonar con fuerza el nombre del delegado español. En Londres se pensó que Madariaga era una persona adecuada para asumir dicha responsabilidad, valorándose sus buenos oficios en la presidencia del Comité de los Trece y su condición de «idealista moderado por el realismo de la experiencia», lo cual le hacía escapar de los «odios indeseables» de sancionadores y antisancionadores y encontrar «apoyos disponibles y poderosos» para ser elegido presidente de la Asamblea. Sin embargo, a Barcia no le sedujo aquella idea; si bien reconocía que la presidencia podía dar a España «un parapeto de neutralidad» que le alejaba de la beligerancia, consideraba que «las cargas y obligaciones» que podía imponer «compensaban o soprepasaban» las posibles ventajas. El Consejo de Ministros, finalmente, decidió no aceptar el ofrecimiento realizado a su delegado y, al mismo tiempo, enviar a Barcia a Ginebra con el fin de medir todos los pasos que se dieran [49].

Esta vez no hubo motivos para nuevas complicaciones. Con la decisión tomada por los británicos de proponer la derogación de las sanciones, todo quedaba visto para sentencia. Bajo la presidencia del belga Van Zeeland, la Asamblea inauguró sus sesiones el 30 de junio en medio de un ambiente de fracaso. Resultó inútil la desesperada apelación de Haile Selassie solicitando que se reforzaran las sanciones contra Italia y se concediera asistencia financiera a su pueblo para continuar la resistencia, porque —como declaró Eden— «las realidades tienen que ser reconocidas». La Asamblea decidió el abandono de las sanciones y aprobó una resolución «vaga y poco comprometedora» sobre la cuestión del reconocimiento de la soberanía italiana, procurando eliminar del texto «toda palabra que pudiera obligar a los miembros de la Sociedad a no reconocer la anexión». Según Madariaga, fue este aspecto «lo más duro de tragar», sobre todo en el momento que se sometió a votación «un texto que no decía nada, pero que quería decir que nosotros miraríamos a otra parte mientras Italia hacía lo que le daba la gana» [50].

Como era de esperar, España, al igual que el resto de las pequeñas potencias (a excepción de México), se avino a respaldar las propuestas anglo-francesas mediante la fórmula del silencio. Poco antes el Grupo de los Neutrales había tenido una reunión en donde se acordó por unanimidad dar la conformidad a la suspensión definitiva de las sanciones y no complicar la difícil situación de franceses e ingleses al frente de la Asamblea. De este modo, la política de moderación que tanto deseaba Madrid desde hacía varios meses pudo salvar la cara ante la enaltecida opinión pública española. De acuerdo con la resolución aprobada por la Asamblea, la República derogó las sanciones el 13 de julio, en vísperas del inicio de la sublevación militar. Pero antes de que comenzara la Guerra Civil, y de forma simultánea al levantamiento de las sanciones, el gobierno Casares Quiroga hubo de enfrentarse a la penúltima complicación internacional de la República en tiempos de paz: la cuestión de la reforma de la Sociedad de Naciones.

¿ADIÓS AL PACTO?: ESPAÑA Y LA REFORMA DE LA SOCIEDAD

Con el fracaso de las sanciones a Italia y la derrota de Ginebra, el sistema de seguridad colectiva en su conjunto había entrado en barrena. En todos los países comenzó a desarrollarse un proceso de toma de conciencia sobre la gravedad de la situación europea, caracterizada por la creciente bipolarización y donde la guerra se perfilaba como «solución» a corto o medio plazo. Las primeras manifestaciones de este proceso fueron las críticas realizadas a la organización ginebrina, llegándose a hablar de la necesidad de su reformulación, cuando no del abandono o la simple disolución. En tales circunstancias, a la propia Sociedad de Naciones no le quedó más remedio que reconocer su fracaso y plantearse la posibilidad de acometer una «reforma». El debate oficial se inició durante la Asamblea de julio de 1936 y se centró en su «cuestión práctica»; es decir, no tanto en las causas de la derrota como en sus consecuencias, procurando responder a la pregunta de «cuál sería la actitud de los miembros de la Sociedad, colectiva o individualmente, en vista de la radical transformación que se había producido en la escena internacional» [51]. Pero antes de que las discusiones se oficializaran, las cancillerías ya habían reflexionado con profusión sobre el tema, y hasta se habían presentado públicamente posibles alternativas.

El artículo 16 y las tribulaciones de los neutrales europeos

Paradójicamente, las naciones que más se habían significado en la defensa integral del Pacto, las pequeñas potencias neutrales, fueron las primeras en anunciar sus intenciones de propiciar un debate sobre su reforma. No era de extrañar tal ansiedad, pues al ser los países más débiles desde el punto de vista militar también eran los más afectados por la pérdida de la seguridad colectiva. Descartada la solución de participar en la política de bloques bajo la protección de una gran potencia, a los neutrales europeos sólo les quedaba dos posibles opciones. Una era seguir confiando en la imposible resurrección del espíritu de Ginebra y apostar por la aplicación estricta del Pacto; la otra, reconocer los hechos consumados y limitar el alcance de la asistencia colectiva, intentado la neutralización definitiva de sus territorios nacionales ante el riesgo de guerra. De hecho, el camino elegido ya había sido marcado de antemano con el repliegue experimentado por estos países hacia posiciones de estricta neutralidad después de la retirada de Alemania de Ginebra. Sólo faltaba confirmar esa vuelta a la neutralidad tradicional, y todo parecía indicar que había llegado el momento oportuno de hacerlo.

Al igual que hicieron otros politólogos en aquel período de incertidumbre, Toynbee reflexionó sobre el impacto que la derrota de la Sociedad de Naciones había causado en las pequeñas potencias, obligándoles a reformular la política exterior que habían venido desarrollando desde el fin de la Gran Guerra. Argumentaba que estos Estados, al participar en la institución de Ginebra, habían aceptado «el riesgo de abandonar un *status*», el de la neutralidad sin compromisos, para adquirir otro por el que estaban sujetos a obligaciones precisas, a fin de «tomar parte en el experimento de intentar establecer un régimen de seguridad colectiva». Lo habían hecho en la creencia de que la nueva fórmula les iba a ofrecer «una solución más constructiva que sus propios comportamientos previos al objeto de adquirir una inmunidad precaria para sí mismos eludiendo el juego de las fuerzas internacionales». Sin embargo, al fracasar el experimento, la situación de estos Estados se veía más amenazada que antes de la guerra, pues estaban sujetos al cumplimiento de la asistencia colectiva sin disponer del instrumento válido que les preservara de una eventual agresión exterior, encontrándose en el centro mismo de las disputas entre las grandes potencias. El golpe que sufrió la Sociedad al fracasar en sus intentos de frustrar la agresión italiana a Etiopía —concluía Toynbee— «atacó a estos ex-neutrales europeos con consternación», predisponiéndoles a intentar recuperar sus antiguas defensas [52].

Pero a las pequeñas potencias les afectó, sobre todo, el temor a verse involucradas en una nueva guerra. Como se tuvo en cuenta en el *Foreign Office*, lo que inquietaba seriamente en las capitales neutrales era el enfrentamiento franco-germano como telón de fondo de la situación europea y, consecuentemente, el peligro de «ser arrastrados a hostilidades si el artículo 16 se deja sin revisar y las sanciones son aplicadas a alguna potencia como Alemania». El problema era de difícil solución y de una complejidad enorme. Por una parte, a nadie se le ocultaba que el antídoto buscado por las pequeñas potencias para preservarse del virus de la guerra europea, la limitación del artículo 16, fácilmente se podía volver en su contra en caso de que ellas mismas fueran objeto de una agresión. Por la otra, resultaba una flagrante contradicción que estos Estados hubieran estado invocando la asistencia colectiva como garantía de seguridad propia y que ahora intentaran desprenderse de sus obligaciones como cogarantes de la seguridad ajena con el fin de no indisponerse contra una gran potencia que se había declarado al margen de la ley y en la que todos pensaban como potencial amenaza de guerra [53]. En el fondo, se trataba de eludir toda contingencia derivada de su vinculación a cualquiera de los bloques en situación de preguerra y refugiarse bajo la coraza de la vieja neutralidad.

En el contexto de estos temores se situó la reunión que los delegados del Grupo de los Neutrales celebraron en Ginebra los días 9 y 10 de mayo, punto de partida del proceso de discusión sobre la reforma de la Sociedad por parte de las pequeñas potencias. Dada la conciencia que se tenía sobre el «grave» momento por el que atravesaba la Sociedad y la situación «más difícil que nunca» en que se encontraba Europa, el encuentro revistió «un carácter especial» y en él se discutieron, no sólo las cuestiones inmediatas que iban a ser tratadas en el Consejo, sino también la propia posición de los neutrales ante el porvenir de las relaciones internacionales, así como «los medios para obtener para sí mismos la mayor seguridad en las circunstancias actuales». El miedo a la guerra y la sensación de inseguridad fueron los componentes esenciales del mensaje lanzado a la opinión pública en aquellos momentos, porque «está claro para todos» —dijo Munch por radio a sus compatriotas el día anterior a las reuniones— «que con el sistema imperante actualmente la seguridad de los pequeños Estados es muy relativa» [54].

La diplomacia española acudió a aquella reunión sin tener ideas muy elaboradas sobre el futuro de la Sociedad, aunque tampoco era ajena a las tribulaciones que afligían al resto de los neutrales europeos. Ya por entonces algunos miembros del Gobierno habían expresado que España, aun permaneciendo fiel a la idea originaria de la seguridad colectiva, sólo estaba dispuesta a asumir sus obligaciones societarias en la medida que el resto de las naciones afrontaran las suyas; o dicho de otro modo, «si las grandes potencias que pertenecen a la Sociedad» —dijo Barcia a Herbette— «renuncian a cumplir los compromisos que se derivan para ellas, España se consideraría también desligada y se uniría a las potencias neutras». Este criterio era compartido por Manuel Azaña, que poco antes del encuentro de los neutrales había defendido en las Cortes la necesidad de seguir trabajando por la paz dentro de la Sociedad, aunque desplegando «una actividad diplomática lo bastante inteligente para que no nos encontremos metidos donde no tenemos obligación de estar, ni en compromisos o deberes que no nos incumba aceptar» [55].

Tales preocupaciones alimentaron las reservas españolas sobre la aplicación del artículo 16 del Pacto. La frase de «echar fuera ese artículo», puesta por Madariaga en boca de Azaña, caricaturizaba la posición del dirigente republicano sobre el espinoso tema de las sanciones contra Italia, pero en sí misma reflejaba la desconfianza que se tenía respecto de las posibilidades reales de la Sociedad como instrumento de seguridad. Dada la situación de indefensión militar de España y la posibilidad de que la República se viera involucrada en una guerra como consecuencia del cumplimiento del Pacto, las sanciones económicas, y sobre todo las militares, «levantaban interrogantes tremendos» entre los responsables de la diplomacia española. De hecho, Madariaga se había referido en reiteradas ocasiones a la imposibilidad de exigir de los pequeños Estados el máximo de sus deberes (participar en la imposición de sanciones) cuando las grandes potencias no habían cumplido los suyos (hacer efectivo el desarme y salvaguardar la independencia de los miembros débiles de la Sociedad frente a flagrantes agresiones). Todo daba a entender, pues, que Madrid adoptaba un comportamiento similar al del resto de los países neutrales, en el sentido de reforzar su neutralidad frente a la creciente bipolarización de la escena europea y, como reflejo de ello, que la delegación española iba a apoyar la reforma del Pacto, o al menos la idea de limitar el alcance de su artículo 16.

Esta cuestión se planteó superficialmente con ocasión de una visita que Madariaga efectuó a Madrid poco antes de la reunión de los neutrales. El delegado español expuso a Azaña y Barcia sus ideas sobre la necesidad de «circunscribir y delimitar las obligaciones de los Estados de la Sociedad de Naciones, dentro del Pacto, pero puntualizándolas»; es decir, mantener intacto el *Covenant*, pero permitir que sus signatarios pudieran hacer una salvedad general a la aplicación de su artículo 16 mientras la institución no tuviera carácter universal y el desarme no se hubiera hecho efectivo. Según la versión de Madariaga, sus interlocutores dieron el visto bueno a su sugerencia: mientras el presidente del Consejo «se percató de lo que yo perseguía y le agradó mi plan, aunque no creo que se adentrase en los detalles», el ministro de Estado «no creo que se enterase de lo que yo buscaba», pero «en vista de la actitud acogedora de Azaña, Barcia también dio a mi proyecto una bendición general». Dejando a un lado las impresiones, Madariaga salió de aquel encuentro convencido de que contaba con el respaldo de Madrid para defender su concepción sobre la reforma de la Sociedad. Sin embargo, lo cierto era que ni en el Ministerio de Estado se había estudiado el problema, ni el Gobierno había discutido nada al respecto. En cualquier caso, el Delegado tenía motivos para sentirse arropado en su propuesta, no sólo por tener a Azaña de su parte, sino también por el interés que puso el Ministerio en respaldar la reunión de los neutrales, que se estimó «oportuna» a fin de «estudiar conjuntamente los planes sobre seguridad colectiva y la reorganización de los organismos internacionales», en el buen entendido de que sus discusiones se limitarían a la «mera consulta mutua» [56].

Hubo, por tanto, conversaciones verbales, ideas vagas, pero sin su necesaria concreción en un documento que recogiera las bases mínimas de la posición española ante la reforma del Pacto. Con esas precarias armas acudió Madariaga a la reunión de los neutrales que se celebró en Ginebra a principios de mayo. En su intervención, el delegado español expresó que el sentir de su Gobierno era oponerse taxativamente a una reforma del articulado del Pacto por la vía de las enmiendas, al considerar que los males provenían más de la defección de las grandes potencias y del incumplimiento del precepto del desarme que del espíritu y la letra del *Covenant*. Como alternativa, Madariaga propuso medios más moderados: el cambio de la regla de la unanimidad, la adopción de un convenio para prevenir la guerra y, como punto esencial, la formulación de una «reserva general» que limitara la aplicación del artículo 16 «mientras falte la universalidad», aunque contemplando la posibilidad de «grupos de naciones que acepten obligaciones completas para casos concretos», lo cual limitaba la obligación de los miembros de la Sociedad a intervenir en los mecanismos sancionadores a aquellos casos que afectaran directamente a sus intereses nacionales [57].

La reunión de Ginebra sirvió para demostrar que la idea de la reforma de la Sociedad no se había ponderado lo suficiente entre los Estados neutrales como para ofrecer una alternativa concreta. Además, dentro del Grupo existían no pocas diferencias; mientras España y Holanda se mostraban cautas sobre los límites a imponer al artículo 16, Suiza deseaba su eliminación y los países escandinavos rechazaban expresamente los pactos regionales de seguridad propuestos por los franceses. Ante tal disparidad, se llegó a un principio de acuerdo para seguir debatiendo el tema sobre la base de descartar la adopción de soluciones extremas (el abandono de la Sociedad y su disolución, o la continuación de su labor como si nada hubiera pasado) y apostar por la vía de la reforma parcial. Como quiera que el planteamiento general de la propuesta de Madariaga, y de forma especial su punto de partida (la concepción de que no era preciso ni conveniente enmendar el *Covenant*), respondía a los criterios de la mayoría del Grupo, se encargó al delegado español que redactara un memorándum desarrollando más ampliamente sus ideas a fin de que los respectivos gobiernos pudieran estudiar con mayor detenimiento la cuestión antes de volverla a debatir en una próxima reunión [58].

El «memorándum Madariaga»: razones y sinrazones de una polémica

Al aceptar el compromiso de presentar un proyecto para la reforma de la Sociedad de Naciones, Madariaga estaba pisando un terreno sumamente resbaladizo. En medio de aquella coyuntura de creciente tensión, donde nadie se atrevía a dar un paso sin asegurarse los apoyos necesarios y prever las reacciones de los demás, resultaba delicado —y hasta peligroso— aparecer ante la opinión pública y las cancillerías europeas como el promotor de un movimiento para revisar la esencia misma del sistema de seguridad colectiva, es decir, el artículo de las obligaciones internacionales contraídas en caso de agresión. Además del carácter arriesgado del encargo, un conjunto de circunstancias, tanto internas como externas, determinaron la inoportunidad del «memorándum Madariaga», convirtiéndolo en un documento polémico que levantó una polvareda de críticas y acarreó la renuncia del delegado español a sus responsabilidades diplomáticas en Ginebra.

En primer lugar, no había madurez de planteamientos ni unanimidad de criterios entre las pequeñas potencias con respecto a la reforma del *Covenant*. La decisión de los neutrales de afrontar el tema obedecía más al deseo de eludir el riesgo de guerra que a la necesidad de articular una alternativa viable para dotar a la Sociedad de Naciones de un poder efectivo en la política europea. A ello se añadía el hecho de que existían posiciones encontradas entre las grandes potencias y que éstas todavía no habían adelantado sus planes de futuro, por lo que toda iniciativa que se tomara podía suscitar recelos y no ser bien acogida en las principales cancillerías, especialmente en París, donde se rechazaba cualquier tentativa de debilitar una cuestión tan vital para Francia como era la seguridad colectiva. El debate, además, no había hecho más que comenzar, y desde posiciones liberales y socialistas ya se venían señalando los peligros inherentes de la reforma, un arma de doble filo que podía conducir a la sustitución de las garantías de seguridad por un sistema de alianzas político-militares y a un debilitamiento mayor de la Sociedad de Naciones [59].

Aun con ser poderosos los obstáculos derivados de la crisis internacional, los inconvenientes más serios que Madariaga tenía que superar venían del interior, de la confrontación social y política que estaba teniendo lugar en España, así como de las profundas contradicciones en que se debatía la política exterior española. En medio de la descomposición del poder del Estado, la República del Frente Popular debía optar, no ya entre ideales y realidades, pues de lo primero poco quedaba en Ginebra, sino dentro de la aceptación de los hechos consumados, entre lo que era conveniente al egoísmo de los «intereses nacionales» y lo que era posible dentro del marco constitucional y el contexto internacional. De hecho, con la eventual reforma del artículo 16 del Pacto estaba sucediendo lo mismo que con el levantamiento de las sanciones a Italia: el gobierno español quería evitarlas, pero no podía descubrir sus intenciones, por lo que se limitaba a verlas venir, a la espera de que las decisiones tomadas por los demás le eximiera de la responsabilidad de tener que adoptar una resolución propia. De ahí que los dirigentes republicanos confesaran en privado el fracaso de la Sociedad y la necesidad de su reforma y que, por el contrario, sus mensajes destinados a la opinión pública española, y en particular a las bases militantes del Frente Popular, siguieran insistiendo en la fidelidad absoluta de la República «al espíritu y la letra del *Covenant*».

En tales condiciones, la prudencia aconsejaba al Gobierno controlar los ímpetus reformadores de Madariaga en la reunión de los neutrales, recomendarle que no se comprometiera a redactar documento alguno y advertirle que el asunto de la reforma del Pacto «peor era meneallo». Pero no se hizo así; al contrario, se asintió en privado a sus ideas de poner límites a la aplicación del artículo 16, aunque sin analizar sus implicaciones y mucho menos sin confesarlo abiertamente. Surgió con ello otra contradicción, no de fondo, sino de forma, que afectaba a los modos de proceder de la diplomacia española, pues no era muy coherente que los «socios» de España comisionaran a Madariaga en Ginebra para redactar una propuesta concreta sobre la reforma del Pacto mientras en Madrid todavía no existía una actitud definida sobre el particular. Aparentemente, esta contradicción era de tono menor, pues situaciones como aquella se habían producido con anterioridad y siempre se habían resuelto sin mayor complicación. En esta ocasión, sin embargo, la contradicción secundaria sirvió para oscurecer —cuando no ocultar— la principal, por lo que en España la polémica sobre la reforma del Pacto se redujo al cuestionamiento de la figura de Madariaga, autor del memorándum de marras, eludiéndose de

este modo el fondo de la cuestión, es decir, la falta de resolución de la
política exterior española para optar entre la neutralidad o el compromiso
con la asistencia colectiva ante el riesgo de guerra europea.

Si se acude a los entresijos del *affaire*, se percibe con nitidez que la
polémica en torno al memorándum no puede quedar reducida —como
quedó en su momento— a la existencia de una oveja descarriada (Madariaga) y de un pastor desconcertado (Barcia). Madariaga, en efecto, hizo
gala de una ingenuidad incompatible con su dilatada experiencia diplomática, pero Madrid no se quedó a la zaga y obró con evidente ineptitud.
Desde el inicio del proceso, el delegado español no debió considerar las
dificultades generales ni las complicaciones «domésticas» con que tropezaba su proyecto, y se aprestó a afrontar el encargo con celeridad y sin
recabar instrucciones precisas de Madrid. Así, tan pronto como hubo acabado la reunión de los neutrales, Madariaga puso manos a la obra y el 12
de mayo ya tenía elaborado el documento de la discordia, que tituló «Note
sur la revision de l'application du Pacte». No obstante, Madariaga tampoco se arrogó capacidad de decisión alguna e incluyó en el memorándum
una aclaración previa destinada a salvar la responsabilidad oficial del Gobierno, presentándolo como un borrador de trabajo susceptible de ser mo-
dificado a la luz de nuevas discusiones [60]. Los propósitos del documento
quedaban aclarados de antemano, situándolos en una fase de reflexión, así
como los motivos que habían dado lugar a su elaboración: la discusión en
el seno del Grupo de los Neutrales.

En cuanto a sus contenidos, la nota de Madariaga era discutible. Comenzaba reconociendo «la necesidad de revisar la totalidad del *Covenant*,
especialmente en cuanto concierne a la eficacia de sus estipulaciones»,
aunque rechazaba las enmiendas con el fin de evitar «el riesgo de destruir
el equilibrio de un documento admirablemente concebido». Fijado el método, el memorándum partía de una consideración previa: «el Pacto tendrá
plena eficiencia solamente cuando la Sociedad sea universal y cuando las
circunstancias políticas permitan que todos los artículos sean igualmente
aplicados». Este punto de partida fundamentaba el aspecto central de la
propuesta, la idea de que mientras estas circunstancias no se dieran, los
miembros de la Sociedad «deberían permanecer estrictamente dentro de
sus derechos, reservando, por medio de un procedimiento a determinar,
las obligaciones que les impone el artículo 16». De esta forma, los Estados
quedaban «libres de la responsabilidad que levanta este artículo en cuanto
a zonas geográficas y políticas fuera de la esfera en que se desenvuelven
sus intereses», aunque podían asumir sus obligaciones para las zonas «claramente definidas por ellos» mediante la constitución de «*ententes* políticas
regionales de asistencia mutua». Madariaga justificaba la elección de esta

solución intermedia como vía idónea para eludir los peligros que se podían derivar de la eliminación pura y simple del artículo 16, o del funcionamiento de los pactos regionales de seguridad fuera de la Sociedad. Junto a ello, el memorándum sugería otras medidas complementarias, como la abolición de la regla de la unanimidad; el reforzamiento de «la parte preventiva del *Covenant*, más que su parte punitiva o curativa», y la redacción de «un Pacto simplificado, reducido al artículo 11», para los Estados que preferían seguir fuera de la Sociedad [61].

La nota redactada por Madariaga fue enviada a los miembros del Grupo de los Neutrales, al igual que a otras delegaciones que la solicitaron. El documento fue cursado a Madrid en la misma fecha que a las restantes capitales neutrales y quince días después el ministro de Estado comunicó haberlo recibido «con interés». Interés muy relativo, porque si bien el delegado francés ya el 13 de mayo tenía redactada unas observaciones sobre la nota de Madariaga, y lo mismo se había hecho en Buenos Aires el día 15, y así sucesivamente en Londres, París, Copenhague y el resto de las capitales neutrales, en Madrid, en cambio, el asunto no mereció estudio alguno de la burocracia ministerial hasta que un mes después, el 17 de junio, el documento fue filtrado a la prensa y estalló el escándalo [62]. No era de extrañar, pues, que la diplomacia española estuviera en Babia cuando el memorándum se convirtió en un asunto de dominio público.

La polémica se desencadenó tan pronto como los periódicos españoles se hicieron eco de la noticia. Si España apoyaba firmemente el Pacto, tal y como se había declarado hasta la saciedad, ¿cómo era que su delegado figuraba al frente de un movimiento que preconizaba su revisión? Unas apresuradas declaraciones de Barcia vinieron a añadir mayor confusión al tema. El Ministro declaró que «si el Sr. Madariaga ha dirigido ese memorándum, que yo no lo sé, lo ha hecho por su cuenta y riesgo, sin contar con el Gobierno, y yo me he dirigido al subsecretario de Estado para que lo haga saber cuanto antes a las cancillerías extranjeras». De esta forma, «el memorándum contra el Pacto» apareció ante la opinión pública española como una «iniciativa personalísima» del delegado español, que había obrado al margen de un gobierno que no hacía muchos días había renovado su compromiso con la Sociedad de Naciones al debatir su actitud ante el levantamiento de las sanciones a Italia. Item más, el propio Consejo de Ministros, reunido bajo la presidencia de Azaña el 19 de junio, no salió al paso de las dudas que se cernían sobre la autoría y circunstancias del memorándum, limitándose Barcia a declarar a la prensa que «el gobierno de España no avala ni las sugestiones ni el documento» [63]. Madariaga se enteró de la polémica en Londres, donde se encontraba para conocer la posición británica ante la inmediata celebración de la

Asamblea extraordinaria de la Sociedad. Desde allí envió al Subsecretario una nota explicando los sucesivos pasos que había dado desde su entrevista con Azaña y Barcia hasta la distribución del documento, precisando que «la publicación de la Nota no puede ser debida más que a un descuido de alguna de las delegaciones que la posee». Madrid, al fin, se percató de qué asunto se trataba y el propio ministro de Estado tuvo que rectificar sus primeras declaraciones al término del Consejo de Ministros celebrado el 22 de junio. Fue entonces cuando Barcia aclaró que la nota de Madariaga había partido de la reunión celebrada a comienzos de mayo por los delegados neutrales, que confiaron a Madariaga «el honroso encargo de condensar las impresiones y puntos de vista producidos en torno de los problemas que determinaron tal reunión» y limitó su contenido y alcance a «un trabajo que recoge las opiniones sustentadas por alguna delegación para buscar la mayor efectividad del Pacto de la Sociedad de Naciones» [64]. En consecuencia, Madariaga volvía a contar con la confianza del Gobierno y su responsabilidad quedaba oficialmente salvada.

Pero ya era demasiado tarde para aclaraciones de ese tipo. En España los acontecimientos se habían precipitado de tal modo que artículos, editoriales y hasta chistes sobre «el memorandista» daban cumplida cuenta de la animosidad reinante contra el delegado español. Desde la derecha, el asunto se aprovechó para censurar, no tanto el contenido de las propuestas, que «no constituirían ninguna infidelidad ni ninguna violación de lo prometido», como los modos de actuar de la diplomacia, y en particular, esa «ausencia de control que percibimos en algunas recientes actitudes de representantes españoles en el extranjero». Desde la izquierda, en cambio, particularmente desde las páginas de *El Socialista*, las críticas fueron implacables y de una dureza tremendas, llegándose a considerar que «Madariaga es muy útil a Francia, es imprescindible a Inglaterra, le hace mucha falta a Alemania, Italia no podría renunciar a él y los Estados Unidos lo necesitan. Realmente es a España a la que no le hace la menor falta» [65].

Las críticas socialistas partían de razones políticas. Para la Comisión Ejecutiva del PSOE, que hizo pública una declaración en contra del memorándum, las ideas de Madariaga representaban «la negación de los ideales que han servido de fundamento a la política internacional de todos los partidos de izquierda en Europa». Frente a la opción liquidacionista de los conservadores suizos y las tendencias neutralistas que comenzaban a ganar adeptos en los círculos gubernamentales del resto de los países ex-neutrales, en teoría los socialistas escandinavos, belgas y holandeses aún seguían apostando por la formación de un amplio «bloque democrático» que pudiera hacer frente a la amenaza de los fascismos y proporcionara una seguridad efectiva a las pequeñas potencias mediante el reforzamiento, más que el debilitamiento, de la institución ginebrina. Poco antes de conocerse la nota de Madariaga, Fernando de los Ríos se había referido a ello, al exponer que «rehacer la coordinación entre Francia e Inglaterra, en contacto estrecho con Rusia, es hoy la gran preocupación de los elementos directivos de las izquierdas de Europa Occidental y Escandinavia» [66]. Era lógico, pues, que los socialistas españoles se opusieran de modo frontal a las propuestas contenidas en el memorándum Madariaga.

Además del rechazo político, otras motivaciones ideológicas pesaban en el ánimo de los socialistas españoles en sus actitudes hacia Madariaga. A esas alturas, la incompatibilidad del delegado español con los partidos obreros del Frente Popular era ya patente, y de forma particular con los sectores del PSOE articulados en torno a Luis Araquistain y *Claridad*. Desde el establecimiento de la República, los socialistas habían visto en Madariaga un aliado natural y apoyaron públicamente su labor diplomática durante el primer bienio. Sin embargo, después de las elecciones de 1933 Madariaga había aceptado el cargo de ministro en un gobierno presidido por Lerroux, decisión que los socialistas nunca pudieron explicarse. La desconfianza de la izquierda hacia el delegado español se incrementó después de la revolución de octubre de 1934, cuando Madariaga tomó partido por «una política de centro» que buscara «la salvación de España» al margen de la polarización de la vida pública entre derechas e izquierdas. Este decantamiento hacia posiciones «híbridas» por parte de Madariaga fue contestado abiertamente por los republicanos liberales más afines a sus ideas iniciales y le granjeó antipatías a diestro y siniestro, perfilándose de esa forma las pautas de conducta que luego se explicitaron con nitidez en la primavera de 1936. En el fondo, el memorándum era lo de menos; quizás tan sólo el pretexto deseado. Desde la izquierda, se consideraba que Madariaga preconizaba la «música celestial» de la conciliación interna, así como la política de concesiones al fascismo auspiciada por las grandes potencias para salvar la cara de la Sociedad de Naciones [67].

Si las motivaciones político-ideológicas del rechazo socialista al memorándum Madariaga estaban claras, no se supo a ciencia cierta —como comentó *El Sol*— «qué materia peligrosa» pudo haber encontrado el gobierno republicano en la nota redactada por su delegado en Ginebra. Desde el punto de vista formal, el documento eximía de toda responsabilidad al Ejecutivo, al ir precedido de una nota aclaratoria en tal sentido. En cuanto a su contenido, su principal mérito era precisamente el haber trasladado a un documento las dudas que ya estaban en el ánimo de Azaña y de otros dirigentes republicanos con anterioridad. Como explicó Madariaga, su memorándum no intentaba otra cosa que buscar «una vía media» (muy en su línea, siempre) «entre la tendencia a la abolición del artículo 16, que en el grupo de neutrales deseaba precisamente una de las potencias, y la aplicación integral del artículo 16, que vacilo mucho en imaginar sería del agrado de la opinión pública española, ni siquiera de la izquierda» [68].

Las vacilaciones de Madariaga con respecto al comportamiento de la opinión pública ante las obligaciones que imponía el Pacto estaban justificadas. Todas las fuerzas políticas eran conscientes de que los españoles deseaban, ante todo, evitar los riesgos de una guerra, aunque con profundas diferencias en cuanto a los medios políticos a utilizar. Mientras unos estimaban que la participación de España en una Sociedad caduca representaba un peligro para los intereses nacionales y otros apostaban por una presencia disimulada (sin protagonismos, para que la responsabilidad del fracaso recayera exclusivamente sobre las grandes potencias), la izquierda seguía aferrándose a la idea de la seguridad colectiva, ahora explicitada a la manera de un «frente popular» internacional que uniera a las democracias europeas y la Unión Soviética en lucha común contra el fascismo. Pese a ello, la observación de Madariaga resultaba pertinente; en abril, el diario del Partido Socialista se había adherido a las reservas de las pequeñas potencias al preguntarse: «¿Qué hacen los pueblos débiles en Ginebra si los poderosos no los protegen eficazmente contra las agresiones? (...) Si en difinitiva la Liga de Naciones ha de ser, por parte de Francia e Inglaterra, objeto de peculiar y egoísta especulación, en vez de idea universal cuyo servicio no exime a ningún miembro de sacrificios y responsabilidades, no vale la pena pertenecer a ella» [69]. Y si los socialistas dudaban, mayores dudas tenían los liberales que controlaban los resortes del poder político, por lo que el contenido del memorándum, en principio, no debía provocar el asombro del Gobierno.

Ciertamente, eran muchas las objecciones que se podían hacer a las propuestas de Madariaga. De modo general, si la finalidad del Pacto consistía en impedir la guerra, ¿era un buen método debilitar aún más las obligaciones colectivas? Si lo esencial era evitar el surgimiento de los «bandidos internacionales» —como llamó Madariaga a los Estados agresores—, ¿bastaba con reforzar la parte preventiva del Covenant sin establecer medidas punitivas que disuadieran a los que osaran transgredirlo? Y de forma más concreta, si el fundamento del problema estaba en que el incumplimiento del artículo 8 del Pacto (el del desarme) impedía la aplicación del artículo 16 (el de las sanciones), ¿no se podía también sostener lo contrario y argumentar —como de hecho argumentó la diplomacia francesa— «que es porque los Estados no tenían confianza en la aplicación del artículo 16 (y los hechos le han dado la razón) por lo que el artículo 8 no había podido ser aplicado»? No menos polémico resultaba el método ideado por Madariaga para canalizar la asistencia colectiva al proponer, por una parte, la «reserva general» a la aplicación del artículo 16 y, por la otra, someter el funcionamiento de los acuerdos regionales de seguridad al control del Consejo y la Asamblea. De este modo, los Estados que hubieran quedado libres de sus deberes seguían conservando su derecho a impedir la aplicación de los compromisos adquiridos por otros en virtud de los acuerdos regionales a que pudieran llegar, algo que era «inadmisible» para Francia y que llevó a Massigli a señalar que, en definitiva, las proposiciones de Madariaga tendían «a reducir, en la mayor parte de los casos, la actividad de la Sociedad de Naciones a una acción de carácter académico». Podía ser el caso —matizó— que tal reducción respondiera «a los límites de las posibilidades actuales», pero entonces el verdadero problema no era la reforma de la aplicación del Pacto, sino la existencia misma de la Sociedad de Naciones [70].

Pero cualesquiera que fueran las limitaciones que se observaran en el memorándum, éstas no podían ser descubiertas, contestadas o superadas desde las posiciones dubitativas mantenidas por el gobierno de la República en aquel momento. En realidad, si el proyecto de Madariaga resultaba bastante contradictorio en sí, no era por haber sido elaborado de forma personal, ni por constituir una «traición» a la política oficial de la República, fruto de una repentina conversión de Madariaga a los postulados de la *realpolitik*. Se debía, lisa y llanamente, a que el documento reflejaba las profundas contradicciones en que se debatían las pequeñas potencias ex-neutrales, España incluída, ante la posibilidad de verse involucradas en un conflicto como consecuencia del cumplimiento de los compromisos adquiridos. De ahí que la finalidad última de las propuestas de Madariaga no fuera tanto la de reformar la Sociedad al objeto de impedir las agresiones unilaterales, como la de idear un mecanismo que dejara a salvo la responsabilidad de los pequeños Estados mientras subsistiera el riesgo de guerra. Como se apuntó en el *Foreign Office*, «ahora que ellos se dan cuenta de que su seguridad es de poca importancia, deben establecer un nuevo orden de cosas, un sistema que les de seguridad sin que sus Estados tengan que asumir una obligación que les podría resultar fatal» [71].

Descartadas las diferencias de fondo entre las propuestas de Madariaga y los criterios del Gobierno, es obligado recurrir a otras circunstancias para explicarse la negativa oficial a asumir el contenido del memorándum. La principal era, sin duda, la situación de inestabilidad política interior, la desarticulación orgánica en el proceso de toma de decisiones y el peso de los dobles poderes y contrapoderes que actuaban en la sociedad española durante la inquietante primavera del 36. Esta situación explica el nervio-

sismo del Gobierno ante la posibilidad de aparecer como un factor dina-
mitador de la Sociedad de Naciones en el preciso momento que el fascismo
acababa de asestar un duro golpe a la seguridad colectiva y los peligros
que se cernían sobre la democracia republicana eran cada vez mayores.
Por otra parte, algo importante había sucedido en el mes que medió entre
la redacción y la publicación de la nota de Madariaga: el 4 de junio quedó
formado el primer gabinete del Frente Popular en Francia. Con gobiernos
republicanos de idéntica orientación en Madrid y París, el Consejo de
Ministros no podía apoyar públicamente un proyecto de reforma del Pacto
que se situaba en las antípodas de los deseos de la izquierda francesa. Ya
el 19 de junio, Yvon Delbos, nuevo ministro de Exteriores francés, instruía
a Herbette para que advirtiera a Barcia de los peligros de las «tesis bastante arriesgadas» de Madariaga, «que de ponerse en práctica debilitarían
de forma inquietante las obligaciones del artículo 16», esperando que la
comprensión de «las necesidades de la seguridad europea» por parte del
Ministro «le incitará a dar a su representante unas instrucciones más próximas a nuestras propias concepciones». Herbette, que no pudo obtener
de Barcia sino una respuesta evasiva, encontró mejor interlocutor en Casares Quiroga, quien le dio la «seguridad categórica» de que las ideas
expuestas en el memorándum «no se correspondían absolutamente con las
disposiciones del gobierno español»[72].

De todas formas, aunque el Gobierno no quiso —o no pudo— dar un
apoyo explícito al contenido del memorándum, tampoco insistió en lo contrario, pues en el fondo compartía tanto su filosofía como las preocupaciones que lo inspiraron. La prueba está en que Herbette, pese a las palabras
tranquilizadoras de Casares, no albergó ilusión alguna sobre la posibilidad
de que España abrazara las tesis francesas de pactos regionales de seguridad frente a la orientación contraria que dominaba en las capitales neutrales. Ya a esas alturas el embajador francés tenía el suficiente conocimiento de las tendencias que se apuntaban en la diplomacia española
como para saber que París debía procurar «eliminar todos los pretextos
de rivalidad o de resentimiento» entre España y Francia y «desarrollar al
máximo los factores de *entente* y de cooperación» derivados del triunfo de
los frentes populares en ambos países, pero nunca intentar presionar a
Madrid para que se decantara del lado francés, pues «el gobierno español
no parece inclinado en este momento más que a concertarse con el grupo
de potencias europeas neutrales». En efecto, casi al tiempo que Madariaga
redactaba el memorándum, Barcia había confesado a Herbette que, en
caso de guerra, España adoptaría una actitud neutral, aun a sabiendas de
que «ciertos gobiernos le reprocharían el favorecer, con su neutralidad, a
Francia e Inglaterra». Tal actitud no había sufrido variación alguna; el

gobierno español seguía creyendo que una guerra europea era «inevitable», no disimulando «ni los peligros ni los beneficios de la neutralidad», pero —como volvió a consignar Herbette— era inútil «toda tentativa que nosotros hagamos para demostrarle que los peligros esta vez sobrepasarán los beneficios», pues «sólo los hechos podrán cambiar esta neutralidad» [73].

La declaración del 1 de julio y la renuncia de Madariaga

La actitud mantenida por España durante la celebración de la Asamblea extraordinaria vino a confirmar las previsiones de Herbette y a demostrar, por ende, que el gobierno de la República compartía el planteamiento de fondo de Madariaga. De acuerdo con lo convenido en mayo, los neutrales volvieron a reunirse en las vísperas de la Asamblea para definir su posición ante la reforma de la Sociedad. Después de la tempestad tenía que venir la calma. La polémica desatada en España a cuenta del memorándum, el miedo a debilitar aún más el Pacto y el mantenimiento de las vacilaciones por parte de todos imponían la necesidad de que el Grupo actuara con la máxima prudencia, sin comprometer su credibilidad como leales defensores de la causa de Ginebra, aunque dejando constancia de sus reservas frente a la utilización de la Sociedad de Naciones como instrumento para dirimir las diferencias entre las grandes potencias.

No era sólo el gobierno de Madrid quien deseaba evitarse mayores complicaciones. Por la información recibida en el *Quai d'Orsay*, el propio Madariaga parecía haberse dado cuenta de las dificultades de su plan y mantenía ahora la conveniencia de abandonarlo, incluso antes de que éste fuera dado a conocer públicamente. De igual criterio era Oliván, quien poco antes del estallido de la polémica se había mostrado reacio a tocar la cuestión de la reforma del Pacto de forma expresa. También el gobierno sueco había adoptado similares precauciones; para Westman, miembro destacado de su delegación, las circunstancias del momento hacían imposible «acometer una reforma al por mayor del Pacto», creyendo preferible «dejar las cosas como estaban» con el fin de evitar los riesgos de «ir demasiado lejos en debilitar el artículo 16». Los daneses, en fin, llegaron a las mismas conclusiones que españoles y suecos, y ya habían elaborado un documento alternativo que coincidía en gran medida con los criterios expuestos por Madariaga, pero limando sus proposiciones más controvertidas [74].

Todos los indicios parecían indicar, pues, que los neutrales evitarían cualquier tentación de descender al terreno de las soluciones concretas y

optarían por refugiarse, una vez más, en los principios generales que a
nada comprometían. Así sucedió finalmente. El 1 de julio los ministros de
Asuntos Exteriores de Dinamarca, España, Finlandia, Noruega, Países Bajos, Suecia y Suiza hacían pública una declaración conjunta sobre «las
consecuencias de los sucesos actuales para la organización y el funcionamiento de la Sociedad de Naciones» en la que se eliminó toda referencia
concreta a la revisión de la aplicación del artículo 16, aunque reafirmando
la orientación neutralista que había tomado el Grupo. La nota comenzaba
expresando las dudas de las pequeñas potencias sobre la cuestión de «saber
si las condiciones en que se asumieron las obligaciones contenidas en el
Pacto existen todavía en un grado satisfactorio» y, en este sentido, califi-
caban de inadmisible el hecho de que «ciertos artículos del Pacto, y muy
especialmente el artículo sobre la reducción de armamentos, quedaran en
letra muerta mientras otros eran aplicados». Ante la gravedad de la situación, se reconocía la necesidad de examinar la conveniencia «de proceder
a cambios en el Pacto o de modificar su aplicación» con el fin de reforzar
la seguridad, estimando preferible la elección de un método que evitara
las enmiendas, aunque dejando abierta la puerta a examinar todas las
posibilidades «sin prejuicios». Como posibles alternativas de futuro, los
neutrales europeos sugirieron dos vías de acción. En primer lugar, «una
preparación más precisa de la aplicación de las reglas contenidas en el
Pacto que tiendan a impedir la violación de sus principios», reforzando la
actividad preventiva de la Sociedad y aplicando todos los artículos en su
conjunto. En segundo lugar, «retomar en todos los dominios políticos y
económicos la actividad de la Sociedad que había sido paralizada por la
crisis de los últimos tiempos», apelándose de forma especial a la reanudación de los trabajos del desarme, sobre el cual debía llegarse a un acuerdo
mínimo lo más rápidamente posible. Por último, la declaración del 1 de
julio expresaba el rechazo de los Estados neutrales a los pactos regionales
de seguridad, al estimar que suponían una vuelta a las alianzas del pasado
y resultaban una vía segura para la formación de bloques militares y el
incremento de la carrera de armamentos [75].

Bien fuera para evitar toda sospecha de revisionismo, o bien para guardar los moldes tradicionales de las intervenciones de la República en el
foro de Ginebra, en la Asamlea de julio tampoco faltó la renovación de la
«adhesión sincera y profunda» de España a la Sociedad de Naciones, que
respondía a «un sentimiento nacional inquebrantable». Así lo declaró Barcia en su discurso del 3 de julio, cuando matizó algo más la posición de
España ante la reforma de la Sociedad. Como los problemas existentes no
habían surgido del Pacto en sí, sino de la forma defectuosa en que había
sido aplicado, la República estimaba que había que enmendar «las prác-

ticas». Es decir, reformar la aplicación del *Covenant* partiendo de «la obligación de dar cumplimiento al artículo 8 para que el 16 adquiera toda su fuerza y pueda aplicarse con toda eficacia», sin cometer de nuevo el grave error de tener «una confianza excesiva» en las sanciones, pues «la falta de universalidad» era la más grave de las contingencias ginebrinas y «el Pacto será siempre un instrumento mucho más eficaz para la acción preventiva que para la represiva». Tal era la apuesta realista de la diplomacia republicana, expuesta sin ambages por Barcia al decir que, «de todos los peligros que amenazan a la Sociedad de Naciones, el más grave es el de dejarse llevar por ilusiones sin realidad y dejarse cautivar por brillantes resoluciones sin un futuro práctico» [76].

¿Acaso no estaba defendiendo Barcia, con aquellas palabras, la esencia misma del memorándum Madariaga? Necesidad de universalidad y de desarme para exigir el cumplimiento de las sanciones, primacía de la prevención sobre la disuasión, apelación al pragmatismo frente a todo idealismo. Era, sin duda, el mismo mensaje que había estado en boca de Madariaga y de los delegados neutrales desde que se había consumado el fracaso de la Conferencia del Desarme; el mismo que proclamaron cuando se hizo efectiva la violación alemana del tratado de Versalles, y el mismo, en fin, que había expuesto el propio Barcia en el Consejo de Londres después de que Hitler procediera a la remilitarización de Renania. El acuerdo alcanzado por los neutrales asumía las ideas fundamentales del memorándum Madariaga, aunque no se encendieran las «cinco lámparas» para dar con la fórmula mágica que limitara la aplicación del artículo 16. Bien visto, incluso en un aspecto la declaración del 1 de julio superaba al documento elaborado por el delegado español: al condenarse expresamente la formalización de acuerdos regionales de seguridad en la dirección propuesta por los franceses, España se desdecía en parte de lo que había estado acariciando desde hacia bastante tiempo como medio para preservar el mantenimiento del *statu quo* en el Mediterráneo.

En esta ocasión, sin embargo, no se encontró motivos para la polémica. Mientras el memorándum Madariaga hizo correr regueros de tinta, la nueva reunión de los neutrales pasó casi inadvertida para la opinión pública española. Esto, precisamente, era lo más grave, pues de la declaración del 1 de julio de 1936 se derivaban, en principio, importantes consecuencias para la orientación futura de la política exterior española. Estampando su firma en aquel documento, la República del Frente Popular había reafirmado su deseo de pertenecer al club de los neutrales amenazados de guerra —el Grupo de Oslo, pasaría a denominarse en adelante—, nacido a la luz pública con aquella histórica nota y que luego, ya en plena contienda civil —cuando Madrid estaba padeciendo los efectos de las neutralidades—, seguiría avanzando por la misma senda con las declaraciones de Estocolmo (27 de mayo de 1937) y Copenhague (24 de julio de 1938), política que también acabaría abrazando Bélgica y que duró mientras Hitler tuvo por objetivo prioritario la preparación de la *Wehrmacht* [77].

Evidentemente, sobraba la polémica formal y faltaban las otras polémicas, la de la esencia misma de la reforma del *Covenant*, la del riesgo inminente de guerra europea y la de la tradicional política de neutralidad española. Pero la primera, a la postre, sirvió para proporcionar a las contradicciones de la política exterior el chivo expiatorio que necesitaba: Madariaga. Porque, una vez salvado el desconcierto gubernamental, lo que no se podía salvar era la situación comprometida del delegado de la República en Ginebra. Por mucho que el Gobierno le restituyera públicamente su confianza, y por mucho que Barcia se esforzara en prodigarle «elogios abundosos y generosos» en la reunión de los neutrales, las críticas recibidas desde todos los flancos habían hecho mella en su credibilidad personal y diplomática. A Madariaga no le quedó otra salida airosa que presentar la renuncia a su cargo.

Antes de tomar esa drástica decisión, Madariaga intentó otra vía: la restitución de la confianza de sus antiguos amigos socialistas en su persona. A tal fin, escribió a Fernando de los Ríos, Indalecio Prieto y Julián Besteiro una extensa carta explicándoles todos los pormenores del asunto y esperó una respuesta compensatoria. Sin embargo, ésta no se produjo; al contrario, la campaña de la prensa socialista en su contra adquirió «más vivacidad y amplitud», según constató Herbette. Madariaga entendió siempre que «la clave de todo estaba en que la izquierda se veía ya ante cosas fuertes y quería eliminarme de Ginebra», sospecha que le indujo a pensar «que Fernando fue instrumento, algo ingenuo, del trío Largo-Araquistáin-Vayo que ya preparaban su leninización de la República y veían en Azaña un Kerensky, para lo cual era menester echarme de Ginebra». Para Fernando de los Ríos, en cambio, la explicación de todo aquello era mucho más sencilla: «las semanas del mes de junio» —escribió a Madariaga en febrero de 1937— «fueron para mí tan terribles que me tenían enfermo espiritualmente como jamás me he sentido: todo esto que está aconteciendo» —se refería a la Guerra Civil— «suponía yo que iba a suceder en mayor o menor medida por la información exacta, precisa, que estaba recibiendo y que comunicaba al Gobierno sin lograr que éste lo creyese» [78].

Al fin y al cabo, ¿qué importancia tenía el *affaire* en torno al memorándum Madariaga en medio de la vorágine que precedió a la Guerra Civil? Poca, desde luego, aunque la dimisión de Madariaga fuera un exponente significativo de las contradicciones en las que se debatía el régimen republicano en su proyección internacional.

Hay que matizar, no obstante, que ni siquiera se trataba de una dimisión oficial. Como Madariaga explicó al hacer pública su decisión, el puesto de delegado español en Ginebra era una entelequia: «no tengo nombramiento, ni cargo, ni sueldo, ni despacho, ni secretario, ni archivo. No tengo más que mi buena voluntad. No puedo dimitir, puesto que no tengo qué dimitir. Renuncio, pues, a lo único que tengo, el honor de servir al Estado de una nación que fue grande y que volverá a serlo si así lo quieren a una los españoles». En cierta medida, el cansancio que traslucían las palabras de Madariaga estaba justificado. A la crítica política se añadió la precaria situación económica que padecía como consecuencia del desempeño de sus labores diplomáticas sin ostentar responsabilidad oficial alguna. Esta situación era una anomalía organizativa más que la República no había acertado a resolver desde el primer momento, toda vez que España carecía de delegación permanente cerca de la Sociedad de Naciones. En un primer momento no había existido problema alguno, puesto que Madariaga asumió estas funciones compaginándolas con su cargo de embajador; pero desde abril de 1934 venía desempeñando idénticas labores que antes sin percibir sueldo alguno, cobrando solamente gastos de dietas y viajes. En muchas ocasiones Madariaga se había quejado de todo ello, y hasta en abril de 1936 Barcia parecía dispuesto a dar una solución definitiva al problema con la creación de una delegación permanente, aunque tampoco en esta ocasión hubo tiempo ni dinero para reformar la estructura organizativa del Ministerio de Estado ni para atenuar la precariedad que siempre tuvo la delegación española en Ginebra [79].

En la primavera de 1936, Madariaga carecía, no sólo de apoyos políticos, sino también de incentivos económicos que le ayudaran a seguir desempeñando su labor diplomática con ganas. Pero ello no debe hacer olvidar que carecía, sobre todo, del principal motivo que le había llevado a aceptar el cargo: las ilusiones de Ginebra. Porque la renuncia de Madariaga a seguir representando a España en la Sociedad de Naciones no puede ser interpretada exclusivamente como el resultado lógico de discrepancias políticas internas, aunque en parte también lo fuera. Con una perspectiva más amplia, hay que considerar esta decisión como la consecuencia lógica de la descomposición del sistema de seguridad colectiva y, en definitiva, de la inviabilidad de la política pacifista de España en la Europa de entreguerras. Pese a la insistencia de Madariaga en defender la idea de que «la Sociedad de Naciones no ha fracasado, no puede fracasar, lo mismo que no pueden fracasar los diez mandamientos», el hecho cierto era que Ginebra había sucumbido irremisiblemente ante los golpes de fuerza y que carecía de toda credibilidad como instrumento de paz y de seguridad colectiva, y que, también pese a las palabras de Barcia en la

Asamblea de la Sociedad de Naciones de comienzos de julio, la política de conciliación para la paz era ya un imposible en medio de una Europa dividida que se preparaba para la guerra [80]. Ya no existía Pacto alguno que se pudiera defender, ni Pacto al que se pudiera ser fiel. Y al agotarse el Pacto, la política de conciliación europea y las terceras vías, se había agotado la misión diplomática de Madariaga en Ginebra.

CONCLUSIONES

Un intelectual metido a político y diplomático (Madariaga), una pequeña potencia inestable (la II República) y un sistema de seguridad colectiva en proceso de descomposición (la Sociedad de Naciones) han servido como ejes para analizar la actuación de España en la Europa de 1931-1936. En la trama histórica descrita hubo de todo: ingredientes de política nacional e internacional; protagonistas activos y pasivos; factores de estímulo y de freno; ideas y realidades, y también, ambigüedades, silencios y evasivas. El seguimiento de los conflictos internacionales que incidieron en la crisis europea de los años treinta ha permitido conocer, caso por caso, las posturas de dirigentes políticos y diplomáticos, de partidos políticos en el poder y en la oposición, de gobiernos y medios de comunicación en el interior de España; así como las reacciones que tales posturas suscitaron en el extranjero, en el *Quai d'Orsay* y el *Foreign Office*, en los ambientes societarios de Ginebra y las capitales «menores». Es ahora el momento de extraer conclusiones, englobar los distintos fenómenos analizados en una visión de conjunto y, en concreto, tratar de responder a esa cuestión clave que ha estado siempre subyacente: ¿tuvo la República una política exterior?

I

Propósitos de tenerla no faltaron. Nada más comenzar su andadura, el gobierno provisional anunció que la República se disponía a dotar a España de una política exterior en consonancia con los altos ideales de la democracia, los intereses estratégicos y defensivos de la Nación, la posición del país en la escena internacional y las circunstancias del momento. Al igual que sucedió en política interior, en la vertiente externa los republicanos españoles no se propusieron practicar el derribo sistemático de todo lo viejo, ni mantener intactas las actitudes de la Monarquía. El mensaje era esencialmente reformista; el «nuevo rumbo» diplomático no significaba ni mera continuidad ni total ruptura, sino reforma, reformas que corrigieran los vicios heredados del pasado, pero respetando los pilares fundamentales sobre los que se asentaba la proyección exterior del Estado. Como gustaba decir a Azaña, no se trataba de renunciar a la forma de ser, a «la roca viva», es decir, a la neutralidad en buena inteligencia con Francia e Inglaterra, sino de cambiar el modo de estar, «la cáscara superficial», esto es, el aislamiento como propensión natural de los españoles y el aislacionismo como opción de política exterior. El objetivo final era lograr la plena inserción de España en el sistema de seguridad colectiva, ponerse a tono con la sociedad europea de su tiempo y cumplir el compromiso insoslayable de implicarse en la construcción del mundo. Un «deber» —se decía— que ningún gobierno podía eludir, puesto que la mera pertenencia a una civilización y, más aún, la vinculación a un sistema de Estados, imponía la obligación de desempeñar un papel determinado en la política internacional.

¿Cuál era el papel que la República debía desempeñar? No había elección posible en este terreno: el que se le había asignado en el orden internacional en función del rango y la posición que España ocupaba en él; es decir, actuar como un leal mantenedor del *statu quo* en su condición de pequeña potencia. ¿Cómo hacerlo? La respuesta fue unánime desde el primer momento: trabajando activamente por la paz y procurando eludir dos grandes peligros: el aislamiento y el alineamiento formal, aunque teniendo claro que lo primero debía conjugarse con la tradición de neutralidad y lo segundo con el imperativo de marchar al compás de franceses y británicos, principales clientes de España en lo económico, líderes en lo político y pilares básicos en cuestiones de seguridad. ¿Donde desempeñar tal papel? Tampoco hubo dudas al respecto: en la Sociedad de Naciones con prioridad, puesto que era un ensayo de «comunidad internacional organizada», el «gran experimento» al servicio del sistema de seguridad colectiva y el lugar donde se ventilaban los problemas de la paz.

Obviamente, las razones aducidas para justificar tal orientación evitaron el reconocimiento de tanta mediatización externa y tendieron más a apoyarse en la defensa de los «intereses nacionales». ¿Cuáles eran éstos? España no sentía amenazadas sus fronteras territoriales y carecía de ambiciones expansionistas; se encontraba desarmada, tanto económica como militarmente; necesitaba consolidar su nuevo régimen y contaba con una opinión pública que rehuía la participación en empresas bélicas, todo lo cual daba por resultado que «el primer interés» estaba en la conservación de la paz europea, condición *sine qua non*, por otra parte, para poder acometer la urgente tarea de «reconstrucción nacional» que aguardaba a la República. España, además, poseía una serie de ventajas añadidas que la hacían especialmente apta para desempeñar un papel activo como factor permanente de paz: su prestigio moral como «constructora de imperios retirada del negocio», su doble vocación europea y americana, su envidiable situación geoestratégica y la ejemplar «revolución» democrática que había alumbrado una «Niña Bonita».

Por si fuera poco, las circunstancias del momento hacían posible la existencia de un marco idóneo para insertar a España en Europa: la Sociedad de Naciones, cuyos objetivos finales coincidían con las aspiraciones morales, políticas y defensivas de la República. Desde la perspectiva de los deseos más profundos, del «ideal» democrático, Ginebra era una «esperanza», esperanza de paz, de república mundial y de unidad europea. Desde planteamientos políticos más inmediatos, la Sociedad constituía una excelente plataforma para hacerse oír, participar en la toma de decisiones, multiplicar contactos diplomáticos y, en fin, incrementar el prestigio de la República en el exterior. Por último, desde el punto de vista de la defensa nacional, el *Covenant* proporcionaba una «garantía de seguridad» para un Estado débil e indefenso como era España, resolviendo de un modo barato y cómodo el grave problema de la indefensión militar. Así pues, todos los caminos de la política exterior española conducían a Ginebra, cuyos principios quedaron incorporados a la Constitución de 1931. La Sociedad de Naciones, de esta forma, se convirtió en el foro donde ejercer la política europea y, también, en el faro que iluminaba el «nuevo rumbo» internacional.

¿Nuevo rumbo? En parte sí, sobre todo en la actitud con que se acudió a Ginebra y en los modos de actuar en la política europea. No cabe duda que el «espíritu de colaboración leal, activa y desinteresada» de la República se encontraba en las antípodas de aquellos gestos de orgullo nacional herido y delirios de grandeza que habían caracterizado la actuación de la Monarquía con Primo de Rivera, y ello diferenció drásticamente a uno y otro régimen en su praxis exterior. En parte no ocurrió así —podría argumentarse también—, porque no se produjo una alteración sustancial de la orientación general de la política exterior pese a la reformulación de la neutralidad en un sentido «positivo» y, además, Madariaga ejerció durante algún tiempo de delegado en Ginebra y embajador en París, reproduciendo así el esquema organizativo que tantos inconvenientes había revelado en tiempos de Quiñones de León. Esta doble conclusión es la única que se desprende de un análisis «nacionalizado» de la actuación de España en la Europa de entreguerras. Pero existe otro aspecto de la cuestión, a menudo inadvertido, que es preciso destacar para la comprensión global del problema.

En realidad, ese «nuevo rumbo» de la política exterior española era ya viejo en Europa. Idénticos argumentos a los esgrimidos por los republicanos de 1931 habían estado informando la actuación de las pequeñas potencias demoliberales desde el término de la Gran Guerra. Todas veían en la Sociedad de Naciones un instrumento para la promoción de la paz a través de la justicia y se autoconsideraban «campeones» de su causa. Y conviene subrayar que si lo hacían así no era por virtud, sino por necesidad; no por derecho, sino por obligación; no por servir a la paz desde postulados altruístas, sino por defender sus intereses más preciados desde el pragmatismo y el egoísmo nacional. Por su mediatización económica y política y su vulnerabilidad defensiva, no tenían otra alternativa; deseaban seguridad y sólo podían procurársela colectivamente, mediante un convenio de ayuda mutua, razón poderosísima para abrazar fervorosamente la letra y el espíritu del Pacto, con el cual nada tenían que perder y sí mucho que ganar. Teniendo en cuenta esta perspectiva, hay que concluir que lo novedoso tenía un alcance más profundo que la mera política de gestos. España, con el advenimiento de la República, pretendía «ocupar su sitio» en el sistema internacional; en otras palabras, dejaba atrás las pretensiones de gran potencia y los resabios heredados de un pasado de gloria ya fenecido; reconocía (en voz baja, eso sí, para no herir susceptibilidades patrias) su condición de actor secundario en la escena europea, y se disponía a asumir su papel con la lealtad de los subordinados, el entusiasmo de los militantes y, también, la ingenuidad de los principiantes.

II

Si propósitos no faltaron, tampoco estuvieron ausentes los obstáculos internos que se interponían en el camino del nuevo rumbo internacional. Sabido es que toda política exterior requiere, además de objetivos, capacidad y medios para llevarlos a cabo, y la República, en cuanto a disponer de estos elementos esenciales, no sólo partía con una considerable desventaja, sino que nunca supo ni pudo contrarrestarla.

En los niveles más elementales del quehacer político podemos econtrar una variedad de elementos que inducen a pensar en la carencia de una política internacional coherente por parte de España, o al menos, en las grandes limitaciones internas que tuvo. En el terreno puramente organizativo, ya fuera por la acción de poderosos frenos, por la falta de tiempo, de dinero o de voluntad política, o por todo ello a la vez, lo cierto fue que la República demostró una incapacidad manifiesta para dotarse de un plan orgánico de actuación en el exterior. A la inadecuación del organigrama ministerial a las nuevas condiciones de la época se añadió el carácter de provisionalidad que siempre tuvo la delegación española en la Sociedad de Naciones. En lo relativo a recursos humanos, la República heredó un servicio diplomático afecto a la Monarquía, falto de especialización y dotado de un excesivo espíritu corporativista, y por tanto, desmotivado políticamente y más impregnado de los hábitos y prácticas de la vieja diplomacia secreta que de la nueva diplomacia abierta que el régimen postulaba. Los tímidos intentos de «republicanización» de la diplomacia española apenas dieron fruto positivo y su alternativa más socorrida, el nombramiento de embajadores políticos, no siempre fue acertada, amén de provocar un aumento de los habituales recelos entre «escalafonistas» y «*outsiders*». Hubo excepciones, naturalmente; la más notoria se produjo en el terreno de la diplomacia multilateral, pues Madariaga era un experto en temas societarios y Oliván resultó ser un competente y leal servidor de la República. Pero la excepción no vino sino a confirmar la regla general. Con la desarticulación orgánica y el carácter anodino de la gestión diplomática, la improvisación y el excesivo personalismo estuvieron a la orden del día.

Los problemas derivados del funcionamiento viciado de la maquinaria burocrática se incrementaron con la permanente inestabilidad política que vivió la República. Con demasiada frecuencia se cambiaron ministros de Estado y subsecretarios, de tal forma que algunos se vieron forzados a presentar su dimisión cuando todavía no habían acabado de aterrizar en el cargo. Tampoco se hiló demasiado fino en el nombramiento de las personas idóneas para desempeñar las responsabilidades diplomáticas, atendiéndose más a los encajes de bolillos precisos para repartir las cotas de poder entre los partidos coaligados que a criterios de capacidad y eficiencia en política internacional. Por otra parte, las continuas zozobras internas también repercutieron en la credibilidad de la política exterior española. En las capitales europeas se pudo escuchar más de un comentario sobre la falta de solidez que tenían las palabras de los representantes republicanos en la Sociedad de Naciones pidiendo arbitraje y conciliación en los asuntos internacionales cuando los españoles eran incapaces de poner orden en su propia casa. Esta desconfianza permanente pesó como una loza en la consideración que merecía la política exterior de la República.

Por encima de estos elementos, aunque incidiendo de lleno sobre ellos, operaba ese otro factor —permanente en la política exterior del Estado contemporáneo— que Jover tan certeramente ha definido como «la primacía del conflicto interior» y que, al consumir tantas energías, actuaba como impedimento para prestar a los asuntos internacionales la atención que éstos merecían. Contra lo que se ha dicho en más de una ocasión, no se trataba tanto de un problema de descuidos, como de una cuestión de apremios. Para los republicanos españoles la concentración de esfuerzos en la transformación del país respondía a una necesidad de modernización interna, pero también llevaba implícita una exigencia de proyección exterior, pues, a la postre, la homologación con Europa era el único camino que conduciría a la plena inserción de España en la sociedad internacional. No obstante, la realidad inmediata acabó por establecer las prioridades en el terreno de la acción, de tal forma que la urgencia de las cuestiones domésticas necesariamente tuvo que relegar los asuntos internacionales a un segundo plano en las preocupaciones de políticos, instituciones y ciudadanos.

A niveles más profundos, también es preciso considerar las derivaciones de lo que ha dado en llamarse el «secular aislamiento» de España con respecto al mundo exterior. El «recogimiento» y la posterior neutralidad durante la Gran Guerra eran algo más que la mera formulación de una política oficial susceptible de ser eliminada a golpe de artículos en la Constitución. La tradicional «marginación española de los conflictos continentales» tenía que dejar huellas profundas en la mentalidad colectiva de un país demasiado acostumbrado a vivir de espaldas a Europa y donde hablar francés o inglés y viajar al extranjero era un privilegio que sólo se podían permitir diplomáticos, eruditos y señoritos. La ausencia de una sólida cultura internacional se hizo notar, de forma más concreta, en la debilidad de las organizaciones pacifistas, asociaciones pro-Sociedad de Naciones, clubes de mujeres por la paz y centros de estudios internacionales que estaban tan de moda en otros puntos de la geografía europea y tan menguadas de efectivos y recursos en la Península; y ello contribuyó a limitar la difusión de los temas internacionales en la sociedad española.

III

Con tantas trabas internas, se entiende mejor el protagonismo desempeñado por Madariaga en Ginebra. Su pluma y labia estuvieron omnipresentes en la política europea de la República entre agosto de 1931 y julio de 1936. Su inconfundible huella quedó grabada en los artículos pacifistas de la Constitución, en la filosofía inspiradora del «nuevo rumbo», en las directrices generales de la actuación española en Ginebra, en el programa de desarme de la República, en los discursos de los ministros de Estado ante la Asamblea y el Consejo, en los contactos con grandes y pequeñas potencias y en las decisiones tomadas ante las diversas cuestiones que se debatieron —o se silenciaron— en la Sociedad de Naciones. Su presencia se hizo notar con tanta intensidad que ha llegado a decirse que la política exterior española nació y murió en él, o que el prestigio alcanzado por la República en el extranjero se debió exclusiva o principalmente a su inspiración, talento y actividad. Pero tales interpretaciones no hacen sino reproducir los esquemas conceptuales de un análisis muy parcial, el que hizo el propio Madariaga, que menoscabó aspectos esenciales de una realidad mucho más compleja.

Es innegable que Madariaga contribuyó a dar dinamismo, buena imagen y continuidad a la política exterior española. El ex-funcionario internacional y publicista de la paz y el desarme aportó un bagaje de conocimientos y experiencia en temas y mecanismos societarios de los que en principio se carecía, así como un marchamo personal que ayudaba a entrar en acción y estar bien considerados en medio de aquel ambiente de salitas y hoteles que era la Ginebra de los años treinta. Sin republicanos en el aparato diplomático, la República se vio obligada a echar mano de lo poco que tenía, y Madariaga era un *rara avis* de su especie: uno de los contados españoles que había hecho de la política internacional razón de su vida. Si a ello se unen las deficiencias del Ministerio de Estado y la inestabilidad gubernamental, se completa el cuadro de condiciones objetivas que hizo posible que Madariaga fuera considerado en Madrid como el experto y consejero de confianza en los asuntos internacionales, y en Ginebra como un colaborador leal de la Sociedad. Pero no es menos cierto que Madariaga, favorecido por tales circunstancias, buscó en no pocas ocasiones su propio lucimiento personal. Junto a su gracejo trilingüe, también formaba parte de su condición humana las aspiraciones de sentirse alguien importante en la construcción de *The New Europe*, y la República le proporcionó una excelente plataforma de promoción personal y prestigio social. Así, entre factores objetivos y subjetivos, se fue fraguando un protagonismo que tuvo tanto de mito como de realidad.

La tan cacareada falta de instrucciones de los sucesivos gobiernos como causa justificativa del protagonismo asumido por Madariaga en la Sociedad de Naciones es una verdad a medias. Fue cierta, pero sólo en los primeros momentos (para ser precisos, entre septiembre de 1931 y diciembre de 1932), cuando había mucha inexperiencia en Madrid y relativamente pocas complicaciones en Ginebra. Esto ocurrió en los instantes que a Lerroux le dio por «hacer el ridículo por el país» o mientras Zulueta se mantuvo a la sombra de un prestigio llamado «Don Quijote de la Manchuria». Sin embargo, Madariaga se guardó mucho de tomar iniciativas comprometidas para España a partir de 1933 sin contar previamente con

el respaldo del Gobierno, actuando con pies de plomo en los momentos
más peliagudos. En unas ocasiones, Madrid no hizo más que respaldar las
sugerencias de Madariaga, en otras se llegó a una elaboración conjunta o
simultánea de las decisiones adoptadas, y algunas veces fueron los altos
cargos del Ministerio o los gobiernos de turno quienes impusieron criterios
de actuación que no eran muy del agrado de Madariaga. Además, en todas
los desacuerdos importantes que hubo entre éste y los ministros de Estado,
bien se tratara de Zulueta, Sánchez Albornoz o Barcia, siempre se impuso
la posición de estos últimos. Evidentemente, no toda la política exterior
española, ni siquiera la desplegada en Ginebra, se gestó y acabó en Madariaga.

Tampoco puede alegarse el prestigio personal de Madariaga como único motivo del gran número de responsabilidades encargadas a España en
Ginebra. En la mente de los gobiernos estuvo el deseo de colaborar al
máximo en la obra de la Sociedad, esgrimiéndose esta actitud como signo
distintivo de la nueva política exterior. Al principio, la asunción de este
compromiso coincidió con la presidencia española del Consejo, lo que llevó
a Madariaga a estar presente en los comités que se crearon para mediar
en el conflicto de Manchuria. Luego, durante la celebración de la Conferencia del Desarme, el delegado español presidió el Comité Aéreo y formó
parte de la Comisión General porque a la República le correspondía ocupar dichos cargos en virtud del equilibrio de poder acordado entre grandes
y pequeñas potencias. No obstante, lo más interesante sobre esta cuestión
aconteció a partir de 1935, cuando el Consejo encargó a Madariaga importantes misiones mediadoras durante el desarrollo de la guerra de Abisinia. Sin duda, se trataba de un papel que le venía como anillo al dedo
al delegado español, cuyas dotes de mediador y espíritu conciliador eran
unánimemente reconocidas. No en balde era Madariaga un maestro en el
arte de encontrar la tercera vía, la solución típicamente ginebrina para
contentar a unos y otros dejando insatisfechos a todos. Pero en su nombramiento influyeron, con tanto o mayor peso que sus cualidades personales, otros méritos más ocultos, pero nada desdeñables en una decisión
que, a fin de cuentas, era tomada en función de los intereses en juego.
Entre tales «virtudes», cabría citar la actitud española de neutralidad durante la tramitación de la disputa; la debilidad de un gobierno que, preso
de sus contradicciones internas, daba una sensación de maleabilidad a los
ojos de Londres, Roma y París, y sobre todo, la utilidad de disponer de
una figura de reconocido prestigio filosocietario al frente de las negociaciones con Mussolini, con lo que Ginebra daba una sensación de aparente
firmeza ante la alarmada opinión pública europea.

En resumidas cuentas, la explicitación del protagonismo individual de

Madariaga requería, no sólo voluntad propia, sino también consentimiento ajeno. Y si los dirigentes de Madrid y de Ginebra le brindaron su apoyo, se debió a que reunía todas las cualidades precisas para ello, tanto las derivadas de su prestigio personal de «conciencia de la Sociedad de Naciones», como las de su ductilidad para amoldarse a circunstancias y decisiones que le sobrepasaban con creces. Además de buenas intenciones, *currículum* y elocuencia, en aquella Europa y aquella España profundamente divididas se necesitaba no pocas dosis de ambigüedad para ser protagonista activo y saber estar, al mismo tiempo, con tirios y troyanos, ingleses e italianos, franceses y alemanes, gobiernos de izquierdas y de derechas, sancionistas y neutralistas estrictos. Aunque purgando continuamente las culpas de aquel craso pecado que le hizo ser blanco de críticas a diestro y siniestro, Madariaga se mantuvo en tal situación de precariedad hasta que le fue posible, es decir, hasta la primavera de 1936. Entonces, ni siquiera un *rara avis* como él pudo sobrevolar los cielos de la bipolaridad sin ser alcanzado por un tiro certero.

IV

Ni el peso de los condicionantes internos ni el protagonismo de Madariaga en Ginebra pueden ser esgrimidos como argumentos suficientes para afirmar que la República careció de política internacional. Condicionantes y protagonismos también tuvo la Monarquía con anterioridad, así como otros países europeos en la misma época, y no por ello se les niega una acción exterior. Con frecuencia se olvida, por ejemplo, la inestabilidad política de la III República francesa, las debilidades de los aparatos diplomáticos de las pequeñas potencias europeas, el primado de la política interior en otros países de la Europa del sur y del este y los aislacionismos de la Europa nórdica para comparar las situaciones plurales que se daban en un mundo cada vez más homogéneo y, en consecuencia, extraer de ellas no sólo diferencias, sino también paralelismos. Tampoco puede exagerarse la nota sobre el «secular aislamiento» y deducir que los españoles se desentendieron por completo de lo internacional. Si no lo hicieron en la Gran Guerra ni tampoco en los años veinte, menos aún podían permitírselo en los años treinta, en un momento en que el auge de los fascismos y la crisis de las democracias estaba contribuyendo a que todos —derechas e izquierdas, élites y pueblo— tomaran conciencia de la estrecha vinculación de los destinos de España a los de Europa. Por último, ¿quién puede negar que similar papel al asumido por Madariaga en la política exterior española desempeñaron Benes en la checa, Motta en la suiza, Munch en la danesa,

Sandler en la sueca, Lester en la irlandesa o Politis en la griega? La Europa de entreguerras presenció la irrupción de las masas en la historia, pero también la fuerza de los liderazgos personales, y en medio de una crisis de civilización sin precedentes, estigmas y estereotipos se prodigaron por doquier.

Sin minimizar la incidencia de importantes factores peculiares, es preciso recalcar que la praxis diplomática de la República no constituyó, en lo esencial, un «caso aparte» en la dinámica política de la Europa de los años treinta. Al contrario, durante aquel intensísimo lustro, el comportamiento de España como actor del sistema internacional se ajustó a los mismos parámetros de conducta que siguieron otros Estados de similares características: las democracias europeas con *status* reconocido de pequeñas potencias y tradición de neutralidad. A la hora de definir criterios de actuación y tomar decisiones en el exterior, los gobiernos españoles tropezaron con importantes obstáculos internos —sin duda poderosos, por la herencia recibida y la debilidad del Estado—, pero estuvieron condicionados, sobre todo, por la propia evolución de los acontecimientos europeos, que forzaron a la diplomacia republicana —al igual que al resto de las cancillerías— a una permanente adaptación de sus propósitos de partida a las circunstancias de una coyuntura internacional cada vez más conflictiva. ¿Cuál fue, pues, esa evolución?; ¿cómo, cuando y por qué se produjo?

Las ilusiones pacifistas dominaron la primera etapa, durante 1931 y los primeros meses de 1932. Éste fue el momento de creer que la República iluminaría el camino a seguir por otros pueblos para liberarse de las cadenas que les ataban, de anunciar cordialidad para las relaciones hispano-francesas y amistad con todas las democracias, de incorporar grandes ideales a la Constitución y proclamar buenas intenciones en Ginebra, de irrumpir en el Consejo de la Sociedad de Naciones con «un lenguaje revolucionario y refrescante» y de presentar un programa «audaz» en la apertura de la Conferencia del Desarme. Durante esta fase, tanto la formulación como la interpretación de la política europea de España corrieron a cargo de Madariaga, aunque éste contó con la aquiescencia pasiva del Gobierno. Prodigando críticas a las grandes potencias por su falta de liderazgo moral y erigiéndose en portavoz de la causa de los débiles, el delegado español se ganó a pulso el sobrenombre de «Don Quijote de la Manchuria», conectó con otras delegaciones que también veían amenazados los principios del Pacto y hasta ofreció el concurso de la Armada española para colaborar con la *Royal Navy* en el caso de que Londres se decidiera a detener, *manu militari*, la agresión japonesa a China. Esta política de societarismo a ultranza se alimentó del entusiasmo e idealismo propios de un régimen que acababa de nacer, así como de las esperanzas de paz que todavía quedaban en Europa procedentes de «los felices veinte», por lo que sólo pudo sostenerse mientras duraron tales impulsos.

Los primeros reveses obligaron a la diplomacia española a caminar más apegada al difícil terreno que pisaba y a buscarse compañía en Ginebra. Esto sucedió a partir de la primavera de 1932, cuando Zulueta comenzó a asumir la dirección de la política exterior y compartió con Madariaga el protagonismo en los foros internacionales. La República, entonces, dejó de ser la vanguardia individual en el Consejo y se convirtió en una pieza más de un movimiento colectivo: la «rebelión» de las pequeñas potencias en la Asamblea. De puertas adentro se entabló una pugna soterrada entre la «firmeza» de Madariaga y la «prudencia» de Madrid, enfrentamiento más aparente que real, por lo que se diluyó en el tiempo y acabó resolviéndose dejando que fuera el curso de los acontecimientos el que impusiera el ritmo a seguir. Y éste hizo entrar a España en una serie de tentativas destinadas a hacer frente a la adversidad por la vía de la unidad.

Bastó el fracaso del arbitraje en el Lejano Oriente y los primeros reveses en el terreno del desarme para que las pequeñas potencias se percataran de sus «impotencias» y decidieran aunar esfuerzos para combatir incumplimientos de tratados. Tras constatar que compartían un régimen de democracia parlamentaria en el interior y la defensa del espíritu y la letra del *Covenant* en el exterior, las delegaciones de Bélgica, Checoslovaquia, Dinamarca, España, Holanda, Noruega, Suecia y Suiza pusieron en práctica un mecanismo de consultas para coordinar su actuación en Ginebra: el Grupo de los Ocho. Pese a las renovadas ilusiones que el grupo despertó, sus logros fueron raquíticos, limitándose a «restaurar el honor» de la Asamblea durante la tramitación de la disputa chino-japonesa y a servir de amigables componedores de acuerdos que no eran tales, como la Resolución Benes de julio de 1932, que cerró la primera fase de la Conferencia del Desarme con más pena que gloria. Sin capacidad para imponer sus criterios y sin voluntad de propiciar una rebelión que fuera más allá de la mera protesta verbal —de la diplomacia retórica—, los débiles de Europa habían obtenido unos resultados tan desproporcionados al esfuerzo realizado que sólo podían animar al desaliento.

La decepción no se hizo esperar. El fracaso del primer año de Conferencia del Desarme marchitó las ilusiones pacifistas con que la República había acudido a Ginebra. Al descubrir la inconsistencia del sistema que con tanto ahínco pretendía defender, surgió la duda: ¿sería necesario que España procurara obtener las garantías de seguridad que no podía ofrecerle la endeble Sociedad de Naciones por otras vías, al amparo de una alianza bilateral con Francia, por ejemplo? Éste fue el dilema que aparentemente se le planteó a la diplomacia republicana en el otoño de 1932, a

propósito de la visita de Herriot a Madrid. Pero tal solución quedó descartada de antemano; ni la opinión pública española permitiría un giro
tan radical en la tradicional política de neutralidad, ni los gobiernos de
Roma, Londres y Berlín consentirían tamaña alteración del equilibrio de
fuerzas sin presionar en su contra. El anuncio oficial del viaje fue suficiente
para advertir ese doble impedimento, nacional e internacional al mismo
tiempo, de tal forma que ni París pretendió ni Madrid consintió que los
más impulsivos abogados de la «solidaridad democrática» se adentraran
en los peligrosos vericuetos de un tratado hispano-francés.

Ahora bien, una cosa era alianza bilateral y otra la colaboración internacional entre dos «repúblicas hermanas» que compartían gobiernos de
similar orientación y «un modo análogo de entender los problemas del
mundo» —como se decía, en alusión a la extensión de los principios republicanos a Europa. En efecto, el *Quai d'Orsay* había trabajado con ese
propósito desde la proclamación del nuevo régimen, y si siempre resultaba
ventajoso para París contar con el respaldo español, más lo era en el otoño
de 1932, cuando Francia se encontraba aislada diplomáticamente y precisaba de apoyos que le permitieran sacar adelante su nuevo plan de desarme. Ese fue el resultado más tangible de aquella «visita de cortesía». Durante algún tiempo, España defendió en Ginebra las tesis francesas de
seguridad, y para ello contó con un excelente *camouflage* de no alineamiento
internacional: el Grupo de los Ocho, que evolucionó hacia una mayor
comprensión de las ansiedades francesas tras la subida de Hitler al poder
en enero de 1933. Tal política, sin embargo, se reveló inútil al fracasar el
plan constructif, impracticable al asumir los británicos la iniciativa diplomática y hasta peligrosa con el enfrentamiento franco-germano de por medio.
La diplomacia española no tardó mucho en darse cuenta de ello.

El «año fatal» de 1933 resultó decisivo para Europa y, por tanto, para
la evolución de la política exterior española. A la decepción del 32 siguió
un proceso de toma de conciencia de la gravedad de la crisis europea y
de los peligros que podían derivarse para España en caso de que se desencadenara una guerra. Tan pronto como se planteó ese riesgo, la República comenzó a actuar con mayor cautela, asumiendo posiciones más pragmáticas en Ginebra y no dudando en efectuar los ajustes necesarios en su
política europea. Con el telón de fondo del impacto provocado por la
destrucción de la democracia alemana, la señal que dio la voz de alarma
fue el anuncio del Pacto de los Cuatro propuesto por Mussolini en marzo
de 1933. Ante los intentos de resucitar un directorio de grandes potencias,
Madrid se sumó a la «tormenta diplomática» que se desató en las capitales
europeas, tomando buena nota de la aparición de importantes fisuras entre
Francia y sus aliados. A ello se sumó la iniciativa británica sobre desarme,

que desplazó el centro de gravedad de la política internacional de París a Londres. En tal coyuntura, y con la referencia genérica de llegar a una «*entente* democrática» que hiciera frente a la creciente «amenaza nazi», España basculó entre la comprensión de las exigencias de seguridad de los franceses y los deseos de llegar a un «paralelismo más estrecho» con los británicos, además de procurar la distensión en sus relaciones con Roma. Bajo estas coordenadas, Madrid intentó retomar la idea de un «Locarno mediterráneo» en el verano del 33, a la par que la delegación española se desmarcaba progresivamente de las actitudes más filofrancesas que checos y belgas mantenían en el Grupo de los Ocho. De todas formas, el acontecimiento decisivo que acabó por completar el reajuste de la política española fue la retirada de Alemania de la Sociedad de Naciones.

V

La ruptura alemana de octubre de 1933 confirmó el viraje hacia la era de los golpes de fuerza. La inquietud se apoderó de todas las cancillerías europeas, y España no constituyó excepción alguna a la regla. Los dirigentes del Ministerio de Estado, liberados ya del control republicano-socialista y sin mucha fe en la Sociedad , advirtieron un peligro en el excesivo compromiso español con una de las partes en litigio, lo cual podía acarrear graves consecuencias futuras. En un proceso que se prolongó hasta marzo de 1934, la diplomacia española consiguió imprimir un nuevo giro a su actuación en Europa. Con el objetivo de recuperar la presunta inmunidad de que gozaban los neutrales, se impuso el regreso a la vieja neutralidad, tan estricta como lo permitiera el cumplimiento de los compromisos adquiridos con el sistema que algunos todavía llamaban de «seguridad colectiva». Dicho en otras palabras, a partir de la borrasca hitleriana del otoño del 33, el gobierno español oteó el horizonte, divisó los negros nubarrones que amenazaban la paz ficticia de Versalles, se cercioró de que los pronósticos más realistas auguraban riesgo de tormenta europea, y finalmente, decidió que era oportuno ponerse a cubierto bajo el paraguas de la neutralidad.

Aunque el cambio venía gestándose desde la primavera del 33, no cabe duda que la derechización de la República reforzó la reorientación neutralista. Así, pese a las declaraciones públicas de reafirmación de fe societaria, la rectificación del rumbo se notó de forma bien perceptible. De la amistad especial con Francia, que dejó de ser «república hermana», se pasó a la actitud filobritánica; de la *entente* democrática, aparentemente combativa frente a la «amenaza» alemana, al compromiso con la política de equilibrio europeo; y lo que resultó aún más evidente, de la militancia demoliberal en el Grupo de los Ocho, al compromiso exclusivo de política exterior con los ex-neutrales de la Gran Guerra: el Grupo de los Seis o, más comunmente, Grupo de los Neutrales, constituído por los mismos socios a excepción de Checoslovaquia y Bélgica, aliados confesos de Francia y, por tanto, obstáculos permanentes para guardar la equidistancia necesaria que posibilitara la mediación entre París y Berlín con las miradas puestas en Londres. Ni que decir tiene que el cambio no fue exclusivo a la diplomacia española, sino general a todos los ex-neutrales europeos, que optaron por la neutralidad en la paz a fin de preparar la neutralidad en una eventual guerra.

Desde abril a noviembre de 1934 la República participó de lleno en la política de mediación de los neutrales destinada a salvar la Conferencia del Desarme. Bajo el impulso del mayor dinamismo sueco, el gobierno español decidió apoyar iniciativas tendentes a alcanzar un compromiso nada probable: el que pretendía armonizar los intereses enfrentados del desarme limitado de los ingleses, la igualdad de derechos de los alemanes y las garantías de seguridad de los franceses. Así nacieron tres tentativas de mediación a cargo del Grupo de los Seis: el memorándum del 14 de abril, la declaración del 1 de junio y el memorándum Madariaga del 15 de octubre. Con estas propuestas, las pequeñas potencias renunciaban a sus aspiraciones de desarme, se avenían a reconocer un cierto nivel de rearme y proponían la adopción de un convenio que contemplara «el mínimo realizable». Una vez más, los esfuerzos resultaron baldíos y la Conferencia languideció en medio de un ambiente de descrédito hacia la organización internacional. Lo mismo sucedió con el último intento de mediación de los neutrales bajo los auspicios de Londres: la *démarche* conjunta ante Berlín al objeto de hacer regresar a Alemania al redil de Ginebra, que devino en misión imposible. A la postre, los nuevos desengaños sólo sirvieron para retraer aún más a España y a sus socios de la construcción (que ya era destrucción) de la paz europea. Al sentirse atrapados entre dos fuegos, a partir de entonces los débiles prefirieron no inmiscuirse demasiado en las rivalidades de los poderosos.

El repliegue se intensificó en 1935, al cosecharse los frutos envenenados de la abundante siembra de fracasos de años anteriores. Los indecisos neutrales reconocieron el *fait accompli* del rearme generalizado y se dispusieron a reforzar sus ínfimos programas de defensa nacional al igual que lo hacían franceses, alemanes, ingleses e italianos, como si un buque y unas piezas de artillería de más les preservaran de agresiones externas. En Ginebra, simultáneamente, se opusieron a la adopción de sanciones contra Alemania cuando Hitler decidió dar la estocada definitiva al tratado de

Versalles, aduciendo que ellos no eran responsables del germen de todos los males, y soportaron la afrenta de tener que plegarse a los criterios impuestos en el Consejo por los «grandes» reunidos en Stresa, aunque manteniendo una actitud a caballo entre la repulsa y la mansedumbre. En realidad, ya no era decepción ni indignación, sino riesgos y temores lo que se sentía en Madrid, lo mismo que en Berna, Estocolmo, Oslo, La Haya o Copenhague; sólo que España, para mayor desgracia suya, se enfrentaba a no pocas complicaciones internas. A partir de abril de 1935, la cada vez más remisa y vacilante diplomacia española redobló los tambores que anunciaban neutralidad, cargó sus baterías costeras para adoptar las consabidas precauciones y se situó aún más a la defensiva en la escena europea.

La neutralidad, no obstante, tenía límites bien precisos: las obligaciones contraídas por España como miembro de la Sociedad de Naciones. Este fue el gran dilema que se le planteó a la política exterior española con motivo del conflicto de Abisinia: ante el deterioro de una situación que amenazaba guerra, no ya en Europa central, sino en el Mediterráneo, donde tantos intereses propios se tenían, ¿permanecería la República neutral o se atrevería a cumplir el Pacto hasta sus últimas consecuencias? En realidad, nunca se planteó tal disyuntiva con toda su crudeza, pues las sanciones contra Italia sólo se utilizaron con propósitos de disuasión y nunca de represión. Incluso así, la duda se mantuvo durante algún tiempo, aunque intuyéndose que la clave de la respuesta no estaba tanto en Madrid como en Ginebra, de cuyas decisiones dependerían casi todas las actitudes españolas al respecto. Casi todas, porque el *Foreign Office* tuvo que emplearse a fondo, ejerciendo presión diplomática directa y poniendo a prueba su dispositivo de propaganda en Madrid, a fin de evitar que la diplomacia española se adentrara por la senda de la «estricta neutralidad», la solución preconizada por el sector pro-italiano del gobierno formado por radicales y cedistas. Al final, como era de esperar, España no pudo quedarse al margen de la política británica que se impuso en la Sociedad de Naciones, y aplicó las sanciones, más por obligación que por devoción.

Con sanciones contra Italia y todo, España se atrincheró en sus posiciones de *realpolitik* durante el desarrollo del conflicto. Mientras éste permaneció a la sombra de los acuerdos de Roma y del rearme alemán, Madariaga se limitó a pedir paciencia a los etíopes en el Consejo, al tiempo que el Gobierno reactivó su preocupación por el Mediterráneo para rehacer su debilitada imagen pública. En la primavera del 35, cuando se consumó el desafío fascista al Pacto, hubo un intento de romper una lanza en favor de la aplicación de sus estipulaciones, pero pronto se impuso la búsqueda de una salida negociada a la disputa. Madrid, entonces, se tranquilizó: la política dual hacia Mussolini le permitió tomarse algún respiro interviniendo en las estériles negociaciones de los comités ginebrinos. El alivio fue breve, puesto que la cosa pasó a mayores en el verano de 1935, cuando se incrementó la presión de una opinión pública que se mostraba alarmada por la incapacidad de la Sociedad para detener la agresión. Con la tensión a flor de piel, las contradicciones internas estallaron en la hora de las decisiones. La disparidad de criterios sacudió al Gobierno, que adoptó la política de la ambigüedad en el exterior e impuso la censura de prensa en el interior a fin de no comprometer su posición. No obstante, el deseo sucumbió ante la realidad: Londres intervino en el momento preciso y advirtió que no cabía la neutralidad. España, en consecuencia, votó las sanciones con el significativo silencio de Madariaga en la Asamblea, y luego, durante su aplicación, coincidió con las posiciones más cautas de los franceses en una clara demostración de huir de la quema hacia el anonimato.

A partir del otoño del 35, una vez salvada la cara ante Ginebra, los esfuerzos de Madrid se encaminaron a no desagradar a Roma. La diplomacia española puso en práctica esa política de múltiples maneras: dando a entender que había tenido que cumplir una mera «obligación de compromiso»; apoyando fórmulas de conciliación que aplazaban la adopción de sanciones más severas; coadyuvando a frenar los ímpetus de las delegaciones más radicalizadas en Ginebra, y finalmente, aceptando la *pax britannica* con ciertas reservas, como la de dar la callada por respuesta cuando los ingleses pusieron sobre la mesa la cuestión de la asistencia colectiva en el Mediterráneo en caso de guerra derivada de la aplicación de las sanciones. Mussolini agradeció los gestos españoles y se mostró satisfecho de que la República, en el conflicto de Abisinia, no hubiera alumbrado, ni en el Consejo ni en la Asamblea, un nuevo «Don Quijote de la Manchuria». Así, entre la obligación forzosa y la ambigüedad calculada, mediante la contemporización, resolvió la política exterior española sus contradicciones internas: encendiéndole una vela a San Miguel, para no romper su compromiso con el Pacto, y otra al diablo, para no enemistarse con Italia.

VI

Al gobierno del Frente Popular le tocó afrontar la encrucijada de la primavera del 36, cuando la Europa democrática tuvo que lidiar «dos toros en el ruedo» (Mussolini en Abisinia, Hitler en Renania) y, al mismo tiempo, aceptar la declaración de quiebra de la Sociedad de Naciones. Tampoco en esta ocasión hubo rupturas en la política exterior. La «rectificación de la rectificación» se limitó a observar una mayor disposición a comprender las tesis de París y Londres en sus respectivas confrontaciones con Berlín y Roma, pero sin menoscabo de la orientación neutralista a la que España se había acomodado en la etapa precedente. De esta forma, la neutralidad española dejó de ser «estricta» para convertirse en «benévola», de acuerdo con la asunción del compromiso moral de «solidaridad democrática», aunque a partir de la aceptación de las nuevas realidades. En consecuencia, imperó una doble política: mientras en la acción diplomática se observaron los postulados de la *realpolitik*, con la prudencia, la serenidad y el desapasionamiento como normas de obligado cumplimiento; el discurso oficial estuvo caracterizado por la invocación al Pacto, al objeto de no provocar defecciones internas en el seno de una coalición que era, fundamentalmente, antifascista.

Esta doble actitud de la diplomacia española —de aparente firmeza verbal y práctica moderada— se puso de manifiesto tanto en la crisis renana como en el levantamiento de las sanciones a Italia. Ante la violación del tratado de Locarno por Alemania, el comportamiento del gobierno Azaña no se diferenció del que había mantenido el de Lerroux un año antes, cuando Hitler promulgó la ley del ejército alemán: repudiar y condenar jarídica y moralmente la decisión unilateral tomada por Berlín, pero oponiéndose a la adopción de represalias en forma de sanciones. En el conflicto de Abisinia pasó otro tanto de lo mismo; Azaña, Barcia y Madariaga trabajaron activamente por la liquidación de las incómodas sanciones, aunque sin descubrir públicamente sus intenciones para no desencadenar tormentas internas, de tal suerte que la solución final pudo presentarse como un hecho ajeno a la propia voluntad de España. En uno y otro caso, la política exterior de Madrid se caracterizó, sobre todo, por vivir al día, sin hacer previsiones ni tomar iniciativas, y cuando no quedaba más remedio que adoptar posturas definidas, procurando que éstas no se notaran, ni en España ni en el extranjero. El gobierno del Frente Popular, en suma, intentó capear el temporal como malamente podía, evitando toda complicación externa añadida a las muchas que ya tenía.

Si la política europea de la República evolucionó del idealismo al pragmatismo, del compromiso activo por la paz a la neutralidad sin riesgos, lo mismo puede decirse que sucedió con Madariaga, su conductor en el foro de Ginebra. Es oportuno subrayar que a partir de 1934 no hubo pugna alguna entre la «firmeza» de Madariaga y la «prudencia» del Gobierno, ni discursos españoles en pro del Pacto, todo el Pacto y nada más que el Pacto, al igual que tampoco hubo «quijotadas» durante el desarrollo del conflicto de Abisinia. Ello se debió, no sólo a un mayor control ministerial sobre la actuación de la delegación española, sino también al producto

resultante de una evolución autónoma en el comportamiento de Madariaga, prototipo del intelectual político ligado al utopismo liberal que, al
contacto con la experiencia, va transformando su pensamiento y templan-
do su práctica diplomática al filo de los sucesivos fracasos de la seguridad
colectiva. De la utopía a la realidad, de la primacía de la moral a la
hegemonía de la política, de las posiciones de «izquierda internacional» al
abrazo de las actitudes conservadoras, de la apelación a la fuerza de la
«opinión pública internacional» a la inexorabilidad de la razón de Estado,
de la confianza en el liderazgo francés a la apuesta por el arbitraje británico y de la condena de todo lo que significara abandono de los principios
societarios a la aceptación de los hechos consumados; tal fue, *grosso modo*,
la trayectoria personal seguida por el delegado español en Ginebra.

   No era de extrañar, pues, que Madariaga comenzara siendo un defensor acérrimo del Pacto y acabara abanderando la necesidad de su reforma,
episodio con el que se cerró su protagonismo al frente de la política exterior
española, ya en las vísperas de la sublevación militar del 18 de julio. El
affaire se inició cuando las pequeñas potencias quisieron aprovechar la
coyuntura del levantamiento de las sanciones a Italia para intentar resolver la permanente contradicción en que se debatían en el conflictivo escenario europeo y propusieron limitar la aplicación del artículo 16 del Pacto
(el de las sanciones) con el fin de asegurarse su neutralidad de una vez
por todas. Era, en buena lógica, la consecuencia final que se desprendía
de la política que el Grupo de los Neutrales (España incluida) venía desplegando desde 1933 sin solución de continuidad. Pero en Madrid, cuando
se hizo público el contenido del memorándum encargado por los neutrales
a Madariaga, estalló la polémica. En medio de un proceso de creciente
descomposición del poder político en el interior del país, el problema de
fondo, es decir, el conflicto entre la adhesión al Pacto y la neutralidad,
quedó oscurecido por los aspectos formales y, sobre todo, por el enfrentamiento ideológico. Quedó al descubierto entonces la profunda fosa que se
había abierto entre Madariaga y los partidos del Frente Popular, no tanto
a causa de la política exterior como de la interna, en la que el delegado
español había terciado en defensa —como casi siempre— de una postura
intermedia.

   La introducción de tales componentes en la polémica sobre el «memorándum Madariaga» evitó plantear abiertamente el dilema fundamental
de la política exterior española. Al centrarse en el protagonismo individual,
el Gobierno se mantuvo a salvo, aun cuando fuera el inspirador de la
iniciativa tomada por su delegado, e incluso acabara aceptando la filosofía
de la reforma del Pacto al firmar la declaración del 1 de julio de 1936,
uno de los cimientos que luego daría lugar a la creación del Grupo de

Oslo, cuando la República, ya en plena contienda civil, no quería saber nada de neutralidades. A Madariaga, en cambio, no le quedó otra alternativa que presentar su renuncia y dejó de ser delegado español en Ginebra. En el fondo, con aquella decisión no hizo sino reconocer la imposibilidad de cumplir con los propósitos internacionales de la España republicana. Al fracasar irremisiblemente el sistema de la Sociedad de Naciones, también se había agotado la misión diplomática de Madariaga. Era el desenlace final que ponía punto y aparte a los frustrados intentos de la República de implicarse en la construcción de la paz en medio de una coyuntura que anunciaba guerra.

* * *

Hay que concluir, pues, constatando que en política exterior la República permaneció a tono con la Europa de su tiempo. Tuvo, desde luego, una política exterior limitada, tanto por sus acusadas debilidades internas como por su reducida capacidad de maniobra en la escena internacional. Tuvo, también, una política exterior contradictoria, de resultas de la interacción de dos fuerzas dispares: el acelerador del compromiso con la construcción de la paz y el retroceso de la huida hacia la neutralidad para eludir la guerra. Una política que aspiraba a insertar a España en el mundo, puesto que sus destinos parecían estar inextricablemente ligados a su suerte, aunque con la permanente tentación de marginarse de él, porque ese mundo resultaba cada vez más incierto y arriesgado. Una política que se enfrentó a no pocas contradicciones secundarias, entre lo programado y lo improvisado, el protagonismo individual y la aceptación colectiva, los deseos y las realidades, las simpatías ideológicas y los imperativos políticos. Una política cargada de falsas esperanzas, intentos baldíos, continuas frustraciones, temores fundados, y por tanto, pródiga en titubeos. Pero tales limitaciones y contradicciones no fueron exclusivas de España en medio de la crisis europea de los años treinta. El ritmo de la política exterior española lo marcó, fundamentalmente, Ginebra, y el de Ginebra, París primero y Londres luego. Mientras duraron las ilusiones de paz europea, España se mantuvo aferrada a ellas. Cuando las esperanzas declinaron y Europa inició el repliegue, España siguió idéntico camino.

El proceso fue similar al seguido por otras naciones europeas que compartían con España su condición de pequeña potencia y su tradición de neutralidad. Hasta 1933, mientras Alemania no golpeaba, Inglaterra permanecía replegada y Francia mantenía un cierto control sobre la seguridad colectiva, la actitud de los débiles fue de compromiso firme y resuelto con el espíritu de Ginebra y la letra del Pacto. A partir de esa fecha, en cambio, cuando irrumpió Hitler, Europa se bipolarizó y las grandes potencias demoliberales se tambaleaban sin saber como contener los desafíos al orden internacional que ellas mismas habían impuesto en Versalles, esas pequeñas potencias regresaron a su vieja trinchera de la neutralidad y practicaron una política de apaciguamiento a fin de no verse involucradas en una nueva guerra. Quizás lo más excepcional del caso español en la Europa de los años treinta fue esa «primacía del conflicto interno», que le condujo al drama de la Guerra Civil antes de que estallara el conflicto europeo.

NOTAS

ABREVIATURAS UTILIZADAS

ACD:	Archivo del Congreso de los Diputados (Madrid); SG: Secretaría General.
AGA:	Archivo General de la Administración Pública (Alcalá de Henares); AE: sección Asuntos Exteriores.
AMAE:	Archivo del Ministerio de Asuntos Exteriores (Madrid); R: Archivo Renovado; P: sección Personal.
ASDN:	Archives de la Société des Nations (Bibliotèque des Nations Unies, Ginebra); FS: Fonds du Secrétariat; FM: Fonds William Martin; PL: Papiers Sean Lester.
AP:	Archivo de la Palabra, Departamento de Historia Contemporánea, UNED.
BOME:	*Boletín Oficial del Ministerio de Estado.*
DBFP:	*Documents on British Foreign Policy.*
DDB:	*Documents Diplomatiques Belges.*
DDF:	*Documents Diplomatiques Français.*
DDS:	*Documents Diplomatiques Suisses.*
DGFP:	*Documents on German Foreign Policy.*
DSC:	*Diario de Sesiones de las Cortes.*
DSM:	Documentos privados de Salvador de Madariaga (Londres).
FRUS:	*Foreign Relations of the United States.*
LNOJ:	*League of Nations Official Journal.*
PRO:	Public Record Office (Kew, Londres); FO: Foreign Office Files.
QDO:	Archives du Ministère des Affaires Étrangères - Quai d'Orsay (París); E: série Europe (Espagne); SDN: serie Société des Nations.
RCD:	*Records of the Conference for the Reduction and Limitation of Armaments.*

INTRODUCCION

[1] Cf. los ensayos de JOVER, J. M.: «La percepción española de los conflictos europeos: notas históricas para su entendimiento», *Revista de Occidente*, núm. 57 (febrero 1986), pp. 5-42; y MORALES LEZCANO, V.: *España, de pequeña potencia a potencia media* (Madrid, 1991).

[2] ROTHSTEIN, R.: *Alliances and Small Powers* (Nueva York, 1968); BARSTON, R. P., ed.: *The Others Powers. Studies in the Foreign Policy of Small States* (Londres, 1973); VITAL, D.: *La desigualdad de los Estados. Estudio de las pequeñas potencias en las relaciones internacionales* (Madrid, 1976); HABEED, W. M.: *Power and Tactics in International Negotiation. How Weak Nations bargain with Strong Nations* (Nueva York, 1988), y KARSH, E.: *Neutrality and Small States* (Londres, 1988).

[3] JOVER, J. M.: «Caracteres de la política exterior de España en el siglo XIX», en *Política, Diplomacia y Humanismo popular* (Madrid, 1976), pp. 83-138; TORRE GÓMEZ, H. de la: «El destino de la «regeneración» internacional de España (1898-1918)», *Proserpina*, 1 (diciembre, 1984), pp. 9-22; CORTADA, J. W.: *Spain in the Twentieth Century. Essays on the Spanish Diplomacy: 1898-1978* (Londres, 1980), y MORALES LEZCANO, V.: *León y Castillo, Embajador: 1887-1918. Un estudio de la política exterior de España* (Las Palmas de G. C., 1975), e *Historia de la no-beligerancia española durante la Segunda Guerra Mundial* (Las Palmas de G. C., 1980).

[4] A título meramente indicativo, cf. CARR, E. H. *The Twenty Years' Crisis, 1919-1939* (Londres, 1939), e *International Relations between the Two World War* (Londres, 1952); SONTAG, R. J.: *A Broken World, 1919-1939* (Nueva York, 1971); ROSS, G.: *The Great Powers and the Decline of the European States System, 1914-1945* (Londres, 1983), y KENNEDY, P.: *Auge y caída de las grandes potencias* (Barcelona, 1989).

[5] Diversas contribuciones sobre su figura y pensamiento, en el libro homenaje *Salvador de Madariaga, 1886-1986* (La Coruña, 1987).

[6] Además de las obras generales de G. JACKSON, M. TUÑÓN DE LARA, J. TUSELL, P. PRESTON y H. THOMAS, entre otros, vid. el ensayo de JULIA, S.: «El fracaso de la República», *Revista de Occidente*, extraordinario I (noviembre 1981), pp. 196-211.

[7] STEINER, Z.: «Introductory essay», en *The League of Nations in restrospect/La Société des Nations: rétrospective* (Berlín y Nueva York, 1983), pp. 1-15, y ARMSTRONG, D.: *The rise of the International Organisation. A short History* (Londres, 1982). Cf. también las monografías de BARROS, J.: *Betrayal from Within: Joseph Avenol, Secretary-General of the League of Nations, 1933-1940* (Nueva York, 1969), y *Office without Power: Secretary-General Sir Eric Drummond, 1919-1933* (Oxford, 1979); BENDIMER, E.: *A Time for Angels. The Tragicomic History of the League of Nations* (Nueva York, 1975); JOYCE, J. A.: *Broken Star. The Story of the League of Nations* (Swansea, 1978); NORTHEDGE, F. S.: *The League of Nations. Its Life and Times, 1920-1946* (Leicester, 1986); SCOTT, F.: *The Rise and Fall of the League of Nations* (Londres, 1973), y WALTERS, F.: *Historia de la Sociedad de Naciones* (Madrid, 1971).

[8] Para una visión general sobre los aspectos institucionales y organizativos de la Sociedad, vid. SIOTIS, J.: «The institutions of the League of Nations», en *The League of Nations in retrospect...* , ob. cit., pp. 19-30.

[9] No se analizan los conflictos de Chaco y Leticia, en parte porque quedaron relativamente al margen de la crisis europea, en parte porque su estudio debe insertarse en el marco de la política hispanoamericana de la II República, como ha hecho TABANERA GARCÍA, N.: *Las relaciones entre España e Hispanoamérica durante la II República española, 1931-1939: la acción diplomática republicana*, tesis doctoral inédita (Universidad de Valencia, 1991).

[10] Cf. VIÑAS, A. et alii: *Política comercial exterior de España, 1931-1975* (Madrid, 1979), vol. 1, así como las ya clásicas obras de D. H. ALDCROFT y C. P. KINDLEBERGER. Vid. también una muestra de las contribuciones recientes sobre la crisis de entreguerras en CABRERA, M., JULIA, S. y MARTÍN ACEÑA, P. (comps.): *Europa en crisis, 1919-1939* (Madrid, 1991).

[11] Además de los trabajos de A. VIÑAS y V. MORALES LEZCANO en los años setenta, en la década de los ochenta han aparecido las monografías de H. de la TORRE GÓMEZ (1983, 1985 y 1988); A. MARQUINA BARRIO (1983 y 1986); J. F. PERTIERRA DE ROJAS (1984); I. SAZ CAMPOS, J. C. PEREIRA CASTAÑARES y J. TUSELL y G. GARCÍA QUEIPO DE LLANO (1986); M. ESPADAS BURGOS y M. A. EGIDO LEÓN (1987); A. NIÑO (1988); F. PORTERO y G. PALOMARES (1989), aparte de numerosos artículos y algunas obras colectivas.

¹² Vid. el apartado «Fuentes y bibliografía».

¹³ Para la argumentación republicana de este juicio, cf. ALBORNOZ, A. de: *La política internacional de España* (Buenos Aires, 1943), pp. 3-40, y MAURIN, J.: *Revolución y contrarrevolución en España* (Madrid, 1966), pp. 26-31, siendo significativa la diferente conclusión a la que llega el autor en esta edición con respecto a la de 1935. Desde la óptica franquista, cf., entre otras, las valoraciones de AREILZA, J. M. y CASTIELLA, F. M.: *Reivindicaciones de España* (Madrid, 1941), pp. 26 y ss., e IBÁÑEZ DE IBERO, C.: *El Mediterráneo y la cuestión de Gibraltar* (San Sebastián, 1939), p. 239.

¹⁴ Al filo de las memorias publicadas hasta entonces, cf. las apreciaciones de TAMAMES, R.: *La República. La era de Franco* (Madrid, 1977); BLEDSOE, G. B.: «Spanish Foreign Policy, 1898-1936», en CORTADA, J. W., ed.: *Spain in the Twentieth...* , ob. cit., pp. 3-40; CARRERAS ARES, J. J.: «El marco internacional de la II República», *Arbor*, 426-427 (junio-julio 1981), pp. 37-50, y PEREIRA, J. C.: *Introducción al estudio de la política exterior de España (siglos XIX y XX)* (Madrid, 1983), pp. 161-168.

¹⁵ Vid. una primera clarificación en esta dirección en SAZ CAMPOS, I.: «La política exterior de la Segunda República en el primer bienio (1931-1933): una valoración», *Revista de Estudios Internacionales*, vol. VI, 4 (octubre-diciembre 1985), pp. 843-858. Sobre la reciente producción bibliográfica, cf. PEREIRA CASTAÑARES, J. C. y NEILA HERNÁNDEZ, J. L.: «La política exterior durante la II República: un debate y una respuesta», en VILAR, J. B., ed.: *Las relaciones internacionales en la España contemporánea* (Murcia, 1989), pp. 101-114, y NEILA HERNÁNDEZ, J. L.: «España y el modelo de integración en la Sociedad de Naciones (1919-1939)», *Hispania*, L/3, 176 (1990), pp. 1373-1391.

¹⁶ MADARIAGA, S. de: *Memorias (1921-1936). Amanecer sin mediodía* (Madrid, 1974), así como el capítulo «Política extranjera de la República» y la «Memoria Personal» que figuran en su libro *España. Ensayo de historia contemporánea* (Madrid, 1979), pp. 386-404 y 593-607.

¹⁷ QUINTANA NAVARRO, F.: «La política exterior española en la Europa de entreguerras: cuatro momentos, dos concepciones y una constante impotencia», en TORRE GÓMEZ, H. de la, coord.: *Portugal, España y Europa. Cien años de desafío (1890-1990)* (Mérida, 1991), pp. 51-74.

¹⁸ CASTIELLA MAÍZ, F. M.: *Una batalla diplomática* (Barcelona, 1977), y BLEDSOE, G. B.: «The Quest for Pernanencia: Spain's Role in the League Crisis of 1926», *Iberian Studies*, 4 (1975), pp. 14-21.

¹⁹ BAKER-FOX, A.: «The Small States in the International System, 1919- 1969», *International Journal*, vol. XXIV, 4 (otoño 1969), pp. 751-764; VANDENBOSCH, A.: «Small States in International Politics and Organization», *Journal of Politics*, XXVI (mayo 1964), pp. 293-312, y RAPPARD, W. E.: «Small States in the League of Nations», *Problems of Peace*, 9ª series, 1934 (Londres, 1935), pp. 14-53.

²⁰ Cf., de forma general, OGLEY, R.: *The Theory and Practice of Neutrality in the Twentieth Century* (Nueva York, 1970); ORVIC, N.: *The Decline of Neutrality, 1914-1941* (Londres, 1971); ROTHSTEIN, R.: *Alliances and...* , ob. cit.; y, para casos nacionales, JONES, S. S.: *The Escandinavian States and the League of Nations* (Princenton, 1939); KIEFT, D. O.: *Belgium's Return to Neutrality: an Essay in the Frustrations of Small Power Diplomacy* (Oxford, 1972), y RUFFIEUX, R.: «La Suisse et la Société des Nations», en *The League of Nations in retrospect...* , ob. cit., pp. 182-195.

CAPITULO 1

¹ Embajador francés a Briand, 22 abril 1931, QDO, E, vol. 213 (fols. 10-13), y MADARIAGA, S. de: *Memorias...* , ob. cit., p. 245, y *España...* , ob. cit., p. 311.

[2] *The New York Times*, 17 abril 1931, y Conversación de Largo Caballero con William Martin, junio de 1931, ASDN, FM, Conversations, 2ª serie, pp. 1486-1488.

[3] «Gestión del Gobierno provisional y resignación de sus poderes ante las Cortes», 23 julio 1931, DSC, Legislatura 1931-33, p. 173.

[4] TUÑÓN DE LARA, M.: «La Segunda República», en *Historia de España, IX. La crisis del Estado: Dictadura, República, Guerra (1923-1939)*, (Barcelona, 1981), p. 114.

[5] Testimonio oral de D. Julio Caro Baroja, AP, UNED. Cf. MORALES LEZCANO, V.: «El aislacionismo español y la opción neutralista: 1815-1945», *Ideas para la democracia*, 1 (1984), pp. 251-261; y «La intelectualidad del 14 ante la guerra», *Historia 16*, 63 (julio 1981), pp. 44-52, así como la abundante bibliografía sobre los intelectuales en la historia de España del primer tercio del siglo XX.

[6] «Neutralidad y política exterior», *El Sol*, 16 mayo 1935, y «La falta de costumbre de que España practique una política internacional», *Heraldo de Madrid*, 19 octubre 1932.

[7] MADARIAGA, S. de: *España...* , ob. cit., pp. 278-281; «Entrevista Azcárate-Codding», 22 marzo 1966, p. 8 y 53-55, ASDN, y «Declaración de las Cortes Constituyentes desautorizando la actitud del Gobierno de la Dictadura», sin fecha, AMAE, R, leg. 1224 (exp. 13).

[8] «Discurso pronunciado por Lerroux en el banquete ofrecido a las delegaciones hispanoamericanas presentes en Ginebra», 19 septiembre 1931, AMAE, R-1807 (7).

[9] «Discurso pronunciado en la clausura de la asamblea del partido de Acción Republicana», 16 octubre 1933, en AZAÑA, M.: *Obras completas* (México, 1966), vol. II, p. 879, y «La labor de España republicana en Ginebra», *Heraldo de Madrid*, 26 octubre 1932.

[10] EGIDO LEÓN, M. A.: *La concepción de la política exterior española durante la 2ª República* (Madrid, 1987), p. 58.

[11] Cf. LABRA, R. M. de: *La orientación internacional de España (Europa y América)*, (Madrid, 1901); ZURANO MUÑOZ, E.: *Valor y fuerza de España como potencia en el concierto mundial* (Madrid, 1922), y BÉCKER, J.: *Causas de la esterilidad de la acción exterior de España* (Madrid, 1924).

[12] «Discurso en la sesión de clausura de la Asamblea Nacional de Acción Republicana», 14 septiembre 1931, en AZAÑA, M.: ob. cit., II, p. 41.

[13] Ibid.

[14] «Discurso en la plaza de toros de Bilbao», 9 abril 1933, en AZAÑA, M.: ob. cit., II, pp. 689-690.

[15] «Discurso en la sesión de clausura...», doc. cit.; y «Nota sobre política exterior de España», 27 mayo 1932, en MADARIAGA, S. de: *Memorias...* , ob. cit., p. 610.

[16] «Discurso en la Academia de Legislación y Jurisprudencia», 26 noviembre 1931, en ALCALÁ ZAMORA, N.: *Discursos* (Madrid, 1978), p. 573; «Discurso en Santander», 30 septiembre 1932, en AZAÑA, M.: ob. cit., II, p. 444, y «Nota sobre política...», doc. cit., pp. 608-609.

[17] «Sobre política exterior de España» (artículo envíado por José Plá a *Luz*), anexo de Plá a Madariaga, 28 noviembre 1932, DSM.

[18] Ibid.

[19] «Discurso en el campo de Comillas», 20 octubre 1935, en AZAÑA, M.: ob. cit., II, p. 277.

[20] RÍOS URRUTI, F. de los: *La «Comunidad» Internacional y la Sociedad de Naciones* (Discurso inaugural del Curso 1935-36 en el Ateneo de Madrid), 19 noviembre 1935 (Madrid, 1935), pp. 3-4 y 46-47.

[21] Cf. BAKER FOX, A. «The Small States...», y VANDENBOSCH, A.: «Small States...», arts. cits., passim.

[22] Artículo 10 del Pacto de la Sociedad de Naciones, apud. WALTERS, F.: ob. cit., p. 64.

[23] RAPPARD, W. E.: «Small States in the League...», art. cit., p. 37.

[24] ZULUETA, L. de: «La política internacional de la República» y «La hora de Ginebra. ¿Le importa a España la Sociedad de Naciones?», *El Sol*, 23 mayo y 29 septiembre 1935.

[25] Artículo 16 del Pacto, apud. WALTERS, F.: ob. cit., p. 66.

[26] MADARIAGA, S. de: «Previsiones autorizadas: la neutralidad de España», *Información Hispanoamericana*, VII, 79 (julio 1935); y «Nota sobre política exterior...», doc. cit., p. 608.

[27] Ríos URRUTI, F. de los: ob. cit., p. 46.

[28] «Previsiones autorizadas...», art. cit.; y «Los motivos de la germanofilia», en AZAÑA, M.: ob. cit., I, pp. 143-144.

[29] CASTIELLA MAÍZ, F. M.: *Política exterior de España, 1898-1960* (Madrid, 1960).

[30] «Los motivos...», art. cit., pp. 145-146.

[31] ALBORNOZ, A. de: *La política internacional de España. Galdós o el optimismo liberal.* Buenos Aires, 1943, pp. 17-18.

[32] «La neutralidad de España», en AZAÑA, M.: ob. cit., III, pp. 529-530.

[33] «El Ministro de Estado habla sobre política internacional a *Blanco y Negro*», 23 diciembre 1933, AGA, AE, caja 11237 (exp. 1847).

[34] «Previsiones autorizadas...», art. cit.

[35] Cf. OGLEY, R.: *The Theory and Practice...*, ob. cit., pp. 1-5, y ORVIC, N.: *The Decline...* , cap. «The Inter War Period, 1919-1939», pp. 119-194.

[36] ALCALÁ ZAMORA, N.: «Discurso en la Academia de Legislación...», doc. cit.; y «Discurso de Zulueta en la sesión plenaria de la Conferencia del Desarme», 12 febrero 1932, AMAE, R-822 (10).

[37] FERNÁNDEZ MIRANDA, F.: *El control parlamentario de la política exterior en el derecho español* (Madrid, 1977), p. 60; y MIRKINE-GUETZÉVITCH, B.: «Ius Gentium Pacis», *Revista de Derecho Público*, I, 9 (septiembre 1932), pp. 259-275. Cf. también POSADA, A.: *La nouvelle Constitution espagnole. Le régime constitutionnel en Espagne: évolution, textes, commentaires* (París, 1932), y PÉREZ SERRANO, N.: *La Constitución española (9 diciembre 1931). Antecedentes, texto, comentarios* (Madrid, 1932).

[38] JIMÉNEZ DE ASÚA, L.: *Proceso histórico de la Constitución de la República española* (Madrid, 1932), pp. 115 y 365-368, y MADARIAGA, S. de: *Memorias...* , ob. cit., pp. 262-267, y *España...*, ob. cit., pp. 320-323.

[39] DSC, 1931-33, 18 septiembre y 3 noviembre 1931, pp. 1026-1031 y 2094-2098.

[40] Intervención de Lerroux en el Consejo de la Sociedad, 18 mayo 1931, «Minutes of the sixty-third Session of the Council», LNOJ, julio 1931, pp. 1094-1095.

[41] LERROUX, A.: *La pequeña historia de España, 1930-1936* (Barcelona, 1985), p. 72; y AGRAMONTE, F.: *El frac a veces aprieta. Anécdotas y lances de la vida diplomática* (Madrid, 1957), p. 370.

[42] Peterson a Henderson, 3 junio 1931, PRO, FO 371/15733.

[43] «Españoles en la Sociedad de Naciones», *La Libertad*, 10 diciembre 1926.

[44] AGRAMONTE, F.: ob. cit., pp. 371-373, y MADARIAGA, S. de: *Memorias...* , ob. cit., p. 286.

[45] BLEDSOE, G. B.: «La Oficina Española de la Sociedad de Naciones (1920- 1931)», *Revista de Política Internacional*, 127 (mayo-junio 1973), pp. 123-131.

[46] «Notas del Señor Madariaga [para la preparación de la XII Asamblea de la SDN]», AMAE, R-1807 (7).

[47] Para un radiograma apresurado de lo que se pensaba en las Cortes sobre el Cuerpo Diplomático, vid. los debates a que dio lugar el «Proyecto de ley sobre Jubilación de los funcionarios de la carrera Diplomática y Consular», DSC, 1931-1933, 6 y 7 septiembre 1932, pp. 8507-8580.

[48] MARTÍNEZ CARDOS, J. y FERNÁNDEZ ESPESO, C.: *Primera Secretaría de Estado. Ministerio de Estado. Disposiciones orgánicas (1705-1936)*, (Madrid, 1972), pp. 579-580 y 638.

[49] «Informe general sobre los trabajos de la XIII Asamblea de la Sociedad de Naciones», Madariaga a Zulueta, 7 noviembre 1932, AGA, AE-11189 (1222); MADARIAGA, S. de: ob. cit., pp. 394-395, 400, y 616-627, y SÁNCHEZ ALBORNOZ, N.: *Anecdotario político* (Barcelona, 1976), pp. 160-162.

[50] Madariaga a Pita, 23 enero 1934, reprod. en MADARIAGA, S. de: ob. cit., pp. 642-647.

[51] BOME, 30 junio 1934, p. 609; DSC, 1933-35, núm. 112, p. 4409; Oliván a Aguinaga, 30 marzo y 21 abril 1935, AMAE, R-300 (46), y Madariaga a Rocha, 7 septiembre 1935, AMAE, R-348 (8).

[52] Madariaga a Pita, 23 enero 1934, doc. cit.

[53] PIÑOL RULL, J.: «La Teoría de las Relaciones Internacionales de Salvador de Madariaga (1886-1978)», *Revista de Estudios Internacionales*, III, 2 (abril-junio 1982), pp. 435-465. Sobre esta base, cf. MADARIAGA, S. de: *Theory and Practice in International Relations.* (Filadelfia, 1937); *Le grand dessein* (París, 1939) y *Memorias...* , ob. cit., pp. 385-389.

[54] SAZ, I.: «La política exterior...», art. cit., p. 846.

[55] BARCIA TRELLES, C.: «Fijando posiciones. España ante la realidad europea», *La Libertad*, 3 noviembre 1932.

[56] «Proyecto de Instrucciones [para la Delegación española en la XII Asamblea de la SDN]», AMAE, R-1807 (7), y MADARIAGA, S. de: *España...* , ob. cit., p. 387.

[57] Ibid., p. 388.

[58] «Proyecto de ideas para el discurso político», agosto 1931, AMAE, R-1807 (7).

[59] Ibid.; «Proyecto de Instrucciones», doc. cit., y MADARIAGA, S. de: *Memorias...* , ob. cit., pp. 380-384.

[60] Cf. «Proyecto de Instrucciones», doc. cit.; Oliván a Plá, 31 mayo 1931; Lerroux a representantes diplomáticos en el extranjero, 19 agosto 1931, y Lerroux a Pérez de Ayala, 25 agosto 1931, AMAE, R-1833 (7).

[61] WALTERS, F. P.: ob. cit., p. 449-450. Cf. también RENOUVIN, P.: *Historia de las Relaciones Internacionales. Siglos XIX y XX* (Madrid, 1982), pp. 947-955, y NÉRÉ, J.: *1929: Análisis y estructura de una crisis* (Madrid, 1970), passim.

[62] LYTTON, V.: «The Twelfth Assembly of the League of Nations», *Internatiional Affairs*, X (noviembre 1931), pp. 740-753; MADARIAGA, S. de: ob. cit., pp. 274-275, e Intercambio de telegramas entre Subsecretario de Estado, Delegación española en Ginebra y Embajador de España en México, 2 al 9 septiembre 1931, AMAE, R-1808 (6).

[63] «Discurso pronunciado por el Sr. Lerroux en la Asamblea de la Sociedad de Naciones», 10 septiembre 1931, AMAE, R-1807 (7).

[64] Ibid.

[65] ALBORNOZ, A. de: *La política internacional...* , ob. cit., p. 23.

[66] RAPPARD, W. E.: «Small States in the League...», art. cit., pp. 49-51.

CAPITULO 2

[1] MADARIAGA, S. de: *España...* , ob. cit., p. 388.

[2] El tema cuenta con una monografía de imprescindible consulta: THORNE, C.: *The Limits of Foreign Policy. The West, the League and the Far Eastern Crisis of 1931-1933* (Londres, 1973). Sobre las repercusiones del conflicto para la Sociedad, cf. las obras de E. BENDIMER; J. A. JOYCE; F. S. NORTHEDGE; G. SCOTT; F. WALTERS, y también, SMITH, S. R.: *The Manchurian Crisis, 1931-1932: A Tragedy in International Relations* (Nueva York, 1948).

[3] WALTERS, F.: ob. cit., p. 455.

[4] MADARIAGA, S. de: *Le grand dessein*, ob. cit., p. 138.

[5] THORNE, C.: ob. cit., pp. 15-38; RENOUVIN, P.: *Historia de las Relaciones...* , ob. cit., pp. 963-965 y 977-978; y, especialmente, el cap. «The Confirmation of Japan's Supremacy in East Asia», en KEYLOR, W. R.: *The Twentieth-Century World. An International History* (Nueva York y Oxford, 1984), pp. 229-258.

[6] MADARIAGA, S. de: *Memorias...* , ob. cit. pp. 292-293.

[7] «Minutes of the Sixty-Fifth Session of the Council», 22 septiembre 1931, LNOJ, diciem-

bre 1931, pp. 2271-2274, e Intercambio de telegramas entre Lerroux y los ministros de España en Tokio y Nanking, 24 a 28 septiembre 1931, AMAE, R-1808 (6).

[8] Cf. THORNE, C: ob. cit., pp. 135-136, y AZCÁRATE, P.: «La Sociedad de Naciones. Recuerdos y notas sueltas», en *ONU. Año XX, 1946-1966*, p. 88.

[9] «Minutes of the Sixty-Fifth...», 30 septiembre 1931, LNOJ, diciembre 1931, pp. 2306-2307.

[10] MADARIAGA, S. de: ob. cit., pp. 293-294.

[11] AZAÑA, M.: *Memorias políticas y de guerra* (Barcelona, 1978), vol. I, pp. 202, 204 y.272.

[12] THORNE, C.: ob. cit., p. 135, y MADARIAGA, S. de: ob. cit., p. 294.

[13] Cf. Lerroux a Alcalá Zamora, 23 septiembre 1931, AMAE, R-951 (24) y las ediciones de *ABC, El Sol* y *El Socialista* durante la 2ª quincena de septiembre.

[14] LERROUX, A.: *La pequeña historia...* , ob. cit., p. 92, y AZAÑA, M.: *Memorias...* , ob. cit., p. 204.

[15] Lamspson (Peking) a Marquess of Reading, 5 octubre 1931, DBFP, 2ª serie, vol. VIII, pp. 710-712, y Grahame a Marquess of Reading, 7 octubre 1931, PRO, FO 371/15491.

[16] MADARIAGA, S. de: ob. cit., p. 296, y «Minutes of the Sixty-Fifth...», 13 octubre 1931, LNOJ, diciembre 1931, p. 2309. Vid. también TOYNBEE, A. J.: *Survey of International Affairs*, vol. 1931, pp. 487-489.

[17] «Minutes of the Sixty-Fifth...», 15 octubre 1931, LNOJ, diciembre 1931, p. 2327, y Madariaga a W. Martin, octubre 1931, ASDN, FM, Conversations, 2ª serie, pp. 1561-1562.

[18] Madariaga a Lerroux, 17 octubre 1931, AMAE, R-951 (24) y THORNE, C.: ob. cit., pp. 145-146.

[19] Ibid., pp. 137-139, así como las ediciones de *ABC, El Sol* y *El Socialista* durante la 2ª quincena de octubre.

[20] «Minutes of the Sixty Fifth...», 24 octubre 1931, LNOJ, diciembre 1931, pp. 2352-2353 y 2356-2357.

[21] MARTIN, W.: «L'heure des responsabilités», *Journal de Genève*, 25 octubre 1931, apud. AZCÁRATE, P.: *William Martin: Un grand journaliste à Genéve* (Ginebra, 1970), pp. 180-183.

[22] THORNE, C.: ob. cit., pp. 152-162.

[23] WALTERS, F.: ob. cit., pp. 466-467.

[24] MARTIN, W.: «Il faut appliquer le Pacte», en *Journal de Genève*, 22 noviembre 1931, apud. AZCÁRATE, P: *William Martin...* , ob. cit. pp. 187-190, y LESTER, S.: «The Far East Dispute from the Point of View of the Samall States», *Problems of Peace*, 8 (1933), p. 120.

[25] THORNE, C.: ob. cit., p. 200.

[26] MADARIAGA, S. de: ob. cit., p. 308, y Sze a Madariaga, 17 noviembre 1931, AMAE, R-951 (21).

[27] MADARIAGA, S. de: ob. cit., p. 301, y su artículo «The Failure of the League, II: The British Responsability», *The Manchester Guardian*, 28 agosto 1952, así como su reseña en VANSITTART, L.: *The Mist Procession* (Londres, 1958), p. 438.

[28] CARRERAS ARES, J. J.: «El marco internacional...», art. cit. , pp. 187-188; MADARIAGA: ob. cit., pp. 302-303, y THORNE, C.: ob. cit., p. 184.

[29] AZAÑA, M.: ob. cit., p. 298.

[30] Lerroux a Cárdenas, 3 noviembre 1931, y Cárdenas a Lerroux, 4 diciembre 1931, AMAE, R-969 (8).

[31] «Minutes of the Sixty-Fifth...», 10 diciembre 1931, LNOJ, diciembre 1931, pp. 2377-2378; THORNE, C.: ob. cit., pp. 171-181, y MADARIAGA, S. de: ob. cit., p. 307-308.

[32] Plá a Madariaga, 11 enero 1932, DSM.

[33] Zulueta a Drummond, 13 enero 1932, ASDN, FS, R-1874.

[34] THORNE, C.: ob. cit., p. 269. Vid. también WALTERS, F.: ob. cit., p. 473.

[35] TOYNBEE, A. J.: *Survey...* , ob. cit., 1932, p. 570; Zulueta a Azaña, 30 enero 1932,

AMAE, R-94 (1), y «Minutes of the Sixty-Sixth Session of the Council», I, 30 enero 1932, LNOJ, marzo 1932, pp. 343-350.

[36] «Crónicas desde Ginebra», *El Sol*, 9-11 febrero 1932.

[37] THORNE, C.: ob. cit., p. 213. Vid. también «Les hésitations de l'Angleterre», *Journal de Genéve*, 30 enero 1932, reprod. en MARTIN, W.: *Le Japon contre la Société des Nations* (Ginebra, 1932), pp. 77-80.

[38] «The Special Session of the Assembly and the Committee of Nineteen», en TOYNBEE, A.: ob. cit., 1932, pp. 575-577.

[39] «Discours prononce a l'Assemblee (session extraordinaire)...», 5 marzo 1932, en MOTTA, G.: *Testimonia Temporum* (Bellinzona, 1941), p. 194, y «Discurso de Zulueta ante la Asamblea Extraordinaria de la Sociedad de Naciones», 5 marzo 1932, LNOJ, Special Suplements, 1932, 101, pp. 53-54.

[40] Ibid., pp. 87-88.

[41] «Le probléme des sanctions», *Journal de Genève*, 7 marzo 1932, reprod. en MARTIN, W.: ob. cit., pp. 117-121.

[42] MADARIAGA: ob. cit., p. 312.

[43] AZAÑA, M.: ob. cit., pp. 413-414 y 437.

[44] ALCALÁ ZAMORA, N.: *Memorias* (Barcelona, 1977), p. 327.

[45] «Shanghai y Ginebra», *ABC*, 2 febrero 1932.

[46] Satorras de Dameto a Zulueta, 28 marzo 1932, AMAE, R-1224 (13), y AZAÑA, M.: ob. cit., p. 458.

[47] CECIL, R.: *A Great Experiment* (Londres, 1941), pp. 219-228; SIMON, J.: *Restrospect* (Londres), 1952, pp. 188-192, y «L'enjeu», en *Journal de Genève*, 16 novembre 1931, reprod. en MARTIN, W.: ob. cit., pp. 47-50.

[48] Madariaga a Zulueta, 18 de mayo de 1932, AMAE, R-94 (1).

[49] «Appel du gouvernement chinois. Rapport de la Commission d'etude», 1 octobre 1932, AMAE, R-1810 (20); WALTERS, F.: ob. cit., p. 479; MADARIAGA, S. de: ob. cit., p. 312, y AZCÁRATE, P. de: art. cit., p. 88. Para una valoración más exhaustiva del informe Lytton, vid. THORNE, C.: ob. cit., pp. 283-287.

[50] «Informe sobre el conflicto de Manchuria», noviembre de 1932, AMAE, R-951 (23).

[51] LESTER, S.: «The Far East Dispute...», art. cit., pp. 122 y passim, así como sus papeles privados, ASDN, Papiers Lester, 1933. «Lester and I» —escribió Madariaga en 1971— «were in complete agreement, and if he often spoke alone, we thought and voted toghether», Madariaga a Thorne, 29 septiembre 1971, DSM.

[52] «Le conflit sino-japonais devant le Conseil et l'Assemblée», 1 noviembre 1932, QDO, SDN-343 (60).

[53] Madariaga a Zulueta, 22 noviembre 1932, DSM, reprod. en MADARIAGA, S. de: ob. cit., pp. 576-577.

[54] MARTIN, W.: «Un divorcio», *Journal de Genève*, 13 diciembre 1932, apud. MADARIAGA, S. de: ob. cit., pp. 584- 586. Cf. también TOYNBEE, A. J.: *Survey...* , ob. cit., 1933, pp. 488-492, y THORNE, C.: ob. cit., pp. 332-333.

[55] «Discurso pronunciado en la Sesión extraordinaria de la Asamblea de la Sociedad de Naciones con motivo del conflicto chino-japonés», 7 diciembre 1932, en MADARIAGA, S. de: *Discursos internacionales* (Madrid, 1934), pp. 187-193. Cf. versiones dispares en MADARIAGA, S. de: *Memorias...* , ob. cit., p. 315, y ALOISI: *Journal, 25 Juillet 1932-14 Juin 1936* (París, 1957), p. 31.

[56] «Projet de résolution présente par les Délégations de l'Espagne, de l'Etat libre d'Irlande, de la Suède et de la Tchécoslovaquie», 7 diciembre 1932, AMAE, R-1811 (2), y Madariaga a Zulueta, 7 diciembre 1932, AMAE, R-1807 (6).

[57] BARROS, J.: *Office without Power...* , ob. cit., pp. 372-378.

[58] Madariaga a Zulueta, 9 diciembre 1932, doc. cit.

[59] Herbette a Paul Boncour, 26 diciembre 1932, QDO, E-213 (78-82).

[60] Madariaga a Zulueta, 9 diciembre 1932, doc. cit., y Madariaga a Marcelino Domingo, 27 diciembre 1932, reprod. en MADARIAGA, S. de: ob. cit., p. 583.

[61] Ministro de España en Tokio a Zulueta, 14 diciembre 1932, AMAE, R-951 (23).

[62] Cónsul General de España en Shangai a Zulueta, 17 diciembre 1932, AMAE, R-1807 (6).

[63] Las críticas se debieron fundamentalmente al diputado Eduardo Ortega y Gasset. Vid., al respecto, las sesiones parlamentarias del 19 y 23 de octubre de 1932, DSC, 1931-1933, pp. 8969 y 9100-9101.

[64] Madariaga a Zulueta, 9 febrero 1933, AMAE, R-1811 (2). Vid. también TOYNBEE, A. J.: ob. cit., 1933, p. 503.

[65] Cf. WALTERS, F.: ob. cit., p. 481; y THORNE, C.: ob. cit., pp. 335-336.

[66] PÉREZ CABALLERO, J.: «El Japón y la Sociedad de Naciones: actitud extraña», *ABC*, 2 marzo 1933.

[67] Cf. «El triunfo de los ideales hispanos en Ginebra» y «España en la Sociedad de Naciones», *El Sol*, 25 y 28 febrero 1931.

[68] Herbette a Paul-Boncour, 28 febrero 1933, QDO, SDN-373 (88-89); Zulueta a Madariaga, 27 febrero 1933, AMAE, R-1807 (6), e intercambio de telegramas entre Madariaga y Zulueta, 7 y 11 marzo 1933, AMAE, R-1810 (19).

[69] Informes de la Sección de Ultramar y Asia del Ministerio de Estado, abril 1934, AMAE, R-965 (9).

CAPITULO 3

[1] Párrafo 1 del artículo 8° del Pacto de la Sociedad, apud. WALTERS, F.: ob. cit., p. 63. Vid. también MADARIAGA, S. de: *Memorias...* , ob. cit., pp. 347 y 351, y *España...* , ob. cit., p. 392.

[2] «Síntesis de la política del desarme realizada por la Sociedad de las Naciones», sin fecha, AMAE, R-697 (25). Cf. también ARNOLD-FOSTER, V.: *The Disarmament Conference* (Londres, 1932); SHOTWELL, J. y SALVIN, M.: *Lessons on security and disarmament from the history of the League of Nations* (Nueva York, 1949), y WALTERS, F.: ob. cit., pp. 222-234 y 358-372.

[3] VAISSE, M.: *Sécurité d'abord. La politique française en matière de désarmement, 9 décembre 1930 - 17 avril 1934* (París, 1981), p. 1. Vid. también, del mismo autor, «La Société des Nations et le désarmement», en *The League of Nations in restrospect*, ob. cit., pp. 245- 265; DELMAS, C.: *Le Désarmement* (Paris, 1979), pp. 28-39, y WALTERS, F.: ob. cit., p. 487.

[4] Cf. CARDONA, G.: *El Poder militar en la España contemporánea hasta la Guerra Civil* (Madrid, 1983); PAYNE. S.: *Los militares y la política en la España contemporánea* (París, 1968), y *Ejército y Sociedad en la España Liberal, 1808-1938* (Madrid, 1977), así como las reflexiones de JULIA, S.: «El fracaso...», art. cit., pp. 200-201.

[5] «Discurso en la Sesión de Cortes del 2 de diciembre de 1931», en AZAÑA, M.: *Obras...*, ob. cit., II, pp. 29 y ss. Vid. también ALPERT, M.: *La reforma militar de Azaña (1931-1933)*, (Madrid, 1982), 298 y ss.

[6] «Programa naval mínimo» y «Organización militar necesaria para asegurar la defensa», mayo-junio 1932, AMAE, R-697 (25).

[7] «Discurso en la Sesión de Cortes del 2 de diciembre de 1931, doc. cit.», Discurso en la Sesión de Cortes del 10 de marzo de 1932, en AZAÑA, M: ob. cit., II, p. 211, y «Notas de Aviación para el Ministerio de Estado», mayo-junio 1932, AMAE, R-697 (25). Vid. tam-

bién SALAS LARRAZÁBAL, J.: *De la Tela al Titanio. El ayer y el hoy de la creatividad aeronáutica en España* (Madrid, 1983), pp. 103-124.

[8] «Discurso en la Sesión de Cortes de 10 de marzo de 1932», doc. cit., y «Discurso en la Sesión de Cortes del 18 de diciembre de 1932», en AZAÑA, M.: ob. cit., II, pp. 497-498. Vid. también declaraciones de Azaña a *El Sol*, 2 agosto 1932.

[9] Herbette a Tardieu, 14 marzo 1932, QDO, E-213 (39).

[10] «Discurso en la Sesión de Cortes del 18 de diciembre de 1932», doc. cit. Para las reformas militares de Azaña, cf. las obras, ya citadas, de M. ALPERT y G. CARDONA, así como RAMIREZ, M.: *Las reformas de la II República* (Madrid, 1977), pp. 43-89.

[11] «Expediente sobre la creación de una Comisión Preparatoria de la Conferencia del Desarme», noviembre-diciembre 1931, AMAE, R-821 (3).

[12] *El Socialista*, 16 de enero de 1932, Gómez Ocerín a Drumond, 21 enero 1932, y Oliván a Drumond, 28 enero 1932, ASDN, FS, R-2448.

[13] Cf. MADARIAGA, S. de: *Memorias...* , ob. cit., p. 344, y *España...* , ob. cit., pp. 390-391, así como AZAÑA, M.: *Memorias...* , ob. cit., I, p. 383.

[14] QUINTANA NAVARRO, F.: «Madariaga y el programa de desarme de la Segunda República», en *Salvador de Madariaga*, ob. cit., pp. 51-55.

[15] «Discurso en la XII sesión ordinaria de la Asamblea de la Sociedad de Naciones», en MADARIAGA, S. de: *Discursos...* , ob. cit., pp. 163-184. Vid. también su artículo «Le désarmement nécessaire», *L'Europe Nouvelle*, 26 septiembre 1931. Precedentes inmediatos de este discurso fueron sus artículos «Striking to keep war at bay» y «What lies behind the spirit of war», *The New York Times*, 18 marzo 1928 y 7 septiembre 1930.

[16] Intercambio de telegramas entre Lerroux y Alcalá Zamora, 21-22 septiembre 1931, AMAE, R-1808 (6); Cecil a Marquess of Reading, 1 octubre 1931, PRO, FO 371/15706; Wilson a Secretario de Estado, 24 septiembre 1931, FRUS, 1931, I, p. 455; y TOYNBEE, A. J.: *Survey...* , ob. cit., 1931, pp. 291-295.

[17] Vid. su versión en MADARIAGA, S. de: ob. cit., pp. 268-270, así como su intervención pública en *L'Europe Nouvelle*, 5 diciembre 1931, pp. 1630-1631.

[18] «La insoluble contradicción», *Luz*, 2 febrero 1932; «Palabras de paz junto al lago y batallas en Oriente», *El Sol*, 7 febrero 1932, y «La Conferencia del Desarme bajo el signo de la guerra», *ABC*, 3 febrero 1932.

[19] «La Conferencia del Desarme», *El Socialista*, 11 febrero 1932.

[20] «Bases que se proponen para la actuación de la delegación española en la Conferencia del Desarme», sin fecha, AMAE, R-822 (10).

[21] RCD, series A, vol. I, pp. 90-93. Vid. también ARAQUISTAIN, L.: «El desarme ante la guerra», *El Sol*, 27 febrero 1932.

[22] Ibid., y «Bases que se proponen...», doc. cit.

[23] MARTIN, W.: «Un débat élevé», *Journal de Genéve*, 13 febrero 1932, apud. AZCÁRATE, P.: *William Martin...* , ob. cit., p. 125.

[24] «Comentarios de prensa extranjera», *Luz*, 13 febrero 1932; telegramas varios de París, Roma, Berlín y Londres a Ministerio de Estado, 12 y 13 febrero 1932, AMAE, R-822 (11), y recortes de prensa de *L'Action Française*, *L'Humanité*, *Le Temps* y *Le Figaro*, 13 febrero 1932, AGA, AE-11008 (39).

[25] *El Sol*, 13 febrero 1932; *Luz*, 12 y 13 febrero 1932; *El Socialista*, 14 febrero 1932, y *ABC*, 13 y 16 de febrero de 1932.

[26] RCD, series A, I, pp. 11-14.

[27] Cf. VAISSE, M.: *Securité...* , ob. cit., pp. 221 y ss., y BECKER, J.: «La politique révisionniste du Reich de la mort de Stresemann a l'avènement de Hitler», en *La France et L'Allemagne, 1932-1936* (París, 1980), pp. 15-26.

[28] VAISSE, M.: «La Société des Nations et...», art. cit., pp. 253-254.

[29] RCD, Series B, I, pp. 66-67, y «Preparación de la Conferencia del Desarme» (Informe reservado de J. Montagut), marzo 1931, AMAE, R-825 (2).

[30] RCD, Series B, I, pp. 83 y 87-88.

[31] VAISSE, M.: *Securité...* , ob. cit., pp. 222-223.

[32] RCD, Series B, II, pp. 67-68.

[33] Cf. VAISSE, M.: ob. cit., pp. 224-225, y WALTERS, F.: ob. cit., p. 492.

[34] «Vers un accord à Bessinges», en VAISSE, M. : ob. cit., pp. 225-234.

[35] MADARIAGA: *Memorias...* , ob. cit., pp. 350-351.

[36] Ibid., p. 349.

[37] Ibid., pp. 349-350. Vid. también MADARIAGA, S. de: *Disarmament*, ob. cit., p. 294, y «U. S. Europe. The Theory and the facts», *The Times*, 26 septiembre 1929.

[38] «Notas de aviación para el Ministerio» e «Informe de la Jefatura Superior de Aeronáutica», 1931-32, AMAE, R-697 (25) y R-825 (2).

[39] RCD, Series B, I, pp. 531-535, e «Historique de la première phase de la Conférence du désarmement», *L'Europe Novelle*, 24 septiembre 1932.

[40] «Mémorandum de la Délégation suédoise sur l'internationalisation de l'Aeronautique civile», 25 abril 1932; «Réponses a la Note du President de la Commission...», 28 abril 1932; «Commission Aerienne: Report du Sous-Comité», 11 mayo 1932; «Déclaration des délegations de Belgique, Espagne, Mexique, Pays-Bas et Suède», 4 junio 1932, y «Etat des Travaux du Sous-Comité», 19 julio 1932, ASDN, FS, R-2386.

[41] VAISSE, M.: ob. cit., pp. 261-272.

[42] Declaraciones de Madariaga a *El Sol*, 30 marzo 1933.

[43] Cf. TOYNBEE, A. J.: *Survey...* , ob. cit., 1932, p. 186; WALTERS, F.: ob. cit., p. 497; VAISSE, M.: ob. cit., p. 272, y BENDIMER, E.: ob. cit., p. 281.

[44] Stoutz a las legaciones de Suiza, 21 abril 1933, DDS, vol. X, p. 641.

[45] Ibid.

[46] Discurso de Zulueta en la sesión de Cortes del 25 de octubre de 1932, DSC, 1931-1933, pp. 9112-9113.

[47] Madariaga a Zulueta, 20 junio 1932, AGA, AE-11008 (39).

[48] «Le plan Hoover: intervention inopportune dans la négociation de Genève», en VAISSE, M.: ob. cit., pp. 268-272, y WALTERS, F.: ob. cit., pp. 495-496.

[49] RCD, series B, I, p. 131, y MADARIAGA, S. de: *Memorias...* , ob. cit., p. 351.

[50] «Note by Sir H. Samuel of a Conversation with Dr. Lange», 2 julio 1932, DBFP, 2ª serie, III, pp. 581-582, y *El Sol*, 14 julio 1932.

[51] WALTERS, F.: ob. cit., p. 497; F. O. Minutes, 6 julio 1932, PRO, FO 371/16463, y «Rapport sur la Conférence du Désarmement», 1932, QDO, SDN-876 (10-12).

[52] RCD, series B, I, pp. 153-156.

[53] VAISSE, M.: ob. cit., pp. 273 y ss.; y WALTERS, F.: ob. cit., pp. 497-498.

[54] MADARIAGA, S. de: ob. cit., pp. 351-352; RCD, Series B, II, p. 170, y Massigli al Ministerio de Asuntos Exteriores, 23 julio 1932, DDF, 1ª serie, vol. I, pp. 89-90.

[55] «Acuerdo sobre desarme», *El Sol*, 23 julio 1932; Stoutz a las legaciones de Suiza, 21 abril 1933, doc. cit., y BENDIMER, E.: ob. cit., p. 281.

[56] VAISSE, M.: ob. cit., pp. 276-291 y 324-347.

[57] Massigli al Ministerio de Asuntos Exteriores, 21 septiembre 1932, DDF, 1ª serie, I, p. 358, y Wilson al Secretario de Estado, 6 octubre 1932, FRUS, 1932, I, p. 340.

[58] «Los problemas del desarme. Desencanto en torno a Ginebra», *El Sol*, 20 agosto 1932.

[59] Tomas Jones a Abraham Flexner, 27 septiembre 1932, en JONES, T.: *A Diary with letters, 1931-1950* (Londres, 1954), p. 63.

[60] Corbin a Herbette, 23 octubre 1932, y Massigli a Herriot, 17 diciembre 1932, DDF, 1ª serie, I, pp. 553-554, y II, pp. 275-276.

[61] RCD, series B, I, p. 211.

[62] MADARIAGA, S. de: ob. cit., p. 353.

[63] Sobre las consecuencias del acuerdo del 11 de diciembre, tanto para Francia como para sus aliados, vid. VAISSE, M.: ob. cit., pp. 341-347.

CAPITULO 4

[1] CARR, E. H.: *International Relations...*, ob. cit., p. 190. Cf. también MARKS, S.: *The Illusion of Peace. International Relations in Europe, 1918-1933* (Londres, 1976), pp. 137-146, y KEYLOR, W. R.: *The Twentieth Century...*, ob. cit., pp. 143 y ss.

[2] VAISSE, M.: «La Société des Nations et...», art. cit., p. 255.

[3] Referencias al influjo francés en el ideario de los republicanos españoles se encuentran en numerosas obras; vid., p. e., AVILÉS FARRÉ, J.: *La izquierda burguesa en la II República* (Madrid, 1985), pp. 315-336. Para una visión general sobre las relaciones hispano-francesas, cf. las contribuciones de E. TEMINE y R. GIRAULT en *Españoles y franceses en la primera mitad del siglo XX* (Madrid, 1986), y BLEDSOE, G. B.: «Spanish Foreign Policy, 1898-1936», art. cit., passim.

[4] «Estado de las Relaciones de España con Francia», Madariaga a Zulueta, 23 marzo 1932, AMAE, R-329 (3); Herbette a Briand, 30 diciembre 1931, QDO, E-141 (22-27); y F. O. Minutes, 23-28 abril 1931, Grahame a Vansittart, 29 marzo 1932, y «Annual Report for 1931», 1932, en PRO, FO 371/15771, 16511 y 16508,.

[5] VAISSE, M.: *Sécurité...*, ob. cit., pp. 276 y ss.

[6] Herbette a Tardieu, 6 enero y 30 marzo 1932, QDO, E-213 (35 y 43-45).

[7] MADARIAGA, S. de: *Memorias...*, ob. cit., pp. 324-325, 334-338 y 362-364, y Bowers a Roosevelt, 2 agosto 1933, en NIXON, E. B., ed.: *Roosevelt and Foreign Affairs* (Cambridge y Massachusetts, 1969), I, p. 342.

[8] Cf. MADARIAGA, S. de: ob. cit., p. 267, y AZAÑA, M.: *Memorias...*, ob. cit., pp. 342 y 346.

[9] BOME, 30 abril, 31 mayo y 31 diciembre 1931; «Report on the Heads of Foreign Missions for the year 1932», Tyrrell a Simon, 4 enero 1933, PRO, FO 371/17295, y debates parlamentarios de 6-7 septiembre, 25 octubre y 15-17 noviembre 1932, DSC, 1931-33, pp. 8507-8528, 8567-8580, 9093-9117, 9485-9510, 9526-9543 y 9566-9585. Vid. también BLEDSOE, G. B.: «The quest for permanencia...», art. cit.

[10] «Estado de las Relaciones entre España y Francia», doc. cit., e «Inventario de intereses económicos de España en Francia en 1932», 1933, AMAE, R-721 (73).

[11] «Comunicado franco-español de 17 de marzo de 1932», Grahame a Vansittart, 29 marzo 1932, PRO, FO 371/16511.

[12] Cf. AZAÑA, M.: ob. cit., p. 433; «Notas para las entrevistas de Zulueta», marzo 1932, AGA, AE-11014 (101), y Herbette a Tardieu, 23 marzo 1932, QDO, E-224 (1-3).

[13] Grahame a Vansittart, 29 marzo 1932, doc. cit., y F. O. Minutes, 11 abril 1932, PRO, FO 371/16511.

[14] Herbette a Tardieu, 19 mayo y 10 junio 1932, QDO, E-213 (46-49), y E-141 (52-55).

[15] Madariaga a Zulueta, 27 de mayo de 1932, DSM. Vid. también MADARIAGA, S. de: ob. cit., p. 364.

[16] AZAÑA, M.: ob. cit., pp. 514-515.

[17] ALBORNOZ, A. de: ob. cit., pp. 25-26, y siguiendo esta misma interpretación y la de Madariaga, CARRERAS ARES, J. J.: art. cit. Para un análisis más profundo de la visita y de su significado, vid. SAZ, I.: «La política exterior...», art. cit., pp. 843-858.

[18] MADARIAGA, S. de: ob. cit., p. 364, y *España...*, ob. cit., p. 395.

[19] «Nota sobre política exterior...», doc. cit.

[20] Madariaga a Zulueta, 8 junio 1932, AGA, AE-11009 (641). Vid. también SAZ, I.: art. cit., pp. 843-858.

[21] «Nota confidencial de mi conversación con M. Herriot», 13 agosto 1932, y «Nota de mi entrevista con M. Léger», 27 agosto 1932, DSM, reprod. en MADARIAGA, S. de: *Memorias...*, ob. cit., pp. 369-372.

[22] Ibid., p. 372.

[23] Cf. VAISSE, M.: *Securité...* , ob. cit., pp. 276-299; DUROSELLE, J. B.: *La Décadence, 1932-1939* (París, 1979), pp. 36-43; Corbin a Herbette, 23 octubre 1932, DDF, 1ª serie, I, pp. 553-555.

[24] Hermite a Herriot, 22 noviembre 1932, QDO, SDN-874 (241-244); Massigli a Herriot, 17 diciembre 1932, DDF, 1ª serie, II, pp. 275- 276, y Madariaga a Zulueta, 20 octubre 1932, AGA, AE-11205 (1088).

[25] SAZ, I.: art. cit., p. 850.

[26] VIÑAS, A.: *La Alemania nazi y el 18 de julio* (Madrid, 1977), pp. 83-84; Aguinaga a Madariaga, 30 septiembre 1932, DSM; y Aguinaga a Zulueta, 4 octubre 1932, y Araquistain a Zulueta, 25 octubre 1932, AMAE, R-329 (3) y R-860 (73).

[27] Cf. SAZ, I.: *Mussolini contra la II República* (Valencia, 1986), p. 43; COVERDALE, J. F.: *La intervención fascista en la Guerra Civil española* (Madrid, 1979), p. 53; así como Grahame a Simon, 21 octubre 1932, y F. O. Minutes, 4 noviembre 1932, PRO, FO 371/16507.

[28] Grahame a Simon, 22 octubre, y F. O. Minutes, 13-25 octubre 1932, PRO, FO 371/16511.

[29] Cf. EGIDO LEÓN, M. A.: *La concepción...* , ob. cit., passim.; los editoriales de *La Época*, 17 y 18 octubre 1932, y *Heraldo de Madrid*, 19 octubre 1932, así como la intervención del diputado Balbontín en la sesión de Cortes del 18 de octubre de 1932, DSC, 1931-1933, p. 8919.

[30] Aguinaga a Zulueta, 29 octubre 1932, AMAE, R-329 (3) y AGA, AE-11205 (1088), y Discurso de Zulueta en la sesión de Cortes del 18 de octubre de 1932, DSC, 1931-1933, núm. 242, pp. 8919-20.

[31] Cf. «Programa del viaje a España de M. Herriot», AGA, AE-11205 (1088) y Grahame a Simon, PRO, FO 371/16511.

[32] ALCALÁ ZAMORA, N.: *Memorias*, ob. cit., p. 325, y RIVAS CHERIF, C. de: *Retrato de un desconocido. Vida de Manuel Azaña* (Barcelona, 1979), pp. 277-278.

[33] TUÑÓN DE LARA, M.: *La España del siglo XX* (Barcelona, 1974), vol. II, pp. 346-347. Para un seguimiento más exhaustivo de la visita, Grahame a Simon, 2 y 4 noviembre 1932, PRO, FO 371/16511, y las ediciones de *El Sol, Heraldo de Madrid, Luz* y *El Socialista*, 1-3 diciembre 1932. Vid. también los recuerdos de HERRIOT, E.: *Jadis. D'une guerre à l'autre, 1914-1939* (París, 1952), p. 351, y TABOUIS, G.: *Vingt Ans de «Suspense» Diplomatique* (París, 1958), pp. 127-129.

[34] MADARIAGA, S. de: ob. cit., p. 372-373.

[35] Grahame a Simon, 4 noviembre 1932, doc. cit., así como «Consecuencias del viaje de Herriot», *Heraldo de Madrid*, 5 noviembre 1932; «Posibles resultados del viaje», *Luz*, 31 octubre 1932, y «France et Espagne», *Le Temps*, 30 octubre 1932.

[36] «Expediente sobre el Tratado de Asistencia y de Trabajo entre España y Francia», AMAE, R-4018 (6); RIVAS CHERIF, C.: «Intelegencia cordial entre franceses y españoles. La Diplomacia de la República», *El Sol*, 1 noviembre 1932, y «Annual Report on Spain for 1932», 1933, PRO, FO 371/16511.

[37] Herbette a Herriot, 4 noviembre 1932, QDO, E-213 (71-74), y Grahame a Simon, 3 noviembre 1932, PRO, FO 371/16466.

[38] F. O. Minutes, PRO, FO 371/16511, y Grahame a Simon, 4 noviembre 1932, doc. cit.

[39] VAISSE, M.: *Securité...* , ob. cit., pp. 292-323.

[40] Ibid., pp. 378-380, y LÉVI, Roger: «Après l'examen du plan français», *L'Europe Nouvelle*, 11 febrero 1933.

[41] RCD, series C, II, pp. 239-241, y Massigli a Paul Boncour, 6 febrero 1933, QDO, SDN-876 (169).

[42] «Discurso pronunciado por el Excmo. Sr. Ministro de Estado Don Luis de Zulueta en el Centro del Ejército y de la Armada el día 16 de abril de 1933» (Madrid, 1933), p. 4. Vid. también CARDONA, G.: El poder militar... , ob. cit., pp. 116-137.

[43] Cf. DEIST, W.: «Le problème du réarmement allemand dans les années 1933-1936», en La France et L'Allemagne... , ob. cit., pp. 49-74; y BENNETT, E. W.: German Rearmament and the West, 1932-1933 (Princeton, 1979), pp. 307-355.

[44] VIÑAS, A.: La Alemania... , ob. cit., p. 84; «Annual Report for 1933», 1934, p. 11, PRO, FO 371/18604, y Herbette a Herriot, 14 septiembre 1932, DDF, 1ª serie, I, pp. 323-326.

[45] Massigli a Paul Boncour, 22 y 28 febrero 1933, QDO, SDN-876 (327) y DDF, 1ª serie, II, pp. 711-712. Vid. también VAISSE, M.: ob. cit., pp. 351-377.

[46] TOYNBEE, A. J.: Survey... , ob. cit., 1933, II, pp. 242-243; ROLAND, B.: L'aviation et le désarmement (París, 1933), passim, y MADARIAGA, S. de: Memorias... , ob. cit., pp. 349-350.

[47] Massigli a Paul Boncour, 22 febrero 1933, doc. cit., y Cónsul británico en Ginebra a F. O., 22 febrero 1933, PRO, FO 371/17379.

[48] TOYNBEE, A. J.: ob. cit., pp. 243-246.

[49] «La inutilidad de la Conferencia del Desarme», El Sol, 4 de marzo de 1933.

[50] VAISSE, M.: ob. cit., pp. 388-389, así como «Continuité et discontinuité dans la politique française en matière de désarmement (février 1932-juin 1933): L'exemple du contrôle», en La France et L'Allemagne... , ob. cit., pp. 27-47.

[51] Cf. CARR, E. H.: International Relations... , ob. cit., pp. 190-193; DUROSELLE, J. B.: La Décadance... , ob. cit., pp. 70-72, y ROBERTSON, E. M.: Mussolini as Empire-Builder. Europe and Africa, 1932-1936 (Londres, 1977), pp. 44-53.

[52] Madariaga a Zulueta, 23 marzo, y Aguinaga a Zulueta, 27 marzo 1933, AMAE, R-707 (7).

[53] RCD, series C, II, p. 377.

[54] Madariaga a Zulueta, 23 marzo 1933, doc. cit.

[55] Herbette a Paul Boncour, 27 y 29 marzo 1933, DDF, 1ª serie, III, pp. 96-97 y 108-109, y «Memorándum de la Embajada de España en Londres», 25 julio 1932, PRO, FO 371/15934.

[56] Cf. El Sol, 29 marzo 1933, y ABC, 30 marzo 1933.

[57] Herbette a Paul Boncour, 22 marzo 1933, DDF, 1ª serie, III, pp. 56-60, así como El Debate, 22 marzo, ABC, 25 marzo y El Sol, 23, 25, 29 y 30 marzo 1933.

[58] «Actas de la Sesión de la Comisión de Estado de las Cortes Constituyentes», 7 abril 1933, AGA-AE, 11036 (346).

[59] DUROSELLE, J. B.: ob. cit., pp. 73-74; y VAISSE, M.: Sécurite... , ob. cit., pp. 400-411.

[60] Herbette a Paul Boncour, 20 marzo 1933, DDF, 1ª serie, III, pp. 40-41, y Orden Circular de la Secretaría de la Dirección de Asuntos Exteriores, 19 abril 1933, AMAE, R-707 (7).

[61] Oliván a Zulueta, 27 marzo, y Ginés Vidal a Zulueta, 30 marzo 1933, AMAE, R-707 (7); Albert Pey a Zulueta, 13 abril 1933, AMAE, R-707 (9), y Zurita a Zulueta, 29 abril 1933, AGA-AE, 11036 (346).

[62] DUROSELLE, J. B.: ob. cit., p. 73-75 y WALTERS, F.: ob. cit., p. 530.

[63] BENNETT, E. W.: ob. cit., pp. 356-405, y VAISSE, M.: ob. cit., p. 414.

[64] Grahame a Simon, 5 mayo 1933, PRO, FO 371/17426.

[65] Vansittart a Grahame, 2 junio 1933, ibid.

[66] F. O. Minutes, Stanley, 23 mayo 1933, ibid.

[67] Madariaga a Zulueta, 13 abril 1933, AGA, AE-11037 (889).

[68] Ibid.

[69] Cf. VAISSE, M.: ob. cit., 390-399, y BENNETT, E. W.: ob. cit., pp. 360-367.

[70] RCD, series C, II, pp. 376-381.

[71] Cf. DUROSELLE, J. B.: ob. cit., pp. 70-79; BENNETT, E. W.: ob. cit., pp. 383-394; y VAISSE, M.: ob. cit., pp. 416-422.

[72] Cf. WALTERS, F.: ob. cit., pp. 531-532, y BENNETT, E. W.: ob. cit., pp. 401-405.

[73] Herbette a Paul-Boncour, 20 mayo 1933, DDF, 1ª serie, III, pp. 532-534; ROSENMAN, S. I.: *The Public Papers and Addresses of Franklin D. Roosevelt* (Nueva York, 1938), vol. II, pp. 197-198, y RCD, series C, II, p. 479.

[74] Herbette a Paul Boncour, 20 mayo 1933, doc. cit.

[75] RCD, series C, II, pp. 479 y 506-508.

[76] Ibid., pp. 518-522, y *ABC*, 27 mayo 1933.

[77] Ibid., pp. 531-535, y Massigli a Paul Boncour, 27 mayo 1933, QDO, SDN-879 (223-224).

[78] «Notes of a Conversation between the Marquess of Londonderry and Viscount Cecil», 2 junio 1933, y «Record of a Conversation between Mr. Strang and Dr. Lange», 19 noviembre 1933, PRO, FO 371/17382 y 17383.

[79] Cf. TOYNBEE, A.: ob. cit., pp. 278-282; *The Times*, 30 mayo 1933; Massigli a Paul Boncour, 25 mayo 1933, QDO, SDN-879 (144), y Davis al Secretario de Estado en funciones, 6 junio 1933, FRUS, 1933, I, pp. 185-186.

[80] «Informe de la Dirección de Asuntos Exteriores» (en adelante, «Informe Doussinague»), 23 octubre 1933, AMAE, R-694 (59).

[81] Bowers a Roosevelt, 28 junio 1933, en NIXON, E., ed.: ob. cit., I, pp. 259-261, y Madariaga a De los Ríos, 21 agosto 1933, AMAE, R-329 (3).

[82] «Pacte Méditerranéen», 7 agosto 1932, y «Note sur le Pacte Méditerranéen», 8 mayo 1936, QDO, SDN-788 (162-168 y 243-246).

[83] Herbette a Herriot, 14 septiembre y 9 noviembre 1932, DDF, 1ª serie, I, pp. 323-324 y 679, y «Pacte Méditerranéen», 7 julio 1934, QDO, SDN-788 (182-189).

[84] Herbette a Paul-Boncour, 22 julio 1933, DDF, 1ª serie, IV, pp. 57-58.

[85] «Note sur un accord méditerranéen, 10 febrero 1933, QDO, SDN-788 (150-151), y Paul-Boncour a Herbette, 31 julio 1933, DDF, 1ª serie, IV, p. 112.

[86] Herbette a Paul Boncour, 6, 14 y 19 agosto 1933, DDF, 1ª serie, IV, pp. 161-163, 191-192 y 217-218.

[87] SAZ, I.: *Mussolini...* , ob. cit., p. 44-45.

[88] Herbette a Paul-Boncour, 6 agosto 1933, y «Note sur le Pacte...», 8 mayo 1936, docs. cits.

[89] SAZ, I.: ob. cit., p. 44.

[90] Cf. VAISSE, M.: ob. cit., pp. 437 y ss.; BENNETT, E. W.: ob. cit., pp. 434-438 y 449-464; RENOUVIN, P.: ob. cit., pp. 986-998; CARR, E. H.: ob. cit., pp. 197-214, y WALTERS, F.: ob. cit., p. 533. Vid. también Madariaga a Sánchez Albornoz, 18 septiembre 1933, AGA, AE-11012 (328) y AMAE, R-329 (3), y Zulueta a Sánchez Albornoz, 25 octubre de 1933, AMAE, R-850 (7).

[91] KIMMICH, C. M.: *Germany and the League of Nations* (Chicago, 1976), pp. 173-193.

[92] Sánchez Albornoz a Madariaga, 16 octubre 1933, AMAE, R-850 (8), y Madariaga a Sánchez Albornoz, 17 octubre 1933, AGA, AE-11165 (3030). Vid. también MADARIAGA, S. de: ob. cit., p. 394.

[93] Vid. despachos de embajadas y legaciones de España informando sobre estas reacciones en AMAE, R-1224 (13).

[94] «Notas enviadas por el Sr. Madariaga al Sr. Presidente desde Ginebra con motivo de la XIV Asamblea de la Sociedad de Naciones», 26 septiembre 1933, AMAE, R-1810 (8), y Madariaga a Sánchez Albornoz, 31 octubre 1933, AMAE, R-850 (8).

[95] Madariaga a Sánchez Albornoz, 17 octubre 1933, doc. cit.

[96] Cf. Grahame a Simon, 16 octubre 1933, PRO, FO 371/17394; Sánchez Albornoz a Madariaga, 17 octubre 1933, doc. cit., y ediciones de *El Sol* y *ABC*, 17 al 20 octubre 1933.

[97] «Informe Doussinague», 23 octubre 1933, doc. cit.

[98] Madariaga a Sánchez Albornoz, 17 octubre 1933, doc. cit., y Simon a Grahame, 25 octubre 1933, PRO, FO 371/17369.

[99] Madariaga a Sánchez Albornoz, 24 y 26 octubre 1933, AMAE, R-850 (7) y R-922 (11).

[100] «Interview entre M. Pablo de Azcárate et George A. Codding», 22 marzo 1966, mecanogr., ASDN.

[101] «Discurso pronunciado en la XIV Sesión ordinaria de la Asamblea de la Sociedad de las Naciones...», 2 octubre 1933, en MADARIAGA, S. de: *Discursos...*, ob. cit., pp. 219-235.

[102] JIMÉNEZ DE SANDOVAL, F.: «Memoria del curso en el extranjero», 1933, AMAE, P-361 (25061).

[103] Massigli a Paul-Boncour, 26 y 27 octubre 1933, DDF, 1ª serie, IV, pp. 640-641.

CAPITULO 5

[1] EGIDO LEÓN, M. A.: *La concepción...*, ob. cit., pp. 217-270.

[2] Cf., al respecto, las reflexiones de R. ROTHSTEIN, R. OGLEY, y N. ORVIC, obs. cits.

[3] Informe Doussinague, 23 octubre 1933, doc. cit., p. 3-5.

[4] Ibid., pp. 12-13.

[5] Ibid., pp. 13-14.

[6] Aguirre de Cárcer a Zulueta, 28 octubre 1933, y Orden Circular reservada, 25 octubre 1933, en AGUINAGA Y BARONA, J. M.: *Cuadernos de Política Internacional Española, 1934-1936*, AMAE, R-694 (59) y R-5499 (4), respectivamente.

[7] Ibid.

[8] Madariaga a Sánchez Albornoz, 30 octubre y 7 diciembre 1933, AGA, AE-11147 (1808).

[9] Zulueta a Aguirre de Cárcer, 3 noviembre 1933, AMAE, R-694 (59).

[10] VAISSE, M.: *Securité...*, ob. cit., pp. 481-486.

[11] Aguirre de Cárcer a Oliván, 18 noviembre 1933; Ginés Vidal a Sánchez Albornoz, 7 noviembre 1933, y Gómez Ocerín a Sánchez Albornoz, 6 noviembre 1933, AMAE, R-694 (59); Paul Boncour a Herbette, 10 enero 1934, y Massigli a Daladier, 1 febrero 1934, QDO, SDN-29 (169-170 y 226-227).

[12] Ginés Vidal a Pita, 20 diciembre 1933, AMAE, R-694 (59).

[13] Aguirre de Cárcer a Oliván, 18 noviembre 1933, doc. cit. y Doussinague a Ginés Vidal, 23 noviembre 1933, AMAE, R-694 (59).

[14] Massigli a Daladier, 1 febrero 1934, doc. cit., Herbette a Paul Boncour, 17 abril 1934, QDO, SDN-890 (302), y Aguirre de Cárcer a Oliván, 18 noviembre 1933, doc. cit.

[15] Oliván a Sánchez Albornoz, 6 diciembre 1933, AMAE, R-694 (59).

[16] «Resumen de Conversaciones», 23 diciembre 1933, AMAE, R-694 (59).

[17] «Informe sobre la reorganización de la Sociedad de Naciones», sin fecha, y Madariaga a Sánchez Albornoz, 12 y 18 diciembre 1933, AMAE, R-767 (6) y R-707 (6); así como «Les Pays Bas et la réfome du Pacte», 29 diciembre 1933 - 16 enero 1934, QDO, SDN-29 (149-189).

[18] Herbette a Paul-Boncour, 23 diciembre 1933, y Herbette a Daladier, 22 enero 1934, QDO, SDN-29 (78-84 y 139-140).

[19] «Nota sobre la entrevista del Subsecretario (Doussinague) con el Ministro de Suecia en Madrid (Danielsson)», 4 enero 1934, y Oliván a Pita, 30 enero 1934, AMAE, R-694 (59).

[20] Oliván a Pita, 3, 8, 13, 17 y 18 febrero 1934, AMAE, R-694 (59) y R-707 (8).

[21] «Informe de la Subsecretaría del Ministerio de Estado», 15 marzo 1934, AMAE, R-694

(59). Para contrarrestar los efectos de la crisis económica, el 22 de diciembre de 1930 se había firmado en Oslo un convenio de política comercial entre el bloque nórdico (Suecia, Dinamarca y Noruega), los Países Bajos y la Unión Belgo-Luxemburguesa; vid. BACOT, B.: *Des Neutralités Durables. Origine, domaine et efficacité* (París, 1947), p. 97.

[22] «Les Pays-Bas, le groupe des huit Puissances et la réforme de la Sociéteé des Nations», 4 enero 1934, QDO, SDN-29 (156); Herbette a Daladier, 22 enero 1934 y Massigli a Daladier, 1 febrero 1934, docs. cits.

[23] MADARIAGA, S. de: *Memorias...*, ob. cit., pp. 405-422.

[24] Doussinague a Oliván, 17 marzo 1934, e «Informe de la Subsecretaría del Ministerio de Estado, 2 abril 1934, AMAE, R-694 (59) y (60).

[25] Vid. el epígrafe «La France au pied du mur», en VAISSE, M.: ob. cit., pp. 479-594.

[26] Así lo declaró Sandler poco antes de salir para Ginebra, Fiscowich a Pita, 4 abril 1934, AMAE, R-822 (11).

[27] Oliván a Pita, 31 marzo 1934, AMAE, R-694 (60).

[28] «Bases para orientar la actuación de España en la Conferencia del Desarme», 7 abril 1934, AMAE, R-694 (60).

[29] Doussinague a Oliván, 7 abril 1934, AMAE, R-694 (59).

[30] Herbette à Barthou, 9 abril 1934, QDO, SDN-890 (268-271). Se ha escrito que «el miedo a represalias por parte de Francia», con quien España estaba negociando la revisión del Acuerdo Comercial de 1931, pudiera haber influido en la decisión española de recomendar a Oliván que paralizara la iniciativa sueca», PERTIERRA DE ROJAS, J. F.: *Las relaciones hispano-británicas durante la II República* (tesis doctoral inédita), (Madrid, 1983), p. 172.

[31] «Nota de una comunicación telefónica de José de Rojas y Moreno desde Ginebra relatando las conversaciones entre Oliván y Sandler», 10 abril 1934, AMAE, R-823 (3).

[32] Massigli a Barthou, 11 y 12 abril 1934, y Herbette a Barthou, 12 abril 1934, QDO, SDN-890 (274, 278 y 279-281).

[33] «Memorándum de las Delegaciones danesa, española, noruega, sueca y suiza sobre el estado actual de los trabajos de la Conferencia», 14 abril 1934, AMAE, R-828 (14) y R-694 (60).

[34] Clauzel a Barthou, 16 abril 1934, QDO, SDN-890 (295-300), y Kennard a Simon, 17 abril 1934, PRO, FO 371/18524.

[35] Oliván a Pita, reseñado (sin fecha) en AGUINAGA, J. M.: *Cuadernos...*, «España y la política con los Neutrales», p. 19, y Agelet y Garriga a Pita, 25 marzo 1934, AMAE, R-5499 (4) y R-835 (13).

[36] Massigli a Barthou, 11 abril 1934, y Herbette a Barthou, 12 avril 1934, QDO, SDN-890 (274 y 361-363).

[37] «Nota de una comunicación telefónica de José de Rojas...», 10 abril 1934, doc. cit.

[38] Massigli a Barthou, 11 abril 1934, doc. cit.

[39] Leeper a Kennard, 24 abril 1934, y «Notes of a conversation between Leeper and Vogt», 25 abril 1934, PRO, FO 371/18523.

[40] Wilson al Secretario de Estado, 15 abril 1934, FRUS, 1934, I, pp. 48-51.

[41] Aguinaga a Pita, 17 abril 1934, AMAE, R-944 (31); «Note pour le Ministre», 2 junio 1934, y «Observations suggerées aux experts militaires para la lecture du Memorandum des six puissances neutres», 4 junio 1934, QDO, SDN-891 (21-34).

[42] Herbette a Barthou, 13 y 17 abril 1934, QDO, SDN-890 (301 y 364-366).

[43] «¿Habrá desarme? Cinco beligerantes y cinco neutrales en busca de la paz», *Ahora*, 18 abril 1934, y «España y el Desarme», *El Debate*, 17 abril 1934.

[44] VAISSE, M.: ob. cit., p. 550.

[45] Ibid., pp. 529-594 y DUROSELLE, J. B.: *La Décadence*, ob. cit., pp. 92-99.

[46] «Esqueleto de discurso. Exposición sobre actuación de España en la Sociedad de Naciones», reprod. en Aguinaga, J. M.: Cuadernos... , AMAE, R-5499 (4).

[47] Al dejar su cargo Doussinague se encargó de la Legación de España en La Haya, destino en el que permaneció hasta el 20 de julio de 1936, siendo uno de los primeros diplomáticos en activo que se unió al bando insurgente nada más producirse la sublevación del 18 de julio, «Expediente personal de José María Doussinague y Teixidor», AMAE, P-459 (33723).

[48] Madariaga a Zulueta, 2 mayo 1932, AMAE, P-559 (36709).

[49] Aguinaga, J. M.: Cuadernos... , «España y la política...», doc. cit., pp. 34-35.

[50] Aguinaga a Madariaga, 28 mayo 1934, AMAE, R-822 (11), y «Orden Circular de 22 de mayo de 1934», AGA, AE-5281 (X).

[51] Castillo a Pita, 28 junio 1934, AGA, AE-11102 (328).

[52] «Note sur la Conference du Désarmement», 29 octubre 1934, QDO, SDN-891 (307-320); Toynbee, A. J.: Survey... , ob. cit., 1935 (1), pp. 37-40, y Vaisse, M.: «La Société des Nations et...», art. cit., pp. 257-258.

[53] Madariaga a Pita, 29 mayo 1934, AMAE, R-245 (12).

[54] «Declaración común de las delegaciones danesa, española, holandesa, noruega, sueca y suiza relativa al Memorándum presentado el 14 de abril», 1 junio 1934, Patteson a Simon, 2 junio 1934, PRO, FO 371/18526.

[55] Madariaga a Pita, 2 junio 1934, AMAE, R-245 (12); Massigli al Ministerio, 1 junio 1934, QDO, SDN-891 (1-4), y «Compte rendu d'une conversation, le 31 mai 1934, à l'Hotel des Bergues, Genève, entre M. Louis Barthou et M. Arthur Henderson», en DDF, 1ª serie, VI, p. 576.

[56] Madariaga a Pita, 2, 4 y 6 junio 1934, AMAE, R-245 (12), y Madariaga, S. de: Memorias... , ob. cit., pp. 432-433.

[57] Teixidor (por Madariaga) a Pita, 8 junio 1934, AMAE, R-245 (12).

[58] «Informe sobre la situación en que se encuentra la Conferencia del Desarme», Felipe Ximénez de Sandoval, 28 agosto 1934, AMAE, R-1817 (7) y «Rapport sur la Conference du Désarmement», 29 octubre 1934, QDO, SDN-891 (307-320).

[59] «Note sur les armements preparée a titre personnel par Don Salvador de Madariaga», 15 octobre 1934, AMAE, R-300 (58).

[60] Orden de 7 de noviembre de 1934 dirigida a los ministros de España en La Haya, Estocolmo, Oslo, Copenhague y Berna, y Oliván a Aguinaga, 26 octubre 1934, AMAE, R-825 (3).

[61] Madariaga a Samper, 25 noviembre 1934, y Fiscowich a Samper, 28 noviembre 1934, AMAE, R-825 (3).

[62] Estado Mayor Central a Subsecretaría de Estado, 10 enero 1935, AMAE, R-825 (3), y Wilson al Secretario de Estado, 15 y 26 febrero y 13 abril 1935, FRUS, 1935, I, pp. 15-16, 25-26 y 46-47.

[63] Madariaga, S. de: ob. cit., p. 434. Sobre la generalización del rearme, cf. Sloutzki, N.: The world's armaments race, 1919-1939 (Ginebra, 1940), y Shay, R. P.: British Rearmament in the Thirties. Politics and Profits, (Princeton, 1977).

[64] «La mission de M. Hymans à Londres», 23 mayo 1934, DDB, III, pp. 366-376.

[65] Doussinague a Pita, 8 agosto 1934, y Ginés Vidal a Samper, 9 noviembre 1934, AMAE, R-2571 bis (6) y R-707 (3).

[66] «La defensa nacional y sus problemas», El Sol, 30 noviembre 1934.

CAPITULO 6

[1] Cf. DUROSELLE, J. B.: *La Décadence,* ob. cit., pp. 125-142, y RENOUVIN, P.: *Historia de las Relaciones...* , ob. cit., p. 966.

[2] WALTERS, F.: ob. cit., pp. 561-567 y 580-585. Para situar el ingreso de la URSS en una perspectiva más amplia, HASLAM, J.: *The Soviet Union and the Struggle for Collective Security in Europe, 1933-1939* (Londres, 1984).

[3] «Informe Ruiz de Arana», febrero de 1935, reprod. en AGUINAGA, J. M.: *Cuadernos...* , AMAE, R-5499 (4).

[4] «Premier avant-projet», Oliván a Rocha, 31 enero 1935, AMAE, R-835 (13).

[5] DUROSELLE, J. B.: ob. cit., p. 143-144, y EDEN, A.: The Earl of Avon: *The Eden Memoirs. Facing the Dictators* (Londres, 1962), pp. 121-122.

[6] «Aide Mémoire de la Légation de Suède à Madrid», 23 enero 1935, y Memorándum del Ministerio de Estado a Legación de Suecia en Madrid, 24 enero 1935, AMAE, R-835 (13).

[7] «Aide-Mémoire de la Légation Suède à Madrid», 29 enero 1935, AMAE, R-835 (12)

[8] Oliván a Rocha, 31 enero 1935, doc. cit.

[9] ROSTOW, N.: *Anglo-French Relations, 1934-1936* (Nueva York, 1984), cap. 3, «The London Conference». Vid. también CARR, E. H.: *International Relations...* , ob. cit., pp. 216-217.

[10] «Aide Mémoire de la Légation de Suède à Madrid», 6 febrero 1935, AMAE, R-835 (13).

[11] Ibid.

[12] Ministro de España en Oslo a Rocha, copia sin fecha, en AGUINAGA, J. M.: *Cuadernos...,* AMAE, R-5499 (4).

[13] Ministro de España en Copenhague a Rocha, 9 febrero 1935, AGA, AE-5287 (2-C).

[14] Doussinague a Rocha, 12 febrero 1935, en AGUINAGA, J. M.: *Cuadernos...* , AMAE, R-5499 (4).

[15] García de Olay a Rocha, 9 febrero 1935, ibid., e «Informe Ruiz de Arana», doc. cit.

[16] «Memorándum del Ministerio de Estado a la Legación de Suecia en Madrid», 13 febrero 1935, AMAE, R-835 (13), y EDEN, A.: ob. cit., p. 125.

[17] Herbette a Laval, 13 marzo 1935, QDO, SDN-1023 (159). Para entrar en detalles sobre los argumentos de Berlín, vid. KIMMICH, C.: *Germany and the...* , ob. cit., pp. 193 y ss.

[18] Cf. SLOUTZKI, N.: ob. cit., p. 28; TAYLOR, A. J. P.: *English History, 1914-1945* (Londres, 1983), pp. 463-465; DUROSELLE, J. B.: ob. cit., pp. 129-130, y BENNETT, E. W.: ob. cit., pp. 496-505.

[19] WALTERS, F.: ob. cit., pp. 587-588.

[20] *El Debate,* 17 y 21 marzo 1935, y *El Sol,* 22 marzo 1935.

[21] «España en Europa. Declaración de D. Salvador de Madariaga...», *El Sol,* 20 marzo 1935.

[22] Ginés Vidal a Rocha, 22 marzo 1935, y Fiscowich a Rocha, 9 abril 1935, AMAE, R-802 (20).

[23] Cárdenas a Rocha, 27 y 28 marzo 1935, y Rocha a Oliván, 1 abril 1935, AMAE, R-805 (3), y «Nota confidencial sobre reunión de Ministros escandinavos», 2 abril 1935, AMAE, R-900 (5).

[24] Oliván a Rocha, 8 abril 1935, AMAE, R-802 (20).

[25] Cf. TAYLOR, A. J. P.: *The Origins of the Second World War* (Londres, 1982), p. 116-117; WALTERS, F.: ob. cit., p. 589; DUROSELLE, J. B.: ob. cit., pp. 136-137, y RENOUVIN, P.: «Les relations franco-anglaises (1935-1939). Esquisse provisoire», en *Les Relations Franco-Britanniques de 1935 a 1939. Communications présentés aux Colloques franco-britanniques* (París, 1975), p. 18.

[26] «Instrucciones aprobadas en Consejo de Ministros», 12 abril 1935, AMAE, R-900 (5) y 1195 (6).

[27] Madariaga a Rocha, 19 abril 1935, AMAE, R-1195 (6) y AGA, AE-11189 (1222).

[28] Ibid. A propósito de la respuesta de Madariaga a este ofrecimiento, vid. también la otra visión que *a posteriori* ha dado el delegado español, en MADARIAGA, S. de: *Memorias...* , ob. cit., p. 462.

[29] «España, mediadora en Ginebra», *Ya*, 17 abril 1935, y Madariaga a Rocha, 19 abril 1935, doc. cit., pp. 2-4.

[30] Ibid., y «Texto de la ponencia presentada por Francia y modificaciones sugeridas por la Delegación española», AMAE, R-802 (20).

[31] Madariaga a Rocha, 19 abril 1935, doc. cit.

[32] «Notas de una conferencia telefónica entre el Ministerio de Estado y la Embajada de España en París», 17 abril 1935, AMAE, R-704 (6); Cárdenas a Rocha, 19 abril 1935, AGA, AE-11189 (1222), y Rocha a Cárdenas, 18 abril 1935, AMAE, R-805 (3).

[33] Madariaga a Rocha, 19 abril 1935, doc. cit.

[34] «Informe sobre rearme alemán», 16 abril 1935, AMAE, R-1195 (6).

[35] Madariaga a Rocha, 19 abril 1935, doc. cit.

[36] BENDIMER, E.: ob. cit., p. 316. Vid. también MADARIAGA, S. de: ob. cit., p. 463.

[37] WALTERS, F.: ob. cit., p. 591.

[38] Madariaga a Rocha, 16 abril 1935, AMAE, R-1195 (6).

[39] Patteson a Simon, 17 abril 1935, en DBFP, 2ª serie, XII, pp. 924-925; «Instrucciones al Sr. Madariaga en asunto rearme Alemania», AMAE, R- 802 (20), y «Notas tomadas por Oliván de las conversaciones con Aguinaga sobre el discurso a pronunciar en el Consejo», y «Discurso pronunciado por Don Salvador de Madariaga en la sesión del Consejo de la Sociedad de Naciones del 17 de abril último», AMAE, R-1195 (6).

[40] Declaraciones de Rocha a *ABC*, 20 abril 1935.

[41] VIÑAS, A.: *La Alemania...* , ob. cit., pp. 87-95 y 98 y ss.; QUINTANA NAVARRO, F.: «La ocupación de Ifni (1934): Acotaciones a un capítulo de la política africanista de la Segunda República», en *II Aula Canarias y el Noroeste de Africa (1986)*, (Las Palmas de G. C., 1988), pp. 95-124; JACKSON, G.: *La República española y la guerra civil* (Barcelona, 1978), pp. 165 y ss., y TUÑÓN DE LARA, M.: *La II República* (Madrid, 1976), vol. II, pp. 113-117.

[42] Discurso de Antonio Goicoechea en la sesión de Cortes del 17 de mayo de 1935, DSC, 1933-35, pp. 7578-7579.

[43] Discurso de Augusto Barcia en la sesión de Cortes del 17 de mayo de 1935, ibid., pp. 7587-7588.

[44] Cf., a título indicativo, RENOUVIN, P.: ob. cit., cap. «El viraje de 1935»; DUROSELLE, J. B.: ob. cit., cap. «L'ère Laval»; CARR, E. H.: ob. cit., cap. «The repudiation of treaties»; TAYLOR, A. J. P.: ob. cit., caps. «The end of Versailles» y «The Abyssinian Affair and the End of Locarno», y ROSTOW, N.: ob. cit., caps. «The Franco-Soviet Alliance and the Anglo-German Naval Agreement» y «Summer 1935: The Ethiopian Factor».

[45] JONES, T.: *A Diary...* , ob. cit., p. 145, y MADARIAGA, S. de: ob. cit., p. 464.

[46] «La anarquía internacional. La muerte del sistema de Versalles», *El Debate*, 12 julio 1935.

[47] Oyarzábal a Rocha, 3 mayo 1935, y Fiscowich a Rocha, 28 marzo y 12 abril 1935, AMAE, R-802 (20) y R-707 (6).

[48] Cf. CARDONA, G.: *El poder militar...* , ob. cit., pasim, y PAYNE, S. G.: *Ejército y sociedad...*, ob. cit., pp. 413-443. Para el desarrollo de las negociaciones hispano-alemanas sobre material de guerra, vid. VIÑAS, A.: ob. cit., pp. 98-140.

CAPITULO 7

[1] Cf. BAER, G. W.: *Test Case: Italy, Ethiopia and the League of Nations* (Stanford, 1976), y PARKER, R. A. C.: «Great Britain, France and the Ethiopian crisis, 1935-1936», *English Historical Review*, 89 (1974), pp. 293-332. Vid. también, con carácter más general, CARR, E. H.: ob. cit., pp. 228 y ss.; RENOUVIN, P.: ob. cit., pp. 1011 y ss.; KEYLOR, W. R.: ob. cit., pp. 157-159, y KENNEDY, P.: ob. cit., p. 419 y passim.

[2] Vid. SAZ CAMPOS, I.: «Acerca de la política exterior de la 2ª República. La opinión pública y los gobiernos españoles ante la guerra de Etiopía», *Italica*, 16 (1982), pp. 265-282.

[3] ROBERTSON, E. M.: *Mussolini as Empire-Builder: Europe and Africa, 1932-1936* (Londres, 1977), y SMITH, D. M.: *Mussolini's Roman Empire* (Londres, 1976).

[4] Cf. AGUINAGA, J. M.: *Cuadernos...* , «España y el Mediterráneo», AMAE, R-5499 (bis); EGIDO DE LEÓN, M. A.: ob. cit., passim, y QUINTANA NAVARRO, F.: «La ocupación de Ifni...», art. cit., pp. 114-120.

[5] «Discurso de Juan José Rocha en la sesión de Cortes del 29 de enero de 1935», DSC, 1933-35, p. 5895; «Discurso de Rocha ante la Comisión Permanente de Estado», 6 febrero 1935, AMAE,.R-900 (13); Grahame a Simon, 27 enero 1935, y F. O. Minutes, 8 y 11 febrero 1935, PRO, FO 371/19735.

[6] Cf. WALTERS, F.: ob. cit., .pp. 605-609, y BAER, G.: «Leticia and Ethiopia before the League», en *The League of Nations in retrospect...* , ob. cit., p. 285.

[7] SAZ CAMPOS, I.: *Mussolini contra...* , ob. cit., pp. 82-85 y 147-148, y COVERDALE, J. F.: *La intervención fascista...* , ob. cit., pp. 64 y ss.

[8] «Informe sobre la 84° reunión del Consejo de la Sociedad de las Naciones», Madariaga a Rocha, 22 enero 1935, AMAE, R-1195 (5).

[9] Rocha a los embajadores de España en Londres y París, 19 marzo 1935, y Cárdenas a Rocha, 22 marzo 1935, AMAE, R-805 (3) y R-844 (19).

[10] MADARIAGA, S. de: *Memorias...* , ob. cit., pp. 458-463; «Informe sobre la reunión celebrada por el Consejo de la SDN los días 15, 16 y 17 de abril de 1935...», Madariaga a Rocha, 19 abril 1935, AMAE, R-1195 (6); «Records of the 85th Session of the Council», 15 abril 1935, LNOJ (mayo 1935), p. 549, y Gómez Ocerín a Rocha, 17 abril 1935, AMAE, R-844 (19).

[11] «Informe sobre el Conflicto italo-abisinio», abril 1935, AMAE, R-969 (13).

[12] Ayala (por Madariaga) a Rocha, 8 mayo 1935, AMAE, R-844 (19).

[13] Madariaga a Rocha, 16 mayo 1935, AMAE, R-969 (13) y Ayala a Rocha, 17 mayo 1935, en AGUINAGA, J. M.: *Cuadernos...* , AMAE, R-5499 (9) y (17).

[14] «Appuntamento entregado por el Encargado de Negocios de Italia al Ministro de Estado en la visita que le hizo el 8 de mayo de 1935», AMAE, R-824 (1). Vid. también SAZ CAMPOS, I.: «Acerca de la política...», art. cit., pp. 270-271.

[15] Discursos de Figueroa y Torres y de Rocha en la sesión de Cortes del 14 de mayo de 1935, DSC, 1933-35, pp. 7494-7496.

[16] Cárdenas a Rocha, 13 y 22 mayo 1935, y Ayala a Rocha, 18 mayo 1935, AMAE, R-805 (3) y 969 (13).

[17] BAER, G. W.: «Leticia and Ethiopia...», art. cit., p. 286.

[18] Madariaga a Rocha, 19, 23, 24 y 25 mayo 1935, AMAE, R- 348 (8).

[19] Ibid. y WALTERS, F.: ob. cit., p. 612.

[20] MADARIAGA, S. de: ob. cit., p. 468.

[21] MADARIAGA, S. de: *Anarquía y Jerarquía. Ideario para la constitución de la Tercera República* (Madrid, 1935).

[22] AGUINAGA, J. M.: *Cuadernos...* , «El conflicto italo-etíopico», 1ª parte, p. 23, AMAE, R-5499 (7).

[23] HIETT, H.: «Public Opinion and the Italo-Ethiopian Dispute», *Geneve Studies*, VII (fe-

brero 1936), pp. 3-28, y BIRN, D. S.: *The League of Nations Union, 1918-1945* (Oxford, 1981), pp. 143-157.

[24] ROBERTSON, E. M.: *Mussolini...* , ob. cit., pp. 147-149.

[25] Cárdenas a Rocha, 12 julio 1935, AMAE, R-969 (16).

[26] «Italia e Inglaterra», y «Se agrava la diferencia italo-etíope», *El Sol*, 4 y 10 julio 1935, y «El pleito abisinio...», *ABC*, 25 julio 1935.

[27] Cárdenas a Rocha, 12 julio 1935, doc. cit. y Ayala a Rocha, 9 julio 1935, AMAE, R-969 (16).

[28] Herbette a Laval, 26 julio 1935, DDF, 1ª serie, XI, p. 518, y Forbes a Hoare, 1 agosto 1935, y F. O. Minutes, 7 y 8 agosto 1935, PRO, FO 371/19122.

[29] SAZ CAMPOS, I.: art. cit., p. 270 y 274.

[30] «Ruego del diputado Antonio Goicoechea al Sr. Ministro de Estado», 24 julio 1935, DSC, 1933-35, p. 9421, y «Antes de decidirse en Ginebra», *El Debate*, 31 julio 1935.

[31] Herbette a Laval, 25 julio 1935, DDF, 1ª serie, XI, pp. 506-507.

[32] «Comunicado telefónico verbal del Subsecretario de Estado, Sr. Aguinaga», 25 julio 1935, y Ayala a Rocha, 28 julio 1935, AMAE, R-824 (2) y R-969 (16).

[33] Herbette a Laval, 25 julio 1935, y «Comunicado telefónico verbal...», docs. cits.

[34] WALTERS, F.: ob. cit., p. 615, e «Informe sobre la reunión del Consejo de la Sociedad de Naciones sobre conflicto italo-etíope», Oliván a Rocha, 4 agosto 1935, AMAE, R-824 (3).

[35] BAER, G. W.: art. cit., p. 287. Vid. la resolución completa en *Annuaire de la Société des Nations*, 1936, pp. 442-443.

[36] ZULUETA, L. de: «Los silencios de Ginebra. La política de los cinco minutos», *El Sol*, 8 agosto 1935.

[37] Herbette a Laval, 6 agosto 1935, DDF, 1ª serie, XI, p. 574.

[38] «Nota para el Consejo de Ministros sobre Conflicto italo-etíope», 12 agosto 1935, AMAE, R-824 (3), y GIL ROBLES, J. M.: *No fue posible la paz. Memorias* (Barcelona, 1968), pp. 312-313.

[39] Herbette a Laval, 14 agosto 1935, DDF, 1ª serie, XI, p. 650.

[40] Cf. ROBERTSON, E. M.: ob. cit., pp. 162-163, y WALTERS, F.: ob. cit., pp. 617- 618.

[41] Ayala a Rocha, 16 agosto 1935, AMAE, R-969 (17); ministros de España en Viena, Berna, Atenas, Praga, Estocolmo, Copenhague y Oslo a Ministerio, 23 y 24 agosto 1935, AMAE, R-805 (3) y (4), y Encargado de Negocios en Oslo a Rocha, 31 agosto 1935, AGA, AE-5287 (2-C).

[42] «La actitud de España en Ginebra» y «Los días decisivos», *El Debate*, 28 agosto y 4 septiembre 1935, y ZULUETA, L. de: «Prevención, Alarma, Guerra. Las próximas jornadas» y «España en Ginebra», en *El Sol*, 25 agosto y 3 septiembre 1935.

[43] «La neutralidad», *El Debate*, 27 agosto 1935. Vid. también SAZ CAMPOS: art. cit., p. 275.

[44] «Buen sentido de España», *Azione Coloniale*, 19 septiembre 1935, traduc. en Gómez Ocerín a Rocha, 21 septiembre 1935, en AGUINAGA, J. M.: *Cuadernos...* , «Nuestras relaciones internacionales», AMAE, R-5499 (17).

[45] *The Times*, 22 agosto 1935; The Director of Naval Intelligence a F. O., 22 agosto 1935, y F. O. Minutes, 29 agosto 1935, PRO, FO 371/19127.

[46] GIL ROBLES, J. M.: ob. cit., p. 313. Vid. también la declaración gubernamental en «Referencia del Consejo de Ministros», *El Sol*, 29 agosto 1935.

[47] Cf. EDEN, A.: ob. cit., p. 256; Forbes a Hoare, 30 agosto 1935, DBFP, 2ª serie, XIV, p. 552, y Ayala a Rocha, 28 agosto 1935, AMAE, R-344 (21).

[48] Rocha a Oliván y Gómez Ocerín, 2 y 13 septiembre 1935, AMAE, R-969 (18) y R-348 (8).

[49] Cárdenas a Rocha, 3 septiembre 1935, AMAE, R-348 (8).

[50] MADARIAGA, S. de: ob. cit., p. 506, y Rocha a Oliván, 3 septiembre 1935, doc. cit.

[51] «Discurso pronunciado por Oliván en el Consejo de la Sociedad de Naciones», 4 septiembre 1935, AMAE, R-823 (10); Edmond a Hoare, 5 septiembre 1935, DBFP, 2ª serie, XIV, pp. 576-579; Martínez Merello (Berna) a Rocha, 9 septiembre 1935, y Gómez Ocerín a Rocha, 11 septiembre 1935, AMAE, R-969 (18); «Nota internacional. La primera jornada de Ginebra», *Siglo Futuro*, 5 septiembre 1935, y «La Sociedad de Naciones no ha resuelto nada», *La Nación*, 5 septiembre 1935.

[52] WALTERS, F.: ob. cit., p. 623.

[53] ALOISI, P.: *Journal...*, ob. cit., p. 301; Madariaga a Rocha, 7 septiembre 1935, AMAE, R-733 (3); Edmond (por Eden) a Hoare, 5 y 6 septiembre 1935, DBFP, 2ª serie, XIV, pp. 575 y 581-583, y *ABC*, 7 septiembre 1935.

[54] Cf. *Heraldo de Madrid*, 7 septiembre 1935; *El Debate*, 12 septiembre 1935, y GIL ROBLES, J. M.: ob. cit., pp. 313-314.

[55] EDEN, A.: ob. cit., p. 259; Madariaga a Rocha, 10 septiembre 1935, reprod. en MADARIAGA, S. de: ob. cit., p. 506-508, y Cárdenas a Rocha, 3 septiembre 1935, AMAE, R-348 (8).

[56] Forbes a Hoare, 10 septiembre 1935, y F. O. Minutes, Vansittart, 12 septiembre 1935, PRO, FO 371/19133; *El Sol*, 6 septiembre 1935, e intercambio de telegramas entre Gómez Ocerín y Rocha, 12 y 13 septiembre 1935, AMAE, R-806 (2) y R-969 (18).

[57] WALTERS, F.: ob. cit., pp. 626-627, y MADARIAGA, S. de: ob. cit., pp. 509-510.

[58] Madariaga a Rocha, 7 septiembre 1935, AMAE, R-348 (8); «Actas de las reuniones del Comité de los Cinco», 9 septiembre 1935, AMAE, R-733 (3), y Edmond (por Eden) a Vansittart, 10 septiembre 1935, DBFP, 2ª serie, XIV, pp. 586-587.

[59] «Actas de las reuniones del Comité de los Cinco», doc. cit.; Rocha a Gómez Ocerín, 17 septiembre 1935, AMAE, R-805 (3), y ALOISI, P.: ob. cit., pp. 302 y 305.

[60] Cf. «Actas de las reuniones...», doc. cit., 17 septiembre 1935; ALOISI, P.: ob. cit., p. 306 y 310; «Rapport du Comité des Cinq au Conseil», 24 septiembre 1935, AMAE, R-733 (3), y WALTERS, F.: ob. cit., pp. 628-629.

[61] «Italian Anti-British Propaganda Abroad», F. O. Circular, 9 septiembre 1935, y Forbes a Hoare, 10 y 13 septiembre 1935, PRO, FO 395/532 y 371/19133.

[62] «Note of a conversation between the Under-Secretary and the Spanish Chargé d'Affairs», 18 septiembre 1935, PRO, FO 371/19135.

[63] Forbes a Hoare, 20 y 24 septiembre 1935, y Hoare a Carlton, 10 octubre 1935, PRO, FO 371/19136 y 19138. Vid. también SAZ CAMPOS, I.: art. cit., p. 270-271.

[64] Forbes a Simon, 19 septiembre 1935, y F. O. Minutes, 21 septiembre 1935, PRO, FO 371/19135, y Forbes a Hoare, 20 septiembre 1935, DBFP, 2ª serie, XIV, pp. 651-652.

[65] Circular del Ministerio de la Gobernación a los gobernadores civiles, 19 septiembre 1935, en Forbes a Hoare, 20 septiembre 1935, PRO, FO 371/19136, y ORTEGA Y GASSET, E.: *Etiopía. El conflicto italo-abisinio* (Madrid, 1935), p. 204.

[66] Ibid., p. 207; Expediente de sanción al diario *La Nación*, AMAE, R-733 (3), y F. O. Minutes, 21 septiembre 1935, doc. cit.

[67] «Discurso en el campo de Comillas», 20 octubre 1935, en AZAÑA, M.: *Obras...*, ob. cit., III, pp. 276-277, y CHAPAPRIETA, J.: *La paz fue posible. Memorias de un político* (Barcelona, 1971), pp. 222-230.

[68] Discursos de Goicoechea y Chapaprieta en la sesión de Cortes del 1 de octubre de 1935, DSC, 1933-35, pp. 9564 y 9569-9570; GIL ROBLES, J. M.: ob. cit., p. 314, y Chilton a Hoare, 4 octubre 1935, PRO, FO 371/19142.

[69] WALTERS, F.: ob. cit., pp. 629-633. Vid. también *Annuaire de la Société des Nations*, 1936, pp. 447-449.

[70] Lerroux a Madariaga, 4 y 8 octubre 1935, AMAE, R-818 (14).

[71] ALCALÁ ZAMORA, N.: ob. cit., p. 331; GIL ROBLES, J. M.: ob. cit., p. 314, y CAHAPAPRIETA, J.: ob. cit., p. 322.

[72] Cf. TUÑÓN DE LARA, M.: *Tres claves de la Segunda República* (Madrid, 1985), pp. 278-280; PRESTON, P.: *Las derechas españolas en el siglo XX: autoritarismo, fascismo y golpismo* (Madrid, 1986), pp. 60-68, y «Divided Counsels in Spain. Cabinet and sanctions», *The Times*, 16 octubre 1935.

[73] Forbes a Hoare, 27 septiembre 1935, y Chilton a Hoare, 4 octubre 1935, PRO, FO 371/19139 y 19142, y «Draft of a letter from Mr. Leeper to Mr. Ogilvie-Forbes», F. O. Minutes, 15 octubre 1935, PRO, FO 395/533.

[74] Forbes a Mounsen, 17 octubre 1935, y Chilton a Hoare, 16 y 25 octubre 1935, PRO, FO 371/19151, 19153 y 19156.

[75] «Record by Sir R. Vansittart of a conversation with the Spanish Ambassador», 23 octubre 1935, DBFP, 2ª serie, XV, pp. 161-162.

[76] Chilton a Hoare, 18 y 23 octubre 1935, PRO, FO 371/19736.

[77] Vid. PERTIERRA DE ROJAS, J. F.: ob. cit., pp. 280-294.

[78] Cf. *Eclair Journal*, 1935, ed. esp., 209 metros, Archivo sonoro de Radio-Televisión Española; Chilton a Hoare, 11 octubre 1935, PRO, FO 371/19149, y Testimonio oral de D. José Prat García, 18 marzo 1985, AP, UNED.

[79] «The Imposition of Economic Sanctions upon Italy (11th October - 12th December, 1935)», en TOYNBEE, A. J.: *Survey...* , ob. cit., 1935, II, pp. 212-239; ARNOLD FOSTER, W.: «Sanctions», en *International Affairs*, V (enero 1926), pp. 1-15; ZIMMERN, A.: «The Testing of the League», *Foreign Affairs*, 14 (abril 1936), pp. 373-386, y BAER, G. W.: «Sanctions and Security: The League of Nations and the Italian-Ethiolpian War, 1935-1936», *International Organization*, 27, 2 (primavera 1973), pp. 165-179.

[80] Cf. RENOUVIN, P.: ob. cit., p. 1006; DUROSELLE, J. B.: ob. cit. p. 149, y PARKER, R. A. C.: «Great Britain, France and the Ethiopian...», art. cit., passim.

[81] MADARIAGA, S. de: *España...* , ob. cit., p. 401, y *Memorias...* , ob cit., pp. 515-517. Vid. también MILLWARD, A.: «Only Yesterday. Some reflections on the 'Thirties', with particular reference to sanctions», *International Relations*, I, 7 (abril 1957), pp. 281-290.

[82] Madariaga a Lerroux, 8-9 octubre 1935, reprod. en MADARIAGA, S. de: *Memorias...* , ob. cit., pp. 659-661.

[83] «Coordination Committee, Committee of Eighteen and Sub-committees: Minutes of the First Session», 19 octubre 1935, en LNOJ, Special Supplements, 145, p. 76 y ss., y «Agradecimiento de los Gobiernos Austriaco y Húngaro por la actuación española en Ginebra», 7 noviembre 1935, AMAE, R-824 (1).

[84] «Nota de Salvador de Madariaga», 29 octubre 1935, reprod. en MADARIAGA, S. de: ob. cit., pp. 662-663, e intercambio de telegramas entre Madariaga y Lerroux, 14 y 15 octubre 1935, AMAE, R-348 (8).

[85] «Discurso del Señor Madariaga ante el Comité de Coordinación», 2 noviembre 1935, AMAE, R-835 (4); MADARIAGA, S. de: ob. cit., p. 521, y «Las sanciones y el espíritu», *Il Messaggero*, 7 noviembre 1935.

[86] Chilton a Hoare, 19 noviembre 1935, y «Texto de la respuesta española a la Nota de protesta italiana», 23 noviembre 1935, PRO, FO 371/19224 y 19225.

[87] Gómez Ocerín a Lerroux, 25 octubre 1935, y Gómez Ocerín a Martínez de Velasco, 23 noviembre 1935, AMAE, R-824 (1) y R-348 (8).

[88] Cf. MADARIAGA, S. de: ob. cit., pp. 525 y ss.; WALTERS, F.: ob. cit., p. 640, y «Discurso del Señor Madariaga ante el Comité...», 2 noviembre 1935», doc. cit.

[89] MADARIAGA, S. de: ob. cit., p. 521.

[90] Pita a Lerroux, 19 octubre 1935; Lerroux a Ayala, 23 octubre 1935, y Ayala a Lerroux, 25 octubre 1935, AMAE, R-824 (1).

[91] Cf. BAER, G.: *Test Case...* , ob. cit., especialmente el capítulo «The Hoare-Laval Proposals», y PARKER, R. A. C.: art. cit., pp. 314-317.

[92] DUROSELLE, J. B.: ob. cit., p. 151, y Madariaga a Aguinaga, 13 diciembre 1935, AMAE, R-824 (1).

[93] Edmond (por Eden) a Hoare, 12 diciembre 1935, PRO, FO 371/19169; Ayala a Urzáiz, 9 enero 1936, AMAE, R-824 (1); MADARIAGA, S. de: ob. cit., p. 526, y Madariaga a Aguinaga, 13 diciembre 1935, doc. cit.

[94] Madariaga a Martínez de Velasco, 19 diciembre 1935, AMAE, R-348 (8); «Record of secret meeting of Council (without the parties)», en Edmon (por Eden) a F. O., 19 diciembre 1935, DBFP, 2ª serie, XV, pp. 512-514, y *Annuaire de la Société...* , 1936, p. 362.

[95] Madariaga a Martínez de Velasco, 19 diciembre 1935, doc. cit. Vid. también WALTERS, F.: ob. cit., p. 647.

[96] Artículo 16, párrafo 3 del Pacto de la Sociedad de Naciones, apud. WALTERS, F.: ob. cit., p. 66.

[97] Madariaga a Urzáiz, 21 enero 1936, AMAE, R-824 (1). Cf. también ROTVAND, G.: «A la recherche de l'équilibre méditerranéen», *L'Europe Nouvelle*, 16 noviembre 1935, pp. 1103-1104, y AGUINAGA, J. M.: *Cuadernos...* , «España y el Mediterráneo», AMAE, R-5499 bis (1), (2) y (3).

[98] Madariaga a Urzáiz, 21 enero 1936, doc. cit., y Cárdenas a Martínez de Velasco, 12 diciembre 1935, AMAE, R-824 (1). Cf. también BAER, G.: «Sanctions and Security...», art. cit., pp. 167 y ss., y PARKER, R. A. C.: art. cit., p. 314.

[99] «Informe confidencial. Conflicto italo-etíope», 25 diciembre 1935, AMAE, R-824 (1).

[100] Martínez de Velasco a Cárdenas, 8 diciembre 1935, y Ayala a Martínez de Velasco, 9 diciembre 1935, AMAE, R- 824 (1), y Cárdenas a Martínez de Velasco, 12 diciembre 1935, doc. cit.

[101] «Memorandum respecting the suggestion that Signor Mussolini is aiming at a general transaction with His Majesty's Government over the Mediterranean», 3 enero 1936, PRO, FO 371/20381.

[102] «Informe confidencial...», 25 diciembre 1935, doc. cit.; y Chilton a Eden, 27 diciembre 1935, PRO, FO 371/19202.

[103] Ayala a Martínez de Velasco, 25 diciembre 1935, AMAE, R-824 (1), y PERTIERRA DE ROJAS, J. F.: ob. cit., p. 373.

[104] «Informe confidencial...», 25 diciembre 1935, doc. cit.

[105] Ibid. y «Consejo de Ministros. Declaraciones del Ministro de Agricultura», El Sol, 2 enero 1936.

[106] F. O. Minutes, Vansittart, 7 enero 1936, PRO, FO 371/20159.

[107] Ayala a Urzáiz, 2 enero 1936, AMAE, R-824 (1).

[108] «Informe sobre el Conflicto italo-etiope presentado al Consejo de Ministros», 14 enero 1936, AMAE, R-824 (3).

[109] F. O. Minutes, Vansittart, 7 enero 1936, doc. cit., y Eden a Chilton, 8 enero 1936, DBFP, 2ª serie, XV, pp. 543-544.

[110] El Liberal, 22 enero 1936, y Heraldo de Madrid, 23 enero 1936, apud. ALVAR, M. F.: *La gran obra internacional de la Sociedad de Naciones* (Madrid, 1936), pp. 152-153.

[111] «Conversación con el Sr. Madariaga», 20 enero 1936, y Madariaga a Urzáiz, 25 enero 1936, AMAE, R-824 (1), y F. O. Minutes, enero 1936, PRO, FO 371/20159. Vid. también PERTIERRA DE ROJAS, J. F.: ob. cit., pp. 376-378 y 380.

[112] «Nota del Sr. Madariaga», 23 enero 1936, AMAE, R-824 (1).

[113] Madariaga a Urzáiz, 23 enero 1936, AMAE, R-824 (1). Vid. también ALVAR, M. F.: ob. cit., pp. 154-155.

[114] Madariaga al presidente del Comité de Coordinación, 24 enero 1935, AMAE, R-768 (3); El Liberal y Heraldo de Madrid, 25 enero 1936, apud. ALVAR, M. F.: ob. cit., pp. 155-157; «Extract from Cabinet Conclussions», 29 enero 1936, PRO, FO 371/20160, y Gómez Ocerín a Urzáiz, 25 enero 1936, AMAE, R-952 (40).

CAPITULO 8

[1] MARTÍN CINTO: *La política exterior del Frente Popular* (Memoria inédita), (Madrid, 1975), p. 17.

[2] Chilton a Eden, 15 abril 1936, y F. O. Minuttes, PRO, FO 371/20521.

[3] Expedientes personales de Augusto Barcia Trelles y Rafael de Ureña y Sanz, AMAE, P-329 (22941) y P-308 (22384); Decretos de personal diplomático, febrero a mayo de 1936, BOME, XLVI, núms. 3 al 6, 31 marzo a 30 junio 1936, pp. 252-737, y «Reforma precisa. Miserias de la representación española en el extranjero», *El Socialista*, 24 abril 1936.

[4] EMMERSON, J. T.: *The Rhineland Crisis, 7 march 1936. A study in multalateral diplomacy* (Londres, 1977), y HARASZTI, R.: *The Invaders: Hitler Ocuppies the Rhineland* (Budapest, 1983). Vid. también DUROSELLE, J. B.: ob. cit., pp. 157-164.

[5] «Violación de Locarno» y «Violación del Pacto de Locarno», informes de la Jefatura Superior de Política del Ministerio de Estado, 16 y 25 marzo 1936, AMAE, R-369 (3) y R-803 (1), y Herbette a Flandin, 12 marzo y 14 mayo 1936, DDF, 2ª serie, I, pp. 519-521, y II, pp. 316-318.

[6] Vid. un resumen de los ecos de la ocupación de Renania en la prensa española en *Le Temps*, 9 marzo 1936.

[7] «Violación del Pacto de Locarno», 25 marzo 1936, doc. cit., y Madariaga a Barcia, 10 abril 1936, AMAE, R-972 (25).

[8] Encargado de Negocios en España a Ministro de Asuntos Exteriores, 9 marzo 1936, DGFP, Serie C, V, p. 64. Vid. también VIÑAS, A.: *La Alemania...* , ob. cit., pp. 177-182.

[9] Herbette a Flandin, 10 marzo 1936, DDF, 2ª serie, I, pp. 472-473 y 478-480.

[10] Flandin a Herbette, 10 marzo 1936, y Herbette a Flandin, 12 marzo 1936, ibid., pp. 483 y 519-521.

[11] Ginés Vidal a Barcia, 13 marzo 1936; Fiscowich a Barcia, 20 marzo 1936, y Martínez-Merello a Barcia, 18 marzo 1936, AMAE, R-972 (25).

[12] Cf. EMMERSON, J. T.: ob. cit., p. 166, y Cárdenas a Ureña, 12 marzo 1936, AGA, AE-11108 (5564).

[13] «Violación de Locarno», 16 marzo 1936, doc. cit., y «Nota sobre la situación actual creada por los problemas italo-etíope y franco-alemán», Madariaga a Barcia, 30 marzo 1936, AMAE, R-769 (3).

[14] Ibid. y WALTERS, F.: ob. cit., p. 667.

[15] Barcia a Ureña, 15 marzo 1936, AMAE, R-972 (25); Fiscowich a Barcia, 20 marzo 1936, y «Violación de Locarno», 16 marzo 1936, docs. cits.

[16] Ayala a Ministerio de Estado, 16 marzo 1936, AMAE, R-972 (25).

[17] WALTERS, F.: ob. cit., p. 667.

[18] Discurso de Barcia en el Consejo, 18 marzo 1935, AMAE, R-834 (47).

[19] Massigli a Flandin, 18 marzo 1936, y Herbette a Flandin, 20 marzo 1936, DDF, 2ª Serie, I, pp. 585-586 y 623-624; Cárdenas a Barcia, 17 y 21 marzo 1936, AMAE, R-972 (25) y AGA, AE-11108 (5564), y «Equívoco desvanecido. La posición de España en Ginebra», *Heraldo de Madrid*, 19 abril 1936.

[20] Eden a Chilton, 23 marzo 1936, PRO, FO 371/20173.

[21] Cárdenas a Barcia, 21 marzo 1936, AGA, AE-11108 (5564), y «Nota sobre la situación actual...», 30 marzo 1936, doc. cit. . Cf. también WALTERS, F.: ob. cit., p. 670; DUROSELLE, J. B.: ob. cit., p. 176; RENOUVIN, P.: «Les relations...», art. cit., pp. 25-28, y EMMERSON, J. T.: ob. cit., pp. 177-200.

[22] EMMERSON, J. T.: ob. cit., p. 248; Ayala (de Madariaga) a Barcia, 21 y 24 marzo 1936, AMAE, R-972 (25); Eden a Clerk (París), 21 marzo 1936, DBFP, 2ª serie, XVI, pp. 203-204, y Cárdenas a Barcia, 11 y 22 abril 1936, AMAE, R-803 (1) y AGA, AE-11108 (5564).

[23] Barcia a Ministros de España en Helsingfors, Copenhague, Oslo y El Haya, 31 marzo 1936; Ginés Vidal a Barcia, 4 abril 1936, y Aristegui a Barcia, 19 y 24 marzo 1936, AMAE, R-972 (25) y AGA, AE-5282, (2-C).

[24] BAUER, G.: *Test Case...* , ob. cit., passim, y «Leticia and Ethiopia...», art. cit., pp. 288-289, y WALTERS, F.: ob. cit., pp. 648-652.

[25] «Record of Meeting of Committee of Thirteen held at St. James's Palace», 23 marzo 1936, DBFP, 2ª serie, XVI, pp. 208-212, y Ayala (de Madariaga) a Barcia, 23 marzo 1936, AMAE, R-972 (25).

[26] «Informe de la Jefatura Superior de Política», 24 marzo 1936, AMAE, R-803 (1); Eden a Chilton, 23 marzo 1936, PRO, FO 371/20173, y «Nota de Madariaga sobre la situación actual...», 30 marzo 1936, doc. cit., pp. 8-10.

[27] «Le Président du Comité des Treize à le Ministre des Affaires Étrangères d'Italie», 23 y 27 marzo 1936, y «Rapport du President du Comité des Treize», 4 abril 1936, ASDN, FS, R-3655; «Note by Mr. Strang concerning the League of Nations enquiry into the use of poison gas», 30 marzo 1936, y «Note by Mr. Strang concerning the initiation of Italo-Ethiopian peace negotiations», 31 marzo 1936, en DBFP, 2ª serie, XVI, núm. 183, pp. 248-249 y 259-260; «Nota de la conversación telefónica mantenida entre Oliván y Aguilar», 31 marzo 1936, AMAE, R-1817 (2); «Proyecto de nota pública del Ministerio de Estado», sin fecha, AMAE, R-821 (1), y «Los horrores de la guerra que prosigue en territorio etíope», *Le Journal des Nations*, 31 marzo 1936, reprod. en MADARIAGA, S. de: *Memorias...*, ob. cit., pp. 683-684.

[28] Gómez Ocerín a Barcia, 4 y 6 abril 1936, AMAE, R-821 (1); F. O. Minutes, Paterson, 4 abril 1936, PRO, FO 371/20173; Eden a Clerk, 4 abril 1936, DBFP, 2ª serie, XVI, pp. 279-280; MADARIAGA, S. de: ob. cit., pp. 539-541, y BAER, G.: ob. cit, pp. 244-246.

[29] F. O. Minutes, Strang, 2 y 4 abril 1936, DBFP, 2ª serie, XVI, p. 260 y PRO, FO 371/20188; «Proyecto de nota pública del Ministerio...», sin fecha, doc. cit., y «League Body of 13 will act on Italy», *The New York Times*, 5 abril 1936.

[30] Madariaga a Barcia, 8 abril 1936, AMAE, R-821 (1). Vid. también BAER, G.: ob. cit., pp. 247-248.

[31] Cf. Madariaga a Barcia, 11 abril 1936, reprod. en MADARIAGA, S. de: ob. cit., pp. 686-689; Delegación británica a F. O., 9 abril 1936, PRO, FO 371/20188; «Meeting of the Committee of Thirteen on April 10, 1936», 14 abril 1936, PRO, FO 371/20174; y EDEN, A.: ob. cit., pp. 376-378.

[32] Cf. Madariaga a Barcia, 17 abril 1936, AMAE, R-821 (1), y Edmon a F. O., 16 abril 1936, PRO, FO 371/20174. Vid. también MADARIAGA, S. de: ob. cit., p. 542, y ALOISI, P.: ob. cit., pp. 372-373.

[33] Edmon a F. O., 17 abril 1936, DBFP, 2ª serie, XVI, pp. 326-327, y Madariaga a Barcia, 17 abril 1936, AMAE, R-821 (1).

[34] MADARIAGA, S. de: ob. cit., pp. 542-543; Flandin a embajadores de Francia en Londres y Roma, 13 y 14 abril 1936, y Massigli a Flandin, 17 abril 1936, DDF, 2ª serie, II, pp. 110-111, 115 y 143.

[35] BAER, G.: ob. cit., p. 256.

[36] Cf. Madariaga a Barcia, 19 abril 1936, reprod. en MADARIAGA, S. de: ob. cit., pp. 690-692; «Nota de una conversación privada con el Embajador de Italia», 25 abril 1936, AMAE, R-824 (1); y EDEN, A.: ob. cit., p. 375. Vid. también «Nota internacional. Fin del primer período de la organización de la paz», *El Socialista*, 18 abril 1936, así como las ediciones de *El Sol* y *ABC* de ese mismo día.

[37] Edmond a F. O., 20 abril 1936, DBFP, 2ª serie, XVI, pp. 261-262; Massigli a Flandin, 20-21 abril 1936, DDF, 2ª serie, II, pp. 166-169; y Madariaga a Barcia, 20 y 21 abril 1936, AMAE, R-1817 (2).

[38] Chilton a Eden, 15 mayo 1936, PRO, FO 371/20190, y «Después de lo de Abisinia, ¿qué pasará en Europa?», en *El Socialista*, 3 mayo 1936.

[39] Chilton a Eden, 26 febrero 1936, PRO, FO 371/20520, y «Discurso en el campo de Comillas», en AZAÑA, M.: *Obras...* , ob. cit., p. 278.

[40] SAZ CAMPOS, I.: *Mussolini...* , ob. cit., p. 152-153, y MADARIAGA, S. de: ob. cit., p. 554.

[41] Herbette a Flandin, 10 marzo y 10 y 22 abril 1936, DDF, 2ª serie, I, pp. 478-480, y II, pp. 86-87 y 173-174.

[42] Cf. WALTERS, F.: ob. cit., p. 656; MADARIAGA, S. de: ob. cit., pp. 543-544; BAER, G.: ob. cit., pp. 283 y ss., y Madariaga a Barcia, 16 mayo 1936, AMAE, R-769 (3).

[43] Edmon a F. O., 10 mayo 1936, DBFP, 2ª serie, XVI, pp. 420-421; Arístegui a Barcia, 28 mayo 1936, AGA, AE-5282 (C), y Oliván a Barcia, 22 mayo 1936, y Oyarzábal a Barcia, 28 mayo 1936, AMAE, R-835 (4). Vid. también TOYNBEE, A.: *Survey...* , ob. cit., 1935, II, pp. 472-473.

[44] Edmon a F. O., 10 mayo 1936, doc. cit, y Madariaga a Barcia, 16 mayo 1936, AMAE, R-769 (3).

[45] Herbette a Flandin, 14 mayo 1936, DDF, 2ª serie, II, pp. 316-318.

[46] Eden a Chilton, 16 mayo 1936, y F. O. Minutes, Vansittart, 18 mayo 1936, PRO, FO 371/20380.

[47] WALTERS, F.: ob. cit., pp. 657-658.

[48] Forbes a Eden, 13, 15 y 23 junio 1936, PRO, FO 371/20210.

[49] Ibid. y Barcia a Madariaga, 6 junio 1936, DSM.

[50] Cf. WALTERS, F.: ob. cit., p. 658-660; Discurso de Eden ante la Asamblea extraordinaria de la Sociedad de Naciones, julio 1936, DSM; y MADARIAGA, S. de: ob. cit., p. 544.

[51] WALTERS, F.: ob. cit., p. 684. Cf. también LOWELL, A. L.: «Alternatives before the League», *Foreign Affairs*, XV (octubre 1936), pp. 102-111; POTTER, P. B.: «Reform of the League», *Geneve Studies*, VII (octubre 1936), pp. 2-12; SALTER, A.: «Reform of the League», *Political Quaterly*, VII (1936), pp. 465-480; y, más exhaustivamente, ENGEL, S.: «League Reform: an analysis of Official Proposals and Discussions, 1936-1939», *Geneva Studies*, XI (agosto 1940), pp. 1-282.

[52] TOYNBEE, A.: ob. cit., 1935, II, p. 472.

[53] Ronald a Eden, 6 mayo 1936, y F. O. Minutes, 14 maryo 1936, PRO, FO 371/20473, y «Observations sur la Note de M. de Madariaga intitulée «Revision de l'application du Pacte»», 13 mayo 1936, QDO, SDN-30 (60-63).

[54] Discurso de Munch transmitido por radio en Dinamarca, 9 mayo 1936, AMAE, R-835 (4).

[55] Herbette a Flandin, 14 mayo 1936, DDF, 2ª serie, II, pp. 316-318, y Declaración ministerial realizada por Azaña en la sesión de Cortes del 15 de abril de 1936, en AZAÑA, M.: ob. cit., III, p. 316.

[56] MADARIAGA, S. de: ob. cit., pp. 554-555, y Barcia a jefes de las legaciones de España en Estocolmo, Oslo, Copenhague, El Haya, Helsingfors y Berna, 30 abril 1936, AMAE, R-972.

[57] Madariaga a Barcia, 9 mayo 1936, reprod. en MADARIAGA, S. de: ob. cit., p. 700.

[58] Madariaga a Barcia, 10 mayo 1936, ibid.; Palairet a Eden, 27 mayo 1936, PRO, FO 371/20473; Ginés Vidal a Barcia, 23 mayo 1936, AMAE, R-835 (4); Arístegui a Barcia, 28 mayo 1936, AGA, AE-5282 (C), y Gómez Acebo a Barcia, 30 mayo 1936, AMAE, R-767 (6).

[59] Cf. DUROSELLE, J. B.: ob. cit., pp. 241-267; SVOLOPOULOS, C.: «La sécurité régionale et la Société des Nations», en *The League of Nations in retrospect*, ob. cit., pp. 266-281, y POBERS, M.: «Le projet de M. de Madariaga», *La Tribune des Nations*, 18 junio 1936.

[60] «Note sur la revision de l'application du Pacte», Teixidor a Barcia, 12 mayo 1936, reprod. en MADARIAGA, S. de: ob. cit., pp. 706-708.

[61] Ibid.

[62] Cf. «Observations (confidentialles et personnelles de M. Massigli) sur la Note de M. de Madariaga...», 13 mayo 1936; «Memorándum del Gobierno Argentino», 15 mayo 1936; «Projet provisoire (du Gouvernement de Danemark)», 12 junio 1936; y «Observations du Gouvernement de Norvège», 22 junio 1936, DSM.

[63] «La modificación del Pacto de la Sociedad de Naciones...», *El Sol*, 18 junio 1936; «Política internacional», *El Sol*, 19 junio 1936, y «La situación internacional», *La Vanguardia*, 20 junio 1936, reprod. en MADARIAGA, S. de: ob. cit., p. 709-712.

[64] «Nota dictada desde Londres al Sr. Subsecretario», 22 junio 1936, AMAE, R-767 (6) y R-998 (15), y «Consejo de Ministros en la Presidencia», *El Socialista*, 23 junio 1936, reprod. en ibid. p. 713.

[65] «Un poco de control», *El Debate*, 19 junio 1936, y «Las cinco lámparas del Señor De Madariaga», *El Socialista*, 23 junio 1936, reprod. en ibid., pp. 715-716.

[66] «Posición de la Ejecutiva del Partido Socialista», *Política*, 20 junio 1936, reprod. en ibid., pp. 710-711; Grant-Watson a Eden, 10 junio 1936, PRO, FO 371/20474, y «Fernando de los Ríos nos habla de la situación en Europa», *El Socialista*, 28 mayo 1936.

[67] Cf. MADARIAGA, S. de: ob. cit., pp. 418, 556 y 638-641; «Una vacante. La embajada de París», *El Socialista*, 8 marzo 1934, Y ZULUETA, L. de: «Política de centro», *El Sol*, 12 abril 1935. Vid., para mayor abundamiento, TUSELL GÓMEZ, J.: «Madariaga, político centrista al final de la República», en *Salvador de Madariaga*, ob. cit., pp. 67-73.

[68] «España ante la Sociedad de Naciones», *El Sol*, 24 junio 1936, y Madariaga a Fernando de los Ríos, Indalecio Prieto y Julián Besteiro, 24 junio 1936, reprod. en MADARIAGA, S. de: ob. cit., pp. 719-722.

[69] «El fracaso de la Sociedad de Naciones. La conciencia de las naciones débiles, movilizada», *El Socialista*, 22 abril 1936.

[70] «Observations sur la note de M. de Madariaga...», Massigli, 13 mayo 1936, doc. cit.; y «Reforme de la Société des Nations», 13 junio 1936, QDO, SDN-30 (151-156)

[71] Palanet a Eden, 6 julio 1936, PRO, FO 371/20474.

[72] Forbes a Eden, 23 junio 1936, PRO, FO 371/20210; y Delbos a Herbette y Herbette a Delbos, 19 junio 1936, QDO, SDN-30 (162-163 y 175).

[73] Ibid.; Herbette a Flandin, 14 mayo 1936, DDF, 2ª serie, II, pp. 316-318, y Herbette a Delbos, 4 junio 1936, QDO, E-213 (185-197).

[74] Lacroix (Praga) a Delbos, 16 junio 1936, QDO, SDN-30 (158); Forbes a Eden, 13 junio 1936, PRO, FO 371/20210, y Edmond a F. O., 29 junio 1936, PRO, FO 371/20474.

[75] «Declaración conjunta de los neutrales del 1 de julio de 1936», DSM, y «Los neutrales se declaran partidarios de la reducción de armamentos», *El Socialista*, 2 julio 1936. Sobre las posiciones mantenidas por las distintas delegaciones en la Asamblea de julio, «Travaux de l'Assemblée et du Conseil de la Société des Nations: 30 juin-4 juillet 1936», 6 julio 1936, y «Réponses des membres de la Société des Nations au sujet de la réforme du Pacte», 10 septiembre 1936, QDO, SDN-31 (10-11 y 125-130), y «Memorandum on the Reform of the League of Nations», F. O. Minute, 15 julio 1936, PRO, FO 371/20474.

[76] «Discurso pronunciado por el Señor Ministro de Estado ante la Asamblea de la Sociedad de Naciones», 3 julio 1936, AGA, AE-11189 (1222).

[77] Cf. ORVIC, N.: ob. cit., pp. 172-194; JONES, S. S.: ob. cit., pp. 230 y ss.; KIEFT, D. O.: ob. cit., passim, y OGLEY, R.: ob. cit., passim. Entre los numerosos artículos que se escribieron por políticos y estudiosos de la época, conviene remitir a los de HAMBRO, C. J.: «The Rôle of the Smaller Powers in International Affairs Today», *International Affairs* (marzo-abril, 1936), pp. 167-177; KOHT, H.: «Neutrality and Peace», *Foreign Affairs*, 15, (enero 1937), pp. 280-289, y ROLIN, H.: «The viewpoint of the Smaller European States», *Problems of Peace*, 13 (1938), pp. 165-177.

[78] Cf. Fernando de los Ríos a Madariaga, 24 febrero 1937, DSM; MADARIAGA, S. de: ob.

cit., pp. 557-558, y «Memoria personal» en *España...*, ob. cit., pp. 598-601.

[79] «Nota a la prensa», reprod. en MADARIAGA, S. de: *Memorias...* , ob. cit., pp. 726-727, y Madariaga a Barcia, 13 abril 1936, AMAE, R-850 (7).

[80] MADARIAGA, S. de: «¿Quién fracasó?», en *El Sol*, 24 junio 1936; y «Wilson or Machiavelli. Which?» y «How can the world insure the peace», *The New York Times Magazine*, 12 y 19 julio 1936.

FUENTES Y BIBLIOGRAFIA

I) FUENTES DOCUMENTALES NO IMPRESAS

Documentos oficiales:

a)   Archivo del Ministerio de Asuntos Exteriores (Madrid).
     Archivo Renovado (Serie R).
     Expedientes de Personal (Serie P).
b)   Archivo General de la Administración Pública (Alcalá de Henares).
     Sección de Asuntos Exteriores: Embajada de París, Embajada de Londres,
     Legación en Berna y Legación en Oslo.
c)   Public Record Office (Londres).
     Foreign Office Files.
d)   Archives du Ministère des Affaires Étrangères (París).
     Serie Europe, 1918-1940: sub-serie «Espagne, 1930-1940».
     Serie Société des Nations, 1917-1940: sub-series «Désarmement: Generalités,
     Conférence du Désarmement», «Arbitrage, Securité, Désarmement», «Pacte
     de la SDN», «Organisation de la SDN» y «Questions politiques».
e)   Archives de la Société des Nations (Ginebra).
     Fonds du Secrétariat: «Registry Files», 1928-1932 y 1933-1946.

Papeles privados:

a)   Fonds nominatifs des Archives du Ministère des Affaires Étrangères (París).
     Papiers Avenol: «Correspondance» (1931-1936).
     Papiers Léger: «Lettres particulières, 1932-1939».
     Papiers Massigli: Cartons «Correspondance politique personnelle».

b)   Fonds divers des Archives de la Société des Nations (Ginebra).
Fonds William Martin: Conversations, 1915-1933, 2ª serie.
Papiers Sean Lester: cartón 1931-1933.

c)   Papeles privados no depositados en fondos públicos.
Documentación Salvador de Madariaga (Londres).

II) FUENTES DOCUMENTALES IMPRESAS

Documentos diplomáticos:

a)   Alemania:
Documents on German Foreign Policy, 1918-1945 (Washington y Londres, 1949-...):
serie C, 1933-1937, vols. IV y V.

b)   Bélgica:
Documents Diplomatiques Belges, 1920-1940 (Bruselas, 1964-66): período
1931-1936, vol. III.

c)   Estados Unidos:
Foreign Relations of the United States, 1919-1945 (Washington, 1934-...): 1931,
vol. I; 1932, I; 1933, I; 1934, I, y 1935, I.

d)   Francia:
Documents Diplomatiques Français, 1932-1939 (París, 1963-...): 1ª serie, 1932-1935,
vols. I-VIII y X-XI; 2ª serie, 1936-1939, vols. I y II.

e)   Gran Bretaña:
Documents on British Foreign Policy, 1919-1939 (Londres, 1946-...): 2ª serie, vols.
III, VIII, XII y XIV-XVI.

f)   Suiza:
Documents Diplomatiques Suisses (Berna, 1979-...): vol. 10 (1 enero 1930 - 31
diciembre 1933).

Actas, anuarios y boletines oficiales:

a)   España:
Congreso de los Diputados: *Diario de Sesiones de las Cortes* (Madrid): legislaturas
1931-33, 1933-35 y 1936.
Ministerio de Estado: *Boletín Oficial del Ministerio de Estado* (Madrid, mensual):
1931-1936.

b)   Francia:
Ministère des Affaires Étrangères: *Annuaire Diplomatique et Consulaire de la Re-
publique Française* (París, anual): 1931 y 1932.

c)   Gran Bretaña:
Foreign Office: *Foreign Office List* (Londres, anual): 1932-1935.

d)   Sociedad de Naciones:
Annuaire de la Société des Nations (Ginebra, anual): 1931-1936.

Official Journal (Ginebra, mensual): 1931-1936.
Official Journal, Special Supplements (Ginebra, ocasional): 1931-1936 (núms. 93, 101-104, 111-113, 115, 125, 138 y 151).
Records of the Conference for the Reduction and Limitation of Armaments (Ginebra, 1932-1934): serie A: «Verbatim Records of Plenary Meeting»; serie B: «Minutes of the General Commission», vols. I-III; serie C: «Minutes of the Bureau», vols. I y II, y «Conference Documents», vols. I-III.

Prensa:

a) Prensa española:
ABC, Madrid, 1931-1936 (Ateneo de Madrid).
Claridad, Madrid, 1935-1936 (Hemeroteca Municipal de Madrid).
El Debate, Madrid, 1931-1936 (Ateneo de Madrid).
El Liberal, Madrid, 1935-36 (Hemeroteca Municipal de Madrid).
El Socialista, Madrid, 1931-1936 (Ateneo de Madrid).
El Sol, Madrid, 1931-1936 (Ateneo de Madrid).
Luz, Madrid, 1932-1934 (Hemeroteca Municipal de Madrid).
b) Prensa extranjera:
L'Europe Nouvelle, París, 1930-1934 (Ateneo de Madrid).
Journal de Genève, Ginebra, 1931-1936 (Bibliothèque des Nations Unies).
Journal des Nations, Ginebra, 1931-1936 (Bibliothèque des Nations Unies).
New York Times, Nueva York, 1931-1936 (The British Library).
The Time, Londres, 1931-1936 (The British Library).

Otras colecciones y antologías documentales:

ADAMTHWAITE, A.: *The Lost Peace. International Relations in Europe, 1918-1939* (Londres, 1980).
AZAÑA, M.: *Obras Completas* (México, 1966), 4 vols.
HENIG, R. B., ed.: *The League of Nations* (Edimburgo, 1973).
KEITH, A. B., ed.: *Speeches and Documents on International Affairs, 1918-1937* (Londres, 1938).
MADARIAGA, S. de: *Discursos internacionales* (Madrid, 1934).
MARTÍNEZ CARDOS, J. y FERNÁNDEZ ESPESO, C.: *Primera Secretaría de Estado Ministerio de Estado. Disposiciones orgánicas, 1705-1936* (Madrid, 1972).
NIXON, E. B., ed.: *Franklin Roosevelt and Foreign Affairs* (Cambridge, Massachusetts, 1969), 3 vols.
ROSENMAN, S. I., comp.: *The Public Papers and Addresses of Franklin D. Roosevelt* (Nueva York, 1938), multivol.
Royal Institute of International Affairs: *Documents on International Affairs* (Londres, anual): 1934, 1935 (2 vols.) y 1936.
TITULESCU, N.: *Documente Diplomatice* (Bucarest, 1967).
TOYNBEE, A. J.: *Survey of International Affairs* (Londres, 1920/23-...): 1931-1935.

III) BIBLIOGRAFIA

Memorias y diarios:

AGRAMONTE Y CORTIJO, F.: *El frac a veces aprieta. Anécdotas y lances de la vida diplomática* (Madrid, 1957).

ALOISI, P.: *Journal, 25 juillet 1932-14 juin 1936* (París, 1957).

ALCALÁ-ZAMORA, N.: *Memorias* (Barcelona, 1977).

AZAÑA, M.: *Memorias políticas y de guerra* (Barcelona, 1981).

AZCÁRATE Y FLÓREZ, P. de: «La Sociedad de Naciones. Recuerdos y noticias sueltas», en *O.N.U. Año XX, 1946-1966* (Madrid, 1966).

BECK, J.: *Dernier Rapport: Politique Polonaise, 1926-1939* (Neuchatel, 1951).

BONNET, G. E.: *Défense de la paix* (Ginebra, 1946-1948), 2 vols.

BOWERS, C. G.: *Misión en España: en el umbral de la II Guerra Mundial, 1933-1939* (Barcelona, 1977).

CECIL, Viscount: *A Great Experiment* (Londres, 1941).

CHAPAPRIETA, J.: *La paz fue posible. Memorias de un político* (Barcelona, 1972).

EDEN, A.: *The Eden Memoirs. Facing the Dictators* (Londres, 1962).

FLANDIN, P. E.: *Politique Française, 1919-1940* (París, 1947).

GIL-ROBLES, J. M.: *No fue posible la paz. Memorias* (Barcelona, 1968).

GUARIGLIA, R.: *Primi passi in diplomazia e rapporti dall'ambasciata di Madrid, 1932-1934* (Nápoles, 1972).

HERRIOT, E.: *Jadis II, D'une guerre à l'autre, 1914-1939* (París, 1952).

HYMANS, P.: *Mémoires* (Bruselas, 1958), 2 vols.

HOARE, S.: *Nine Troubled Years* (Londres, 1954).

JIMÉNEZ DE SANDOVAL, F.: *Diálogos de la Diplomacia. El arte de la Diplomacia. El oficio del diplomático. El snobismo de los diplomáticos* (Barcelona, 1945).

JONES, T.: *A Diary with Letters, 1931-1950* (Londres, 1954),

LERROUX, A.: *La Pequeña Historia de España, 1930-1936* (Buenos Aires, 1945).

MADARIAGA, S. de: *Memorias. Amanecer sin mediodía, 1921-1936* (Madrid, 1974).

—: *Memorias de un federalista* (Madrid, 1967).

—: *Españoles de mi tiempo* (Barcelona, 1974).

MOTTA, G.: *Testimonia Temporum: series secunda, 1932-1936* (Bellinzona, 1941).

PAUL-BONCOUR, J.: *Entre deux guerres: souvenirs sur la troisième République* (París, 1945-1947), 3 vols.

RIVAS CHERIF, C. de: *Retrato de un desconocido. Vida de Manuel Azaña* (Barcelona, 1979).

SÁNCHEZ ALBORNOZ, C.: *Anecdotario político* (Barcelona, 1972).

SIMON, J., Viscount: *Restrospect* (Londres, 1952).

TABOUIS, G.: *Vingt Ans de «Suspense» Diplomatique* (París, 1958).

VANSITTART, R.: *The Mist Procession* (Londres, 1958).

VIDARTE, J. S.: *Las Cortes Constituyentes de 1931-1933* (Barcelona, 1976).

Obras generales y monografías:

a) Sobre las relaciones internacionales de entreguerras:

ADAMTHWAITE, A.: *Britain and France, 1914-1945* (Londres, 1980).
BAUMONT, M.: *La faillite de la paix, 1918-1939* (París, 1967).
BROCK, P.: *A history of pacifism, III: Twentieh-Century Pacifism* (Nueva York, 1970).
BULL, H. y WATSON, A., ed.: *The Expansion of International Society* (Oxford, 1984).
CARR, E. H.: *The Twenty Years' Crisis, 1919-1939* (Londres, ed. 1983).
—: *International Relations between the Two World War* (Londres, 1952).
CRAIG, G. A. y GILBERT, F., eds.: *The Diplomats, 1919-1939* (Nueva York, 1953).
DUROSELLE, J. B.: *Histoire diplomatique de 1919 à nous jours* (París, ed. 1985)
—: *La décadence, 1932-1939* (París, 1979).
—: *Le drame de l'Europe* (París, 1969).
—: *De Wilson à Roosevelt. Politique extérieure des États-Unis, 1913-1945* (París, 1960).
HASLAM, J.: *The Soviet Union and the Struggle for Collective Security in Europe, 1933-1939* (Londres, 1984).
HILDEBRAND, K.: *The Foreign Policy of the Third Reich* (Londres, 1973).
KENNEDY, P.: *Auge y caída de las grandes potencias* (Barcelona, 1989).
KEYLOR, W. R.: *The Twentieth Century World: an international history* (Londres, 1984).
MARKS, S.: *The Illusion of Peace. International Relations in Europe, 1918-1933* (Londres, 1976).
MILZA, P.: *De Versailles à Berlin, 1919-1945* (París, 1980).
NORTHEDGE, F. S.: *The Troubled Giant: Britain among the Great Powers, 1916-1939* (Londres, 1918).
PARKER, R. A. C.: *El Siglo XX. I) Europa, 1918-1945* (Madrid, 1978).
PEGG, C. H.: *Evolution of the European Idea, 1914-1932* (Chapel Hill, 1983).
RENOUVIN, P.: *Historia de las Relaciones Internacionales. Siglos XIX y XX* (Madrid, 1982).
ROCK, W. R.: *British Appeasement in the 1930's* (Londres, 1977).
ROSS, G.: *The Great Powers and the Decline of the European States System, 1914-1945* (Londres, 1983).
ROSTOW, N.: *Anglo-French Relations, 1934-1936* (Nueva York, 1984).
SONTAG, R. J.: *A broken world, 1919-1939* (Londres, 1972).
TAYLOR, A. J. P.: *The Origins of the Second World War* (Londres, 1961).
THIBAULT, P.: *L'age des dictatures, 1918-1947* (París, 1971).
VALETTE, J.: *Problèmes des relations internationales, 1918-1949* (París, 1980).
WEINBERG, G. L.: *The Foreign Policy of Hitler's Germany: Diplomatic Revolution in Europe, 1933-1936* (Chicago, 1970).

b) Sobre la Sociedad de Naciones en general:

ALVAR, M. F.: *La gran obra internacional de la Sociedad de Naciones. Palabras de D. Salvador de Madariaga* (Madrid, 1936).
AZCÁRATE, P. de: *William Martin: un grand journaliste à Genève* (Ginebra, 1970).

BARROS, J.: *Office without power. Secretary General Sir Eric Drummond, 1919-1933* (Londres, 1979).

—: *Betrayal from within: Joseph Avenol, Secretary General of the League of Nations, 1933-1940* (New Haven, 1969).

BENDIMER, E.: *A Time for Angels. The Tragicomic History of The League of Nations* (Nueva York, 1975).

BIRN, D. S.: *The League of Nations Union, 1918-1945* (Oxford, 1981).

GERBET, P.; GHEBALI, V. Y. y MOUTON, M. R.: *Société des Nations et organisation des Nations-Unies* (París, 1973).

JOYCE, J. A.: *Broken Star. The Story of The League of Nations, 1919-1939* (Swansea, 1978).

NORTHEDGE, F. S.: *The League of Nations. Its Life and Times, 1920-1946* (Leicester, 1986).

PLÁ CÁRCELES, J.: *La Sociedad de las Naciones. Lo que es y como funciona* (Madrid, 1929).

POSADA, A.: *La Sociedad de las Naciones y el derecho político. Superliberalismo* (Madrid, 1925).

RÍOS Y URRUTI, F. de los: *La «Comunidad» Internacional y la Sociedad de las Naciones* (Madrid, 1935).

RAMÓN DE ORUE, J.: *La Sociedad de Naciones* (Madrid, 1932).

RIVERO GARCÍA, C.: *La Sociedad de Naciones, su valor jurídico y positivo y el problema de la paz* (Madrid, 1927)

SCOTT, G.: *The Rise and Fall of The League of Nations* (Londres, 1973).

TORRE, R. de la: *La Sociedad de Naciones* (Barcelona, 1977).

WALTERS, F.: *Historia de la Sociedad de Naciones* (Madrid, 1971).

ZIMMER, A.: *The League of Nations and the Rule of Law* (Londres, 1936).

c)   Sobre cuestiones de seguridad colectiva y desarme:

ALVARGONZALES, C.: *Desarme naval y Sociedad de Naciones* (Madrid, 1931).

BENNETT, E. W.: *German Rearmament and the West, 1932-1933* (Princeton, 1979).

BRUGIERE, P. F.: *La sécurité collective, 1919-1945* (París, 1946).

DEIST, W.: *The Wehrmacht and German Rearmament* (Londres, 1982).

DUPUY, T. N. & HAMMERMAN, G. M., ed.: *A Documentary History of Arms Control and Disarmament* (Nueva York, 1973).

IZAGA, L.: *El desarme y la Sociedad de Naciones* (Madrid, 1927).

KIMMICH, C. H.: *Germany and the League of Nations* (Chicago, 1976).

MADARIAGA, S. de: *Disarmament* (Londres, 1929).

NOEL-BAKER, P.: *The First World Disarmament Conference, 1932-1933. And Why it Failed* (Oxford, 1979).

SHOTWELL, J. T. & SALVIN, M.: *Lessons on Security and Disarmament from the History of The League of Nations* (Nueva York, 1949).

SLOUTZKI, N.: *The World's Armament Race, 1919-1939* (Ginebra, 1940).

VAISSE, M.: *Sécurité d'abord. La politique française en matière de désarmement, 9 décembre 1930-17 avril 1934* (París, 1981).

WHEELER-BENNETT, J.: *The Pipe-Dream of Peace: the Story of the Collapse of Disarmament* (Nueva York, 1935).

d)   Sobre los principales conflictos (Manchuria, Abisinia y Renania):

BAER, G.: *The Coming of the Italian-Ethiopian War* (Cambridge, Massachusettes, 1967).
—: *Test Case: Italy, Ethiopia and the League of Nations* (Oxford, 1981).
DEL BOCA, A.: *The Ethiopian war* (Chicago, 1969).
DOXEY, M. P.: *Economic Sanctions and International Enforcement* (Londres, 1971).
EMMERSON, J. T.: *The Rhineland Crisis: 7 march 1936. A study in multilateral diplomacy* (Londres, 1977).
HARASZTI, E.: *The Invaders: Hitler Ocuppies the Rhineland* (Budapest, 1983).
HARDIE, F.: *The Abyssinian Crisis* (Londres, 1974).
HIGHLEY, A. E.: *The Actions of the States Members of The League of Nations in Application of Sanctions Against Italy, 1935-1936* (Ginebra, 1938).
LAURENS, F. D.: *France and the Italo-Ethiopian Crisis, 1935-1936* (La Haya, 1967).
MADARIAGA, S. de: *Le grand dessein* (París, 1939).
MARTIN, W.: *Le Japon contre la Société des Nations* (Ginebra, 1932).
NIN, A.: *Manchuria y el imperialismo* (Valencia, 1932).
ORTEGA Y GASSET, E.: *Etiopía. El conflicto italo-abisinio* (Madrid, 1935).
PÉREZ ABASCAL, C.: *¿Italia? ¿Etiopía?: ¡El derecho! ¡España!* (Madrid, 1936).
ROBERTSON, E. M.: *Mussolini as Empire-Builder. Europe and Afrique, 1932-1936* (Londres, 1977).
MACK SMITH, D.: *Mussolini's Roman Empire* (Londres, 1976).
SMITH, S. R.: *The Manchurian Crisis, 1931-1932: A Tragedy in International Relations* (Nueva York, 1948).
THORNE, C.: *The Limits of Foreign Policy: The West, The League and the Far Eastern Crisis of 1931-1933* (Londres, 1972).

e)   Sobre pequeñas potencias y neutralidad:

ALLAIN, J. C., ed.: *La Moyenne Puissance au XXe. siècle. Recherche d'une définition* (París, 1988).
BACOT, B.: *Des neutralités durables. Origine, domaine et efficacité* (París, 1947).
BAKER FOX, A.: *The Power of Small States: Diplomacy in World War II* (Chicago, 1959).
BARSTON, R. P.: *The Others Powers. Studies in the Foreign Policies of Small States* (Londres, 1973).
Finish Political Science Association: *Finish Foreign Policy: Studies in Foreign Politics* (Helsinki, 1963).
IORDACHE, N.: *La Petite Entente et l'Europe* (Ginebra, 1977).
JONES, S. S.: *The Scandinavian States and The League of Nations* (Princeton, 1939).
KARSH, E.: *Neutrality and Small States* (Londres, 1988).

KIEFT, D. O.: *Belgium's Return to Neutrality: An Essay in the Frustractions of Small Power Diplomacy* (Oxford, 1972).

MUNCH, P.: *La politique du Danmark dans la Société des Nations* (Ginebra, 1931).

OGLEY, R.: *The Theory and Practice of Neutrality in the Twentieth Century* (Nueva York, 1970).

ORVIC, N.: *The Decline of Neutrality, 1914-1941* (Plymonth & Londres, 1971).

ROLIN, H. A.: *La politique de la Belgique dans la Société des Nations* (Ginebra, 1931).

ROTHSTEIN, R.: *Alliances and Small Powers* (Nueva York y Londres, 1968).

SCHOU, A. & BRUNDTLAND, A. O., eds.: *Small States in International Relations* (Estocolmo, 1971).

VITAL, D.: *La supervivencia de las pequeñas potencias: Estudios sobre los conflictos entre pequeñas y grandes potencias* (Madrid, 1975).

—: *La desigualdad de los Estados: Estudio de las pequeñas potencias en las Relaciones Internacionales* (Madrid, 1976).

WRIGHT, Q., ed.: *Neutrality and Collective Security* (Chicago, 1936).

f) Sobre política exterior española en 1919-1939:

ALBORNOZ Y LIMIÑANA, A. de: *La política internacional de España. Galdós o el optimismo liberal* (Buenos Aires, 1943).

AGUIRRE DE CÁRCER, N. y FERNÁNDEZ DE LA MORA, G.: *La política exterior de España* (Madrid, 1970).

AREILZA, J. M. y CASTIELLA, F. M.: *Reivindicaciones de España* (Madrid, 1941).

ARENAL, C. del: *La teoría de las relaciones internacionales en España* (Madrid, 1979).

BARCIA TRELLES, C.: *Puntos cardinales de la política internacional española* (Barcelona, 1939).

—: *La política internacional de España y el destino del Mediterráneo* (Valladolid, 1946).

BECKER, J.: *Causas de la esterilidad de la acción exterior de España* (Madrid, 1925).

BERMÚDEZ DE CASTRO Y O'LAWLOR, S.: *Consideraciones sobre la situación internacional de España* (Madrid, 1936).

BLEDSOE, G.: *Spain and the League of Nations, 1919-1931* (Florida, 1972).

CASTIELLA, F. M.: *Una batalla diplomática* (Barcelona, 1976).

—: *Política exterior de España, 1898-1960* (Madrid, 1960).

CORDERO TORRES, J. M.: *Relaciones exteriores de España* (Madrid, 1954).

CORTADA, J. W.: *Two Nations over Time: Spain and the United States, 1776-1977* (London, 1978).

COVERDALE, J. F.: *La intervención fascista en la Guerra Civil española* (Madrid, 1979).

DÍAZ-PLAJA, F.: *Francófilos y germanófilos. Los españoles en la guerra europea* (Barcelona, 1973).

EGIDO LEÓN, M. A.: *La concepción de la política exterior española durante la 2ª República* (Madrid, 1987).

FERNÁNDEZ MIRANDA, F.: *El control parlamentario de la política exterior en el derecho español* (Madrid, 1977).

IBÁÑEZ DE IBERO, C.: *Política mediterránea de España, 1704-1951* (Madrid, 1952).

MALAGARRIGA, C.: *Un año de diplomacia republicana* (Madrid, 1936).

MARTÍN LLORENTE, F.: *El problema del Mediterráneo* (Madrid, 1935).

MORALES LEZCANO, V.: *España, de pequeña potencia a potencia media* (Madrid, 1991).

MOUSSET, A.: *L'Espagne dans la politique mondiale* (Paris, 1923).

NIÑO, A.: *Cultura y diplomacia. Los hispanistas franceses y España, 1875-1931* (Madrid, 1988).

OLIVEIRA, C.: *Portugal y la Segunda República Española, 1931-1936* (Madrid, 1986).

PAEZ, F.: *La significación de Francia en el contexto internacional de la II República española (1931-1936)* (Madrid, 1990).

PALOMARES, G.: *Mussolini y Primo de Rivera. Política exterior de dos dictadores* (Madrid, 1989).

PEREIRA, J. C.: *Introducción al estudio de la política exterior de España. Siglos XIX y XX* (Madrid, 1983).

—: *Las relaciones bilaterales entre España y la Gran Bretaña durante el reinado de Alfonso XIII (1919-1931)* (Madrid, 1986).

PERTIERRA ROJAS, J. F.: *Las relaciones hispano-británicas durante la II República (1931-1936)* (Madrid, 1984).

SAZ CAMPOS, I.: *Mussolini contra la II República* (Valencia, 1986).

Sociedad de Estudios Internacionales: *Veinte años de labor por la paz y la justicia universal y por España* (Madrid, 1954).

SUQUÍA, F.: *España en la política internacional* (Madrid, 1926).

TORRE GÓMEZ, H. de la: *Do «perigo espanhol» à amizade peninsular. Portugal-Espanha, 1919-1930* (Lisboa, 1985).

—: *La relación peninsular en la antecámara de la guerra civil de España (1931-1936)* (Mérida, 1988).

TUSELL GÓMEZ, J. y GARCÍA QUEIPO DE LLANO, G.: *El Dictador y el Mediador. España-Gran Bretaña, 1923-1930* (Madrid, 1986).

VILAR, J. B. (ed.): *Las relaciones internacionales en la España contemporánea* (Murcia, 1989).

VIÑAS, A.: *La Alemania nazi y el 18 de julio* (Madrid, 1977).

—: et alii: *Política comercial exterior en España*, vol. I: 1931- 1945 (Madrid, 1979).

ZURANO MUÑOZ, E.: *Valor y fuerza de España como potencia en el concierto internacional* (Madrid, 1922).

Artículos:

a) Sobre relaciones internacionales y Sociedad de Naciones:

AUER, P. de: «Proposals for the Reform of the Covenant», *World Affairs*, vol. II (septiembre 1936), pp. 111-164.

BAER, G. W.: «Sanctions and Security: The League of Nations and the Italian-Ethiopian War, 1935-1936», *International Organization*, XXVII (1973), pp. 165-180

—: «Leticia and Ethiopia before the League», en *The League of Nations in retros-*

pect/La Société des Nations: retrospective, Geneva, november 1980 (Berlín/Nueva York, 1983), pp. 282-291.

DAVIS, M. W.: «The Draft Disarmament Convention: A Synthesis of Conference Decisions», *Geneva Studies*, IV, 1 (1933), pp. 1-16.

DEIST, W.: «Le problème du réarmement allemand dans les années 1933- 1936», en *La France & L'Allemagne, 1932-1936* (París, 1980), pp. 49-74.

DULLES, A. W.: «Germany and the Crisis in Disarmament», *Foreign Affairs*, XII (enero 1934), pp. 260-270.

EGERTON, G. W.: «Great Britain and the League of Nations: collective security as myth and history», en *The League of Nations in retrospect*, op. cit., pp. 95-117.

ENGEL, S.: «League Reform: An Analysis of Official Proposals and Discussions, 1936-1939», *Geneva Studies*, XI (agosto 1940), pp. 1-282.

GROSSI, V.: «Une paix difficile: le mouvement pacifiste international pendant l'en-tre-deux-guerres», *Relations Internationales*, 53 (primavera 1988), pp. 23-35.

HIETT, H.: «Public Opinion and the Italo-Ethiopian Dispute: The Activity of Private Organizations in the Crisis», *Geneva Studies*, VII (febrero 1936), pp. 3-28.

KIMMICH, C. M.: «Germany and the League of Nations», en *The League of Nations in retrospect*, op. cit., pp. 118-127.

LOHMAN, P. H.: «The Background of the Sino-Japanese Conflict», *World Affairs Quarterly*, X (octubre 1939), pp. 246-257.

LYTTON, V.: «The Twelfth Assembly of the League of Nations», *International Affairs*, X (noviembre 1931), pp. 740-753.

MILLWARD, A.: «Only Yesterday: Some Reflections on the «Thirties» with particular reference to Sanctions», *International Relations*, I (abril 1957), pp. 281-290.

OSTROWER, G. B.: «The United States and the League of Nations, 1919- 1939», en *The League of Nations in retrospect*, op. cit., pp. 128-143.

PARKER, R. A. C.: «Great Britain, France and the Ethiopian Crisis, 1935-1936», *English Historical Review*, 89 (abril 1974), pp. 293-332.

PLETTEMBERG, I.: «The Soviet Union and the League of Nations», en *The League of Nations in retrospect*, op. cit., pp. 144-181.

SIOTIS, J.: «The Institutions of the League of Nations», en *The League of Nations in retrospect*, op. cit., pp. 19-30.

SMITH, M.: «"A Matter of Faith": British Strategic Air Doctrine before 1939», *Journal of Contemporary History*, XV, 3 (julio 1980), pp. 423-442.

SVOLOPOULOS, C.: «La securité régionale et la Société des Nations», en *The League of Nations in retrospect*, op. cit., pp. 266-281.

VAISSE, M.: «Continuité et discontinuté dans la politique française en matière de désarmement (février 1932-juin 1933): l'exemple du contrôle», en *La France & L'Allemagne*, op. cit., pp. 27-47.

—: «La Société des Nations et le désarmement», en *The League of Nations in retrospect*, op. cit., pp. 245-265

WATT, D. C.: «The Reoccupation of Rhineland», *History Today*, VI, 4 (abril 1956), pp. 244-251.

—: «Germans Plans for the Reoccupation of the Rhineland: A Note», *Journal of Contemporary History*, I (octubre 1966), pp. 193-199.

ZIMMERN, A.: «The Testing of the League», *Foreign Affairs*, XIV (abril 1936), pp. 373-386.

b) Sobre pequeñas potencias y neutralidad:

BAKER FOX, A.: «The Small States in the International System, 1916- 1969», *International Journal*, XXIV, 4 (otoño 1969), pp. 751-764.
DUROSELLE, J. B.: «Qu'est-ce qu'une grande pussance?», *Relations Internationales*, 17 (primavera 1979), pp. 3-10.
HAMBRO, C. J.: «The Role of Smaller Powers in International Affairs», *International Affairs*, XV (marzo 1936), pp. 167-177.
HECKSCHER, G.: «The Role of Small-Nations Today and Tomorrow», Lecture delivered at the School of Slavonic and East European Studies (Londres, 1966), pp. 1-16.
KEOHANE, R. O.: «"Lilliputians" dilemmas: small states in international politics», *International Organisation*, XXIII, 2 (1969), pp. 291-310.
KOHT, H.: «Neutrality and Peace: the view of a Small Power», *Foreign Affairs*, XV (enero 1937), pp. 280-289.
LANGE, C.: «Germany and Geneva: II. A Norwegian View», *Political Quarterly*, V (enero-marzo 1934), pp. 7-12.
LESTER, S.: «The Far East Dispute from the Point of View of the Small States», *Problems of Peace*, 8 (1933), pp. 120-135.
PATTERSON, W. E.: «Small States in International Politics», *Cooperation and Conflict*, 2 (1969), pp. 119-123.
RAPPARD, W. E.: «Germany and Geneva: I. A Swiss View», *Political Quarterly*, V (enero-marzo 1934), pp. 1-6.
—: «Small States in the League of Nations», *Problems of Peace*, 9 (1934), pp. 14-53.
ROLIN, H.: «The View Point of the Smaller European States», *Problems of Peace*, 13 (1938), pp. 165-177.
RUFFIEUX, R.: «La Suisse et la Société des Nations», en *The League of Nations in retrospect*, op. cit., pp. 182-195.
VANDENBOSCH, A.: «Small States in International Politics and Organization», *Journal of Politics*, XXVI (mayo 1964), pp. 293-312.
ZAHLER, W. R.: «Switzerland and The League of Nations», *American Political Science Review*, XXX (agosto 1936), pp. 753-757.

c) Sobre política exterior española:

ALTAMIRA, R.: «Les repercusions internationales du changement de régime en Espagne», *Esprit Internationale*, V (octubre 1931), pp. 578-591.
BLEDSOE, G. B.: «The Quest for Permanencia: Spain's Role in the League Crisis of 1926», *Iberian Studies*, 4 (1975), pp. 14-21.

—: «La Oficina Española de la Sociedad de Naciones, 1920-1931», *Revista de Política Internacional*, 127 (mayo-junio 1973), pp. 123-131.

—: «Spanish Foreign Policy, 1898-1936», en CORTADA, J. W., ed.: *Spain in the Twentieth Century World. Essays on Spanish Diplomacy, 1898-1978* (Londres, 1980), pp. 3-40.

CAIANI, L.: «La situazioni interna de la Spanna e il programma dell' imperialisme francese», *Gerarchia*, 11 (febrero 1931), pp. 135-137.

CARRERAS ARES, J. J.: «El marco internacional de la Segunda República», *Arbor*, 426-427 (junio-julio 1981), pp. 37-50.

EGIDO LEÓN, A.: «La política exterior de España durante la II República, 1931-1936», *Proserpina*, 1 (diciembre 1984), pp. 99-143.

ESPADAS BURGOS, M.: «La política exterior española en la crisis de la Restauración», en *Historia de España y América*, XVI, 2 (Madrid, 1981), pp. 581-614.

GIRAULT, R.: «Reflexions sur la methodologie de l'histoire des relations internationales. L'exemple des relations franco-espagnoles», en *Españoles y Franceses en la primera mitad del siglo XX* (Madrid, 1986), pp. 151-159.

JAMES, I.: «Spain and the Mediterranean», *Problems of Peace*, 13 (1938), pp. 83-100.

JOVER ZAMORA, J. M.: «Caracteres de la política exterior de España en el siglo XIX», en *Homenaje a J. Vincke* (Madrid, 1963), vol. II, pp. 751-794.

—: «La percepción española de los conflictos europeos: notas históricas para su entendimiento», *Revista de Occidente*, 57 (febrero 1986), pp. 5-42.

MADARIAGA Y ROJO, S. de: «Previsiones autorizadas: La neutralidad española», *Información Hispanoamericana*, LXXIX (julio 1935), p. 9.

MARTÍN ARTAJO, A.: «Las constantes de nuestra política exterior», *Arbor* (julio-agosto 1958), pp. 336-346.

MARTÍNEZ CARRERAS, J. U.: «La política exterior española durante el reinado de Alfonso XIII. España y la revolución alemana», *Revista de la Universidad Complutense*, XXVIII, 116, pp. 313-353.

MARTÍNEZ DE VELASCO FARINOS, A.: «La reforma del Cuerpo Diplomático por Primo de Rivera», *Revista Internacional de Sociología*, XXXVIII (1980), pp. 409-442.

MENCHEN BARRIOS, M. T.: «La actitud de España ante el Memorándum Briand (1929-1931)», *Revista de Estudios Internacionales*, VI, 2 (abril-junio 1985), pp. 413-443.

MORALES LEZCANO, V.: «Orientaciones de la política internacional de España, 1898-1936», en *Estudios de Historia de España. Homenaje a Tuñón de Lara* (Madrid, 1981), vol. III, pp. 189-197.

—: «España y la Primera Guerra Mundial. La intelectualidad del 14 ante la guerra», *Historia 16*, VI, 63 (julio 1981), pp. 44- 52.

—: «El aislacionismo español y la opción neutralista: 1918- 1945», *Ideas para la democracia*, 1 (1984), pp. 251-261.

—: «L'Espagne, de l'isolationnisme à l'intégration internationale», *Relations Internationales*, 50 (verano 1987), pp. 147-155.

—: «Neutralidad y aliancismo en España: 1904-1945», *Proserpina*, 8 (1989), pp. 49-54.

NEILA HERNÁNDEZ, J. L.: «España y el modelo de integración de la Sociedad de Naciones», *Hispania*, L/3, 176 (1990), pp. 1373-1391.

PEREIRA CASTAÑARES, J. C.: «Reflexiones sobre la historia de las relaciones internacionales y la política exterior española», *Revista de Historia Moderna y Contemporánea*, 8 (1987), pp. 269-289.

—: y NEILA HERNÁNDEZ, J. L.: «La política exterior durante la II República: un debate y una respuesta», en VILAR, J. B., ed.: *Las relaciones internacionales en la España contemporánea*, op. cit., pp. 101-114

QUINTANA NAVARRO, F.: «La política exterior española en la Europa de entreguerras: cuatro momentos, dos concepciones y una constante impotencia», en *Portugal, España y Europa. Cien años de desafío (1890-1990)* (Mérida, 1991), pp. 51-74.

SAZ CAMPOS, I.: «Acerca de la política exterior de la 2ª República. La opinión pública y los gobiernos españoles ante la guerra de Etiopía», *Italica*, 16 (1982), pp. 265-282.

—: «La política exterior de la Segunda República en el primer bienio (1931-1933): una voloración», *Revista de Estudios Internacionales*, VI, 4 (octubre-diciembre 1985), pp. 843-858.

SOLÉ, G.: «La incorporación de España a la Sociedad de Naciones», *Hispania*, 132 (enero-abril 1976), pp. 131-169.

SUEIRO SEOANE, S.: «Primo de Rivera y Mussolini. Las relaciones diplomáticas entre dos dictaduras (1923-1930)», *Proserpina*, 1 (diciembre 1984), pp. 23-33.

TAMAYO BARRENA, A. M.: «España ante el Pacto Briand-Kellogg», *Cuadernos de Historia Moderna y Contemporánea*, V (1984), pp. 187-213.

TEMIME, E.: «Les relations socio-culturelles franco-espagnoles dans la première moitie du XXe siècle», en *Españoles y franceses en la primera mitad del siglo XX*, op. cit., pp. 121-128.

TORRE GÓMEZ, H. de la: «El destino de la «regeneración» internacional de España (1910-1936)», *Proserpina*, 1 (diciembre 1984), pp. 9-21.

—: «Portugal frente al peligro español (1910-1936), *Proserpina*, 1 (diciembre 1984), pp. 59-79.

—: «Relaciones hispano-portuguesas (1919-1930)», *Revista de Historia Contemporánea*, 1 (diciembre 1982).

TUSELL GÓMEZ, J. y SAZ-CAMPOS, I.: «Mussolini y Primo de Rivera: las relaciones políticas y diplomáticas de dos dictaduras mediterráneas», *Boletín de la Real Academia de la Historia*, CLXXIX (septiembre-diciembre 1982), pp. 413-483.

ZULUETA, L.: «La política exterior de la II República», en *Tierra Firme*, 3 (1935), pp. 5-27.

d) Sobre Salvador de Madariaga:

ABELLA, R.: «Madariaga en la Sociedad de Naciones. Retratos», en *Salvador de Madariaga, 1886-1986, Libro homenaje en el centenario de su nacimiento* (La Coruña, 1987), pp. 97-106.

BOBILLO, F. J.: «Madariaga, un liberal herético», en *Salvador de Madariaga, 1886-1996*, op. cit., pp. 41-50.

CASTRO RIAL, J. M.: «Algunos aspectos del internacionalismo de Madariaga», en *Salvador de Madariaga, 1886-1996*, op. cit., pp. 123-132.

EGIDO LEÓN, M. A.: «Madariaga reivindicador de la figura de Vitoria como fundador del derecho internacional», en *Salvador de Madariaga, 1886-1996*, op. cit., pp. 107-111.

FAIRIEY DE GÓMEZ, J. M.: «The International Civil Service», en *Liber Amicorum, Homenaje a Salvador de Madariaga* (Brujas, 1966), pp. 329-338.

FERNÁNDEZ, C.: «Semblanza biográfica de Madariaga o "Retrato de un hombre de pie"», en *Salvador de Madariaga, 1886-1986*, op. cit., pp. 17-37.

GARCÍA QUEIPO DE LLANO, G.: «El fracaso de Madariaga. Intentos mediadores en la Guerra Civil española», *Historia 16*, número 116 (diciembre 1985), pp. 11-18.

—: «Madariaga y Primo de Rivera: los temas de un intelectual durante la Dictadura», en *Salvador de Madariaga, 1886-1996*, op. cit., pp. 75-82.

GIL PECHARROMAN, J.: «Madariaga y la política exterior de la República (1931-1936)», en *Salvador de Madariaga, 1886-1996*, op. cit., pp. 133-144.

LARSONS, M. J.: «Salvador de Madariaga», *Friendens Warte*, XXXIV, 2 (1934), pp. 66-71.

LEGER, A.: «Madariaga», en *Liber Amicorum*, op. cit., pp. 149-151.

MADARIAGA, I. de: «Salvador de Madariaga et le Foreign Office», *Revista de Estudios Internacionales*, IV, 2 (abril-junio 1983), pp. 229-257.

MORALES LEZCANO, V.: «Salvador de Madariaga y «The New Europe» (Le journaliste comme historien du présent)», en *Salvador de Madariaga, 1886-1986*, op. cit., pp. 379-386.

PIÑOL RULL, J.: «La teoría de las Relaciones Internacionales de Salvador de Madariaga», *Revista de Estudios Internacionales*, III, 2 (abril-junio 1980), pp. 435-446.

QUINTANA NAVARRO, F.: «Madariaga y el programa de desarme de la Segunda República», en *Salvador de Madariaga, 1886-1986*, op. cit., pp. 51-55.

RIOSALIDO, J.: «El expediente diplomático personal del embajador Don Salvador de Madariaga», en *Salvador de Madariaga, 1886-1996*, op. cit., pp. 89-96.

SACKS, N.: «Salvador de Madariaga, escritor trilingüe», en *Salvador de Madariaga, 1886-1996*, op. cit., pp. 209-212.

SÁIZ, M. D.: «Salvador de Madariaga en la revista España (1916-1923). Reflexiones sobre la Primera Guerra Mundial», en *Salvador de Madariaga, 1886-1996*, op. cit., pp. 371-378.

SALTER, Lord: «Madariaga in Geneva», en *Liber Amicorum*, op. cit., pp. 69-72.

SÁNCHEZ ALBORNOZ, C.: «El hispanismo de Madariaga», en *Liber Amicorum*, op. cit., pp. 107-109.

SEOANE, M. C.: «Salvador de Madariaga, periodista. Los primeros veinte años de una vocación (1916-1936)», en *Salvador de Madariaga, 1886-1986*, op. cit., pp. 367-370.

TUSELL GÓMEZ, J.: «Madariaga, político centrista al final de la República», en *Salvador de Madariaga, 1886-1996*, op. cit., pp. 67-73.

VICTORIA GIL, O.: «Bibliografía de y sobre Salvador de Madariaga», en *Salvador de Madariaga, 1886-1996*, op. cit., pp. 561-644.

VIÑAL CASAS, A.: «Salvador de Madariaga y la política y el servicio exterior españoles», en *Salvador de Madariaga, 1886-1996*, op. cit., pp. 113-121.

Trabajos inéditos:

CASANOVA GÓMEZ, M.: *Notas sobre el Cuerpo Diplomático (1931-1939)*, Memoria de Licenciatura, Facultad de Geografía e Historia de la UNED (Madrid, septiembre 1986).

GANDARIAS ALONSO DE CELIS, R.: *La CEDA y la política exterior de la II República, 1931-1936*, Memoria de la Escuela Diplomática (Madrid, curso 1972-73).

MARTÍN CINTO, J.: *La política exterior del Frente Popular de España*, Memoria de la Escuela Diplomática (Madrid, enero 1975).

TABANERA GARCÍA, N.: *La política hispanoamericana de la Segunda República española, 1931-1936*, Memoria de Licenciatura, Facultad de Geografía e Historia de la Universidad Complutense (Madrid, 1984).

IV) FUENTES ORALES Y GRAFICAS

Entrevistas:

a) Entrevistas consultadas:

M. Th. Aghnides, jefe de la sección de desarme del Secretariado de la SDN (Fonds orales de la Bibliothèque des Nations Unies à Genève).

M. P. de Azcárate, vicesecretario general de la SDN (Fonds orales de la Bibliothèque des Nations Unies à Genève).

D. Julio Caro Baroja, intelectual español (Archivo de la Palabra de la UNED, Madrid).

b) Entrevistas realizadas:

D. Jaime Alba Delibes, diplomático español, 23 enero y 18 abril 1986 (no grabada).

D. José Manuel Aniel-Quiroga y Redondo, diplomático español, 13 marzo 1985 (Archivo de la Palabra, UNED, Madrid).

D. Justino de Azcárate y Flórez, hermano de D. Pablo de Azcárate, 22 abril 1986 (grabación del autor).

D. Manuel de Azcárate, hijo de D. Pablo de Azcárate, 10 mayo 1986 (grabación del autor).

D. Fernando de Erice y O'Shea, diplomático español, 8 mayo 1986 (grabación del autor).

Dª Isabel de Madariaga, hija de D. Salvador de Madariaga, septiembre 1984 y agosto 1985 (no grabada).

Dª Pilar de Madariaga y Rojo, hermana de D. Salvador de Madariaga, 20 febrero 1985 (no grabada).

D. José Prat García, político socialista, 18 marzo 1985 (Archivo de la Palabra, UNED, Madrid).

D. Joaquín Satrústegui Fernández, político liberal, 21 abril 1986 (Archivo de la Palabra, UNED, Madrid).

Documentales cinematográficos:

Documental «Manchuria-Manchukuo», 1932, 845 metros (Archivo Sonoro de RTVE, Madrid).

Documental «El Nuevo Estado de Manchukuo», 1932, 860 metros (Archivo Sonoro de RTVE, Madrid).

Documental «Abisinia», 1934, 163 metros (Archivo Sonoro de RTVE, Madrid).

Noticiario «Eclair Journal», ed. española, 1935, 209 metros (Archivo Sonoro de RTVE, Madrid).

INDICE ANALITICO